《新修本草》辑复（下）

【唐】苏敬等撰
尚志钧辑复

尚志钧本草文献全集

本草古籍辑注丛书·第一辑

尚志钧/辑注
尚元胜 尚云飞
尚元藕 任 何/整理

2018年度国家古籍整理出版专项经费资助项目

尚志钧百年诞辰典藏

北京科学技术出版社

附录一　敦煌出土《新修本草》孔志约“唐本序”残卷

题解：日本杏雨书屋藏敦煌出土《新修本草》残片，是《新修本草》卷1残存的序文。序文存残文33行，前26行残缺，每行仅存半数，后7行尚存全文。详见本书附录六之“《新修本草》现存残卷考”一文。

日本杏雨书屋所藏敦煌出土《新修本草》，仅存《新修本草》序的残文。日本冈西为人《本草概说》卷首，曾影印此残片为书影。《中国本草全书》加以影印，并将之收入第6卷第37页，题为《新修本草序例》。

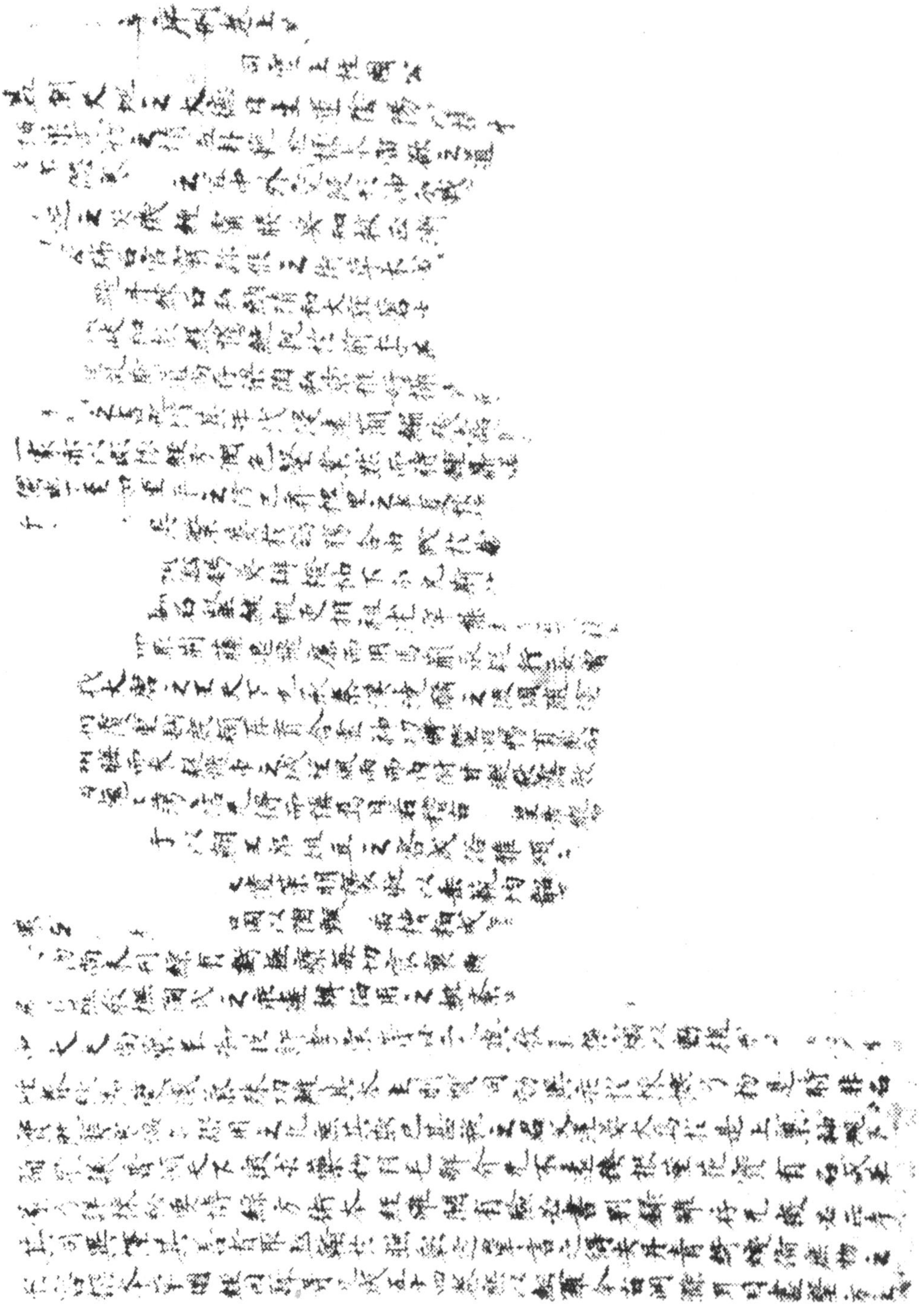

此为敦煌出土唐写本《新修本草·序例》卷上第一的序，序文残损，从可辨文知是孔志约序。其实物现藏于日本杏雨书屋

附录二　敦煌出土《新修本草》草部下品之上卷第十

题解：敦煌石窟鸣沙山第288号石窟，秘藏大量古代各种珍贵文献，封藏千余年，直到清朝末光绪二十五年（1899）才被发现。（姜亮夫：《敦煌伟大的文化宝藏》：1956年上海古典文学出版社出版，18页）。由于清政府不重视，有些珍贵文献，为外人所得。1907年英国斯坦因与1908年法国伯希和所得最多，而手抄本《新修本草》残卷亦在这个时候被带走。

法国伯希和所得《新修本草》残卷，是最长的卷子，卷长28.5厘米，存药30种，是卷10草部下品之上。

按《新修本草》卷10原有35种药，此残卷存药30种，从甘遂起，到白蔹止。前缺大黄、桔梗，后缺白及、蛇全、草蒿、藋菌。自甘遂到白蔹30种药排列次序和《医心方》所载《新修本草》目录卷10的目次完全相同，各个药的正文与小注，和《大观本草》所载《新修本草》资料几乎完全相同，仅有个别字写法不同。例如，“葉”“脑”“邪”“蠱”“亦”，敦煌本作“蓁”“腦”“耶”“蛊”“夂灬”。

在书写格式上是朱墨杂书。其红字《神农本草经》文和《大观本草》中黑底白字的《神农本草经》文全同，每个药的正文第一个字抬头高出一格，这和武田本《新修本草》及傅氏影刻《新修本草》不同。每行正文大字15～16个。每行注文小字20～21个，大字约有鸡子黄大，小字约有蚕豆大。在卷子背面杂有乾封二年至总章二年，伊西等州驿牒等语。

按，乾封二年是667年，总章二年是669年，而667年距离《新修本草》编成的时间659年，仅有8年时间。这比日本田边史天平三年（731）的手抄本要早60多年。

因此，该卷是《新修本草》现存最古的卷子。可惜这些极珍贵的原件，都流落在外人之手。

1952年罗福颐据法国国家图书馆伯希和氏3714号卷子本（高28．5厘米）影本摹写，并将之收入《西陲古方技书残卷汇编》。今据该书影印。

罗福颐对该卷子本曾加以考证，附于残卷末，今转录如下。

本草残卷，自甘遂至白敛，凡得药品三十，以余考之，盖唐李勣、苏敬等《新修本草》也。

《新修本草》日本尚存残卷十，今有《籑喜庐丛书》刻本，持以互校，体例相同，其证一也。

《证类本草》于《新修本草》所增注语，均冠以《唐本草》，而存其原文于夹注中，持以对读，文字莫不相同，其证二也；

《证类本草·序例上》引孔志约序云：梁·陶弘景拘于独学，异繁蒌于鸡肠；合由跋于鸢尾；防葵、狼毒，妄曰同根；钩吻、黄精，引为连类。

检此卷子本由跋根条云：谨案由跋根寻陶所注乃是鸢尾根，即鸢头也。

又半夏条云：陶注虎掌似半夏，注由跋乃说鸢尾，于此注似说由跋，三事混淆，陶竟不识。

又钩吻条云：黄精直生如龙胆、泽漆，两叶或四五叶相对，钩吻蔓生，叶如柳叶。

《博物志》云：钩吻叶似凫葵，并非黄精之类，陶乃文外浪说耳。所驳并与序合，其证三也。

有此三证，不待别求，定此卷为《新修本草》，可无疑义矣。

由以上考证，罗福颐认为："此卷卷背杂乾封二年至总章二年伊西等州驿牒。则其书写年代或尚在乾封以前，距成书才十数年，较天平本又为近古矣。"

三四對者皆一莖直上葉既相
亂唯以根有心無心爲别耳
甘遂味苦甘寒大寒有毒主大腹疝瘕腹滿
面目浮腫留飲宿食破癥堅積聚利水穀道
下五水散膀胱留熱皮中痞熱氣腫滿一名
主田一名甘藁一名陵藁一名陵澤一名重
澤生中山川谷二月採根陰乾苽蒂爲之使惡遠志反甘草
中山在代郡先第一本出太山江東比來用京口者大不相似赤
皮者勝白皮都下亦有名草甘遂殊惡蓋謂贗偽草耳
非言草石之草　謹案所謂草甘乃蚤休療體全別真
甘遂苗似澤漆草甘遂苗一莖端六七葉如草麻鬼臼葉
等生食一升亦不能利大療癰疽瘡毒且真甘遂皆以皮赤
肉白作連珠實重者良亦無皮白者皮白乃是蚤休俗名重臺
亭歷味辛苦寒大寒無毒主癥瘕積聚結氣
飲食寒熱破堅逐邪通利水道下膀胱水腹
留熱氣皮間邪水上出面目腫身暴中風熱痱

痒利小腹久服令人虚一名大室一名大適
一名丁歷一名蕈蒿生藁城平澤及田野立
夏後採實陰乾 得酒良榆皮為之使惡殭蠶石龍芮彭 城者最勝今近道亦有母即公薺
子細黃至苦 用之當熬也
芫花味辛苦溫微溫有小毒主欬逆上氣喉
鳴喘咽腫氣蠱毒鬼瘧疝瘕癰腫殺蟲魚
消胸中痰水喜唾水腫五水在五藏皮膚及
腰痛下寒毒肉毒久服令人虛一名去水
一名毒魚一名杜芫根名蜀桑根療疥瘡
可用毒魚生淮源川谷三月三日採華陰乾
決明為之使反甘草近道處處 有用之微熬不可近眼也
澤漆味苦辛微寒無毒主皮膚熱大腹水氣

四肢面目浮腫丈夫陰氣不足利大小腸明目輕
身一名柒莖大戟苗也生太山川澤三月三日
七月七日採陰乾 小豆為之使惡署預是大戟苗生時摘葉有白汁故名澤柒亦能囓人肉之
大戟味苦甘寒大寒有小毒主蠱毒十
二水腹滿急痛積聚中風皮膚疼痛
吐逆頸腋癰腫頭痛發汗利大小腸一名
邛鉅生常山十二月採根陰乾 反甘草近道處處有生根皮也
蕘花味苦辛寒微寒有毒主傷寒溫瘧
十二水破積聚大堅癥瘕蕩滌腸胃中
留癖飲食寒熱邪氣利水道淡飲欬嗽
生咸陽川谷及河南中牟六月採華陰乾
中時惟從河上來形似芫華而極細白色比來隔絕殆
不可得 謹案此藥苗似棪莖無刺花細黃白色
四月五月收与芫花
全不相似之也
旋復花味鹹甘溫微溫冷利有小毒主結氣

脇下滿悸除水去藏間寒熱補中下氣

消胷上淡結唾如膠漆心脇淡水膀胱留飲

風氣濕痺皮間死肉目中眵瞡利大腸通

血脈益色澤一名金沸草一名盛椹一名

戴椹根主風濕生平澤川澤五月採花

日乾廿日成 出近道下似菊花而大又別有旋復根乃出河南來北國亦有形似穹窮唯

合旋復膏用之餘無所入也非此旋伏根也 謹案

旋根死中品陶云苗似薑根似高涼薑而細此是山

薑證是旋根今復道從北國來似

芎藭芎藭與高涼薑全無髣髴

鉤吻味辛溫有大毒主金創乳痓中惡風

欬破癥積除脚膝痺四支拘攣惡瘡疥

蟲殺鳥獸一名野葛折之青烟出者名固

活甚熱一宿不入湯生傳高山谷及會稽東野

秦鉤吻味辛主喉痹咽中塞聲變欬逆上氣溫中一名除辛
一名毒根生寒石山二月八月採半夏為之使惡黃芩五符
中亦云鉤吻是野葛言其入口能鉤人喉吻或言吻作挽字
牽挽人腸而絕之覈事言乃是兩物野葛是根狀如牡丹
所生處亦有毒飛鳥不得集之今人用合膏服之無嫌
鉤吻別是一草葉似黃精而莖紫當心抽花黃
色初生既極類黃精故以為殺生之對也或云鉤吻是
毛茛此本經及後說皆參錯不同未詳定云何又有一
物名陰命赤色著木懸其子生山海中最　有大毒入
口即殺人　謹案野葛生桂州已南村墟閭巷間皆
有彼人通名鉤吻亦謂苗名鉤吻根名野葛蔓生人
自求死者取三葉挼使汁出擲水飲半日即死而
羊食苗大肥物有相伏如此若巴豆鼠食則肥也陶云
飛鳥不得集之妄矣其野葛以時新採者皮白骨黃
根似地骨嫩根如漢中防已皮節斷者良正與白花藤
根相類不深別者頗亦惑之其新取者折之無塵氣
經年已後則有塵起根骨似枸杞有細孔久者折之則
塵氣從孔中出今折枸杞根亦然經言折之青煙
起者名固活為良此亦不之言也黃精直生如龍膽澤

溙雨葉或四五葉相對鉤吻蔓生葉如柳博物志
云鉤吻葉似鳧葵並非黄精之類毛茛是有毛

毛茛此本經及後說皆參錯不同

物名除命赤色著木懸其子生山海中亦 有大毒入
口即無人解 謹案野葛桂州已南村墟閭巷間皆
有彼人通名鉤吻亦謂苗名鉤吻根名野葛蔓生人
自求死者取三葉并挼使汁出攪水飲半日即死而
羊食苗大肥 物有相伏如此若巴豆鼠食則肥也陶云
飛鳥不得集之妄矣其野葛以時新採者皮白骨黄宿

根似地骨嫩根如漢中防已皮節斷者良正與白花藤
根相類不深別者頗亦惑之其新取者折之無塵氣
經年已後則有塵起根骨似枸杞有細孔久者折之則
塵氣從孔中出今折枸杞根之然經言折之青烟
起者固為良此亦不之言也且黄精直生如龍膽澤
溙雨葉或四五葉相對鉤吻蔓生葉如柳博物志
云鉤吻葉似鳧葵並非黄精之類毛茛是有毛
石龍芮何干鉤吻秦中遍訪元無物聞乃浪說耳

藜蘆 味辛苦寒微寒有毒 主蠱毒欬逆

洩痢腸澼頭瘍疥瘙惡瘡殺諸蟲毒
去死肌療噦逆喉痺不通鼻中息肉
馬刀爛瘡不入湯一名葱苒一名葱菼一
名山葱生太山山谷二月採根陰乾 黄連為之使 反細辛芍藥
五参惡大黄近道處々有之根下極似
葱而多毛用之止剔取根微炙之
赭魁味甘平無毒主心腹積聚除三蟲生山
谷二月採 狀如小芋子肉白皮黄近道亦有
謹案赭魁大者如斗小者如升葉似杜
衡蔓生草木上有小毒陶所説者乃土卵不堪
藥用梁漢人名為黄獨蒸食之非赭魁也
及己味苦平有毒主諸惡瘡疥痂瘻蝕及
牛馬諸瘡 今人多用以合療疥膏甚驗也 謹案
此草一莖々頭四葉々隙着白花好
生山陰虛軟地根似細辛而黑有毒
入口使人吐而今以當杜衡非也

烏頭味辛甘溫大熱有毒主中惡風洗洗出
汗除寒溼欬逆上氣破積聚寒熱消胷
上淡冷食不下心腹冷疾臍間痛肩胛痛
不可俛仰目中痛不可久視又墮胎
汁煎之名射罔殺禽獸射罔味苦有大毒
療尸疰癥堅及頭風痺痛一名奚毒一名即子
烏喙味辛微溫有大毒主風溼丈夫腎溼陰
囊痒寒熱歷節掣引腰痛不能行步
癰腫膿結又墮胎生朗陵川谷正月二月
採陰乾長三寸以上為天雄 莽草為之使反半夏栝樓貝母白斂
白芨惡藜初有腦形似烏鳥之頭故謂兩枚共蔕狀如牛
角名烏喙獵師以傅箭射肉中人亦死宜即解之

注本烏頭天雄附子有歧者乃依本名相烏頭而歧曰名
烏頭天雄附子若有正而名偃之何名之也

天雄味辛甘温大温有大毒主大風寒濕痹
歷節痛拘攣緩急破積聚邪氣金創強筋
骨輕身健行療頭面風去來疼痛心腹結
聚關節重不能行步除骨間痛長陰氣強志令人武勇力作
不倦又墮胎一名白幕生少室山谷二月
採根陰乾遠志為之使惡腐婢今採用八月中旬
天雄似附子細而長者便是長者乃至三
四寸許此與烏頭附子謂為三建本並出建平故謂為
三建今宜都佷山最好謂為西建錢塘間者謂為東
建氣力不相似故曰西冰猶勝東白也其用灰殺之時
有冰強者並不佳 謹案天雄附子烏頭等並以蜀道
綿州龍州出者佳餘處縱有造得者氣力劣弱都不相
似江南來者全不堪用陶以三物俱出建平故名之非也
烏頭苗名堇音靳爾雅云芨堇草郭注云烏頭苗
也此物本出蜀漢其本名堇今訛為建遂以建
平釋之又石龍芮葉似堇草故名水堇今復為水茛

菮亦作建音此書復生建平耶檢字書又無菮

字甄立言本草音義云天雄附子側子並同用

八月採造其烏頭四月上旬今云二月採恐非時也

附子味辛甘溫大熱有大毒主風寒欬逆邪

氣溫中金創破癥堅積聚血瘕寒濕

踒躄拘攣膝痛不能行走腳疼冷弱腰脊

風寒心腹冷痛霍亂轉筋下利赤白堅肌骨

強陰又墮胎為百藥長生犍為山谷及廣

漢八月採為附子春採為烏頭 地膽為之使惡吴公畏防風黑

豆甘草黄耆人參烏韮 附子以八月上旬採也 八角者為良凡用三建

皆熱灰炮令坼勿過焦唯薑附湯生用之

俗方動用附子皆須甘草或人參生乾薑

相配者正以制其毒故也

側子味辛大熱有大毒主癰腫風痹歷節

腰脚疼冷，寒熱，鼠瘻。又墮胎。此即附子邊角之大者，脫取之，昔時不用，比來饒用，以療腳氣多驗。凡此三建，俗中乃是同根，而本經分生三處，當各有所宜故也。方云少室天雄、朗陵烏頭，皆稱本土，今則無別矣。少室山連嵩高，朗陵縣屬豫州汝南郡。今並北國。

謹案：側子只是烏頭下共附子、天雄同生，小者側子，與附子皆非正生，謂從烏頭傍出也。以小者為側子，大者為附子。今稱附子角為側子，理必不然。若當陽以下，江左及山南嵩高、齊魯間，附子時復有角如大豆許。夔州已上劍南所出者，附子之角，曾微黍粟，持此為用，誠亦難充。比來京下皆用細附子有效，未嘗取角。若然，方須八角附子，應言八側子附子也。言取角用，不近人情。

羊躑躅　味辛，溫，有大毒。主賊風在皮中淫淫痛，溫瘧，惡毒，諸痹。邪氣鬼疰蛊毒。一名玉

支生太行山谷及淮南山三月採華陰乾
今道近諸山皆有華黃似鹿葱羊誤食其葉躑躅
而死故以爲名亦不可近眼　謹案玉支躑躅一名陶
於玉支下注中云是躑躅子名玉支非也
花亦不似鹿葱正似旋花黃色也

茵芋味苦溫微溫有毒主五藏邪氣心腹寒
熱羸瘦如瘧狀發作有時諸關節風濕
痺痛久風脚弱一名莞草一名卑共生太
山川谷三月三日採葉陰乾　好者出彭城今近道亦有莖
葉狀如莽草而細軟耳用之皆連細
莖方用甚希唯以合療風酒散用之

射干味苦平微溫有毒主欬逆上氣喉
痺咽痛不得消息散結氣腹中邪逆食
飲大熱老血在心肝脾間欬唾言語氣臭
散匈中氣久服令人虛一名烏扇一名烏蒲

一名烏翣一名烏吹一名草薑生南陽川谷

生田野三月三日採根陰乾 此即是烏翣根庭臺多種之黃色亦療

毒腫方多作夜干字今射亦作夜音乃言其葉是鳶尾而

後有鳶頭此蓋相似爾恐非烏翣即其葉名矣又別

有射干相似而花白莖長似射人之執竿者故阮公詩云

射干臨增城此不入藥用根亦無塊 謹案射干此說者是

其鳶尾葉都似夜干而花紫碧色不抽高莖根似高良

薑而肉白根即鳶頭也陶說由跋都論此耳也

鳶尾味苦平有毒主蠱毒邪鬼諸毒破癥瘕

瘕積聚大水下三蟲療頭眩殺鬼魅一名烏

園生九疑山谷五月採 方家皆云是夜干苗無鳶尾之名主療亦異此當別一

種物方亦有用鳶頭者即應是其根療體相似而本草

不顯之 謹案此草葉似夜干而闊短不抽長莖花紫

碧色根似高良薑皮黃肉白有小毒嚼之戟人咽與夜

干全別人家亦種所在有之夜干花紅抽莖長根黃

有臼今陶云由跋正說鳶尾根莖也

貫衆味苦微寒有毒主腹中邪熱氣諸
毒殺三虫去寸白破癥瘕除頭風止金創
花療惡瘡令人泄一名貫節一名貫渠一
名百頭一名虎卷一名扁苻一名伯萍一名
藥藻此謂草鴟頭生玄山山谷及冤句
少室山二月八月採根陰乾 雚菌為之使近
道亦有葉如大
蕨其根形色毛芒全似老
鴟頭故呼為草鴟頭也
半夏味辛平生微寒熟溫有毒主傷寒寒熱
心下堅下氣喉咽腫痛頭眩胸脹欬逆腸
鳴止汗消心腹胸中膈痰熱滿結欬嗽
上氣心下急痛堅痞時氣嘔逆消癰腫
墮胎療痿黄悅澤面目生令人吐熟令

人下用之湯洗令滑盡一名地文一名水玉
一名守田一名示姑生槐里川谷五月八月採
根曝乾

射干為之使惡皂莢畏雄黃生薑秦皮
龜甲反烏頭槐里屬扶風令第一出青州
吳中亦有以肉白者為佳不厭陳久用之皆湯洗十許
過令滑盡不爾戟人咽方中有半夏必須生薑者
亦以制其毒故 謹案半夏所在皆有生澤中者名
羊眼半夏圓白為勝然江南者大乃徑寸南人特重之
頃來互相用功狀殊異問南人說苗乃是由跋陶注虎
掌極似半夏注由跋乃說鳶尾於此注似說由跋三
事混淆陶
竟不識

由跋根主毒腫結熱

本出始興今都下亦種之狀如
烏翣而布地花紫色根似附
子苦酒摩塗腫亦効不入餘藥 謹案由跋根尋陶所
注乃是鳶尾根即鳶頭也由跋今南人以為半夏頓
爾乖越非惟不識半夏
亦不知由跋与鳶尾耳

虎掌味苦溫微寒有大毒主心痛寒熱

陰下濕風眩生漢中山谷及宛朐二月八日
採陰乾 蜀漆為之使惡莽草近道亦有極似半夏但
皆大四邊有子如虎掌今用多破之或三
四片耳方藥亦不正用也 謹案此藥是由跋宿者其苗
一莖莖頭一葉枝丫脥莖根大者如拳小者若卵都似
扁柿四畔有圓牙如看虎掌故有此名其由跋是新
根猶大於半夏二三倍但四畔無子牙耳陶云虎掌似
半夏即由來以由跋為半夏釋由跋苗
全說鳶尾南人至今猶用由跋為半夏

莨菪子 味苦甘寒有毒主齒痛出蟲肉
痹拘急使人健行見鬼療癲狂風癇
顛倒拘攣多食令人狂走久服輕身
狂走及奔馬強志益力通神一名行唐
一名橫唐生海濱川谷及雍州五月採子
今處處亦有子形頗似五味核而小惟入療癲狂方用
尋此乃不可多食過劑耳久服自無由通神健行

呈有大茎而似佳不見用之
根唐今方家多作莨菪也

蜀漆味辛平微温有毒主瘧及欬逆
寒熱腹中癥堅痞結積聚邪氣蠱
毒鬼疰胷中邪結氣吐出之生江林山
川谷生蜀漢中恒山苗也五月採葉陰乾

栝樓為之使惡貫衆此是恒山苗而所出又異者江林山
即益州江陽山名故同處耳彼人採仍縈結作丸得時燥
者佳矣謹案此草曰干微萎則把束暴使燥色青白堪用
若陰乾便黑爛鬱壞矣陶云作丸此挼餅非蜀法

恒山味苦辛寒微寒有毒主傷寒寒熱熱發
溫瘧鬼毒胷中淡結吐逆鬼蠱往來
水脹洒洒惡寒鼠瘻一名互草生益　畏玉札出宜
州川谷及漢中八月採根乾　都建平細實

葉者呼爲鷄骨恒山用蜀漆 謹案今恒山葉似茗
狹長莖圓兩葉相當三月生白花青萼五月結實
青圓三子爲房生山谷間
高者不過三四尺

青葙味苦微寒無毒主邪氣皮膚熱風
瘙身痒殺三蟲惡瘡疥虱痔蝕下部𧏾瘡
其子名草決明療脣口青一名草蒿一名
萋蒿生平谷道傍三月採莖陰乾
五月六月採子 處處有似麥栅花其子甚細後
又有草蒿別本亦作草藁今主
療殊相類形名又相似極多足爲疑而實兩種 謹案
此草苗高尺許葉細軟花紫白色實作角子黑而扁
光似莧實而大生下濕地四月五月採荊襄人名爲
崑崙草擣汁單服大療溫癘蠱也

牙子味苦酸寒有毒主邪氣熱氣疥瘙惡瘍
瘡痔去白蟲一名狼牙一名狼齒一名狼子

一名犬牙生淮南川谷及冤句八月採根
暴乾中溼爛生衣者殺人 蕪荑為之使 惡地榆棗肌
近道處々有其根 牙亦似獸之牙齒

白蘞味苦甘平微寒無毒主癰腫疽瘡
散結氣止痛除熱目中赤小兒驚癇
溫瘧女子陰中腫痛下赤白殺火毒一名

附录三　傅云龙影刻《新修本草》十一卷本

题解：清末傅云龙（名德清），官兵部郎中，于光绪十五年（1889）夏由美国回到日本，见驻日本使馆官员陈榘所购《新修本草》传抄本卷4、卷5、卷15，甚爱之。陈榘即相赠。继而傅云龙又遇书商登门，购得《经籍访古志》云所存10卷，其俱为小岛知足家藏旧抄本。另外又获小岛知足家藏补辑本卷3，共得11卷（卷3、卷4、卷5、卷12、卷13、卷14、卷15、卷17、卷18、卷19、卷20）。

卷3末记："嘉永二年（1849）岁次己酉四月二十一日据家大人新辑本，书写如其行款字样，一仿天平原卷旧式云。尚真。"详见本书附录六之"日本流传《新修本草》回归中国概况"一文。

1955年上海群联出版社即以此书缩小影印，题名《新修本草》，分装上下两册。下册末尾附有陈榘、傅云龙和范行准等跋文。1957年上海卫生出版社以群联出版社版复印，合订成一册。（以下即据1955年上海群联出版社版《新修本草》影印）

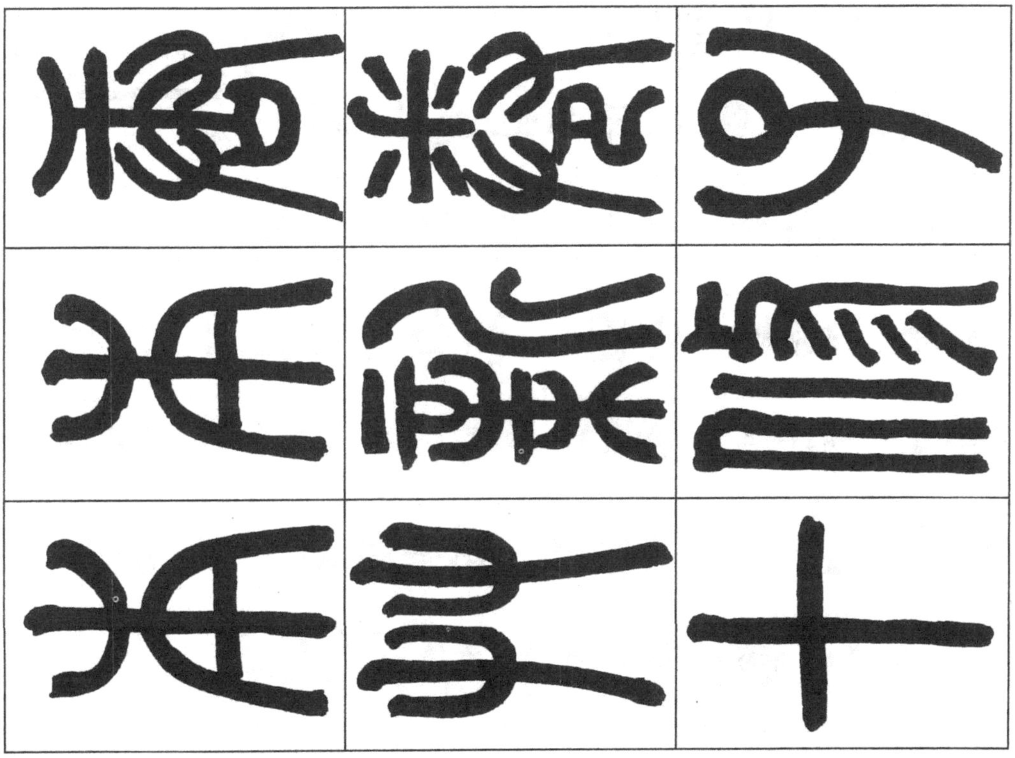

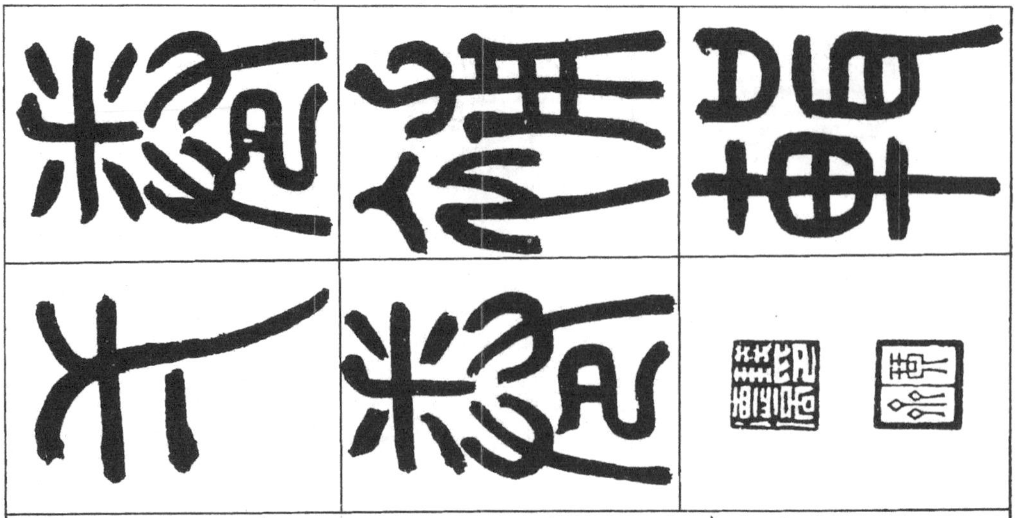

籑喜廬叢書之二
光緒十五年夏德清傅氏刊于日本

新脩本草玉石等部上品卷第三

司空上柱國英國公臣勣等奉 勅脩

玉泉　玉屑　丹沙　空青　綠青　曾青

白青　扁青　石膽　雲母　石鐘乳　朴消

消石　芒消　礬石　滑石　紫石英　白石英

五色石脂　太一餘糧　石中黃子　禹餘糧

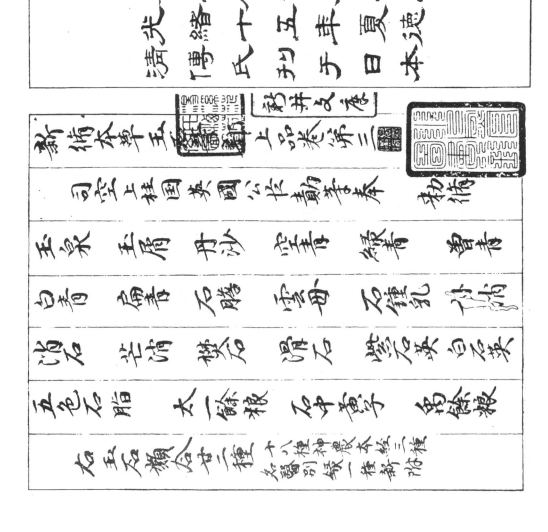

右玉石類合廿二種　十八種神農本經　三種名醫別錄　一種新附

玉泉味甘平無毒主五藏百病柔筋強骨安魂魄長肌肉益氣利血脈療婦人帶下十二病除氣癃明耳目久服耐寒暑不飢渴不老神仙輕身長年人臨死服五斤死三年色不變一名玉札生藍田山谷採無時畏款冬花藍田在長安東南舊出美玉此當是玉之精華白者質色明澈可消之為水故名玉泉今人無復的識者惟通呼為玉爾張華又云服玉用藍田穀玉白色者此物平常服之則應神仙有人臨死服五斤死經三年其色不變古來發塚見屍如生者其身腹內外無不大有金玉漢制王公葬皆用珠襦玉匣是使不朽故也鍊服之法亦應依仙經服玉法水屑隨宜雖曰性平而服玉者亦多乃發熱如寒食散狀金玉既天地重寶不比餘石若未深解固宜勿輕用之

玉屑、味甘平、無毒。主除胃中熱、喘息、煩滿、止渴。屑如麻豆服之。久服輕身長年。生藍田。採無時。惡鹿角此云玉屑亦是以玉為屑非應別一種物也仙經服穀玉有搗如米粒乃以苦酒輩消令如泥亦有合為漿者凡服玉皆不得用已成器物及塚中玉璞也好玉出藍田及南陽徐善亭部界中

日南盧容水中外國于闐疏勒諸處皆善仙方名玉為玄真潔白如豬膏叩之鳴者是真也其比類甚多相似宜精
別之所以燕石入笥卞氏長號也　謹案餌玉當以消作水者為佳屑如麻豆服之取其精潤藏府滓穢當完出
也又為粉服之者即使人淋壅屑如麻豆其義殊深

丹沙味甘微寒無毒主身體五藏百病
養精神安魂魄益氣明目通血脈止煩
滿消渴益精神悅澤人面殺精魅邪惡
鬼除中惡腹痛毒氣疥瘻諸瘡久服

通神明不老輕身神仙能化為汞作末
名真朱光色如雲母可析者良生符陵山
谷採無時惡慈石畏鹹水此化為汞及名真朱者即是今朱沙也俗醫皆別取武都仇
池雄黃夾雌黃者名為丹沙方家亦往往俱用此為謬矣符陵是涪州接巴郡南今無復採者乃出武陵西川
諸蠻夷中皆通屬巴地故謂之巴沙仙經亦用越沙即出廣州臨漳者此二處並好惟須光明瑩澈為佳如雲母
片者謂雲母沙如樗蒲子紫石英形者謂馬齒沙亦好如大小豆及大塊圓滑者謂豆沙細末碎者謂末沙此二種麁
不入藥用但可畫用爾採沙皆鑿坎入數丈許雖同出郡縣亦有好惡地有水井勝火井也鍊餌之法備載仙

方寅其長生之寶謹案丹沙大畧有二種土沙石沙其土沙復有塊沙末沙體並重而色黃黑不任畫用療瘡疥亦好但不入心腹之藥爾然可燒之出水銀乃多其石沙便有十數種最上者光明沙云一顆別生一石龕內大者如雞卵小者如棗栗形似芙蓉破之如雲母光明照徹在龕中石臺上生得之者帶之辟惡為上其次或出石中或出水內形塊大者如拇指小者如杏人光明無雜名馬牙沙一名無重沙入藥及畫俱善俗間亦少有之其有磨嵯新井別井水井火井芙蓉石末石堆豆末等沙形類頗相似入藥及畫當擇去其雜土石便可用矣別有越沙大者如拳小者如雞鴨卵形雖大其雜土石不如細明淨者經言末之名真朱謬矣豈有一物而以全末為殊名者也

空青 味甘酸寒大寒無毒主青盲耳聾明目利九竅通血脈養精神益肝氣療目赤痛去膚翳止淚出利水道下乳汁通關節破堅積久服輕身延年不老令人不忘志高神仙能化銅鐵鉛錫作金生益州山谷及越巂山有銅處銅精熏則生空青其腹中空三月中旬採亦無時越巂屬益州今出銅官者色最鮮深出始興者弗如益州諸郡無復有恐久不採之故也涼州西平郡有空青山亦甚多今空青但圓實如鐵珠無空腹者皆鑿土石中取之又以合

丹成則化鉛為金矣諸藥石中惟此最貴醫方乃稀用
之而多充畫色殊為可惜謹案此物出銅處有乃兼
諸青但空青為難得今出蔚州蘭州宣州梓州宣
州者最好塊段細時有腹中空者蔚州蘭州者片塊大
色極深無
空腹者

綠青味酸寒無毒主益氣療鼽鼻止洩

利生山之陰穴中色青白此即用畫綠色者亦出
空青中相帶挾今畫
工呼為碧青而呼空青作綠青正反矣謹案綠青即
扁青也畫工呼為石綠其碧青即白青也不入畫用

曾青味酸小寒無毒主目痛止淚出風痺

利關節通九竅破癥堅積聚養肝膽除

寒熱殺白虫療頭風腦中寒止煩渴補不足

盛陰氣久服輕身不老能化金銅生蜀中山谷

及越巂採無時畏菟絲子此說與空青同山療體
相似今銅官更無曾青惟出始興
形累累如黃連相綴色理小類空青甚得難而貴仙經
少用之化金之法事同空青謹案曾青出蔚州鄂州蔚
州者好其次鄂州餘
州並不任用

白青味甘酸鹹平無毒主明目利九竅耳

聾心下耶氣令人吐殺諸毒三虫久服通
神明輕身延年不老可消爲銅劔辟五
兵生豫章山谷採无時 此醫方不復用市人忽無賣者惟仙經世六水
方中時有須處銅劔之法具在九元子術中 謹案陶所云今空青圓如鐵珠色白而腹不空者是也研之色
白如碧忽謂之碧青不入畫用無空青時忽用之名魚目青以形似魚目故也今出簡州梓州者好
扁青味甘平無毒主目痛明目折跌癰腫
金創不瘳破積聚解毒氣利精神去寒
熱風痹及丈夫莖中百病益精久服輕
身不老生朱崖山谷武都朱提採无時 仙經
俗方都無用者朱崖郡先屬交州在南海中晋代省之朱提郡今屬寧州 謹案此即前條陶謂緑青是也朱
崖巴南及林邑扶南舶上來者形塊大如拳其色又青腹中忽時有空者武昌者片塊小而色更佳簡州梓州
者形扁作片而色淺也
石膽味酸辛寒有毒主明目目痛金創
諸癎痙女子陰蝕痛石淋寒熱崩中下血

諸邪毒氣令人有子散癥積欬逆上氣
及鼠瘻惡瘡錬餌服之不老久服增
壽神仙能化鐵為銅成金銀一名畢石
一名黑石一名棊石一名銅勒生羌道山
谷羌里句青山二月庚子辛丑日採水英為之
使畏牡桂菌桂芫花辛夷白薇仙經有用此而俗方
甚少此藥殆絕今人時有採者其色青綠狀如琉璃而有
白文易破折梁州信都無復有俗用乃以青色礬
石當之殊無髣髴仙經一名立制石謹案此物出

銅處有形似曾青兼綠相間味極酸苦磨鐵作銅色
此真是者陶云色似琉璃此乃絳礬比來人用絳礬
為充石膽又以醋揉青礬為之並偽矣真者出蒲州虞
鄉縣東亭谷窟及薛集窟中有塊如雞卵者為真
雲母味甘平無毒主身皮死肌中風寒
熱如在車船上除邪氣安五藏益子精
明目下氣堅肌續絕補中療五勞七傷
虛損少氣止利久服輕身延年悅澤不老
耐寒暑志高神仙一名雲珠色多赤一

名雲華五色具一名雲英色多青一名
雲液色多白一名雲沙色青黄一名磷石
色正白生太山山谷齊盧山及琅邪北
定山石間二月採澤瀉為之使畏鱓甲及流水案仙經雲母乃有八種向日視之色青
白多黑者名雲母色黄白多青名雲英色青黄多赤名雲珠如冰露乍黄乍白名雲沙黄白晶晶名雲液
皎然純白明澈名磷石此六種並好服而各有時月其黯黯純黑有文斑斑如鐵者名雲膽色雜黑而強肥者名
地涿此二種並不可服鍊之有法惟宜精細不爾入腹大害人今虛勞家丸散用之並只擣篩[illegible]為未[illegible]

在彭城東北青州亦有今江東惟用廬山者為勝以沙土養之歲月生長今鍊之用礬石則柔爛亦便是相畏
之効百草上露乃勝東流水亦用五月茅屋溜水
石鍾乳味甘温無毒主欬逆上氣明目
益精安五藏通百節利九竅下乳汁益
氣補虛損療腳弱疼冷下焦傷竭強陰
久服延年益壽好顏色不老令人有子不
鍊服之令人淋一名公乳一名蘆石一名

夏石生少室山谷及太山採无時蛇床為之使惡牡丹玄石牡蒙畏紫石英蘘草第一出始興而江陵及東境名山石洞亦皆有惟通中輕薄如鵝翎管碎之如爪甲中无鴈齒光明者為善長挺乃有一二尺者色黃以苦酒洗刷則白仙經用之少而俗方所重亦甚貴謹案鍾乳第一始興其次廣連澧朗郴等州者雖厚而光潤可愛餌之並佳今峽州青溪房州三洞出者亞於始興自餘非其土地不可輕服多發淋渴止可搗篩白練裹之合諸藥草浸酒服之陶云鍾乳一二尺者謬說

朴消味苦辛寒大寒无毒主百病除寒熱邪氣逐六府積聚結固留癖胃中食飲熱結破留血閉絶停痰痞滿推陳致新能化七十二種石鍊餌服之輕身神仙鍊之白如銀能寒能熱能滑能濇能辛能苦能鹹能酸入地千歲不變色青白者佳黃者傷人赤者殺人一名消石朴生益州山谷有鹹水之陽採无時畏麥句薑今出益州北部故汶山郡西川蠶陵二縣界生山崖上色多青白亦

雜黑斑，俗人擇取白軟者，以當消石用之。當燒令汁
沸出，狀如礬石也。仙經惟云消石能化他石，今此亦云能
化石，疑必相似，可試之。　謹案：此物有二種，有纖理、縵理，用
之無別。白軟者，朴消苗也，虛軟少力。鍊為消石，所得不多，
以當消石功
力大劣也。

消石　味苦辛，寒、大寒，無毒。主五藏積熱，胃
脹閉，滌去蓄結飲食，推陳致新，除邪氣，療
五藏十二經脈中百廿疾，暴傷寒，腹中大
熱，止煩滿消渴，利小便，及瘻蝕瘡。鍊之如膏，
久服輕身。天地至神之物，能化成十二種石。一
名芒消。生益州山谷及武都、隴西、西羌。採無時。

火為之使，惡苦參、苦菜，畏女菀。療病亦与朴消相似，仙經
多用此消化諸石，今無正識別此者。頃來尋訪，猶云与朴消
同山，所以朴消名消石朴也。如此則非一種物。先時有人得
一種物，其色理与朴消大同小異，朏朏如握雪不冰，強燒之
紫青煙起，仍成灰，不停沸如朴消，云是真消石也。此
又云一名芒消，今芒消乃是鍊朴消作之，与後皇甫說
同，並未得覈研其驗，須試效，當是證起尔。化消石法
在卅六水方中。隴西屬秦州，在長安西羌中，今宕昌
以北諸山有鹹土處皆有之。　謹案：此即芒消是也。朴
消一名消石朴，今鍊粗惡朴消，淋取汁，煎鍊作芒消，

即是消石朴經一名芒消
後人更出芒消條謬矣

芒消味辛苦大寒主五藏積聚久熱胃
閉除邪氣破留血腹中痰實結搏通經脈利
大小便及月水破五淋推陳致新生於朴消

石韋為之使惡麥句薑按神農本經無芒消只有消
石名芒消爾後名醫別載此說其療與消石正同疑此
即是消石舊出寧州黃白粒大味極辛苦頃來寧州道
斷都絕今醫家多用煮煉作者色全白粒細而味不甚
烈此云生於朴消則作者亦好又皇甫士安解散消石
大凡說云與朴消同用消石生山之陰鹽之膽也取石脾

與消石以水煮之一斛得三斗正白如雪以水投中
名消石其味苦無毒主消渴熱中止煩滿三月採於赤山朴
消者亦生山之陰有鹹苦之水則朴消生於其陽色正時以為
盡無也其色白主療熱腸中飽脹養胃消穀去邪氣亦得以而
消其療與消石小異按如此說是取芒消合煮更成為真消
石但不知石脾復是何物本草乃有石脾石肺人無識者皇
甫既是安定人又明醫藥或當詳練之以朴消作芒消者
但以暖湯淋朴消取汁清澄煮之減半出著木盆中經
宿即成狀如白石英皆六道也作之忌雜人臨視今益州人復
煉礬石作消石絕柔白而味猶是礬石爾孔氏解散方又
云熬煉消石令沸定汁盡如此消石猶是本汁也今仙
家須之能化他石乃用於理第一醫家方亦多用消
石少用芒消近代諸醫但用芒消鮮言消石豈古人昧於
芒消也本經云生於朴消朴消一名消石朴消石一名芒消理既

明白不合重出之

礬石 味酸寒無毒 主寒熱洩利白沃陰
蝕惡瘡目痛堅骨齒除固熱在骨髓去鼻
中息肉鍊餌服之輕身不老增年岐伯云
久服傷人骨能使鐵為銅一名羽涅一名羽
澤生河西山谷及隴西武都石門採無時

甘草為之使惡牡蠣今出益州北部西川從河西來色青白生者名馬齒礬已鍊成絕白蜀人又以當消石
名白礬其黃黑者名雞屎礬不入藥惟堪鍍作以合熟銅投苦酒中塗鐵皆作銅色外雖銅色內質不變
仙經單用能柔之而用俗中合藥皆先火熬令沸燥以療齒痛多即壞齒是傷骨之證而云堅骨齒誠
為疑也 謹案礬石有五種青礬白礬黃礬黑礬絳礬然白礬多入藥用青黑二礬療疳及諸瘡黃礬亦療瘡
生肉兼染皮用之其絳礬本來綠色新出窟未見風者正如琉璃陶及今人謂之石膽燒之赤色故名絳礬矣出瓜
州

滑石 味甘寒大寒無毒 主身熱洩澼女子乳
難癃閉利小便蕩胃中積聚寒熱益精氣

通九竅六府津液去留結止渴令人利中久
服輕身耐飢長年一名液石一名共石一名脫石
一名番石生赭陽山谷及太山之陰或掖北白
山或卷山採無時石畫中為之佳趙畫言滑石色正白仙經用之以為泥又有冷石小青
黃性並冷利亦能熨油污衣物今出湘州始安郡諸處初取軟如泥久漸堅強人多以作塚中明器物并散熱
人用之不正入方藥赭陽縣先屬南陽漢哀帝置明本所注郡縣必是後漢時也掖縣屬青州東萊卷縣屬司
隸河南　謹案此石所在皆有嶺南始安出者白如凝脂極軟滑　且出掖縣者理粗質青白黑點惟可為器不堪
入藥齊州南山神通寺南谷亦大有色青白不佳至於滑膩　猶勝　掖縣者
紫石英味甘辛溫無毒主心腹欬逆邪氣
補不足女子風寒在子宮絕孕十年無子
療上氣心腹痛寒熱邪氣結氣補心氣不足
定驚悸安魂魄填下焦止消渴除胃中
久寒散癰腫令人悅澤久服溫中輕身延
年生太山山谷採無時長石為之使得茯苓人參芍藥共療心中結氣得天雄

昌蒲 共療霍亂 畏扁青 附子 不欲鮀甲 黃連 麦句
薑 今第一用太山石 色重澈 下有根 次出雹零山 亦好
又有南城石 無根 又有青綿石 色亦重黑 不明澈 又有林
邑石 腹裏必有一物如眼 吳興石四面纔有紫色 无光澤
會稽諸暨石 形色如石榴子 先時並雜用 今丸散家採
擇 惟太山最勝 餘處者可作丸酒餌 仙經不正用 而為
俗方所
重也

白石英 味甘 辛 微溫 無毒 主消渴 陰痿不足
欬逆 胷鬲間久寒 益氣 除風濕痹 療肺
癰 下氣 利小便 補五藏 通日月光 久服輕身長年
耐寒熱 生華陰山谷及太山 大如指 長二三
寸 六面如削 白澈有光 其黃端白稜名黃石
英 赤端名赤石英 青端名青石英 黑端名
黑石英 二月採 亦无時 惡馬目毒公 今醫家用 新安所出極細長白澈者
壽陽八公山多大者 不正用之 仙經大小並有用 惟 須指白無瑕雜者 如此說則大者為佳 其四色英今不
復用 謹案 白石英所在皆有 今澤州 虢州 洛州山中 俱出 虢州者大 徑三四寸 長五六寸 今通以澤州者為勝
也

青石赤石黄石白石黑石脂等味甘平主
黄疸泄利肠澼脓血阴蚀下血赤白邪气
痈肿疽痔恶疮头疡疥瘙久服补髓益
气肥健不饥轻身延年五石脂各随五色
补五脏生南山之阳山谷中
青石脂味酸平无毒主养肝胆气明目疗
黄疸泄利肠澼女子带下百病及疽痔
恶疮久服补髓益气不饥延年生齐区
山及海崖采无时
赤石脂味甘酸辛大温无毒主养心气明目
益精疗腹痛泄利澼下赤白小便利及痈
疽疮痔女子崩中漏下产难胞衣不出久服
补髓好颜色益智不饥轻身延年生济
南射阳及太山之阴采无时 惡大黃畏芫花[illegible]

潞南太山不同出者今虢州盧氏縣澤州陵川縣及慈州呂鄉縣並有色理鮮膩宜州諸山亦有此五石脂中又有石骨似骨如玉堅潤服之力勝鍾乳

黄石脂味苦平無毒主養脾氣安五藏調中大人小兒洩利腸澼下膿血去白蟲除黄疸癰疽蟲久服輕身延年生嵩高山色如鶯雛採無時曾青爲之使惡細辛畏蜚蠊

白石脂味甘酸平無毒主養肺氣厚腸補骨髓療五藏驚悸不足心下煩止腹痛下水小腸澼熱溏便膿血女子崩中漏下赤白沃排癰疽瘡痔久服安心不飢輕身長年生泰山之陰採無時得厚朴并米汁飲止便膿鷰屎爲之使惡松脂畏黄芩謹案白石脂今出慈州諸山勝於餘處者太山左側不聞有之

黑石脂味鹹平無毒主養腎氣強陰

主陰蝕瘡心腸澼泄利瘡口瘡咽痛
久服益氣不飢延年一名石涅一名石
墨出潁川陽城採無時此五石脂如本經療體亦相似別
錄各條所以具載今俗用赤石白石二脂爾仙經亦用白石脂以塗丹釜好者出吳郡猶與赤石脂同源
赤石脂多赤而色好惟可斷下不入五石散用好者亦出武陵建平義陽今五石散皆用義陽者出酇縣界
東八十里狀如𤬪腦色鮮紅可愛隨採復而生不能斷利而不用之餘三色脂有而無正用黑石脂乃可畫用爾謹
案義陽即中州也所出者名桃花石非五色脂色如桃花久服肥人土人亦以療下利舊出蘇州餘杭山大有今不收
採爾

太一餘粮味甘平無毒主欬逆上氣癥
瘕血閉漏下除邪氣肢節不利大飽絶力身
重久服耐寒暑不飢輕身飛行千里神仙
一名石腦生太山山谷九月採杜仲爲之使畏貝母昌蒲鐵
落今人惟呼總爲太一禹餘粮自專是禹餘粮爾無復識太一者然療體亦相似仙經多用之四鎮丸亦
總名太一禹餘粮謹案太一餘粮及禹餘粮一物而以精麤爲名爾其殼如瓷方圓不定初在殼中未凝結者猶是黃水名

石中黄子久凝乃有數色或青或白或赤或黃年多變赤因赤漸紫自赤及紫俱名太一其諸色通謂餘粮今太山不見採得者會稽王屋澤潞州諸山皆有之

石中黄子味甘平无毒久服輕身延年不老此禹餘粮殼中未成餘粮黃濁水也出餘粮處有之陶云芝品中有石中黄子非也　新附

禹餘粮味甘寒平無毒主欬逆寒熱煩滿下赤白血閉癥瘕大熱瘡小腹痛結煩疼鍊餌服之不飢輕身延年一名白餘粮生東海池澤及山島中或池澤中 今多出東陽形如鵞鴨卵外有殼重疊中有黃細末如蒲黃无沙者為佳近年茅山鑿地大得之極精好乃有紫華靡靡仙經服食用之南人又呼平澤中有一種藤葉如菝葜根作塊有節似菝葜而色赤根形似署預謂為禹餘粮言昔禹行山乏食採此以充粮而棄其餘此云白餘粮也生池澤復有髣髴或疑今石者即是太一也張華云池多蓼者必有餘粮今廬江間便是也適有人於銅官採空青於石坎大得黃赤色石極似今之餘粮而

色過赤好疑此是太一也彼人呼為雌黃試塗物正如雄
黃色亦不諳案陶云黃赤色石根是太一既無殼裹未是
餘粮髮謂太一
殊非的稱

新修本草玉石等部上品卷第三

嘉永二年歲次己酉四月廿一日據
宋大人新雕本草書寫加其行款字樣
一仿天平古卷摹楷式云　尚真
是歲八月十四日照段和本草校讀
八月十五日据大観本草校讀

新修本草玉石等部中品卷第四

司空上柱國英國公臣勣等奉　勅修

金屑　銀屑　水銀　雄黃　雌黃　殷孽
孔公孽　石腦　石硫黃　陽起石　凝水石　石膏
慈石　玄石　理石　長石　膚青　鐵落
鐵　生鐵　鋼鐵　鐵精　光明鹽　綠鹽
密陀僧　紫鉚騏驎竭　桃花石　珊瑚　石花

石秋

右玉石類合卅種 十六種神農本經六種名醫別錄八種新附

金屑味辛平有毒主鎮精神堅骨髓通利

五藏除邪毒氣服之神仙生益州採無時 金之所生

處、皆有梁益寧三州及建晉多出水沙中作屑謂之生金辟惡而有毒不鍊服之殺人建晉亦有金沙出石中燒鼓

下之為餅雖被火亦未窮猶須更鍊又高麗扶南及西域外國成器金皆鍊熟可服仙經以醯蜜及猪肪牡荊酒

輩鍊餌柔軟服之神仙亦以化水銀作丹外醫方都无用當是猶慮其毒害故也仙方名金為太真

銀屑味辛平有毒主安五藏定心神止驚悸

除邪氣久服輕身長年生永昌採無時 銀所

出處亦與金同但皆是石中耳鍊餌法亦相似今醫方合鎮心丸用之不可正餘為屑當以水銀摩令消也永昌

本屬益州今屬寧州絕遠不復實附仙經又有服法此當无正主療故不為本草所載古舊名金為黃金銀為

白銀銅為赤銅今銀有生熟陳熟者柔赤而本草並無用今銅青及大銅鑄皆人方用並是生銅應在下品之

例也謹案銀之与金生不同處金又兼出水中遂方用銀屑當取見成銀薄以入銀消之為泥合消石及鹽研為

粉燒出水銀訛去鹽石為粉極細用之及佳不得已乃磨取屑耳且銀所在皆有而以虢州者為勝此外多錫鐵

為汚高麗作恰者之非食錄所出然色青不如錫
別者又有黃銀本草不載悟此為器辟惡乃為瑞物也

水銀味辛寒有毒主疥瘻痂瘍白禿殺皮
膚中虫虱墮胎除熱以傅男子陰陰消無氣
殺金銀銅錫毒鎔化還復為丹久服神仙
不死一名汞生符陵平土出於丹沙畏慈石
令水銀

有生熟此云生符陵平土者是出朱沙腹中亦別出沙地
皆青白色最勝出於丹沙者是今燒粗末朱沙所得
色小白濁不及生者甚能消化金銀使成泥人以鍍物是也
還復為丹事出仙經酒和日曝服之長生燒時飛著釜

上灰名汞粉俗呼為水銀灰最能去虱謹案水銀出於
朱沙皆因熱氣未聞朱沙腹中自出之者火燒飛取
人皆解法南人又蒸取得水銀少於火燒
而是朱沙不損但色少變黑耳

雄黃味苦甘平寒大溫有毒主寒熱鼠瘻惡
瘡疽痔死肌疥虫䘌瘡目痛鼻中息肉
及絕筋破骨百節中大風積聚癖氣中
惡腹痛鬼注殺精物惡鬼邪氣百虫毒
腫勝五兵殺諸蛇虺毒解藜蘆毒悅澤

人面練食之輕身神仙餌服之皆飛入人
腦中勝鬼神、延年益壽保中不飢得銅
可作金一名黃食石生武都山谷燉煌山之
陽採無特錬服雄黃法皆在化徃中以銅爲金亦出黃白術中晉末來𠀋羌中紛绞此物絶
不復通人間時有三五兩其價如金合凡皆用天門始与石黃之好者耳始以齊初梁州平市微有所得
將下至都人未㝡先見於使至陳典藏家捨擭見十餘斤伊輩不識此物是何等見有㩧挟雖黃𢧐謂丹
沙五禾語并更屬覔於是漸〻而不好者作雞冠色不旻而堅實若黠黑及虛軟者不好也武都𠀋羌是
爲仇池宕昌亦有与仇池正同而小劣燉煌在涼州西數千里所出者未嘗得來江東不知當復云何此藥冣要
無所不入也謹案出石門名黃者亦是雄黃而通名黃食石而門者冣爲芳耳宕昌武都者爲佳塊方數寸
明徹如冠𢧐以爲枕服之辟惡其青惡堅者不入藥用若火燒飛之而精小療瘡疥根用亦无嫌又去惡者
名勳黃用薰療瘡疥故名之无別薰黃也貞觀年中以宕州新出有得方數尺者但重脆不可全致耳
雌黃味辛甘平大寒有毒主惡瘡頭秃痂
疥殺毒蟲虱身癢邪氣諸毒蝕鼻中息
肉下部𧏾瘡身面白駁散皮膚死肌及

怳惚邪氣殺蜂蛇毒煉之久服輕身增年

不老令人腦滿生武都山谷與雄黃同山

生其陰山有金金精熏則生雌黃採無時

今雌黃出武都仇池者謂為武都仇池黃色小赤出

扶南林邑者謂昆侖黃色如金而似雲母甲錯畫家

所重依此言既有雌雄之名又同山之陰陽於合藥便

當以武都為勝用之既本文載於昆侖仙經無單服

唯以合丹○雄黃共飛煉為丹耳金精雌黃銅

精空青服而空青又勝於雌黃其意難了也

殷孽味辛溫無毒主爛傷瘀血洩利

寒熱鼠瘻癥瘕結氣腳冷疼弱一名薑石

鍾乳根也生趙谷下山中國上又梁山及南海採無

時

恐本防已趙國屬冀公孽大如牛羊角長一二尺

左右亦出始興也謹案此即石堂下孔公孽根

也盤結如薑故名薑石俗人乃

以孔公孽為之誤矣

孔公孽味辛溫無毒主傷食不化邪結氣

惡瘡疽瘻痔利九竅下乳汁男子陰瘡

女子陰蝕及食病恒欲眠睡一名通石殷

蘖根也青黄色生梁山山谷木蘭為之使惡細辛梁山屬馮翊郡此郎今鍾乳床也亦出始興皆大塊折破之凡鍾乳之類三種同一體從石室上[illegible]溜積久盤結者為鍾乳床郎此孔公孽也其次長小巃嵸者為殷孽今人呼為孔公孽殷孽復溜輕好者為鍾乳雖同一類而療體為異貴賤懸殊此二孽不堪丸散又皆搗末酒漬飲之療脚弱其前諸療恐宜水者一為陽也案今三種同根而所生各異處當是隨其土地為勝合耳 謹案此孽次於鍾乳如牛羊角者中尚孔通故名通石本經誤以為殷孽之根陶依本經以為今人誤也

石腦味甘溫無毒主風寒虛損腰脚疼痺安五藏氣一名石飴餅生名山土石中採無時此石亦鍾乳之類形如曾青而白色黑班軟脆易破今茅山東及西平山[illegible]有鑿土堪取之俗方不見用仙經有劉君導仙散用之又真誥云李整採服療風痺虛損而得長生也 謹案隨時有化公者所服亦名石腦出徐州宋里山初有爛石中入土丈已下得之大如鷄卵或如棗許觸著即散如麪黃白色土人号為握雪礬石云服之長生与李整相會也

石流黃味酸溫大熱有毒主婦人陰蝕疽痔惡血堅筋頭禿心腹積聚邪氣冷癖在脇

放逆上氣脚冷疼弱無力及鼻衄惡瘡下
部𧏾瘡心血斂疥虫能化金銅銀鐵竒物
生東海牧陽山谷中及大山及河西礬石也
液 東海郡屬此徐州 而許山岜有今茅一出狀南林邑色
如鵞子初生殼石崑崙黃吹出外国從蜀中来色
深而煌煌俗方用之療脚弱及痼冷甚良仙姓頗用之所
化奇物並是黃白術及今丹法此亦礬石液今南方則
无礬石次
不女尒已
陽起石味鹹微温無毒主崩中漏下破子藏

中血瘕瘦結氣寒熱腹痛无子陰陽痿不
合補不足男子莖頭寒陰下濕痒去臭汁
消水腫久服不飢令人有子一名白石一名生
一名羊起石雲母根也生齊山山谷及瑯琊
或雲山陽起山採无時 桑螵蛸爲之使惡澤寫菌
桂雪丸蛇蜕皮畏菟絲子
此所出即与雲母同而是似雲母但原實耳今用乃出
蒼州与礬石同處色小黃黑即礬石雲母根未知何
者俗用乃希仙經亦服之謹案此石以白色肌理似殷孽
仍挟帶雲母綠酒者爲良故本經一名白石今乃用

純黑如炭者誤矣雲母條中既云黑者名雲膽又名地涿
服之損人黑陽起石必為惡矣經言生齊山〻〻在齊州
歷城西北五六里採訪無陽〻起〻石〻乃在齊山西北六七
里盧山出之本經云雲山或盧字訛矣今太山沂州唯有
黑者白者獨
出齊州也

凝水石味辛甘寒大寒無毒主身熱腹中積
聚邪氣皮中如火燒爛煩滿水飲之除時氣
熱盛五藏伏熱胃中熱煩滿口渴水腫少腹
痺久服不飢一名泉石一名寒水石一名凌水

石色如雲母可析者良鹽之精也生常山山谷
又中水縣及邯鄲
解巴豆毒畏地榆常山即恒山屬
并州中水縣屬河間郡邯鄲即
是趙郡並冀州域此處地皆鹹鹵故云鹽精而亦似朴消
也此石末置水中夏月能為冰者佳謹案此石有兩種
有縱理橫理以橫理色青明者為佳或云縱理為寒水橫
理為凝水今出同州韓城色青黃理如雲母為良澄城
者斜理文色
白為劣也

石膏味辛甘微寒大寒無毒主中風寒
熱心下逆氣驚喘口乾舌焦不能息腹堅

痛除邪鬼產乳金創除時氣頭痛身熱
三焦大熱膓胃中鬲熱解肌發汗止消渴
煩逆腹脹暴氣喘息咽熱亦可作浴湯一
名細石細理白澤者良黄者令人淋生齊
山山谷及齊盧山魯蒙山採無時雞子為之使惡莽草毒
公二郡之山即青州徐州也今出錢唐縣獄地中雨後時時出取之皆方如棊子白徹最佳比難得皆用虛隱
山者彭城者亦好近道多有而大塊用之不及彼土仙經不須此 謹案石膏未見有真石膏也石膏生於石旁
其方解石不因石生端然獨處大者如升小者若拳或在土中或生溪水其上皮隨土及水苔色破之方解大者方
尺今人以此為石膏療風去熱雖同解肌發汗不如真者也

慈石味辛鹹寒無毒主周痺風濕支節中
痛不可持物洗洗酸痟除大熱煩滿及耳聾
養腎藏強骨氣益精除煩通關節消癰
腫鼠瘻頸核喉痛小兒驚癇鍊水飲之亦
令人有子一名玄石一名處石生太山川谷及慈山

〻陰有鐵者則生其陽採無時柴胡為之使敦鐵毒惡牡丹莽草畏黃石脂今南方亦有其好者能懸吸針虛連三四五為佳敛鐵物毒消金仙経丹方黄白術多用也

玄石味鹹温無毒主大人小兒驚癎女子絶孕少腹寒痛少精身重服之令人有子一名玄水石一名處石生山陽山陰有銅〻者雌玄石者雄惡松脂柏子菌桂本経慈石一名玄石別銀谷種今案其一名處石既同癧瘰體又相似而寒湿銅鐵及畏惡有異俗中既不復用无識其形者不知与慈石相類不謹案此物鐵液也但不能拾針療體如経方劣於慈〻石〻中有細孔〻中黃赤色初破好者能連十針一斤鐵刀亦被迴轉其无孔先澤絶里玄石也不能懸針也

理石味辛甘寒大寒无毒主身熱利胃解煩益精明目破積聚去虫除營衛中來大熱結熱解煩毒止消渴及中風痿痹一名立制石一名肌石如石膏順理而細生漢中山谷盧山採无時及消石為之使畏麻黄漢中屬梁州盧山屬青州今出寧州俗用亦希仙経時須亦呼為長理石〻膽一名立制石今此又名立制疑必相礼類謹案此石夹兩石間如石脉打用之戎在土中重疊而

生黄赤肉白作針理文全不似石膏漢中人取酒浸服
去癖令人肥悅市人訖刮去皮以代寒水石并州以當
名並是假偽今盧山亦无
物見出襄州西沉水側也

長石味辛苦寒無毒主身熱胃中結氣四
支寒癖利小便通血脉明目翳眇去三虫
煞蠱毒止消渴下氣除脇肋肺間邪氣久
服不飢一名方石一名土石一名直石理如馬齒
方而潤澤玉色生長子山谷及太山及臨菑
採無時 長子縣屬上黨郡菑臨縣屬青州俗方及仙
經並無用此者也謹案此石狀同石膏而厚
大縱理而長文似馬齒今均州遼坂山
有之土人以為理石者是長石也

膚青味辛鹹平無毒主蠱毒〻虵菜肉
諸毒惡瘡不可久服令人瘦一名推椎青一
名推石生益州川谷 俗方及仙經並无用此
者亦相与不復識之

鐵落味辛甘平無毒主風熱惡瘡瘍疽瘡
痂疥氣在皮膚中除胷膈中氣余食不

下心煩去黑子一名鐵液可以染皂生牧羊
平澤及枋城採無時
鐵主堅肌能痛
生鐵微寒主療下部及脫肛
鋼鐵味甘平無毒主金創煩滿熱中胷
膈中氣塞食不化一名跳鐵
鐵精微溫主明目化銅療驚悸定心氣
小兒風癇除䪌脫肛 鐵落是染皂鐵漿生鐵是
不被鑐鎗釜之類者鋼鐵
是雜鍊生鍒作刀鐮者鐵精出鍛竈中如紫色輕者
爲佳亦以摩瑩銅器用也謹案單言鐵者鍒鐵也
鐵落是鍛家燒鐵赤沸砧上鍛之皮甲落者也甲乙子
卷陽厥條言之夫諸鐵療病並不入丸散皆煮取漿
用之若以漿爲鐵落鋼生之汁復謂何等落（定）鐵皮
落液黑於餘鐵陶謂可以染皂云是鐵漿誤矣又鐵
屑炒使熱投酒中飲酒療賊
風又裹以熨腋療胡有
光明鹽味鹹甘平无毒主頭面諸風目
赤痛多眵淚生鹽州五原鹽池下取之

大者羿皆正方充徹一名石塩新附

绿塩味醎苦辛平无毒主目赤淚膚

翳眵暗云以光明塩硇沙赤铜屑醸之為塊绿色真者出焉耆国中水底之状若扁青空

青為眼藥之要新附

蜜陁僧味醎辛平有小毒主久利五痔

金創面上瘢皯面膏藥用之形似黄龍齒而堅重亦有白色

者作理石文出波斯国一名没多僧並胡言也新附

紫鉚騏驎竭味甘醎平有小毒主五藏

邪氣帶下心痛破積血金創生肉与騏驎

竭二物大同小異紫色如膠作赤皮陸鉚用為鍛色亦以膠寶物云蟻於海畔樹藤

皮中為之紫鉚樹名渴廩騏驎竭樹名渴留喻如絳造蜜研取用之吴録謂之赤膠者新附

桃花石味甘温無毒主大腹中冷膿血利久

眼令人肌熱能出甲州鍾山縣似赤石脂但不著舌新附

珊瑚味甘平无毒主宿血去目中翳鼻

䀋末吹鼻中生南海似玉红闊中多有孔亦有无孔者又從波斯國及師子國來新附

石花味甘温無毒酒漬服至膏脚風冷与殷孽同一名乳花三月九月採之乳水滴水上散如霜雪者出乳穴堂中水內新附

石林味甘温無毒酒漬服与殷孽同一名同石一名乳床一名逆石陶云孔公孽即乳林非也二孽在上林花在下性體雜同上下有別鍾乳水下凝積生如笋狀漸長久与上乳相接爲佳也出鍾乳堂中採无時新附

新脩本草玉石等部中品卷第四

新修本草玉石部下品卷第五

司空上柱國英國公臣勣等奉　勅修

青琅玕　礜石　特生礜石　握雪礜石

方解石　蒼石　土陰薩子　代赭

鹵鹹　大鹽　戎鹽　白惡

鉛丹　粉錫　錫銅鏡鼻　銅弩牙

金牙　石灰　冬灰　鍛竈灰

伏龍肝　東壁土　砌沙　胡桐淚
薑石　赤銅乃青　銅[illegible]石　白瓷瓦
烏古瓦　石燕　梁上塵

右玉石類合卅一種　十二種神農本經十種名醫別錄九種新附

青琅玕味辛平無毒主身痒火瘡癰傷白禿
疥瘙死肌浸淫在皮膚中煑煉服之起陰氣
可化為丹一名石珠一名青珠生蜀郡平澤採無時

殺錫毒得水銀良畏雞骨此即蜀都賦稱青珠黃環者也黃環乃是草苟取名類而種族為乖琅玕亦是昆山上樹名又九真經中大丹名也此石今亦無用唯以療手足逆臚化丹之事未的見其術謹案琅玕乃有數色是瑠璃之類火齊寶也琅玕五色其以青者入藥為勝今出巂州以西烏白蠻中乃于闐國

礜石味辛甘大熱生溫熟熱有毒主寒熱鼠瘻蝕瘡死肌
風痹腹中堅邪氣除熱明目下氣除膈中熱止消
渴益肝氣破積聚痼冷腹痛去鼻中息肉久服
令人筋攣火煉百日服刀圭殺人及百獸一名

青分石一名立制石一名固羊石一名白礜石一名

太白石一名澤乳一名食鹽生漢中山谷及少室

採無時 得火良棗為之使惡毒公鶩屎虎掌細辛畏水 此今蜀漢
亦有□而好者出南康南野溪及彭城界中洛陽城南□堆

聚少室生礜石內水中令水不冰如此則生亦大熱今以黃土泥苞炭火燒
之□日一夕則解□用療冷結為良丹方及黃白術皆多用此善能柔金

又湘東新寧縣及零陵皆有白礜石 謹案此石能拒火久燒但解散不
□奪其堅今市人乃取潔白細理石當之燒即為灰非也此藥攻擊積

聚固冷之良若以餘物代之療病無效正為此也今漢川武當西遼以名礜
石谷即是真出處少室亦有粒理細不如漢中者

特生礜石味甘溫有毒主明目耳腹內絕寒

破結及鼠瘻殺百蟲惡獸久服延年一名倉

礜石一名鼠毒生西域 火煉之良畏水 舊云
鸛巢中者最佳鸛恒

□水冷故取□壅卵令熱今不可得唯用出漢中者其外形紫赤□內
白如霜中央有臼形狀如齒者佳大散方云出荊州新城郡房陵縣緣白

色為好用之亦先黃土苞燒之一日亦可內斧空中燒之合玉壺諸丸多
用此仙經不云特生則止是前白礜石耳 謹案陶所說特生云中如齒臼形

者是今出梁州北馬道戍澗中有之形塊小於白礜石肌粒大數倍乃如
□小豆許曰礜石粒細若粟米耳

握雪礜石味甘溫無毒主痼冷積聚輕身延年多服

令人熱 出徐州西宋里山入土丈餘生於爛土石間黃白色細軟如麵一名
花公石一名石腦煉服別有法 新附

方解石味苦辛大温無毒主胸中留熱結氣黄
疸通血脉去蠱毒一名黄石生方山採無時惡巴豆
案本注
長石一名方石療體亦相似疑是此也
謹案此石性冷療熱不減石膏
蒼石味甘平無毒有毒主寒熱下氣瘻蝕殺飛
禽鼠生西城採無時俗中不復用莫識其狀 謹案特生礜石
石一名蒼礜石而梁州特生亦有青者今
房陵漢川與白礜石同處有色青者並毒殺禽獸與礜石同漢中人亦取以
毒鼠不入方用此石出梁州均州房州與二礜石同處特生蒼石並生西城
西城在漢川
金州是也

土陰孽味鹹無毒主婦人陰蝕大熱乾痂生高山
崖上之陰色白如脂採無時此猶似鍾乳孔公孽之類故亦
有孽名但在崖上耳今時有
之但不復採用耳 謹案此即石乳是也出渭州鄣縣三交驛西北岸平
地穴窟中見有六十餘次昔人採處土人云服之同鍾乳而不發熱陶
及本經但云在崖上此說非
也今渭州不復採用也
代赭味苦寒無毒主鬼注賊風蠱毒殺精物惡鬼
腹中毒邪氣女子赤沃漏下帶下百病産難胞
衣不出墮胎養血氣除五藏血脉中熱血痹血瘀

大人小兒驚氣入腹及陰痿不起一名須丸出姑幕者

名須丸出代郡者名代赭一名血師生齊國山谷赤紅青色如雞

冠有澤染爪甲不渝者良採無時畏天雄舊說云是代郡城門下土江東

久絕頃魏國所獻猶是彼間赤土耳非復真物此於俗用乃疏而為丹方之
要并與戎鹽鹵鹹皆是急須　謹案此石多從代州來云山中採得非

城門下土又言生齊代山谷今齊州亭山出赤石其色有赤紅青者其赤者
亦如雞冠且潤澤土人惟採以丹楹柱而紫色且暗此物與代州出者相似古來

用之今靈州鳴沙縣界河北平地掘深四五尺
得者皮上赤滑中紫如雞肝大勝齊代者

鹵鹹味苦鹹寒無毒主大熱消渴狂煩除邪

及吐下蠱毒柔肌膚去五藏腸胃留熱結氣

心下堅食已嘔逆喘滿明目目痛生河東鹽池

古是煎鹽釜下凝滓　謹案鹵鹹既生河東河東鹽不釜煎明非凝
滓也此是鹼土名鹵鹹今人熟皮用之字作古陷反斯則於鹼地掘取之

大鹽令人吐生邯鄲及河東池澤味甘寒無毒

主腸胃結熱喘逆吐胷中病漏蘆為之使　謹案大
鹽即河東印鹽人之

常食者是形麤於末
鹽故以大別之也

戎鹽主明目目痛益氣堅肌骨去毒蠱味

鹹寒無毒療心腹痛溺血吐血齒舌血出一名胡

鹽生胡鹽山及西羌北地及酒泉福祿城東南角

赤十月採 今俗中不復見鹵鹹唯魏國所獻虜鹽即是河東鹽刑 如結冰圓強味鹹苦夏月小潤液虜中鹽乃有九種

白鹽食鹽常食者黑鹽療腹脹氣滿胡鹽療耳聾目痛柔鹽療馬脊瘡又有 赤鹽駮鹽臭鹽馬齒鹽四種並不入食馬齒即大鹽黑鹽疑是鹵鹹柔鹽疑是

戎鹽戎鹽而此戎鹽又名胡鹽兼療眼痛二三相亂今戎鹽虜中甚有從涼 州來芮芮河南使及此部胡客從燉煌來亦得之自是稀少耳其形作塊片或

如雞鴨卵或如菱米色紫白味不甚鹹口嘗氣臭正如毈雞子臭者言是 真又河南鹽池泥中自有凝鹽如石片打破皆方青黑色善療馬脊瘡

又疑此或是鹽雜多種而戎鹽鹵鹹最為要用 謹案陶稱鹵鹹疑是黑鹽 此是鹵鹹主鹹如司說其戎鹽即胡鹽沙州名為禿登鹽廓州名為生鹽

生河岸山坂之陰土石間塊大小 不常堅白似石燒之不鳴灹者

白惡味苦辛溫無毒主女子寒熱癥瘕月閉積

聚陰腫痛漏下無子止洩利不可久服傷五藏令

人羸瘦一名白善生邯鄲山谷採無時 此即今畫用 者甚多而賤

俗方亦希以 仍不須也 [illegible]

鉛丹味辛微寒主吐逆胃反驚癇癲疾除熱下

氣止小便利除毒熱臍攣金瘡溢血煉化還成

丸光久服通神明生蜀郡平澤一名鈆華生於鈆

即今熒鈆所作黄丹畫用者俗方亦希唯仙經丹釜所須此云化成九
光者當謂九光丹以為釜耳无別變煉法 謹案丹白二粉俱炒錫作今

經稱鈆丹陶云
熬鈆俱誤也

粉錫味辛寒無毒主伏尸毒螫殺三虫去鱉瘕

惡瘡墮胎止小便利一名解錫
即今化鈆所作胡粉也其
有金色療尸虫弥良而謂

之粉錫事與經乖 謹案胡實粉用造陶
今又言化鈆作之桉云粉錫亦為深誤

錫鏡銅鼻主女子血閉瘕伏腸絶孕伏尸邪氣生

桂陽山谷
此物與胡粉異類而今共條當以其非正成具一藥故以附見
錫品中也古無純以錫作鏡者皆用銅雜之別錄用銅鏡鼻

即是今破古銅鏡鼻耳用之當燒令赤内酒中飲之若置醯中出入百過亦
可擣也錫及錫本經云蜀郡桂陽今乃出臨賀〻〻猶是分湘東所置鈆

與錫相似而以大殊 謹案臨賀出者名鈆
一名白鑞唯此處資天下用其錫出處皆有之

銅弩牙主婦人產難血閉月水不通陰陽隔塞

此即今人所用射者取燒内酒飲
汁亦以淬之得古者彌勝製鐵多巧也

金牙味鹹無毒主鬼疰毒蠱諸疰生蜀郡如

金色者良
今出蜀漢似粗金而大小方皆如碁子又有銅
牙亦相似但外色黑内色小淺不入用金牙唯以合

須散及五注凡餘方不甚[?]此也　謹案金可離本處入土水中久皆色黑不可謂之銅可也此出漢中　金可湍湍兩岸入石間打出者內

則金色岸崩入水年久者皆黑近南山洛谷代州汾州亦有勝漢中也

石灰味辛温主疽瘍疥瘙熱氣惡瘡癩

疾死肌墮眉殺痔虫去黑子息肉髓骨疽一名

惡灰一名希灰生中山川谷　中山屬代郡今近山生石青白色作竈燒竟水沃

之則熱蒸而解末矣性至烈人以度酒飲之則腹痛下利療金瘡亦甚良俗名石惡古今以構冢用捍水而辟虫之古冢中水以洗諸惡瘡

皆即差也　謹案別錄及今人用療金瘡止血大效若五月五日採蘩蔞葛葉鹿活草槲葉地黄夕藥葉蒼耳葉青蒿葉合石灰擣為團

如鷄卵曝乾末之療諸瘡生肌極神驗

冬灰辛微温主黑子去肬息肉疽蝕疥瘙

一名藜灰生方谷川澤　此即今浣衣黄灰耳燒諸蒿藜積聚鍊作之性烈又荻灰尤烈

欲消黑誌肬贅取此三種灰水和蒸以點之即去不可廣則爛人皮肉　謹案桑薪灰最入藥用療黑子疣目功勝冬灰煮小豆大下水腫然

冬灰本是藜灰餘草不真又有青蒿灰燒蒿作之柃灰木葉作並入染用亦堪食惡柃灰一作苓字

鍜竈灰主癥瘕堅積去邪惡氣　此即今鍜鐵竈以療暴癥水有効貳車丸用之

伏龍肝味辛微温主婦人崩中吐下血止欬逆止血

消癰腫毒氣 此竈中對釜月下黃土也取擣篩合和塗癰甚效以竈有神故號為伏龍肝并亦迂隱其名耳

今人又用廣州鹽城屑以治漏血五瘀血亦是近月之土兼火燒義也 症以蒿草房傷寒桃戶○本草云戊冬牛丸用之

東壁土主下部瘡脫肛 此屋之東壁上土耳當取東壁之東邊謂恒先

見日先照刮取用之亦療小兒風臍又可除油污衣勝石灰滑石 謹案此土摩乾濕二癬極有效

硇砂味鹹苦辛溫有毒不宜多服主積聚破結血爛

胎止痛下氣療欬嗽宿冷去惡肉生好肌爛金銀可

為汗藥出西戎形如朴消光淨者良驢馬藥亦用

之 新附

胡桐淚味鹹苦大寒無毒主大毒熱心腹煩滿水

和服之取吐又主牛馬急黃馬黑汗水研二三兩

灌之立差又為金銀汗藥出肅州以西平澤及山

谷中形似黃礬而堅實有夾爛木者云是胡桐樹

滋淪入土石鹹鹵地作之其樹高大皮葉似白楊青

桐桑輩故名胡桐木堪器用一名胡桐律淚

訛也西域傳云胡桐似桒而曲 新附

薑石味鹹寒無毒主熱䟽豆瘡丁毒等腫生

土石間狀如薑有五種色白者最良所在有之

以爛不䃪者好齊州歷城東者良 新附

赤銅屑以酢和如麦飲袋盛先剌腋下脉去血封

之改腋臭神効又熱使極熱投酒中服五合日三

主賊風反折又燒赤銅五斤內酒二斗中百遍服

同前主賊風甚驗 新附

銅鈝石味[illegible]寒有少毒主丁腫惡瘡馬臚脊

瘡臭腋石上水磨取汁塗臭腋其丁腫末之付

瘡上良 新附

白瓷屑平無毒主婦人帶下白崩止嘔吐逆破

血止血水磨塗瘡滅瘢廣州良餘皆不如 新附

烏古瓦寒無毒以水煑及漬汁飲止消渴取

屋上年久者良　新附

石鷃以水煮汁飲之主淋有効两手各把一枚主

産難出零陵　俗云曰零從石穴中出隨雨飛墜長永州祁陽縣西北百一十五里土岡土堀丈餘取之形似

蚛而堅重如石　新附

梁上塵主腹痛噎中惡鼻衄小兒軟瘡　新附

新修本草玉石部下品卷第五

新修本草木部上品卷第十二

司空上柱国英國公臣勣等奉　勅修

伏苓　虎魄　松脂　栢實　菌桂

牡桂　桂　杜仲　楓香　乾漆

蔓荊　牡荊　女貞　桑上寄生

蕤核　五茄　沉香　蘗木、辛夷

木蘭　榆皮　酸枣　槐實　柠實

枸杞　蘇合　橘柚

右木部上品合廿七種　廿種神農本經六種名醫別錄一種新附

伏苓味甘平無毒主胸脇逆氣憂恚驚

邪恐悸心下結痛寒熱煩滿欬逆口焦

舌乾利小便止消渴好唾大腹淋瀝膈中

痰水々腫淋結開胸腑調藏氣伐腎邪

長陰益氣力保神守中久服安魂魄養

神不飢延年一名伏菟其有根者名伏々神

味甘平主辟不祥療風眩風虛五勞七傷

口乾止驚悸多恚怒善忘開心益智安魂

魄養精神生太山々谷大松下二月八月採陰

乾　馬間為之使案本草無馬間或是馬蘭聲相近故也得甘草防風芍藥紫石麥門冬共療五藏惡白

斂畏牡蒙地榆雄黃秦膠龜甲今出鬱州彼土人乃故斫松作之形多小虛赤不佳自然成者大如三四

升器外皮黑細皺內堅白形如鳥獸龜鱉者良又復時燥則不水作丸散者皆先煮之兩三沸乃切曝乾

白芝者補赤芝者利俗用甚多仙經服食之者至要云
其通神而致靈和魂而練魄明竅而益肌厚腸而開心
調營理胃上品仙藥也善能斷穀不飢爲藥無朽蛀
吾嘗掘地得昔人所埋一塊計伏神是其次伏苓後
結一塊也仙方唯云伏苓而無伏神爲療既同用之亦應
無嫌 謹案李氏本草云馬刀爲伏苓使無名間者
問字草書似刀字寫人不識乃爲問耳陶不悟云是馬
茎謬矣今大山亦有伏苓白實而塊小不復採用今
第一出華山形極麁大、雍
州南山亦有不如華山者

虎魄味甘平無毒主安五藏定魂魄殺精
魅邪鬼消瘀血通五淋生永昌 舊說云是松
脂淪入地千
年所化今燒之亦作松氣俗有虎魄中有一蜂形色如生
博物志又云燒蜂窠所作恐非實此或當蜂爲松脂
所黏因墮地淪沒耳有煑毈雞子及青魚枕作者並
非真唯以拾芥爲驗俗中多帶之辟惡刮屑服療
瘀血至驗仙經無正用曲晨丹所須以赤者爲勝今並
從外國來而伏苓處永無有不知虎魄處復有伏苓
以當謹案瑿味甘平無毒古來相傳云松脂千年爲
伏苓又千年爲虎魄又千年爲瑿然二物燒之皆有松
氣爲用与虎魄同補心安神破血尤善狀似玄玉而
輕出西戎來而伏苓處見無此物今西州南三百余
里磧中得者大則方尺黑潤而輕燒作腥臭高昌人
名爲木瑿謂玄玉爲石瑿洪州土石間得者燒作松
氣破血生肌与虎魄同見風折破不堪爲器量此二
種及虎魄或非松脂所爲也有此差舛今略論之

松脂味苦甘温無毒主癰疽惡瘡頭瘍
白秃疥瘙風氣安藏除熱胃中伏熱
咽乾消渴及風痺死肌練之令白其赤
者主惡風痺久服輕身不老延年一名
松膏一名松肪生大山〻谷六月採松實
味苦無毒温主風痺寒氣虛羸少氣
補不足九月採陰乾松葉味苦温主風

濕痺瘡氣生毛髮安藏守中不飢延年
松節温主白節久風〻虛脚痺疼痛根
白皮主辟穀不飢採煉松脂並在服食方以桑灰汁若酒煑輒内寒水中數十過白滑則可用其有自流出者乃勝於鑿樹及煑膏也其實不可多得唯葉正是斷穀所宜今細切如粟以水及麵飲服之亦有陰乾擣為屑丸服者人患惡病服此无不差此來苦脚弱人釀松節酒亦皆愈松栢皆有脂潤又陵冬不彫理為佳物但人多輕忽近易之耳　謹案松花名松黄拂取似蒲黄正尒酒服輕身療病云勝皮葉及脂其子味甘經直云味苦也松取枝燒其上下承汁名䔉音主牛馬瘡疥為佳

樹皮係衣名艾納合和諸香燒之其
烟團聚青白可愛也

栢實味甘平無毒主驚悸安五藏益氣除
風濕痺恍惚虛損吸吸歷節腰中重痛
益血止汗久服令人潤澤美色耳目聰
明不飢不老輕身延年 生太山山谷栢葉
尤良栢葉苦微溫無毒主吐血衄血崩中
赤白輕身益氣令人耐風寒不濕痺止
飢四時各依方面採乾陰 栢白皮主火灼
爛瘡長毛髮 牡蠣桂苽子爲之使惡菊華羊
蹄諸石及麴 栢葉實亦爲服食
所重練餌別有法栢處處有當以太山爲佳亦忌取
冢墓上也雖四時俱有而秋夏爲好其脂亦入用
此云惡麴人有以釀酒無妨恐酒米相和畏罼用也
謹案栢枝節煑以釀酒主風痺歷節風燒取潲
療瘑疥及癩瘡尤良今子人唯
出陝州 宜州 爲勝太山無復採者也

菌桂味辛溫無毒主百疾養精神和顏
色爲諸藥先聘通使久服輕身不老面

生光華媚好常如童子生交阯山谷桂
枝間無骨正圓如竹生桂林山谷立秋採
交阯屬交州　桂林屬廣州　而蜀都賦云菌桂臨崖今俗中不見正圓如竹者唯嫩枝破卷成圓猶
依桂用恐非真菌桂也仙經乃有用菌桂云三重者良則判非今桂矣必當別是一物應更研訪　謹案
菌者竹名古方用筒桂者是故云三重者良其筒桂亦有二三重卷者葉中三道文肌理緊薄如竹大枝
小枝皮俱是菌桂然大枝皮不能重卷味極淡薄不入藥用今出韶州之
牡桂味辛溫無毒主上氣欬逆結氣

喉痹吐吸心痛。（脇風）脇痛溫筋通脈止煩
出汗利關節補中益氣久服通神輕
身不老生南海山谷　南海郡即是廣州今俗用牡桂狀似桂而扁
廣狹薄皮色黃脂肉甚少氣如木蘭味亦類桂不知當是別樹為復是桂生有老宿者耳亦所未究
謹案爾雅云梫木桂古方亦用木桂或云牡桂即今木桂及單名桂者也此桂花子與菌桂同唯葉倍
長大小枝皮俱名牡桂然大枝皮肌理麤虛如木蘭肉少味薄不及小枝皮也小枝皮肉多半卷中必
皺起味辛美一名肉桂枝一名桂心出融州柳州交州

桂味甘辛大熱有毒主溫中利肝肺氣
心腹寒熱冷疾霍亂轉筋頭痛腰痛
出汗止煩止唾欬嗽鼻齆能墮胎溫中
堅筋骨通血脈理疏不足宣導百藥無所
畏久服神仙不老生桂陽二月七八月十
月採皮陰乾得人參麥門冬甘草大黃黃芩調中益氣得柴胡紫石乾地黃療
吐逆案本經唯有菌桂牡桂而無此桂用體大同小異今俗用便有三種以半卷多脂者單名桂入
藥最多所用悉與前說相應仙經乃並有三種桂常服食以葱涕合和云母蒸化為水者正是此種耳今出
廣州湛惠為好湘州始興桂陽縣即是小桂亦有而不如廣州者交州桂州者形段小多脂肉亦好經云桂
葉如柏葉澤黑皮黃心赤齊武帝時湘州送桂樹以植芳林苑中今東山有山桂皮氣粗相類而葉乖異
亦能凌冬恐或是牡桂詩人多呼丹桂正謂皮赤耳北方今重此每食輒須之蓋禮所云薑桂以為芬芳也
謹案菌桂葉似柿葉中有縱文三道表裏無毛而光澤牡桂葉長尺許陶云小桂或言其葉小者陶
引經云葉似柏葉驗之殊不相類不知此言從何所出今案桂二種桂皮稍不同若菌桂老皮堅板無肉全不
堪用其小枝皮薄卷乃二三重者或名菌桂或名筒桂其牡桂嫩枝皮名為肉桂亦名桂枝其老者名

牡桂之名木桂得以參菁良存日死
菌桂遂出單桂同名疑也

杜仲味辛甘平溫無毒主腰脊痛補
中益精氣堅筋骨強志除陰下痒濕小
便餘瀝腳中酸疼不欲踐地久服輕
身耐老一名思仙一名思仲一名木綿生
上虞山谷又上黨及漢中二月五月六月
九月採皮陰乾畏蛇蛻皮玄參上虞在豫州
虞虢之虞非會稽上虞縣也

今用出建平宜都者狀如厚朴折之多
白絲爲佳用之薄削去上甲皮橫理切令絲斷也

楓香脂一名白膠香味辛苦無毒主
癮疹風痒浮腫齒痛樹皮味辛平有
小毒主水腫下水氣煮汁用之所在大
山皆有樹高大葉三角五月斫樹
爲坎十一月採脂新附也

乾漆味辛溫無毒有毒主絕傷補中
續筋骨填髓腦安五藏五緩六急風寒

痹療欬嗽消瘀血痞結腰痛女子疝瘕

利小腸去蚘虫生漆去長虫久服輕身耐

老生漢中川谷夏至後採乾之 半夏為之使畏雞子

今又以漁陽今華州漆最勝益州亦有廣州漆性
急易燥其諸處漆桶上蓋裏自然有乾者狀如蜂

房孔孔隔者為佳生漆毒烈人以雞子白和服之去虫
猶有齧[illegible]腸胃者畏漆人乃致死外氣亦能使身肉

瘡腫自別有療法仙方用
蟹消之為水煉服長生

蔓荊實味苦辛微寒平溫無毒主

筋骨間寒熱濕痹拘攣明目堅齒

利九竅去白虫長虫主風頭痛腦鳴目淚

出益氣久服輕身耐老令人光澤脂致

長鬚髮小荊實亦等生河間 惡烏頭石
膏小荊即

應是牡荊牡荊子大於蔓荊子而反呼為小荊恐或以
樹形為言復不知蔓荊樹若高大耳 謹案此荊子

今人呼為牡荊子者是也其蔓荊子大故呼牡荊子為
荊實之等言其所用與蔓荊同也蔓荊苗蔓生故

名蔓荊生水濱葉似杏葉而細莖長餘花紅白色今
[illegible]圓[illegible][illegible][illegible]蔓荊[illegible][illegible]遂將蔓荊子為牡荊

牡荊實味苦溫無毒主除骨間寒熱通利

胃氣止欬逆下氣生河間南陽冤句山谷或

平壽都鄉高隄岸上牡荊生田野八

月九月採實陰乾得朮柏實青葙共療頭風防風為之使惡石膏河間冤句

平壽並在北南陽在西論蔓荊即應是今作杖棰之荊而復非見其子殊細正如小麻子色青黃荊

子實具小大如此也牡荊子乃出北方如烏豆大正圓黑仙術多用牡荊今人都無識之者李當之藥錄乃注

溲疏下云疏一名陽櫨一名牡荊一名空疏皮白中空時有節子似枸杞子赤色味甘苦冬月熟俗乃無識者當

此實異是真非人籬域陽櫨也案如此說溲疏主療與牡荊都不同其形類乖異恐乖實理而仙方用牡

荊云能通神見鬼非唯其實乃枝葉並好又有[illegible]荊樹必枝枝相對此是牡荊有不對者即非牡荊

既為牡則不應有子如此並莫詳虛實須更博訪乃詳之耳　謹案此即作棰杖荊是也實細黃

黑色莖勁作樹不為蔓生故稱之為牡非無實之謂也案漢書郊祀志以牡荊莖為幡竿此明則蔓不

堪為竿今所在皆有此荊非本經所載案今生出乃是蔓荊以為附後陶為誤矣別錄云荊葉味苦

平無毒主久痢霍亂轉筋血淋下部瘡濕䘌薄腳主腳氣腫滿根味甘苦平無毒水煮服主心風頭

風支體諸風解肌發汗有青赤二種赤者為佳出類眩亦今醫相承以蔓荊為牡荊以牡荊為蔓荊誤

誤也

女貞實味苦甘平無毒主補中安藏養精神除百疾久服肥健輕身不老生武陵川谷立夏採葉茂盛凌冬不凋皮肉白与秦皮為表裏其樹似冬生而可愛諸處時有仙經亦服食之俗方不復用市人亦無識之者　謹案女貞葉似枸骨及青樹等其實九月熟黑似牛李子陶云与秦皮為表裏誤矣然秦樹葉細冬枯女貞葉大冬茂殊非類也

桑上寄生味苦甘平無毒主腰痛小兒背強癰腫安胎充肌膚堅髮齒長鬚眉主金創去痺女子崩中內傷不足產後餘疾下乳汁其實明目輕身通神一名寄屑一名寓木一名宛童一名蔦生弘農川谷桑樹上三月三日採莖葉陰乾桑上者名桑上寄生耳詩人云施于松上方家亦有用楊上楓上者則各隨其樹名之形類猶是一但根津所因處為異法生樹枝間寄根在枝節之內葉員青赤厚澤易折傍自生枝節冬夏生四月

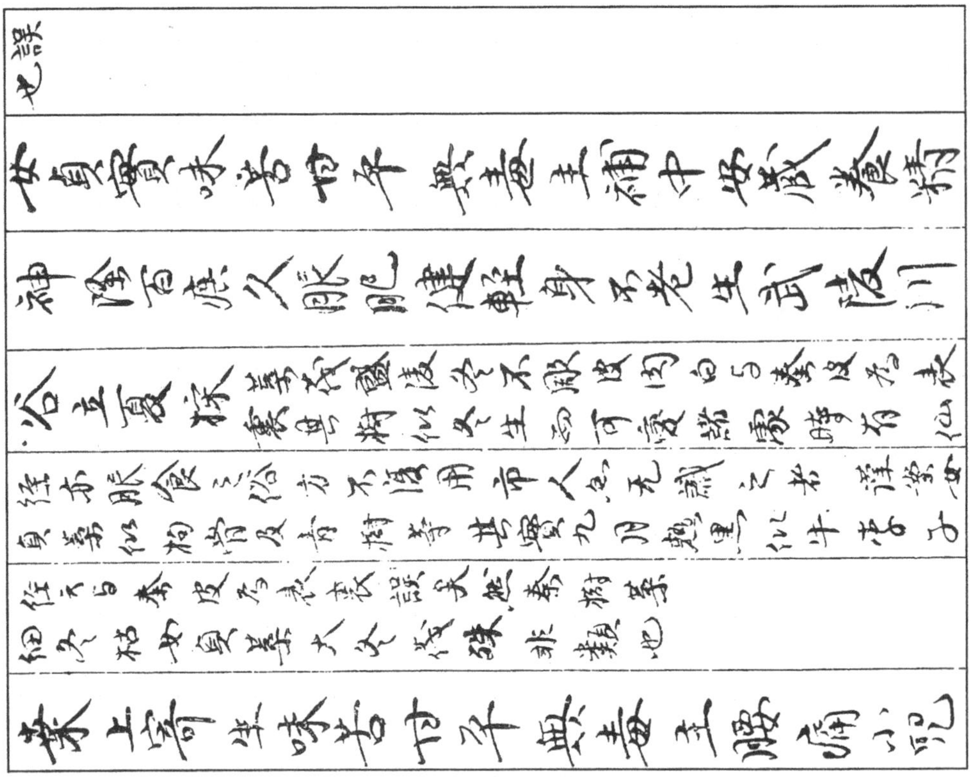

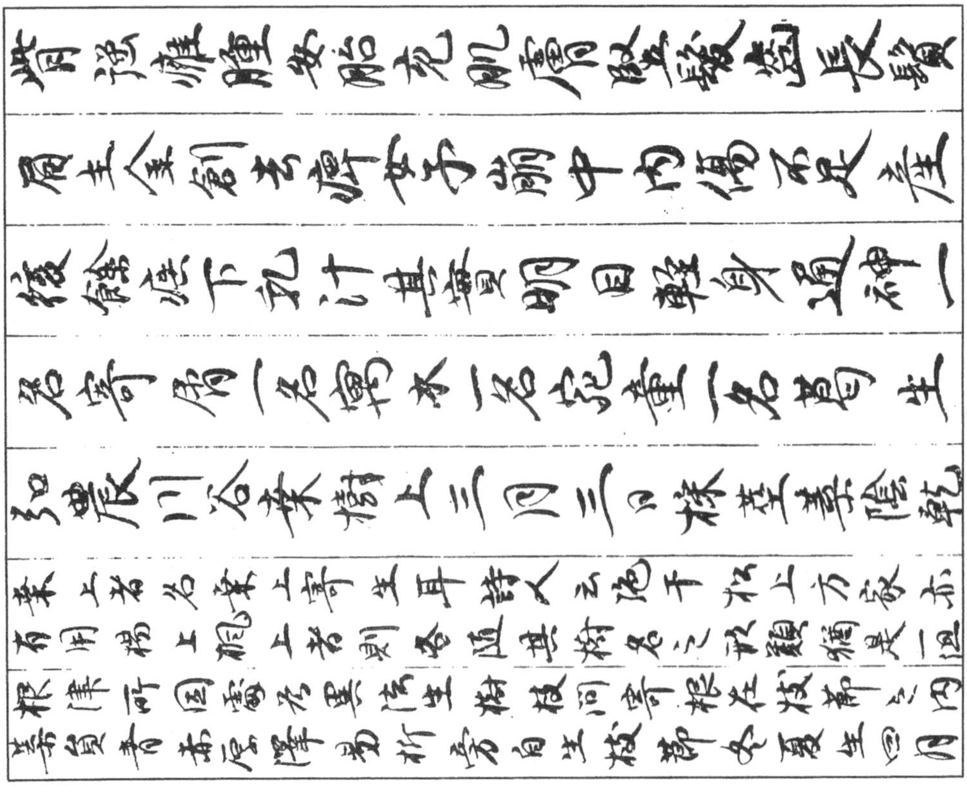

華白五月實赤大如小豆今處〻皆有以出彭城為勝俗人呼為續斷用之案本經續斷別中品藥而主療不同豈容是一物而人使混亂无復能甄識之者服食方云是桑續斷此說又為不同耳　謹案寄生槲櫸柳水楊楓等樹上子黄大如小棗子惟虢州有桑上者子汁甚粘核大如小豆葉无陰陽如細柳葉厚脆莖麁短江南人相承用為續斷殊不相關且寄生實九月始熟而黄今稱五月實赤大如小豆蓋陶未見之也

蕤核味甘溫微寒无毒主心腹邪結氣明目〻痛赤傷淚出療目腫眥爛齆鼻破心下結痰痞氣久服輕身益氣不飢生函谷川谷及巴西七月採實今從此方來云出彭城間狀如烏豆大圓而扁有文理狀似胡桃今人皆合殼用之合兩片乃應破取人稱之醫方唯以療眼仙經以合守中丸也　謹案核字如此許也

五加味辛苦溫微寒無毒主心腹疝氣腹痛益氣療躄小兒不能行疽瘡陰蝕男子陰痿囊下濕小便餘瀝女人陰癢及

腰脊痛兩脚疼痺風弱五緩虛羸補中益精堅筋骨強志意久服輕身耐老一名豺漆一名豺節五葉者良生漢中及冤句五月七月採莖十月採根陰乾遠志爲之使畏虵脫皮玄參今近道處處有東間彌多四葉者亦好煑根莖釀酒主益人道家用此作灰亦以煑石與地榆並有秘法

茄字或作家字者也

沉香薰陸香鷄舌香藿香詹糖香

楓香並微溫悉療風水毒腫去惡氣薰陸詹糖去伏尸鷄舌藿香療霍亂心痛楓香療風隱軫痒毒此六種香皆合香家要用不正復入藥唯療惡核毒腫道方頗有用處詹糖出晉安岑州上真淳澤者難得多以其皮及柘虫屎雜之唯輕者爲佳其餘无甚眞僞而有精麤耳外國用波津香明目白檀消風腫其青木香別在上品謹案沉香青桂鷄骨馬蹄煎香等同是一樹葉似橘葉花白子似檳榔大如桑椹紫色而味辛樹皮青色木似櫸柳薰陸香形似白膠出天竺單于二國鷄舌香樹葉及皮並似栗花如梅花子似棗核此雌

樹也又人香用雄樹者花不實採花釀之以成香出崑崙及交愛以南饒禮樹似橘葉枝葉為香似禮而黑出交廣以南又有丁香根味辛溫主風毒諸腫此別一種樹葉似櫟高數丈陵冬不凋唯根堪療風熱毒腫不入心腹之用非雞舌也

蘗木　味苦寒無毒主五藏腸胃中結氣熱黃疸腸痔止洩利女子漏下赤白陰陽蝕瘡傷氣在皮間肌膚熱赤起目熱赤痛口瘡久服通神一名檀桓　根名檀桓主心腹百病安魂魄不飢渴久服輕身延年通神　生漢中山谷及永昌乾漆今出邵陵者輕薄色深為勝出東山者厚重而色淺其根於道家入木芝品今人不知取服之又有一種小樹狀如石榴其皮黃而苦俗呼為子蘗亦主口瘡又一種小樹至多刺皮亦黃亦主口瘡　謹案子蘗一名山石榴子似女貞皮白不黃亦名小蘗所在皆有今云皮黃恐謬矣案今俗用子蘗皆多刺小樹名刺蘗非小蘗也

辛夷　味辛溫無毒主五藏身體寒風頭腦痛面䵟溫中解肌利九竅通鼻

塞涕出面腫引齒痛眩冒身兀兀如在
車船之上者生鬚髮去白蟲久服下氣輕
身明目增年耐老可作膏藥用之去
中心及外毛毛射人肺令人欬一名辛矧
一名侯桃一名房木生漢中川谷九月採
實暴乾芎藭為之使惡五石脂畏菖蒲黃連石膏
黃環今出丹陽近道形如桃子小時氣辛
香即離騷所呼辛夷者也　謹案此是樹花未開時
收之正月二月好採今見用者是其言九月　採實者

恐誤其樹大連合抱高數仞葉大於柿葉所在皆有實臭
不任藥也方云去毛用其心然難得而服之白皆用花
開者易得
而且香

木蘭味苦寒無毒主身有大熱在皮膚
中去面熱赤皰酒皶惡風癲疾陰下癢
濕明目療中風傷寒及癰疽水腫去臭
氣一名林蘭一名杜蘭皮似桂而香生零
陵山谷生太山十二月採皮陰乾零陵諸處皆
有狀如楠樹

皮甚薄而味辛香今益州有皮厚狀如厚朴而氣味為勝故蜀都賦云木蘭梫桂也今東人皆以山桂

皮當之亦相類道家用合香亦好也　謹案木蘭葉似菌桂葉其葉氣味辛香不及桂

榆皮味甘平無毒主大小便不通利水道除

邪氣腸胃邪熱氣消腫性滑利久服輕

身不飢其實尤良療小兒頭瘡疕華主

小兒癎小便不利傷熱一名零榆生潁川山

谷二月採皮取白暴乾八月採實並勿令

中濕〻則傷人此即今榆樹耳剝皮刮除上赤可臨時用之性至滑利初生

葉人以作糜羹輩令人睡眠嵇公所謂榆令人暝斷穀乃屑其皮并檀皮服之即所謂不飢者也

謹案榆三月實熟尋即落矣今稱八月採實恐本經誤矣也

酸棗味酸平無毒主心腹寒熱邪結氣

四支酸疼濕痹煩心不得眠臍上下痛

血轉久泄汗渴補中益肝氣堅筋大

骨助陰氣令人肥健久服安五藏輕身延

年生河東川澤八月採實陰廿日成防惡

已今出東山間云即是山棗樹子々似武昌棗而味極醶東人乃敢之以醒睡与此療不得眠正反矣 謹案此即樲棗實也樹大如大棗實无常形但大棗中味醶者是本經唯用實療不得眠不言用人今方用其人補中益氣自補中益肝已下為醶棗人之功能又於下品白棘條中復云用其實今醫棘實為醶棘太誤矣也

槐實味苦醶醎寒無毒主五內邪氣熱止涎唾補絕傷五痔火瘡婦人乳瘕子藏急痛以七月七日取之擣取汁銅器

盛之日煎令可作丸大如鼠矢內竅中三易愈又墮胎久服明目益氣頭不白延年枝主洗瘡及陰囊下濕癢皮主爛瘡根主喉痺寒熱生河南平澤可作神燭

景天爲之使槐子以多連者爲好十月上巳日採之新瓷盛合泥百日皮爛為水核如大豆服之令人腦滿髮不白而長生處處有此云七月取其子未堅故擣絞取汁 謹案別錄云八月斷槐大枝使生嫩蘗煮汁釀酒療大風痿痺甚効槐耳味苦辛平無毒主五痔心痛女人陰中痒痛

槐樹菌也當取堅如棗耳若軟炧尉心醫毒也

楮實 味甘寒無毒 主陰痿水腫 一名穀
實 所在有之 八月九月採實 日乾 葉味
甘無毒 主小兒身熱 食不生肌 可作浴湯
又主惡瘡生肉 樹皮 主逆氣 利小便 莖主
癮軫癢 單煮洗浴 其皮白汁 療癬 此即今穀
樹子也仙方採擣取汁和丹用亦乾服使人通神見鬼南人呼穀紙亦爲楮紙作楮音武陵人作穀
皮衣又甚堅好耳也

枸杞 味苦寒 根大寒 子微寒 無毒 主五內邪氣 熱
中消渴 周痹風濕 下胷脇氣 客熱頭
痛 補內傷大勞噓吸 堅筋骨 強陰 利
大小腸 久服堅筋骨 輕身能老 耐寒
暑 一名杞根 一名地骨 一名苟忌 一名地輔
一名羊乳 一名却暑 一名仙人杖 一名西王

毋杖生常山平澤又諸丘陵阪岸上冬採
根春夏採葉秋採實陰乾今石頭烽火樓下最多其葉可
作羹味小苦俗諺云去家千里勿食羅摩枸杞此言其補益精氣強盛陰道也羅摩一名苦丸葉厚大作
藤生摘有白汁人家多種之可生啖亦於蒸煮食也枸杞根實爲服食家用其說乃甚美仙人之杖
遠自有旨乎也
蘇合味甘溫無毒主辟惡殺鬼精物
溫瘧蠱毒癇痓去三蟲除邪不夢

忤魘脒通神明久服輕身長年生
中臺川谷俗傳云是師子矢外國說不尒今皆從西域來真者難别亦不復
入藥唯供合好香耳　謹案此香從西域及崑崙來紫赤色重如石燒之灰白者好云是師子屎
者此是胡人誑言陶不誤之於以爲疑
橘柚味辛溫無毒主胷中瘕熱氣
利水穀下氣止嘔欬除膀胱留熱下停
水五淋利小便主脾不能消穀氣充

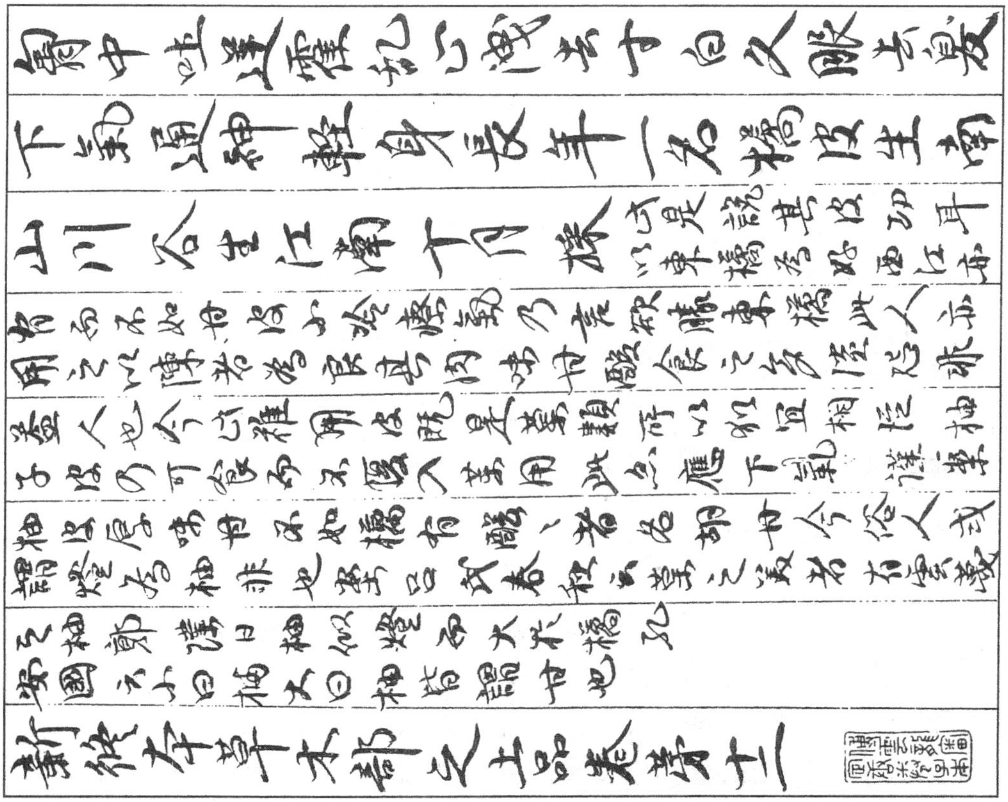

胷中吐逆霍乱止泄去寸白久服去臭
下氣通神輕身長年一名橘皮生南
山川谷生江南十月採 此是説其皮功耳以東橘為好西江亦
有而不如其皮小冷療氣乃言欲勝東橘北人亦
用之以陳者為良其肉味甘酸食之多痰恐非
益人也今此雖用皮既是菓類所以猶宜相從柚
子皮乃可食而不復入藥用此亦應下氣 謹案
柚皮厚味甘不如橘有酸〻者名胡甘今俗人或
謂橙為柚非也案呂氏春秋云菓之美者有雲夢
之柚郭璞曰柚似橙而大於橘孔
安國云小曰橘大曰柚皆謂甘也
新修本草木部之上品卷第十二

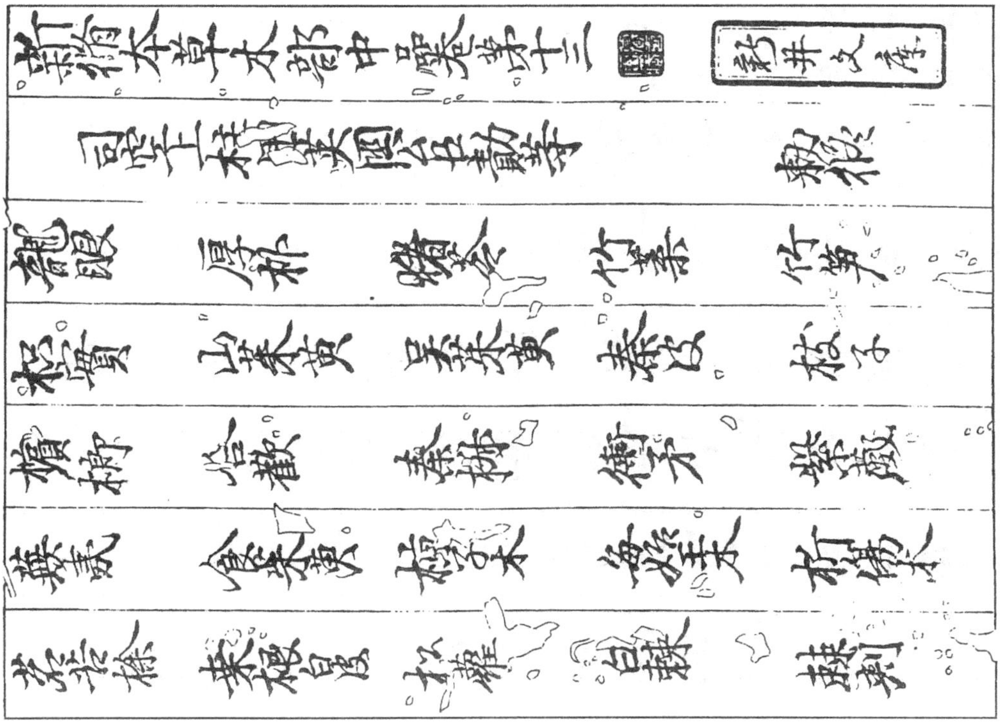

新修本草木部中品卷第十三　新井文庫
司空上柱國英國公臣勣等　勅撰
龍眼　厚朴　豬苓　竹葉　竹笋
枳實　山茱萸　吳茱萸　秦皮　梔子
檳榔　合歡　秦椒　衛矛　紫葳
蕪荑　食茱萸　椋子木　每始王木　折傷木
茗苦搽　桑根白皮　松蘿　白棘　棘刺

安息香　龍腦　菴摩勒　毗梨勒

右木部中品廿八種　十七種神農本經二種名醫別録九種新附

龍眼味甘平無毒主五藏邪氣安志
厭食除蟲去毒久服強魂魄聰察輕身
不老通神明一名益智其大者似檳榔生
南海山谷　廣州別有龍眼似荔支而小非益智恐彼人別名今者為益智耳食之並利人　謹案益智似連翹
子頭未開者味甘辛殊不似檳榔其苗葉花根与豈蔲无別唯子小耳龍眼一名益智而益智非龍眼也其龍眼樹似荔枝葉若

林檎花白色子如檳榔有鱗甲大如鴿卵味甘酸

厚朴味苦溫無毒主中風傷寒頭痛寒熱
驚氣血痺死肌去三虫溫中益氣消淡下
氣療霍亂及腹痛脹滿胃中冷逆胸中
嘔逆不止泄利淋露除驚去留熱心煩滿厚
腸胃一名厚皮一名赤朴其樹名榛其子名
逐折療鼠瘻明目益氣生交阯冤句三月

九月十月採陰乾 乾薑為之使惡澤瀉寒水石消石今出建平宜都極厚肉紫色為
好殼薄而白者不如用之削上甲錯皮俗方多用道家不須也
猪苓味甘苦平無毒主痎瘧解毒蠱疰
不祥利水道久服輕身耐老一名猳猪
屎生衡山山谷及濟陰冤句二月八月採
陰乾 今湘州衡山元有此道不通皆從嶺州來是楓樹苓其皮至黑作塊似猪屎故以名之肉白而實者佳用之削去黑皮乃
秤之比來殊難得耳

竹葉 芹竹葉味辛平大寒無毒主欬逆上氣
溢筋急惡瘍殺小蟲除煩熱風痙喉痺嘔吐
根作湯益氣止渴補虛下氣消毒汁主風痓痹
實通神明輕身益氣生益州 淡竹葉味
辛平大寒主胸中痰熱欬逆上氣其瀝大寒
療暴中風風痹胸中大熱止煩悶其皮茹微寒
療嘔啘溫氣寒熱吐血崩中溢筋苦竹葉

及瘡瘍口齒明眼痛通利九竅

竹笋子味甘無毒主消渴利水道益氣可

久食干竹子燒服療五痔血竹類甚多此前一條云是篁竹此用淡苦耳又

一種薄殼者名甘竹筍最勝又有實中竹篁竹又有莖竹並以筍為佳於筍無用凡竹瀝唯用淡竹耳竹之實出藍田江東乃有花而無實故

鳳鳥不至而頃來斑斑有實實狀如小麥也

枳實味苦酸寒無毒主大風在皮膚中

如麻豆苦癢除寒熱結止痢長肌肉利

五藏益氣輕身除胸脅淡癖逐停水破

結實消脹滿心下急痞痛逆氣脅風痛安

胃氣止溏泄明目生河內川澤九月十月採陰

乾今處處有採破令乾用之除中核微炙令香亦如橘皮以陳者為良枳樹枝莖及皮療水脹暴風骨節疼急枳實俗方多

用道家不須也謹案枳實日干乃得陰便濕爛用當去核及中瓤乃佳今之用枳殼乃爾若稱枳實須合核瓤用者殊

不然也誤矣

山茱萸味酸平微溫無毒主心下邪氣寒

熱溫中逐寒濕痹去三蟲腸胃風邪寒
熱疝瘕頭腦風〻氣去來鼻塞目黃耳聾
面皰溫中下氣出汗強陰益精安藏通九
竅止小便利久服輕身明目強力長年一名
蜀棗一名雞足一名思益一名鬼實生漢中山谷
及琅邪冤朐東海承縣九月十月採實陰乾
蓼實為之使惡桔梗防風防己今出近道諸山中大樹子初熟未乾赤
色如胡頹子亦可噉既乾後皮甚薄當合核為用也

吳茱萸 味辛溫大熱有小毒 主溫中
下氣止痛欬逆寒熱除濕血痹逐風
邪開腠理去痰冷腹內絞痛諸冷實
不消中惡心腹痛逆氣利五藏根殺
三蟲根白皮殺蟯蟲療喉痹欬逆止洩
注食不消女子經產餘血療白癬一名藙
生上谷川谷及冤朐九月九日採陰乾

蓼實為之使惡丹參消石白堊畏紫石英此即今食茱萸禮
記亦名藙而俗中呼為藙子當是不識藙〻字〻似蔱仍以相
傳其根南行東行者為勝道家去三尸方亦用之謹案爾雅
釋木云椒樧醜梂陸氏本草疏云椒樧屬亦有樧名陶誤也

秦皮味苦微寒大寒無毒主風寒濕痺

洗洗寒氣除熱目中青翳白膜男子少

精婦人帶下小兒癇身熱可作洗目湯

久服頭不白輕身皮膚光澤肥大有子

一名岑皮一名石檀生廬江川谷生宛朐

二月八月採皮陰乾 大戟為之使惡茱萸俗云是樊槻
皮而水漬以和墨書青色不脫微青

且亦殊薄恐不必爾俗方以療目道術家亦有用處謹案
此樹似檀葉細皮有白點而不粗錯取皮水漬便碧色書紙看

皆青色者是俗見味苦名為苦樹亦用
皮療眼有效以葉似檀故名石檀也

枝子味苦寒大寒無毒主五內邪氣胃中

熱氣面赤酒皰皶鼻白癩赤癩瘡瘍目熱

赤痛胸中心大小腸大熱心中煩悶胃中熱

氣一名木丹一名越桃生南陽川谷九月採實曝乾

乾鮮玉支毒處處有赤兩三種小異以七道者為良經霜乃取之今皆入染用於藥甚希玉支即躑躅蒴也

檳榔味辛溫無毒主消穀逐水除淡澼殺三蟲

去伏尸療寸白生南海此有三四種出交州形小而味甘廣州以南者形大而味澀核亦大尤大者名楮檳榔作藥皆用之又小者南人名蒳子俗人呼為檳榔孫亦可食 謹案檳榔𦬊者極大停數日便爛今人北來者皆先灰汁煑熏仍火熏使干始堪停久其中人主腹脹生擣末服利水穀傳瘡生肌肉止痛燒為灰主口吻白瘡 生交州愛州及崐崘

合歡味甘平無毒主安五藏和心志令人歡樂

無憂久服輕身明目得所欲生益州川谷嵇公養生論亦云合歡蠲忿萱草忘憂 詩人又有萱草皆云即是今麻黃不入藥用至於合歡舉俗無識之者當以其非療病之功稍見輕略遂致永謝猶如長生之法人罕敦尚亦為遺弃也洛陽華林苑中猶云合歡如丁林唯不來江左耳 謹案此樹生葉似皂莢槐等極細五月花發紅白色所在山㵎中有之今東西京第宅山池閒亦有種者名曰合歡或曰合昏秋實作莢子極薄細

秦椒味辛溫生溫熟寒有毒主風邪氣

溫中除寒痺堅齒長髮明目療喉痺吐逆

疝瘕去老血產後餘疾腹痛出汗利五藏

久服輕身好色能老增年通神生太山川谷

及秦嶺上或琅琊八月九月採實惡栝樓房葵畏雌黃今從西来形似桝而大色黄黑味亦頗有桝氣或呼為大桝又云即今樧樹子而樧子是揣桝恐謬 謹案秦桝樹葉及子都似蜀椒但味短實細藍田右秦嶺閒大有

衛矛味苦寒無毒主女子崩中下血腹滿汗出除邪煞鬼毒注蠱中惡腹痛去白蟲消皮膚風毒腫令陰中解一名鬼箭生霍山山谷八月採陰乾山野處處有其莖三羽狀如箭羽俗皆呼為鬼箭而為用甚布用之削取皮及羽也

紫葳味酸微寒無毒主婦人乳餘疾崩中癥瘕血閉寒熱羸瘦養胎莖葉味苦无毒主痿蹷益氣一名陵苕一名芺華生西海川谷生山陽李云是瞿麥根今方用至少博物志云郝晦行華草於太行山北得紫葳華必當奇異今瞿麥華乃可愛而處處有不應乃在太行山且又標其莖華恐亦非瞿麥根詩云有苕之華郭云陵霄藤亦恐非也 謹案此葳此即陵霄也花及莖葉俱用案尒雅釋草云苕一名陵苕黄華蔈白華芺郭云一名陵時又名陵霄本草云一名陵苕一名芺華即用花不用根也山中亦有白花者案瞿麥花紅无黄白者紫葳瞿麥皆本经所載若用瞿麥根為紫葳紫葳何得復用莖葉體性既與瞿麥

可畏生處亦不相關郭云度有此等類說

蕪荑味辛平無毒主五內邪氣散皮膚骨節中淫淫行毒去三蟲化食逐寸白散腸中嗢嗢喘息出一名無姑一名㲋瑭生川谷三月採實陰乾

今唯出高麗狀如榆莢氣臭如犼彼人皆以作醬食之性殺蟲以置物中亦辟蛀但患其臭耳　謹案爾雅蕪荑一名㲋瑭今云殺瑭字之誤也今出近洲同州者最好

食茱萸味辛苦大熱無毒功用與吳茱萸同少為劣耳蒸濕水氣用之乃佳

皮薄開口者是雖名為食而不堪啖　新附

椋子木味甘鹹平無毒主折傷破血養血安胎止痛生肉

葉似柿兩葉相當子細圓如牛李子生青熟黑其木堅重煮汁赤爾雅云椋即來是也八月九月採木日乾　新附

每始王木味苦平無毒主折跌筋骨生肌破血止痛酒水煮濃汁飲之生資州山谷

藤生繞樹木上葉似蘿摩葉二月八月採　新附

折傷木味甘鹹平無毒主傷折骨筋疼痛

散血産後血悶心痛酒水煑濃汁飲之生資州

山谷藤生繞樹上葉似茴草葉而光厚八月九月採莖日乾新附

落苦梌落味甘苦微寒無毒主瘻瘡利小

便去淡變渴令人少睡秋採之苦梌主下氣

消宿食作飲加茱萸葱薑等葉尒雅釋木云檟苦梌春秋採之搽音茗

莽出山南金州梁州漢中山谷新附

棗根白皮味甘寒無毒主傷中五勞六極羸

瘦崩中脉絶補虛益氣去脉中水氣心蚤

血變渴水腫腹滿臚脹利水道去寸白可以

縫創採無時出主上者殺人續斷桂心麻子爲之使

葉主除寒變出汗汁解吴公毒

棗耳味甘有毒黒者主女子漏下

赤白汁血癥瘕積聚腹痛陰陽寒

變无子月水不調其黄熟陳白者

心久泄益氣不飢金创者療癖痺
飲積聚腹痛金創一名桒菌一名木麥
五木耳名檽益氣不飢輕身強志生
犍為六月多雨時採木耳即曝乾東行桒根
乃易得而江邊多出土不可輕信桒耳斷穀方云木檽又呼為
桒上寄生此云五木耳而不顯四者是何木桒老桒樹生燊耳
有黃赤白者又多雨時亦生軟濕者人採以作葅皆无復菜用
薤菜杍耳人常食槐耳用療痔榆柳桒耳此為五耳軟者
並堪噉桒味甘寒无毒单食主消渴蒸味苦甘寒有少毒
水煎取濃汁除脚氣水腫利大小腸灰味辛寒有小毒蔵

淋取汁為煎与冬　等同滅誌疵黑子蝕
惡肉煑小豆大下汁脹傳金創止血生肌也
松蘿味苦甘平無毒主瞋怒邪氣止虛汗
出風頭女子陰寒腫痛療淡熱溫瘧可為
吐湯利水道一名女蘿生熊耳山川谷松樹
上五月採陰乾東山甚多生雜樹上而以松上者為真毛詩云蔦與蘿施于松上蔦是寄生今
以桒上者為真不用松者此并有異同耳
白棘味辛寒無毒主心痛癰腫潰膿止痛

决刺結瘰大夫虛損陰痿精自出補腎氣
益精髓一名棘鍼一名棘刺生雍州川谷李云是棗樹
針今人用天門冬代之非真也 謹案白棘莖白如粉
坐子菜與赤棘同棘林中時夏有之亦為難得
棘刺花味苦無毒平主金創內漏明目
冬至後百廿日採之實主明心腹痿痺
熱利小便生道旁四月採一名枿蕒一名
胸一名刺原又有棗針療腰痛喉痛

此一條又相違越恐李所言多是然復无導其花衰一夕折
別一物不闕棗刺也今俗人不皆用門冬苗乃是好作飲益人正自不
儒棘刺耳 謹案棘有白赤二種亦猶諸棗色類非一依用
不足怪以江南元棘李云用棗針天門冬苗一名顛棘南人取亻
陶亦不許今用棘刺當取白者為勝花即棘花定无別物然刺有
種有鉤有直補益用直者療腫宜取鉤者又云棗針宜在棗
人昧於棗棘所
以同在棘條
安息香味辛苦平無毒主心腹惡氣鬼
西戎似松脂黃黑色為塊新者亦柔韌新
龍腦香及膏香味辛苦微寒一云溫平無毒

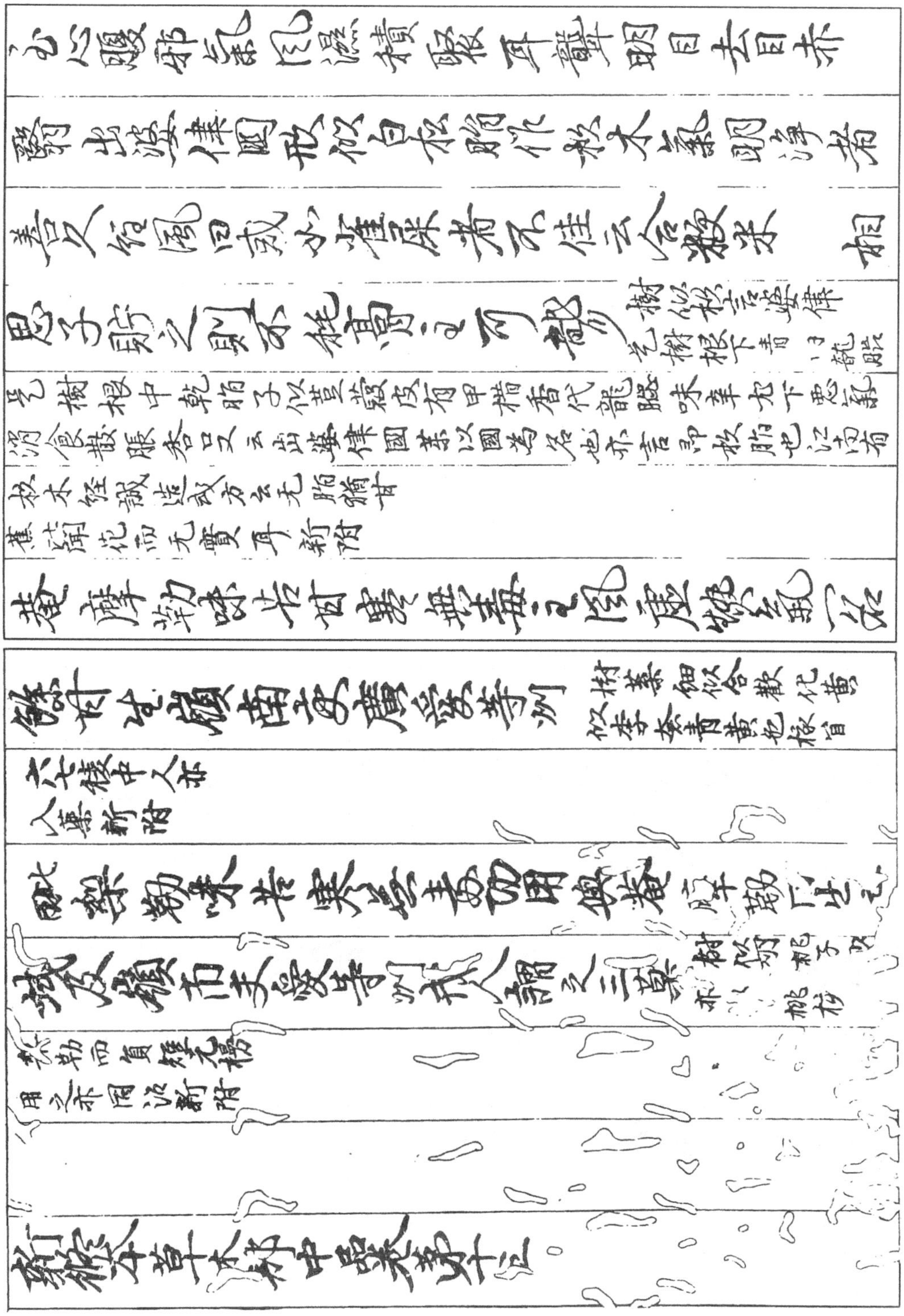

心腹邪氣風濕積聚耳聾明目去目赤

翳出婆律國形似白松脂作杉木氣明淨者

善久經風日或如雀屎者不佳云合糯米相

思子貯之則不耗膏主耳聾 樹似杉言婆律 是樹根下清脂龍腦

是樹根中乾脂子似荳蔻皮有甲錯香代龍腦味辛尤下惡氣 消食散脹香口又云出婆律國菜以國為名也亦言即杉脂也江南有

杉木經誠造或方云无脂猶甘 蕉蒲花而无實耳新附

菴摩勒味苦甘寒無毒主風虛熱氣一名

餘甘生嶺南交廣愛等州 樹葉細似合歡花黃 似李奈青黃色核官

六七稜中人亦 入藥新附

毗梨勒味苦寒無毒功用與菴摩勒同出西

域及嶺南交愛等州戎人謂之三菓 樹似胡桃子形 亦似胡桃核

黎勒而員短无稜 用之亦同治新附

新修本草木部中品卷第十三

新修本草木部下品卷第十四

司空上柱國英國公臣勣等奉　勅修

黄環　石南草　巴豆　蜀椒　莽草

郁核　鼠李　欒華　杉材　楠材

榧實　蔓椒　釣樟　雷丸　溲疏

櫸樹皮　白楊樹皮　水楊葉　欒荊　小蘗

莢蒾　鉤藤　藥實　皂莢　練實

柳華　桐華　梓白皮　蘇方木　接骨木

枳椇　木天蓼　鳥臼木　赤爪　訶梨勒

楓柳　賣子木　大空　紫真檀　椿木

橡實　無食子　楊盧木　槲若

右木類下品合卅五種　一十七種神農本經　七種名醫別錄　廿一種新附

黄環　味苦平有毒　主蠱毒鬼疰鬼魅邪氣

在藏中　除欬逆寒熱　一名陵泉　一名大就　生

蜀郡山谷　三月採根陰乾　鳶尾爲之使　惡伏苓防己　亦作車轄理解蜀都賦

所云主[illegible]　黄環者或云是大戟花定非也俗用甚希市人勘有識者　葉比如襄陽巴西人謂之就葛作藤生根亦類所云似防己作車

輻理解者近之人取葛根誤得食之吐利不止以土漿解乃差此真黄環也餘處亦[illegible]唯襄陽大有本經用根今云大戟花非也真[illegible]

角生似皂莢花實与葛同時矣[illegible]種之大者莖徑六七寸所有　之謂其子名狼跋子今太常科劒而來者乃鵝屎葛根非也

石南草　味辛平苦有毒　主養腎氣內傷

陰衰利筋骨皮毛療脚弱五藏邪氣除熱

女子不可久服令思男　實殺蠱毒破積聚逐風

痺一名鬼目生華陰山谷二月四月採葉八月採實陰乾五茄為之使今盧江及東間皆有葉狀如枇杷葉方用亦希謹案此早菜似萆草陵冬不凋以葉細者為良用甲者如豆療風耶丸散之需其江山已市者長大如枇杷葉无氣味殊不任用今醫家不須用實也

巴豆味辛溫生溫熟寒有大毒主傷寒溫瘧寒熱破癥瘕結堅積聚留飲淡澼大腹水脹蕩練五藏六府開通閉塞利水穀道去惡肉除鬼蠱毒注邪物殺蟲魚女子月閉爛胎金創膿血不利丈夫陰殺斑蝥毒可練餌之益血脈令人色好變化与鬼神通一名巴椒生巴郡川谷八月採實陰乾之用去心皮芫花為之使惡蘘草畏大黃黃連梨蘆出巴郡似大豆最得利人新者佳用皆去心皮乃秤又熬令黃黑別搗如膏乃合和丸散可道方亦有鍊餌法服之乃言神仙人吞一枚便欲死而鼠食之三年重卅斤物性乃有相耐如此耳謹案樹高丈餘葉似櫻桃葉頭微尖十二月葉漸凋至四月落盡五葉漸生七月花八月結實九月成十月採其子三枚共蒂各有殼最出眉州嘉州

蜀椒味辛溫大熱有毒主邪氣欬逆溫中逐
骨節皮膚死肌寒濕痹痛下氣除
五藏六府寒冷傷寒溫瘧大風汗
不出心腹留飲宿食止腸澼下利泄
精女子字乳餘疾散風邪瘕結水腫黃
疸鬼疰蠱毒殺蟲魚毒久服之頭
不白輕身增年開腠理通血脉堅齒

髮調關節耐寒暑可作膏藥多食
令人乏氣口閉者殺人一名巴椒一名
蓎藙生武都川谷及巴郡八月采實陰
杏人為之使畏款冬出蜀郡北部由此主人家種之皮肉厚
腹裏白氣味濃江陽晉原及建平間以有而細赤辛而不香
力勢不如巴郡巴椒有毒不可服而此為一名恐不尔又有秦椒黑色在上
品中凡用椒皆火微熬之令汗出謂為汗椒令人有力勢椒目冷利去水
則入藥不得相雜耳謹案椒目味苦寒無毒
主水腹脹滿利小便今椒出金州西城最善
莽草味辛苦溫有毒主風頭癰腫乳癰

疝瘕除結氣疥瘙虫疽瘡殺虫魚療
喉痺不通乳難頭風癢可用沐勿近目
一名葞一名春草生上谷山谷及冤句五
月採莖葉陰乾上谷遠在幽州今東間諸山處處皆有葉青新烈者良人用搗以和米內水中魚吞即死
浮出人取食之無妨莽草字亦有作苟若字者同音
郁核味酸平無毒主大腹水腫面目四
支浮腫利小便水道根主齒齗腫齲

齒堅齒去白虫一名爵李一名車下
李一名棣生高山川谷及丘陵上五月
六月採根山野處處有其子熟赤色亦可噉之
鼠李主寒熱瘰癧瘡皮味苦微
寒無毒主除身皮熱毒一名牛李
一名鼠梓一名椑生田野採無時此條又附
見今亦在副品限也謹案此藥一名趙李一名皂李一名烏槎樹皮主諸瘡寒熱毒痺子主牛馬六畜瘡中虫或生擣

薄〻鼓和脂塗皆効子味苦採取日乾九蓋酒漬服三合日
三能下血及碎肉除疝瘕積冷氣大良皮子俱有小毒

欒華味苦寒无毒主目痛泣出傷眥

消目腫生漢中川谷五月採 决明為之使
䕨案此樹柔槃

莖而薄細花黄似槐少長大殼似酸漿其中有實如熟豌豆圓
黑堅硬堪為數珠者是也五六月花可收市人取合黄連作染黄

黄色甚鮮好也
亦烟大药花从涂

杉材微溫主療漆瘡 削作柿煮以洗漆〻亦不問差又
有鼠查生去地高丈餘許煮以洗

漆多差又有漆姑葉細〻多生石邊亦療漆〻其鷄子及蟹並是
舊方　謹案杉木水煮汁浸捋脚氣腫滿服〻療心腹脹痛去惡

氣其鼠查漆姑有
別功別〻出下品

楠材微溫主霍乱吐下不止 削作柿煮服之
窮无他藥用此

榧實味甘主五痔去三虫蠱毒鬼注

生永昌 今出東陽諸郡食其子乃言療寸白不復有
餘用不入藥方疑此与前虫部彼子療說符同

謹案此物是虫部中彼子也尒雅云彼杉也其樹大連
抱高數仞葉似杉其樹如栢作松理肌細軟堪器用者

蔓椒味苦溫无毒主風寒濕痺癧節

疼痛除四支厥氣膝痛一名豕椒一名[illegible]

柳一名狗柳生雲中山川谷及丘冢間採
莖根黃醲（山野處處有俗乎為摽似欃纛小不香耳一名狒敛可以蒸病出汗）
鈞樟根皮主金創止血（出桂陽邵陵諸處亦乎作鳥樟方家乃不用而俗人多識之刮根皮屑以療金創斷血易合甚驗又有一草似狼牙氣辛臭名地菘人乎為劉盡草五月五日採乾作屑亦至療金瘡言劉燼昔採用之耳　謹案鈞樟生柳州山谷樹高丈餘葉似楠葉而尖長背有赤毛若枇杷葉八月九月採根皮日乾之）
雷丸味苦鹹寒微寒有小毒主殺三虫
逐毒氣胃中熱利丈夫不利女子作膏
摩小兒百病逐邪氣惡風汗出除皮中
熱結積聚蠱毒白虫寸白自出不止久服
令人陰萎一名雷矢一名雷實赤者殺人生
石城山谷及漢中土中八月採根曝乾（荔實厚朴為之使惡葛根今出建平宜都間累累相連如丸本經云利丈夫別錄云久服陰萎於事相反　謹案雷丸是竹之苓也凡有田墓芳竹苓也无相連者今出房州金州）
溲疏味辛苦寒微寒无毒主身皮

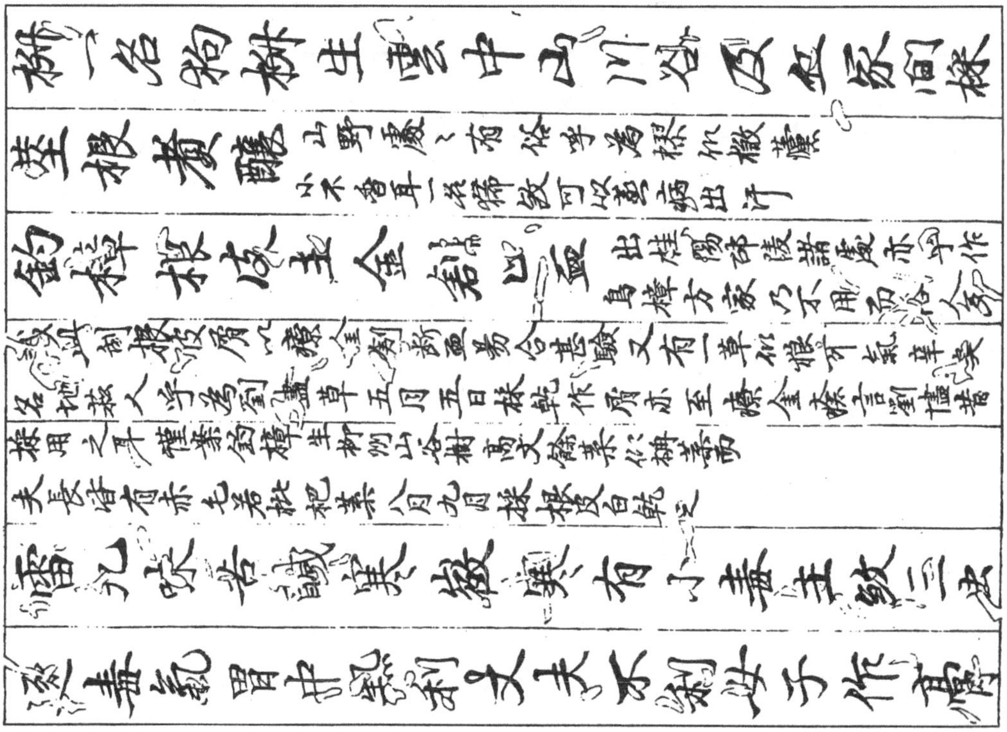

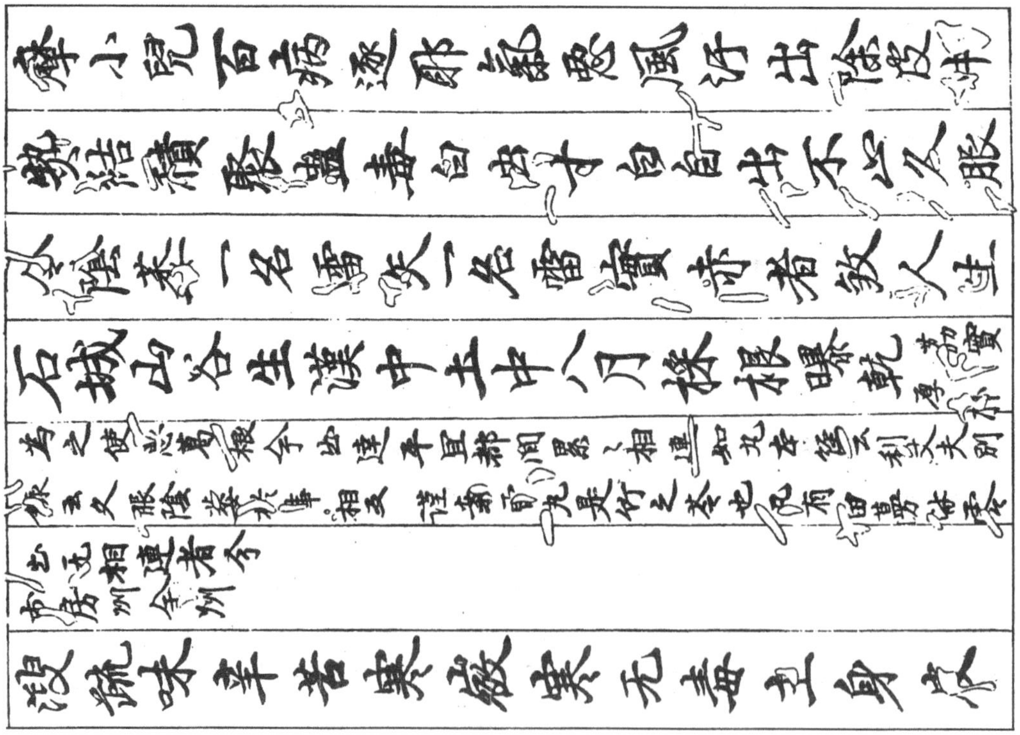

膚中熱除邪氣止遺溺通利水道除
胃中熱下氣可作浴湯一名巨骨生
熊耳川谷及田野故丘墟地四月採漏蘆
爲之使李云溲疏一名楊櫨一名牡荊一名空疏皮白中空時々
有節子似枸杞子冬月熟色赤味甘苦末代乃無識者此實
真也非人籬援之楊櫨也李當之此說於論牡荊乃不爲大
乖而濫引溲疏恐斯誤矣又云溲疏與空疏亦不同掘耳乎鼠雅
作熊耳山谷而新无施乎々考之　謹案溲疏形似空疏樹高
丈許皮白其子八月九月熟色赤似枸杞子味苦必兩々相並與空
疏不同空疏一名楊
櫨子爲莢不似溲疏

櫸樹皮大寒主時行頭痛熱結在腸胃山中
處々有皮似檀槐葉如櫟槲人亦多識用之削取裏皮
去上甲煎服之夏日作飲去熱　謹案此樹所在皆有多生
溪閒水側葉似樗而狹長樹大者連抱高數仞皮極麤厚
殊不似檀俗人取煮汁以療水及斷下利取嫩葉挼貼火爛瘡
有効
也

白楊樹皮味苦无毒主久風脚氣腫四支緩
弱不隨毒氣遊易在皮膚中痰癖等酒漬
服之取葉圓大蒂小无風自動者新附

水楊葉嫩枝味苦平无毒主久痢赤白擣水
絞取汁服一升日二大效此陶注都若是新附
欒荊味辛苦溫有小毒主大風頭面手足諸
風癲癇狂痓濕痹寒冷疼痛俗方大用之而
本草不載亦無別名但有欒花功用又別非
此花也 其莖葉都似石南乾亦反卷經冬不死葉上有細黑點者真也今雍州所用者是而洛州乃用石荊當之非也新附
小蘗味苦大寒无毒主口瘡甘䘌殺諸蟲去

心腹中熱氣一名山石榴 其樹枝葉與石榴無別但花異子細黑圓如牛李子耳生山石間
所在皆有襄陽峴山東者為良陶於蘗木附見二種其一見是陶又皮黃其樹乃皮白今太常所貯乃蘗子刺者名曰刺蘗非小蘗
也新附
莢蒾味甘苦平无毒主三蟲下氣消穀 葉似
木槿及似榆作小樹其子如溲疏兩兩為並四四相對而色赤味甘煮樹枝汁和作粥甚美以飼小兒殺蚘蟲人方用亦稀草木疏名擊
迷一名羿先單子樻榆額也所在山谷有之新附
鉤藤微寒主小兒寒熱十二驚癇 也遠子然作弓藤字

唯療小兒不入餘方謹案出梁州
葉細長莖間有刺形若釣鉤者

藥實根味辛温无毒主邪氣諸痹疼

酸續傷絶補骨髓一名連木生蜀郡山谷

採无時 謹案此藥子也當今盛用胡名那綻出通州渝州本
經用根恐誤載根字子味辛平无毒主破血止利

消腫除蠱疰蛇毒樹生葉似杏花
紅白色子肉味酸甘用其核人也

皂莢味辛鹹温有小毒主風痹死肌邪氣

風頭淚出下水利九竅殺鬼精物療腹脹

滿消穀除欬嗽囊結婦人胞不落明目益精

可為沐藥不入湯生雍州川谷及魯鄒縣如

猪牙者良九月十月採莢乾 栢實為之使惡
麥門冬畏空青

人參苦參陶云今處處有長尺二者良俗人見其皆有蟲孔而未
嘗見其形皆言不可近令人惡病殊不尔其蟲狀如草菜上青

蟲莢微欲黑便出去所以難見耳但取生者看自知之也謹案此
物有三種猪牙皂莢最下其形曲戾薄惡全无滋潤洗垢亦不

去其尺二寸若著麄長虛无潤也若長六七寸
圓厚節促直者皮薄多肉味濃大好也

楝實味苦寒有小毒主温疾傷寒大熱煩

狂殺三虫疥瘍利小便水道根微寒療蚘
虫利大腸生荊山山谷 處處有俗人五月五日皆取花葉
佩帶之云辟惡其根以苦酒摩塗
疥甚良煑汁作糜食之去蚘虫也 謹案此物有兩種有雄有
雌雄者根赤无子有毒服之多使人吐不能止時有至死雌者根白
有子微毒
用當取雌者
柳華味苦寒无毒主風水黃疸面熱黑痂
疥惡瘡金創一名柳絮葉主馬疥痂瘡取
煎煑以洗馬疥立愈又療心腹內血止痛實

主潰癰逐膿血子汁療渴生瑯邪川澤 柳即今
水楊也
花熟隨風起狀如飛雪陳元方以為譬若當用其未舒時
子亦隨花飛正應水漬取汁耳柳花亦宜貼灸瘡皮葉療漆瘡
謹案柳与水楊全不相似水楊葉員闊而赤枝條短鞕柳葉狹長
青綠枝條長軟此論用柳不載水楊水楊亦有療能本草不錄樹
枝皮空中虫屑枝皮味苦寒无毒主痰熱淋可為吐湯煑洗風
腫癢酒煑含主齒痛空中虫屑可為浴湯主風腫癢隱軫
大効此人間柳樹是陶云水
楊非也本草載花差矣
桐葉味苦寒无毒主惡蝕瘡著陰皮主五
痔殺虫賁纯氣華傅猪瘡肥大三倍生桐

栢山谷 桐樹有四種青桐葉皮青葉似梧桐而无子梧桐色白葉似青而有子〻肥亦可食白桐与崗桐无異唯有花子耳花三月舒黄紫色礼云桐始花者也崗桐无子是作琴瑟者今此云花便應是白〻桐〻亦堪作琴瑟一名椅桐人家多植之 謹案古本草桐花飼猪肥大三倍今云傳瘡恐誤矣壹有故破傷猪傳療著

梓白皮味苦寒无毒主熱去三虫目中患華葉擣傅猪瘡肥大易養三倍生河内山谷 此即梓樹之皮梓亦有三種當用作梓素不腐者方藥不復用葉療猪脚水爛桐葉及此以肥猪之法未見其事應在商丘子養猪经中耳 謹案此二樹花葉取以飼猪並能肥大且易養今見李氏本草及博物志但云飼猪使肥今云傳猪瘡並誤謬矣別錄云皮主吐逆胃反三虫小兒熱瘡身頭熱煩蝕瘡湯浴之并封薄散傅癩瘡 葉主爛瘡也

蘇方木味甘鹹平无毒主破血産後血脹悶欲死者水煑若酒煑五兩取濃汁服之効 此人用染色者出方崐崘來交州愛州亦有樹似菴羅葉若榆葉而无澀抽條長丈許花黄子生青熟黑 新附

接骨木味甘苦平无毒主折傷續筋骨除風痒齲齒可為浴湯 葉如陸英花亦相似但作樹高一二丈木輕虚无心斫枝插便生人家亦種之一名木蒴藋所在皆有之 新附

枳俱味甘平无毒主頭風少腹物急陸概〻一名

木蜜其木皮温无毒主五痔和五藏以木为屋ゝ
中酒则味薄此亦奇物 其树径尺木名白石叶如桑柘其子 作房似珊瑚核在其端人皆食之新附
木天蓼味辛温有小毒主癥结积聚风劳虚
冷生山谷中 作藤蔓叶似柘花白子如枣许无定形中瓤似茄子味 辛啖之以当姜蒜其苗藤切以酒浸服或以酿酒去风冷
瘕僻大効所在皆有 今出安州申州新附
乌臼木根皮味苦微温有毒主暴水癥结积
聚生山南平泽 树高数仞叶似梨杏 花黄白子黑色新附

赤爪草味苦寒无毒主水利风头身痒生平
陆所在有之实味酸冷无毒汁服主利洗头及
身瘥疮痒一名羊梂一名鼠查 小树生高五六尺子似 掌朹大如小林檎赤色出
山南申州安州 随州新附
诃梨勒味苦温无毒主冷气心腹胀满下宿物
生交爱州 树似木梡花白子形似栀子青黄色 皮肉相着水磨或散水服之新附
风柳皮味辛大热有毒主风龋齿痛出石州

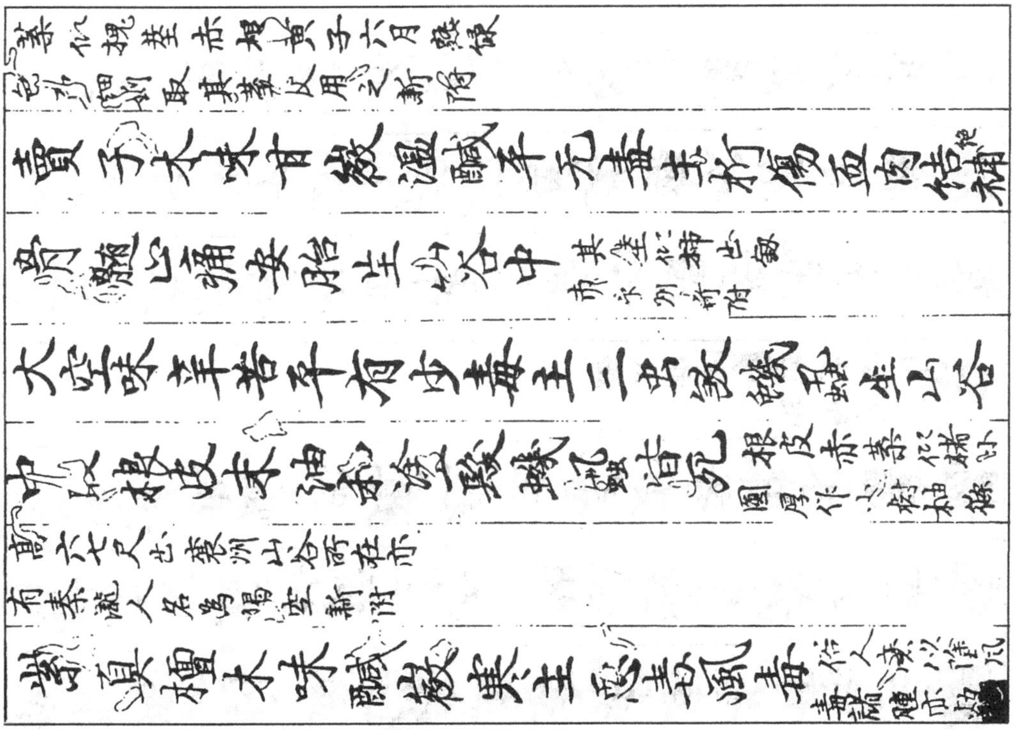

葉似槐莖赤根黄子六月熟綠色折細剉取其葉皮用之新附
賣子木味甘微温鹹平无毒主折傷血内﨤絶補
骨髓止痛安胎生山谷中其莖似柿出劔南邛州新附
大空味辛苦平有小毒主三虫殺蟣虱生山谷
中取根皮末油和塗蟣虱皆死根皮赤葉似楮小團厚作小樹抽條
高六七尺出襄州山谷所在亦有秦隴人名為揭空新附
紫真檀木味鹹微寒主惡毒風毒俗人燒以除風毒諸腫亦効

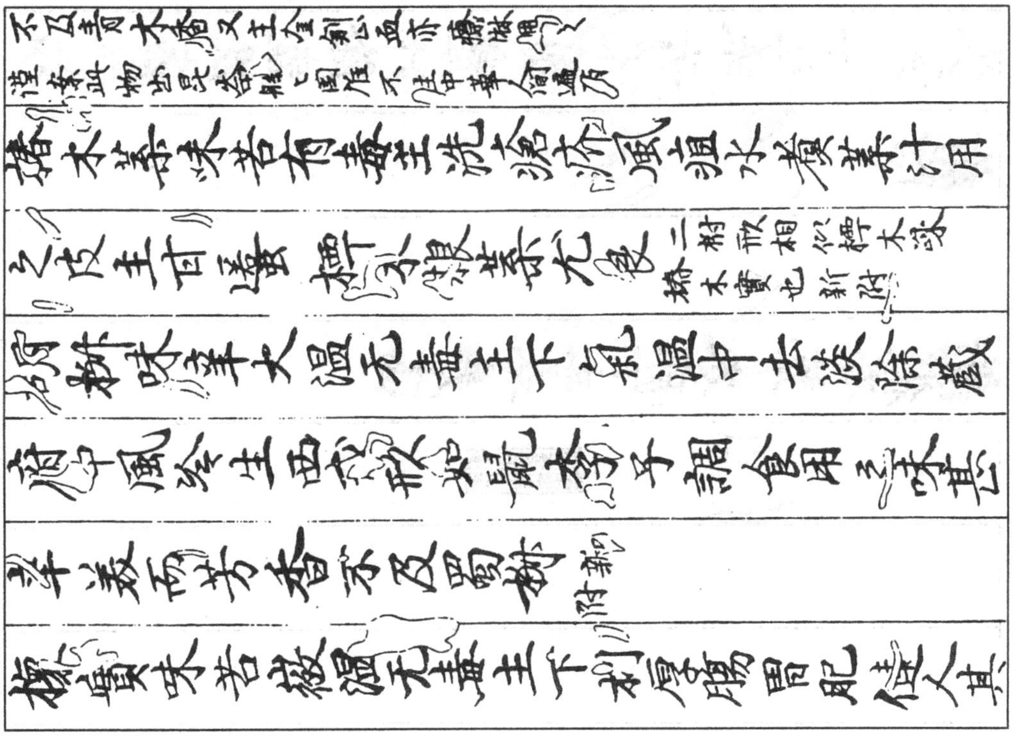

不及青木香又主金創止血亦療淋用之湜案此物出昆侖胝七國雖不生中華人間遍有
椿木葉味苦有毒主洗瘡疥風疽水煮葉汁用
之皮主甘𧏾樗木根葉尤良二樹形相似樗木疏椿木實也新附
胡椒味辛大温无毒主下氣温中去痰除藏
腑中風冷生西戎形如鼠李子調食用之味甚
辛羨而芳香不及蜀椒新附
橡實味苦微温无毒主下利厚腸胃肥健人其

殼為散及黄汁服亦主利并堪染用一名柕汁

槲櫟皆有以櫟為勝所在山谷中皆有新附

無食子味苦温无毒主赤白利腸滑生肌肉出

西戎云生沙磧間樹似檉若新附

楊盧木味苦有毒主疽瘻惡瘡水煮葉汁

洗瘡立差生籬垣間一名空疏所在皆有新附

槲若味甘苦平无毒主痔止血止利止渴取脉

灸用之皮味苦水煎濃汁除蠱及瘻俗効

新附

新修本草木部下品卷第十四

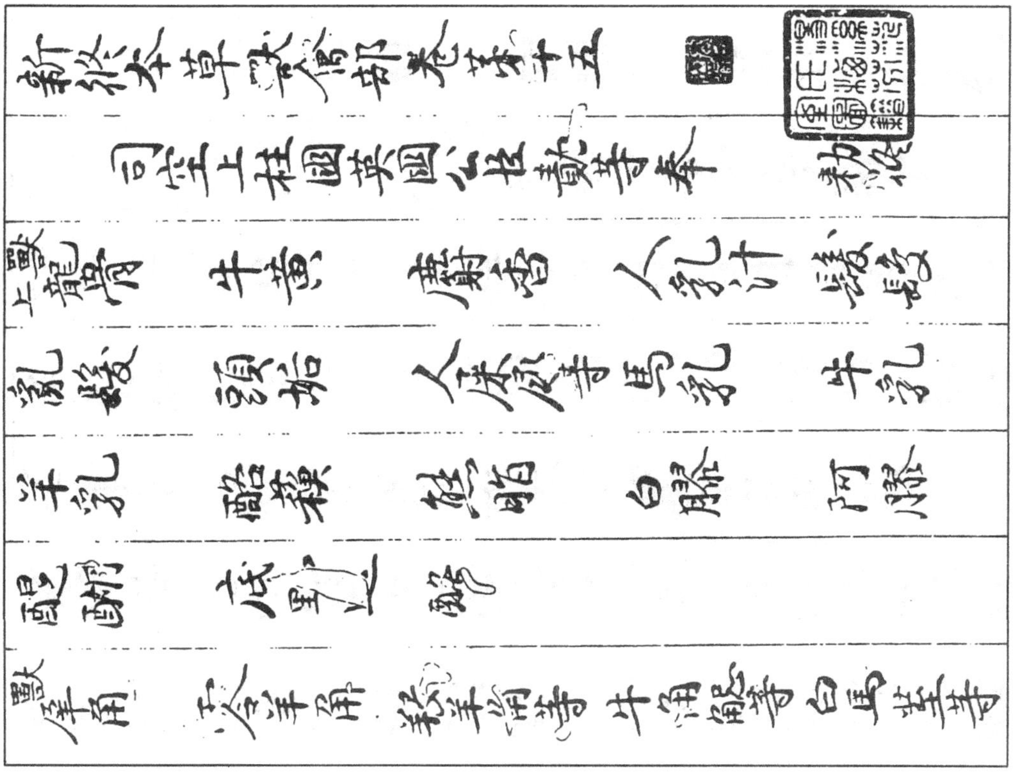

新修本草卷第十五
司空上柱國英國公臣勣等奉敕撰
獸上 龍骨 牛黃 麝香 人乳汁 髮髲
亂髮 頭垢 人屎尿等 馬乳 牛乳
羊乳 酪蘇 熊脂 白膠 阿膠
醍醐 底野迦 酪
獸中 犀角 羚羊角 羖羊角等 牛角鰓等 白馬莖等

牡狗陰莖等 鹿茸等 麞骨等 虎骨等 豹肉

狸骨等 兔頭骨等

下 六畜毛蹄甲 鼺鼠 麋脂角 豚卵等

鼹鼠 獺肝 狐陰莖 猯膏 野豬黃

驢屎等 豺皮

上禽 丹雄雞等 白鵝 鶩肪 雁肪 鷓鴣

雉肉 鷹屎白 雀卵等 鸛骨 雄鵲 鴝鵒

下 燕屎 孔雀 鸕鷀 鴟頭

右獸禽類五十六種 廿一種神農本經，廿六種名醫別錄，九種新附

上獸 龍骨味甘平微寒無毒主心腹鬼注精物

老魅欬逆泄利膿血女子漏下癥瘕堅

結小兒熱氣驚癇療心腹煩滿四支痿枯

汗出夜臥自驚恚怒伏氣在心下得息腸

癰內疽陰蝕止汗小便利溺血養精神定魂

魄安五藏白龍骨療夢寤洩精小便洩精
龍齒主療小兒大人驚癇癲疾狂走心下結
氣不能喘息諸痙殺精物療小兒五驚
十二癇身熱不可近人大人骨間寒熱又殺
蠱得人參牛黃良畏石膏角主驚癇瘨身熱如火腹中
堅及熱洩畏乾漆蜀椒理石久服輕身通神明延年生
晉地川谷及太山巖水岸土穴石中死龍

處採無時今多出益州梁州間巴中亦有骨欲得脊腦作白地錦文舐之著舌者良齒小強猶有齒形角強而
實又有龍腦肥軟亦斷利云皆是龍蛻非實死也比來巴中數得龍胞吾自親見戒體具□療產難產後餘疾正當末服之謹案
龍骨今並出晉地生硬者不好五色具良其青黃赤黑亦應隨色與府藏相會如五芝五石英五石脂而本經不論莫知所以
牛黃味苦平有小毒主驚癇寒熱熱盛
狂痓除邪逐鬼小兒百病諸癇熱口不
開大人狂癲墮胎久服輕身增年令人
不忘生晉地平澤生於牛得之即陰乾百日

使時燒，無令見日月光。人參為之使，得牡丹、菖蒲利耳目，惡龍骨、地黃、龍膽、蜚蠊，畏牛膝。舊云神牛出入鳴吼者有之，伺其出角上，以盆水承而吐之，即墮落水中。今人多皆就膽中得之。多出梁益。一子如雞子黃大，相重疊。藥中之貴，莫復過此。一子起二三分，好者直五六千至一万也。俗人多假作，甚相似，唯以磨爪甲，拭不脫者是真之。雞宗牛黃今出萊州、密州、嶲州、戎州、青州、淄州。牛有黃者，必多吼喚，喝拍而得，謂之生黃，最佳。黃有三種：散黃粒如麻豆，湯黃若雞卵中黃糊，在肝膽；圓黃為塊形，有大小，並在肝膽中。多生於㹀特牛，其吴牛未聞有黃。

麝香　味辛，溫，無毒。主辟惡氣，殺鬼精物，溫瘧，蠱毒，癇痓，去三蟲，諸凶邪鬼氣，中惡，心腹暴痛，脹急，痞滿，風毒，婦人產難，墮胎，去面䵟，目中膚翳。久服除邪，不夢寤魘寐，通神仙。生中臺川谷及益州、雍州山中，春分取之，生者益良。麝香形似羊，恒食柏葉，又噉蛇。五月得香，往往有蛇皮骨，故麝香療蛇毒。今以蛇蛻皮裹麝香彌香，則是胡使也。其香正在麝陰莖前皮內，別有膜裹之。今出隨郡、義陽、晉熙諸蠻中者亞之，今出其形貞首如栗，昳人以云是卵，不然也。香多假，破雜蠻犹羌於益州。益州香形扁，仍以皮膜裹之，一子真者，分糅作三四子，刮取其血膜，亦雜以餘物，大都亦有精麤，破看一片，毛共在裹中者為勝，彼人以為誌。若於諸羌夷中得者多真好。燒當門沸起良久亦好。今

唯得活者自者取之必當全真耳生香人未是其精髓凝作殊不
尒麝香夏月食蚍虫多至寒香滿入春患急痛自以脚剔出著
矢溺中覆之皆有常處人有遇得乃 一斗五升也用此香乃
勝殺取者帶麝非但香亦辟惡以真者一子置頭間枕之辟惡夢
广注
鬼氣

人乳汁補五藏令人肥白悅澤 張倉恒服人乳故年百餘歲肥白如
瓠謹案别錄云人首生男乳療目赤痛多淚解獨肝牛肉毒合
豉濃汁服之神效又和雀屎去目赤努肉

髮髲味苦溫小寒無毒主五癃關格不得
小便利水道療小兒癇大人痓仍自還神
化生平澤合鷄子黃煎之消爲水療小兒驚
熱下 李云是童 髮神化之事未見別方今俗中嫗母爲小兒
鷄子煎用髮雜熱良久得汁与兒服去淡熱療百病而
用髮皆用其人梳頭乱者耳不知此髮髲審取是何物且髲字書記
所無或作笄音人今呼斑髲爲笄髲書家亦乱髮爲髲恐髲即是鬄
音也童男之理未或全明謹案此髮根也年久者用之神效即髲字
誤矣既有乱髮及頭垢則髲髮明矣又頭垢功劣於髮猶去病用陳
久者梳及船茹敗天公蒲席皆此例也甄立言作髲々亦髲也髮
髢音撿字書無髲字但有髲々髮美也作髢音有聲無質則
髲爲
真矣

亂髮微溫主欬五淋大小便不通小兒驚

癇止血鼻衄燒之吹內立已此常人頭髮耳術家用己亂髮及爪燒為人飲之

相親愛此與髮髲療躰相似若然則長此一件謹案亂髮灰療轉肥又小便不通赤白利哽噎鼻衄癰腫狐尿刺尸注丁腫骨疽

雜瘡古方用之陶言但知字書无髲字竟不悟髲誤為髮也

頭垢主淋閉不通術云頭垢浮針以肥故耳今當用悅澤人者其垢可丸亦主噎又療勞復也

人屎寒主療時行大熱狂走解諸毒人

溺療寒熱頭痛溫氣童男者尤良

溺白垽療鼻衄湯火灼瘡東向圊廁

溺坑中青泥療喉痺消癰腫若已有

膿即潰交廣俚人用燋銅為箭鏃射人纔傷皮便死唯飲糞汁即差而射猪狗不死以其食糞故也時行

大熱飲糞汁亦愈今近城寺別塞空罌口內糞倉中積年得汁甚黑而苦名為黃龍湯療溫病垂死皆差若人初得頭痛直

飲溺數升亦多愈合葱豉作湯彌佳溺垽及青泥為療並此可諸又婦人月水亦解毒箭并女勞復浣褌汁亦善其方固舊有

奇術能禁合刃人研不入唯以月水塗刀便死此是汙穢壞神氣也又人合漆牙以忌觸之皮既一種物故從屎溺之例又人精和鷹屎

或賊療謹案人屎主諸毒卒惡熱黃悶欲死者新者最効須以水和服之其乾者燒之烟絕水漬飲汁名破棺湯主傷寒熱毒多熱水

漬飲弥善破丁腫開以新者封之一日根爛屎主卒血攻心被內血英服之一服一升百日主癥積滿腹諸藥不差者服之皆下血片肉

塊廿日所出也亦主久欬上氣失聲尿渣白燒研末主緊脣剳尿中
竹木主小兒齒不生正旦刮之所生也

馬乳止渴 令人不甚服當緣難得也謹案馬乳与驢乳性同冷利
止渴療熱馬乳作酪弥應酷冷江南无馬故陶不委言之

驢乳療微熱黄小兒熱驚耶氣服之亦利胡言馬酪
性温飲之消肉當以物類自相制伏不爾冷熱也

牛乳微寒補虛羸止渴下氣 榛牛爲佳不用新 被飲竟者 謹
案水牛乳之造石蜜須之言作酪濃厚味勝秦
牛秦牛乳性平生飲令人利熱飲令口乎微似温

羊乳温補寒冷虛乏 牛羊乳實 補潤故北人皆多 肥健 謹案北人肥健不敢鹹腥方
土使然何關飲乳
陶以未達屢有此言

酪蘇微寒補五藏利大腸主口瘡 蘇出
外國亦從益州來本是牛羊乳所爲之自有法佛經稱乳
成酪々成蘇々成醍醐々々色黄白作餅甚甘肥亦時至而謹
案蘇柏酪作之其性猶与酪異今通言惣是陶之未達
然蘇有牛蘇羊蘇々牛蘇勝於羊蘇其犛牛復優於家牛

熊脂味甘微寒微温無毒主風痹不仁
筋急五藏腹中積聚寒熱羸瘦頭瘍
白秃面皯皰食飲嘔吐久服强志不飢輕
身長年生雍州山谷十一月取 此脂即是 熊白々是

上膏寒月則有夏月則无其腹中肪及身中膏取可作菜而不
中[illegible]今東西諸山林皆有之自是非易得物耳痼病人不可食
雄肉令終身不除愈也　謹案熊膽味苦寒无毒療時氣熱盛變
為黃疸暑月久利甘䘌心痛疰忤腦療諸聾而療小兒客忤脂長
[illegible]令黑悅澤人面酒煉服差風痺凡言膏者皆脯消已後之名
脂土不得[illegible]脂尤得美云膏脂者乃是羣脂文誤有此名淘言
脂膏同於
舊誤也

白膠味甘平溫無毒主傷中勞絕腰[illegible]羸
瘦補中益氣婦人血閉無子止痛安胎吐
血下血崩中不止四支酸多汗淋露折跌
傷損久服輕身延年一名鹿角膠生雲中
煮鹿角作之　得[illegible]食[illegible]黃今人少復煮作唯合角弓
猶言用此膠耳方藥用亦希道家時又須
之作[illegible]膠[illegible]先米瀋汁七日漬令軟然後煮煮之如作阿膠法耳
[illegible]一法即[illegible]河角與一片乾牛皮角即消爛[illegible]不尒相[illegible]百年
无一熟也　謹案麋角鹿角膠但煑取濃汁重熬即為
膠矣何至使烟求烟亦難尚是未見煑膠誤為此說耳之

阿膠味甘平微溫無毒主心腹内崩勞極洒
如瘧狀腰腹痛四支酸疼女子下血安胎丈夫
少腹痛虛勞羸瘦陰氣不足腳酸不能久

立養肝氣久服輕身益氣一名傅致膠

郡煮牛皮作之出東阿 惡大黃[illegible]火良出東阿故曰
阿膠今都下能作之用皮亦

有老少膠則有清濁凡三種清薄者書畫用厚而清者名[illegible]
盆覆膠作藥用之用之皆火炙丸散須極燋入湯微炙耳濁黑

者可膠物用不入藥也用一行
麻角即成膠不尒不成耳

醍醐味甘平無毒主風邪痹氣通潤骨髓

可為摩藥性冷利功優於酥生酥中 此酥之精

液也好酥一石有三四升醍醐熟杵鍊貯器中待凝穿中
至底便津出得之陶云黃白為餅此乃未達之言新附

底野迦味辛苦平無毒主百病中惡客

忤邪氣心腹積聚出西戎 云用諸膽作之狀似久
壞丸藥赤黑色胡人時將

至此亦甚珎貴
試用有效新附

酪味甘酸寒無毒主熱毒止渴解散發

利除胸中虛熱身面上熱瘡肌瘡 案牛
羊馬

水牛乳並尒言驢乳
尤冷不堪作酪新附

獸中
犀角味苦鹹酸寒微寒無毒主百毒

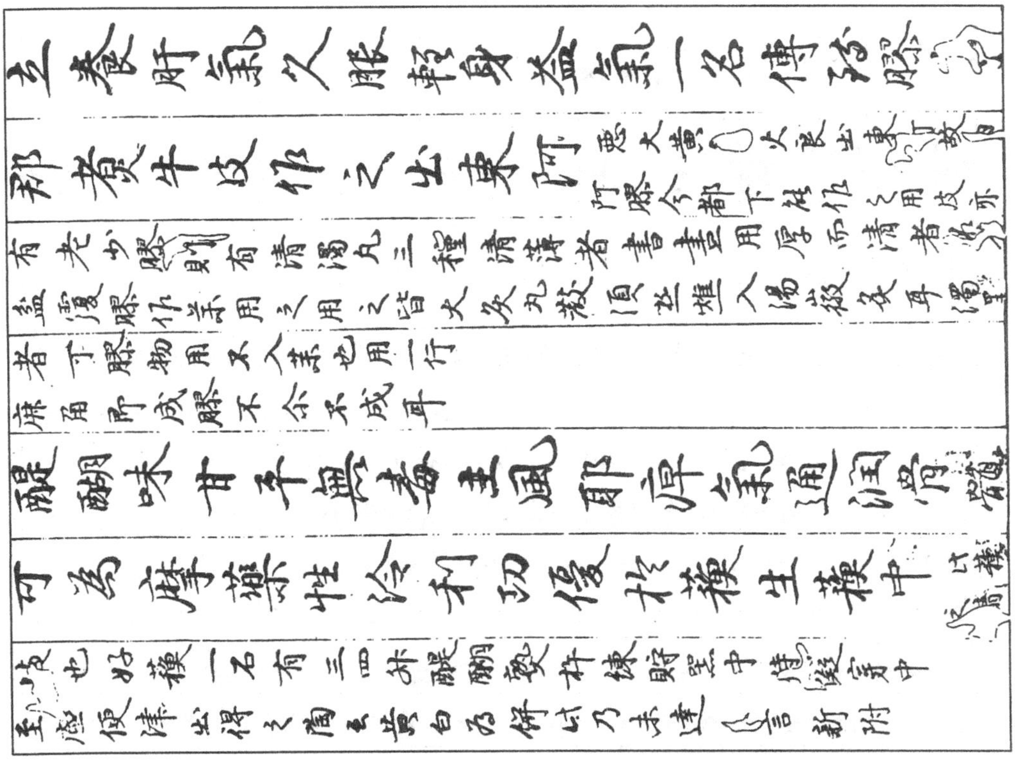

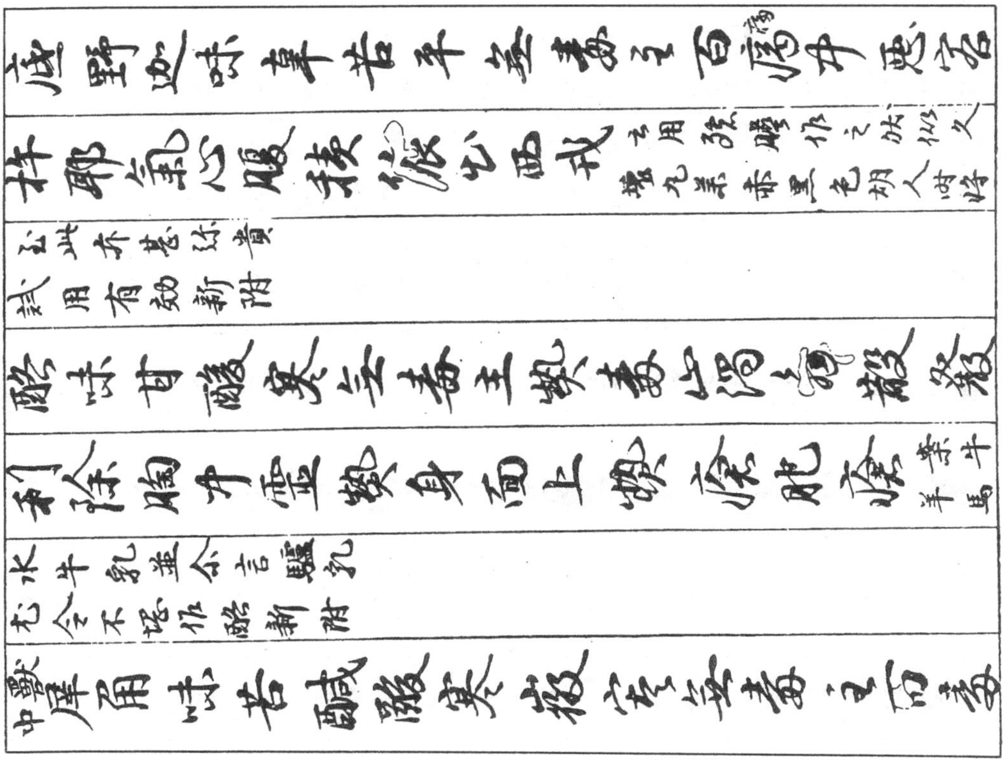

蠱注耶鬼鄣氣，煞鉤吻、鴆羽、虵毒，除耶
不迷惑魘寐。療傷寒，溫疫，頭痛，寒熱，
諸毒氣。久服輕身駿健。生永昌川谷及
益州。松脂為之使，惡雚菌、雷丸。今出武陵、交州、寧州諸遠山。犀
有三角，以額上者為勝。又有通天犀，角上有一白縷直上出
至神驗。或云是水犀角，出水中。書所云駭鷄犀者，以置米中，鷄
皆驚竹不敢啄；又置屋中，烏鳥不敢集屋上。昔者有人以犀為
蠱藥死於野中，有行人見鳥飛翔其上，不敢下，往者疑犀為異，
抽取便群鳥競集。又云通天犀夜露不濡，以此知之。凡犀見成物
皆被蒸煮，不堪入藥，惟生者為佳。雖曰屑片，亦是已煮炙，況用
屑乎。又有光犀，其角甚長，文理亦似犀，不堪藥用耳。謹案：犀
有兩角，鼻上者為良。通天犀者，昂水犀之夜露不濡，入是前
說。有人以犀為蠱藥，死於野中，飛鳥翔而不集，謬矣。此心為敘錯
耳。時人冠簪則是貴人，當有左右，何得野死？從今俞說足
為難信。光是唯犀，文理細膩，斑白分明，俗謂斑犀，服用為上，然充藥不必犀之
零羊角，味鹹苦，寒，微寒，無毒。主明目，益
氣起陰，去惡血注下，辟蠱毒惡鬼不祥，
安心氣，常不魘寐。療傷寒時氣寒
熱在肌膚，溫風注毒伏在骨間，除邪
驚夢狂越僻謬，及食噎不通。久服強

筋骨輕身起陰益氣利丈夫生石城
山川谷生華陰山採無時今出建平宜都諸蠻中及西域多兩角者一
角者為勝角甚多節蹙蹙負繞別有山羊角極長惟一邊有節節亦疏大不入藥用而尒雅云名羱羊而羌夷云只此即名零
羊甚能陟峻短角者乃是山羊耳亦未詳其正謹案尒雅羱歎云羱大羊　如牛大其角堪為鞍橋一名羱羊俗名山羊或名野
羊善鬥至死又有山驢大如鹿皮堪靴用有兩角角大小如山羊角前言其一邊有蹙文又疏慢者是此也陶不識謂之山羊誤
矣二種並不入藥而俗人亦用山驢角者今用細如人指長四寸蹙文細者南山商浙間大有梁州龍州直州洋州亦貢之其大相承
用此不用羚羊角未知孰是也

羖羊角味鹹苦溫微寒無毒主清盲明目
殺疥蟲止寒泄辟惡鬼虎狼止驚悸療百
節中結氣風頭及蠱毒吐血婦人產後
餘痛燒之殺鬼魅辟虎狼久服安心益
氣力輕身生河西川谷取無時勿中濕濕
有毒菟絲為之使謹案此羊角以青羖為佳餘不入藥
羊髓味甘溫無毒主男女傷中陰氣不足

利血脉益經氣以酒服之

青羊膽主青盲明目 謹案羊膽療疳濕時行熱熛瘡和醋服良

羊肺補肺主欬嗽 謹案羊肺療渴止利小便數并小豆葉煮食之良

羊心止憂主心膈氣

羊腎補腎氣益精髓 謹案羊腎合脂為羹療勞痢甚效蒜虀食之一升療癥瘕

羊齒主小兒羊癇寒熱三月三日取之

羊肉味甘大熱無毒主緩中字乳餘疾

頭腦大風汗出虛勞寒冷補中益氣安心止驚

謹案羊肉熱病後食之發熱殺人也

羊骨熱主虛勞寒中羸瘦

羊屎燔之主小兒泄利腸鳴驚癇 羖羊角方藥不甚用餘皆入湯煎羊有三四種最以青色者為勝次則烏羊其𦍩羺羊南及虜中無角羊正可噉食之為藥不及都下者其乳髓則肥好也羊肝不可合豬肉及梅小豆食之傷人心大病人謹案羊屎煮湯下灌療大人小兒腹中諸疾疳濕大小便不通燒之熏鼻主中惡心腹刺痛熏療諸毒中瘡痔瘻等骨蒸洗良羊肝性冷療肝風虛熱目赤暗無所見生食子肝

七枝神効以療風眩瘦ゝ小兒驚癇與肉石療同羊血主女人中風
血虛悶主産後血運悶欲絕者生飲一升即活

牛角䚡下閉血瘀血女人帶下ゝ血燒之

味苦無毒水牛角療時氣寒熱頭痛

髓補中填骨髓久服增年髓味甘溫無

毒主安五藏平三焦溫骨髓補中續

絕傷益氣力止洩利消渴以酒服之膽可丸

藥膽味苦大寒除心腹熱渴利口焦燥益

目精此朱書牛角䚡髓其膽本經附出牛黃條中此以類
相從耳非上品之藥今拔出隨例在此不關件數猶是

墨書別
品之限耳

心主虛忘　腎主補腎氣益精齒主小兒

牛癇肉味甘平無毒主消渴

止啘洩安中益氣養脾胃自死者不

良屎寒主水腫惡氣用塗門戶著壁

者燔之主鼠瘻惡瘡

黃犍牛烏牯牛溺主水腫腹脹腳滿利小

便此牛亦以㹀牛為好青牛家豪水牛為了死食自死謂皮亦死肉多毒青牛膽不可共犬肉犬血食之令人成病也

甚事別錄云牛鼻中木卷療小兒癇草卷燒灰療小兒鼻下瘡耳中除療蛇傷敷毒腦中毛療小兒久不行白牛懸蹄療婦人

人崩中漏下赤白矢主霍亂矢中大豆療小兒癇婦人難產特牛莖療婦人漏下赤白无子烏牛膽主明目療甘濕以釀槐子服之沐

神腦主消渴風眩齒主小兒驚癇承主消渴黃疸水腫腳氣小便不通

白馬莖味鹹甘平無毒主傷中脈絕陰不起

強志益氣長肌肉肥健生子小兒驚癇陰乾百日

眼主驚癇腹滿瘧疾當殺用之

懸蹄主驚癇瘈瘲乳難辟惡氣鬼毒蠱

注不祥止衄血內漏齲齒生雲中平澤白

馬蹄療婦人漏下白崩

赤馬蹄療赤崩並溫

齒主小兒馬癇

鬐頭膏主生髮

鬐毛主女子崩中赤白

心主喜忘

肺主寒熱小兒莖痿

肉味辛苦冷主除熱下氣長筋強腰脊壯健

強意利志輕身不飢脯療寒熱痿痹

屎名馬通微溫主婦人崩中止渴利吐下血鼻

衄金創止血

頭骨主喜眠令人不睡

溺味辛微寒主消渴破癥堅積聚男子

伏梁積疝婦人瘕疾銅器承飲 東行白馬蹄下土作

方術用知女人外情馬色類甚多以純白者為良其口眼蹄皆白俗中時有兩三耳小小用不必尔馬肝及鞍下肉舊言殺人食駿馬肉不飲酒亦殺人白馬青蹄亦不可食說云馬黑脊而斑臂漏脯亦不復中食骨傷人有毒人體有瘡馬汗馬氣馬毛亦並能為害人也

謹案別録云白馬毛療小兒驚癇白馬眼療小兒鬼毋帶之屎中粟療金創小兒客忤寒熱不能食馬銜主產難小兒毋毒驚癇絆繩主小兒癇並煑汁洗之

牡狗陰莖味鹹平無毒主傷中陰痿不起

令強熱大生子除女子帶下十二疾一名狗精

六月之上伏取陰乾百日

膽主明目痂瘍惡瘡生平澤心主憂恚

氣除邪

腦主頭風痹痛瘡下部𧏾瘡鼻中息肉

齒主癲癇寒熱卒風痱伏日取之

頭骨主瘡金創止血

四腳蹄煮飲之下乳汁

白狗血味鹹無毒主癲疾發作肉味鹹酸溫

主安五藏補絕傷輕身益氣

屎中骨主寒熱小兒驚癎白狗烏狗入藥用白狗骨燒屑療諸瘡瘻

及妬乳癰腫黃狗肉大補虛不及牡牡者父也又為呼犬言腳上別有一懸蹄者是也白犬血合白雞肉白鵝肝白羊肉烏雞肉蒲子

羹等皆病人不可食犬春月目赤鼻燥欲狂猘不宜食謹案別錄狗骨灰療下利生肌傅馬瘡烏狗血主產難橫生血上蕩心者

下頷骨主小兒諸癇陰卵生婦人十二疾爲厭服之毛生產難白獨矢主丁瘡水燒汁服主諸毒不可入口者

麋茸味甘酸溫微溫無毒主漏下惡血寒熱驚癇益氣強志生齒不老療虛勞洒洒如瘧羸瘦四支酸疼腰脊痛小便利泄精溺血破留血在腹散石淋癰腫骨中熱疽養骨安胎下氣煞鬼精物不可近陰令痿久服耐老四月五月解角時取陰乾使時燥

麻勃爲之使　殫棄麋茸夏收陰乾百不收一縱得一乾臭不任用破之火乾大好

角主惡瘡癰腫逐邪留血在陰中味鹹無毒除少腹血痛腰痛折傷惡血益氣七月取杜仲爲之使

髓味甘溫主丈夫女子傷中脈絕筋急欬逆以酒服之腎平主補腎氣肉溫補中強五藏益氣力生者療口僻割薄之野肉之中唯麞鹿可食生不羶腥又非辰屬八卦無主而兼能溫補於人則生死無尤故道家許聽爲脯過其餘肉雉午羊雞犬補益充肌膚於已魂皆爲愆責並不足取凡肉脯

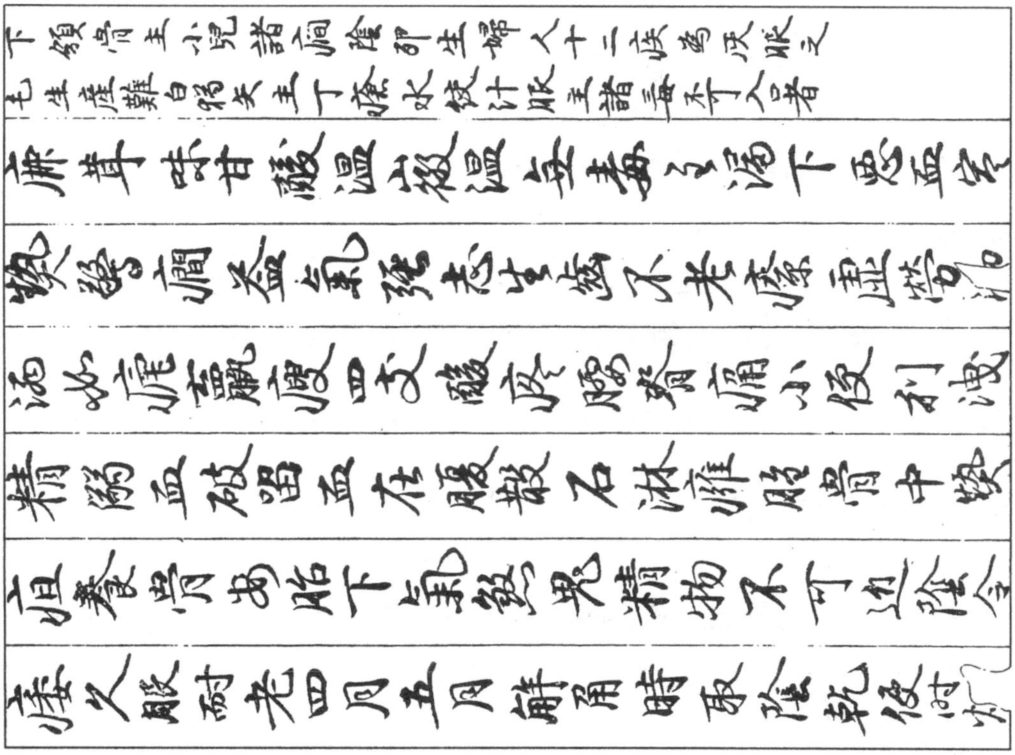

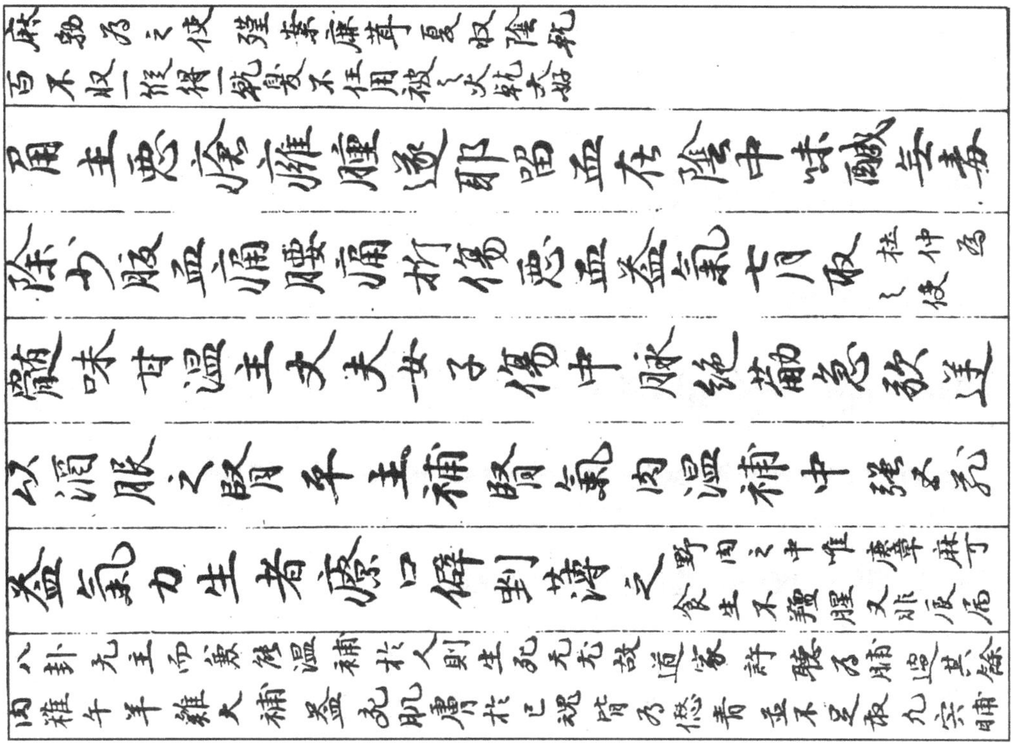

兮之不動及見水而動及膠之不燃並煞人又茅屋漏脯即名漏
脯藏脯密器中名鬱脯並不可食之 謹案頭主消渴癭之可作
膝服之絕筋骨主勞損續絕骨主虛勞可為酒主風虛補骨
髓脂主癰腫死肌溫中四支不隨風及通湊理一云不可近陰角主
猪鬼中惡腹注痛血主狂犬傷鼻衄折傷陰痿補
虛心腰痛齒主留血鼠瘻心腹痛不可近丈夫陰

麞骨微溫主虛損洩精肉溫補益五藏髓益

氣力悅澤人面 俗云白肉正是麞不死於庚言其白膽易驚
怖也又呼為麞之肉不可合鵠肉食之成癥痼也

虎骨主除耶惡氣殺鬼注毒止驚悸療惡

瘡鼠瘻

頭骨尤良

膏療狗齧瘡

爪辟惡魅

肉療惡心欲嘔益氣力 俗云㓜食虎肉壞人齒信自然
虎頭作枕辟惡魘以置戶上辟鬼
鼻懸戶上令生男兒骨雜朱書符療耶顛療齒痛爪多以繫
小兒臂辟惡鬼 謹案別錄云屎療惡瘡其眼精療癲其矢中
骨灰療火瘡牙療丈夫陰瘡及
疽瘻鼻主癲疾小兒癇也

豹肉味酸平主安五藏補絕傷輕身利人 豹至希有
用亦鮮唯尾可

貴　謹案陰陽神豹尾及車駕鹵簿豹尾名
可尊敬真豹尾有何可貴未識陶據奚理也

狸骨味甘温无毒主風注尸注鬼注毒氣在皮中

淫躍如針刺者心腹痛走无常處及鼠瘻

惡瘡頭骨尤良

肉亦療諸注

陰莖主療月水不通男子陰㿗燒之以東流水

服之　狸類又甚多今此用虎狸无用者猫狸亦好其骨至難別自
取乃可信又有狸音信也黄而臭肉亦主鼠瘻及狸肉作羹

如常法並佳　謹案狸屎灰主寒熱鬼瘧發
无期度者極驗家狸亦好一名猫

兔頭骨平主頭眩痛癲疾

骨主熱中消渴

腦療凍瘡

肝主目闇

宍味辛平无毒主補中益氣　兔宍乃大美亦益人
任身不可食令子脣
缺其肉又不可合白雞宍食之令人面發黄合獺宍食之令
人病遁尸　謹案兔皮毛合燒為灰酒服療難產〻後衣不

小及餘血搶心腹欲死者搵驗頭皮主鬼注毒
氣在皮中如針刺者又主鼠瘻骨主耳聾鳴

獸下

六畜毛蹄甲味鹹平有毒主鬼蠱毒寒熱
驚癇痓癲疾狂走駱駝毛尤良六畜謂馬牛羊猪狗鷄也騾驢亦其類駱駝出外國方家並不復用且馬牛羊鷄猪狗毛蹄亦已各出其身之品類中所主療不必皆同此矣謹案駱駝毛蹄甲主婦人帶下赤白最善

鼺鼠主墮胎生亂易生山都平谷鼺是鼯鼠一名飛生狀如蝙蝠大如鴟鳶毛紫色闇夜行飛生人取其皮毛以与產婦持之令兒易出又有水馬生海中是魚類狀如馬形亦主易產此鼺鼠别類而同一條中為以其是皮毛之物也今亦在獸品限也

麋脂味辛温無毒主癰腫惡瘡死肌寒
風濕痺四肢拘緩不收風頭腫氣通腠理柔
皮膚不可近陰令痿一名宫脂畏大黄
角味甘無毒主痺止血益氣力生南山山谷
生淮海邊澤中十月取今海陵間最多千百為群多牝少牡人言一牡輒交十餘牝交畢即死其脂墮土中經年人得之方好名日遁脂酒服至良尋麋性乃尔媱佚不應萎人陰一方言不可近陰令陰萎此乃有理麋完

不可合蝦及生菜梅李菓實食之皆病人其角刮取敖一香酒
服之大益人事出數視傳中 謹案麋茸服之功力勝鹿茸角煮
為膠亦勝白膠也言遊牝畢即死者此亦
虛傳遍問山澤人不用遊牝日毀死者

豚卵味甘溫無毒主驚癇癲疾鬼注蠱
毒除寒熱賁豚五癃邪氣攣縮一名
豚顛陰乾藏之勿令敗猪懸蹄主五痔
伏腸腸癰內蝕猪四足小寒療傷撻諸敗
瘡下乳汁心主驚邪憂恚腎冷利理腎
氣通膀胱膽療傷寒熱渴
肚補中益氣止渴利
齒主小兒驚癇五月五日取鬐膏主生髮肪
膏主煎諸膏藥解斑苗元青毒猳猪肉
味酸冷療狂病
凡猪宍味苦主閉血脈弱筋骨虛人肌不
可久食病人金創者尤甚

猪屎主寒熱黄疸濕痺猪為用最多唯肉不
宜人〻有多食皆能
暴肥此蓋虛肌故也其脂能悅光澤皮膚作手膏不皴裂
肪其膏煎藥無不用之勿令中水臘月者歷年不壞頸上膏謂
之負革脂入道家用其屎汁極療溫毒食其肉飲酒不可卧
秫稻穰中又白猪蹄白雜青者不可食〻猪膏又忌烏梅也
謹案別錄云猪耳中垢療蛇傷猪腦主風眩腦鳴及凍瘡血主
奔豚暴氣中風頭眩淋瀝乳汁療小兒驚癇頭赤主小兒驚癇及
鬼毒去來寒熱五癃五藏主小兒驚發汁十二月上亥日取肪內新瓦器
中埋亥地百日主癰疽名膒脂方家用之又云一升脂著雞子白十四枚更良

鼴鼠味鹹無毒主癰疽諸瘻蝕惡瘡陰䘌
爛瘡在土中行五月取令乾燔之俗中一名隱鼠一
名鼢鼠形如鼠大

而無尾黑色長鼻甚強恒穿耕地中行討掘即得今諸山林中又有
一物大如水牛形似猪灰色下腳〻似象胸前尾上皆白有力而鈍亦
名鼴鼠人張網取食之肉亦似牛多以作脯其膏亦主瘻乃云此
是鼠王其精溺一滴落地輒成一鼠穀有鼠災年則多出恐非虛耳
鼴字一作鼢此鼠蹄燒末酒服又以
骨搗碎醋酒調服之並治瘻良驗也

獺肝味甘有毒主鬼注蠱毒異鯁嗽燒服之肉
療疫氣溫病及牛馬時行病煮汁灌之亦
良獺有兩種有獱獺形大頭如馬身似蝙蝠不入藥用此當取
常所見者其骨亦療食魚骨鯁有牛馬家可是服夫錄之多
出俠岸邊其肉不可與兔肉雜食也
謹案別錄云獺四足主手足皮皴裂

狐陰莖味甘有毒主女子絶產陰痒小兒陰
頽卵腫五藏及腸味苦微寒有毒主蠱毒寒
熱小兒驚癇
雄狐屎燒之辟惡在木石上者是江東無狐皆出北方及益州間形似狸而黃亦善能為魅也 謹案狐肉及腸作臛食之主疥瘡久不差者腸主牛疫燒灰和水灌之乃勝獺狐鼻尖似小狗惟尾大全不似狸
猯膏肉肥膏味甘平無毒主上氣乏氣
欬逆酒和三合服之日二又主馬肺病蟲

頽等疾肉生久水脹不差垂死者作
羹臛食之下水大効胞乾之湯磨如鷄
卵許空腹服之誅蠱毒 新附
野猪黃味辛甘平無毒主金瘡止血生
肉癲癇水研如棗核日二服効 新附
驢屎熬之主熨風腫瘻瘡
屎汁主心腹卒痛諸注忤尿主癥癖胃反

吐不止牙齒痛水毒

牝驢尿主燥水

駁驢尿主濕水一服五合良燥水者畫體成

字濕水者不成字

乳主小兒熱驚急黃等多服使利熱毒

尾下軸垢水洗取汁和麪如彈丸二枚作燒

餅未發前食一枚至發時食一枚主瘧無

久新發無期者 新附

騾皮性熱主瘆痺脚氣熱之以纏病上差

止 新附

上丹雄雞味甘微溫微寒無毒主女人崩中

漏下赤白沃補虛溫中止血不傷之健通神

殺毒不祥頭主殺鬼東門上者尤良白雄雞

肉酸微溫主下氣療狂邪安五藏傷中消渴

烏雄雞肉温主補中止痛
膽微寒主療目不明肌瘡
心主五邪
血主踒折骨痛及痿痹
肪主耳聾
雞腸平主遺尿小便數不禁
肝及左翅毛主起陰

冠血主乳難
肶胵裏黄皮微寒主泄利小便利遺溺除熱
止煩
矢白微寒主消渴傷寒寒熱破石淋及轉筋利
小便止遺溺滅瘢
黑雌雞主風寒濕痹五緩六急安胎其血無主惡
平療中惡腹痛及踒折骨痛乳難翮羽主下

血閉

黃雌雞味酸平主傷中消渴小便數不禁腸

澼泄利補益五藏續絕傷療虛勞益氣力

肋骨主小兒羸瘦食不生肌

雞子除熱火瘡療癇痓可作琥珀神物卵白

微寒療目熱赤痛除心下熱止煩滿欬逆小兒

下泄婦人產難胞衣不出醯漬之一宿療黃疸

破大煩熱卵中白皮主久欬結氣得麻黃紫菀

服之立已雞白蠹肥脂生朝鮮平澤雞此例又甚多之雞子作

琥珀者用欲毈卵黃白混雜煮作之亦極相似惟不拾芥耳又煮白合銀口含須臾色如金雞子不合葫蒜及李子食之烏雞肉不可合犬肝

腎食之小兒食雞肉好生蚘又雞不可合芥葉蒸食之朝鮮乃在玄菟樂浪不應總是雞所出今云白蠹不知是何物恐此別一種耳雞子白

雞距及貼療產難反涸脈之臁主小兒雞癇

白鵝膏主耳卒聾以灌之

毛主射工水毒肉平利五藏東川多溪毒養鵝以辟之毛羽亦佳中射工者飲血又以塗

身鶩未必食射工持以威相制耳乃言鶩不食生虫今鶩子亦啖蚯蚓輩也 謹案鶩毛主小兒驚癇痫者毛灰主噎

鶩肪味甘無毒主風虚寒熱

白鴨屎名鴨通主殺石藥毒解結博蓄熱肉補

虚熱和藏府利水道 鶩所是鴨々有家有野前本経鴈肪一名鶩肪其療小異此説則専是家鴨耳黄雌鴨為補最勝鴨卵不可合鼈食之凡鳥自死口不閑者皆不可食之食之殺人 謹案別録云鴨肪主水腫血解諸毒肉主小兒驚癇以主水腫通利小便古方療水用鴨頭丸也

鴈肪味甘平無毒主風擊拘急偏枯氣

不通利久服長髮鬚眉益氣不飢輕身

耐老一名鶩肪生南海池澤取無時

詩云大曰鴻小曰鴈今鴈類亦有大小皆同一形又別有野鵝大於鴈猶似家蒼鵝謂之駕鵝鴈肪白不多食其肉亦鴈應好鶩作本草言是野鴨今此一名鶩肪則鴈鶩皆相類耳此後大有鴨事別注在後夫鴈乃住江湖而夏應産伏皆往北恐鴈門北人不食此鳥故也中原亦重之耳雖採无時以冬月為好也 謹案別録云鴈喉下白毛療小兒癇夫鴈為陽鳥冬則南翔夏則北但時當春夏則孳育於北豈為此人不食乎然鴈與鶩相及鶩則鴈往鶩往則鴈來也故禮云秋候鴈來春去鳥至矣

鷓鴣鳥味甘温無毒主嶺南野葛菌毒生金毒

及溫瘴久欲死不可差者合毛熬酒漬服之生
擣取汁服最良生江南形似母鷄鳴云鉤輈格磔
者是也 有鳥相似不作此鳴則非也新附
禽中雉宍味酸微寒無毒主補中益氣力止泄痢除蟻瘻
瘻 雉雖非辰屬而正是離禽丙午日不可食者明其王於火也 謹案雉味甘主諸瘻瘡也
鷹屎白主傷撻滅瘢 止單用白亦不能滅瘢復應合諸藥殭蠶衣魚之屬以為膏 謹案
鷹矢灰之酒服方寸匕主惡酒勿使飲人知之

雀卵味酸溫無毒主下氣男子陰痿不起強
之令熱多精有子腦主耳聾
頭血主雀盲
雄雀屎療目痛決癰癤女子帶下溺不利除
疝瘕五月取之良 雀性利陰陽故卵亦然術云雀卵和天雄丸服之令莖大不衰人患黃昏間
目無所見謂之為雀盲其頭血療之雄雀屎兩頭尖是也亦療齲齒雀宍不可合李食之亦忌合醬食妊身尤禁之 謹案別錄
云雀屎和男首子乳和點目中胬肉赤脉貫瞳子上者即消神効以蜜和為丸和酒飲服主癥瘕久痼冷病或和少干薑服之

鸛骨味甘無毒主鬼蠱諸注毒五尸心腹疾
鸛亦有兩種似鵠而巢樹者乃白鸛黑
色曲頸者爲陽鳴鸛今此用白者

雄鵲味甘寒無毒主石淋消結熱可燒作灰以石
投中解者雄也 五月五日鵲腦入術家用一名飛駮烏烏之雌雄
難別舊言其翼左覆右是雄右覆左是雌
又燒毛作屑内水中沉者是雄浮者是雌
今云投石恐止是鵲耳餘鳥未必尔並未試之

鴝鵒肉味甘平無毒主五痔止血炙食或爲散
服飲之 鳥似鵙而有幘者

禽下

鷰矢味辛平有毒主蠱毒鬼注逐不祥
耶氣破五癃利小便生高山平谷 鷰有兩種有胡有
有越紫胸輕小者是越鷰不入藥用胸斑黑聲大者是胡鷰
俗呼胡鷰爲夏候其作窠喜長人言有容一疋絹者令家富
窠亦亦入藥用與矢同多以作湯洗浴療小兒驚耶也窠戶有
北向及尾倔色白者皆是數百歲鷰食之延年凡鷰肉不可食令
人入水爲蛟龍所吞亦不宜煞 謹案別錄云胡
鷰卵主水浮腫肉出痔虫越鷰屎亦療痔煞虫去目翳

孔雀矢微寒主女子帶下小便不利 出廣益諸州都
下亦養之有䳐不見用其矢也
謹案孔雀主廣州有釼而元无

鸕鷀矢一名蜀水華去面黑䵟誌頭微寒

主哽及噎燒服之（溪谷間甚多見之當自取其矢擇用白處市賣不可信骨亦主魚哽此鳥不卵生口吐其雛獨為一異也）

鵄頭味鹹平無毒主頭風眩顛倒癎疾（即俗人呼為老鵄者一名鳶又作鴟音又有鵰鶚並相似而大雖不限雄雌恐雄者當勝今合鵄頭用之當微炙不用蠹者）

新修本草禽部卷第十五　着官位廿三階

顯慶四年正月十七日朝議郎行右監門府長史騎都尉臣蘇敬上

登仕郎行禮部主事雲騎尉臣顏仁楚

登仕郎守潞王府行參軍臣吳師哲

太子藥藏局丞飛騎尉臣蔣義方

朝議郎行太常寺太卜令上騎都尉臣賈文通

守太子洗馬弘文館學士臣孔志約

朝議大夫行太史令上輕車都尉臣李淳風

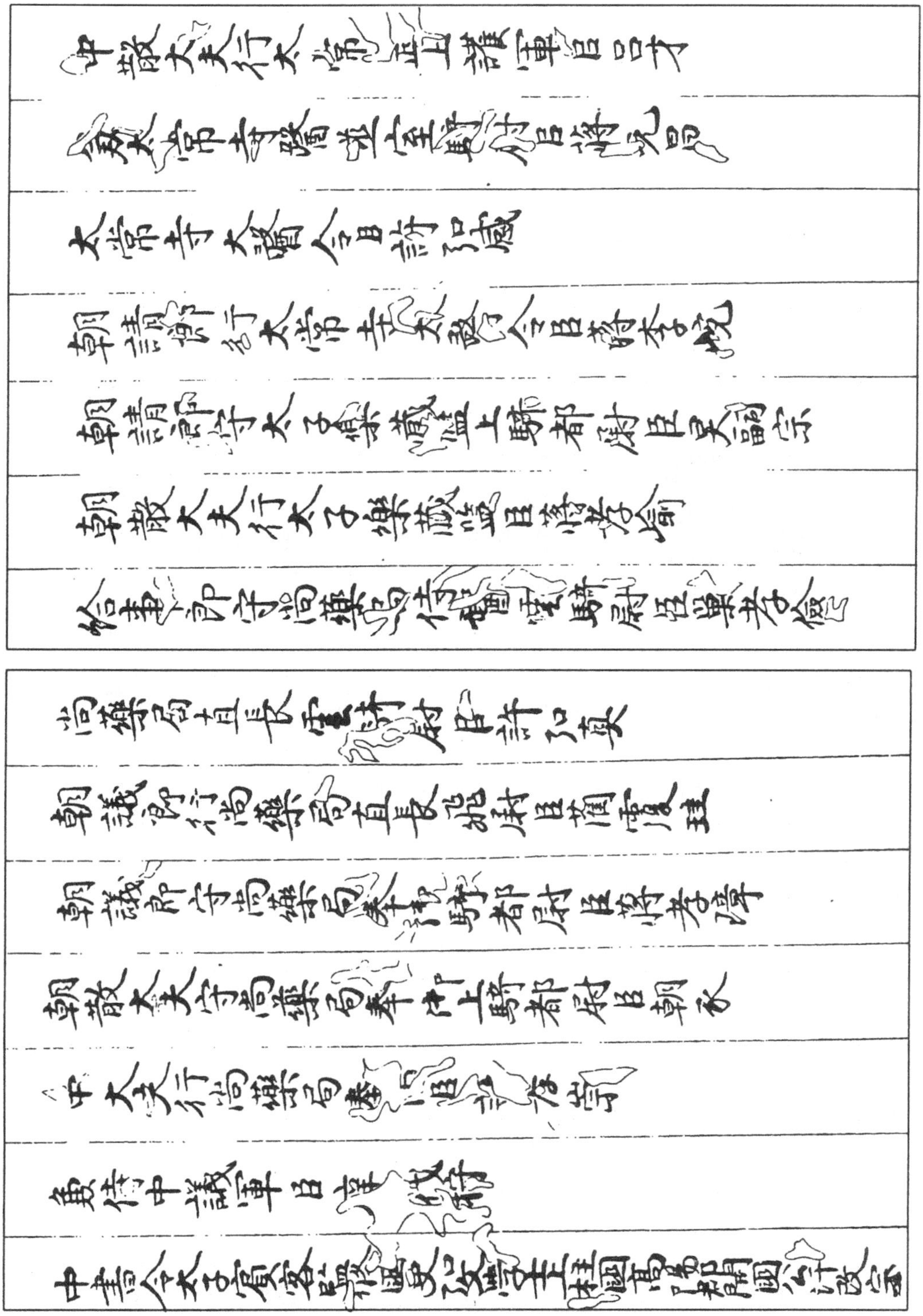
中散大夫行太常丞上護軍臣呂才
兼太常寺醫監[illegible]臣蔣元昌
太常寺太醫令臣許弘感
朝請郎行太常寺太醫令臣蔣季琬
朝請郎守太子藥藏監上騎都尉臣吳嗣宗
朝散大夫行太子藥藏監臣蔣季瑜
給事郎守尚藥局侍御醫雲騎尉臣巢孝儉
尚藥局直長雲騎尉臣許弘直
朝議郎行尚藥局直長飛騎尉臣[illegible]珪
朝議郎守尚藥局奉御上騎都尉臣蔣孝璋
朝散大夫守尚藥局奉御上騎都尉臣胡[illegible]
中大夫行尚藥局奉御臣許孝崇
兼侍中護軍臣辛茂將
中書令太子賓客監修國史上柱國高陽郡開國公許敬宗

司空上柱國英國公臣

天平三年歲次辛未七月十七日書生田邊史

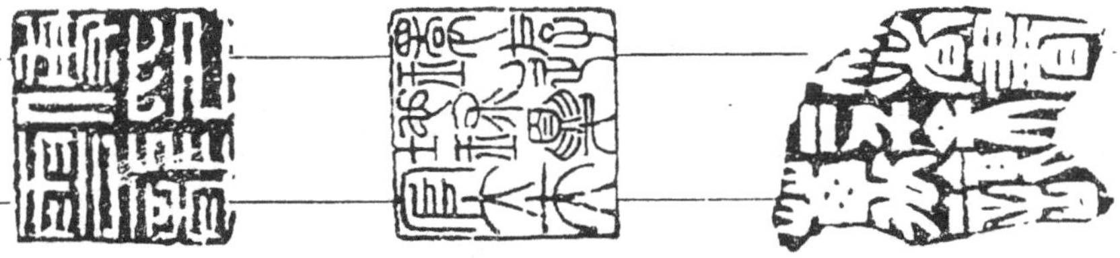

新修本草菓部卷第十七

司空上柱國英國公臣勣等奉　勅撰

上　豆蔻　葡萄　蓬蘽　覆盆　大棗

藕實　雞頭實　芰實　栗　櫻桃

中　梅實　枇杷　柿　木瓜　甘蔗

石蜜　沙糖　芋　烏芋

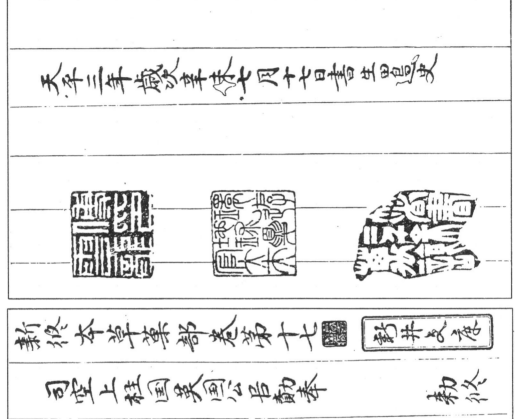

下　杏核　桃核　李核　梨柰　安石榴

右菓類合廿五種 八種神農本經十五種 蘡別二種新附也菓上

荳蔲味辛温無毒主温中心腹痛嘔

吐去口臭氣生南海 味辛烈者爲好甚香 可恒合之其五和糝

中物皆宜人廣薑最温下氣益智熱枸櫞温甘蕉 麁同並小冷耳謹案荳蔲苗似山薑花黄白苗根及子

亦似杜若藥緣性冷 陶景云熱者誤矣

蒲陶味甘平無毒主筋骨濕痺益

氣倍力強志令人肥健耐飢忍風寒

人食輕身不老延年可作酒逐水利

小便生隴西五原燉煌山谷 魏國使人多 賷來狀如五味

子而甘美作酒云用其藤汁殊美好此國人多肥健耐 寒蓋食斯乎不植淮南亦如橘之變於河北矣人說即

是此間蘡薁恐如彼之枳類橘耶 謹案蘡薁与蒲桃 相同然蘡薁是千歲藟蒲陶作酒法惣收取子汁釀

之自成酒蘡薁山蒲[illegible] 爲酒陶景言用藤汁爲酒謬矣

蓬蔂味酸鹹平無毒主安五藏益精

氣長陰令堅強志倍力有子又療暴

中風身熱大驚久服輕身不老一名覆
盆一名陵虆一名陰虆生荊山平澤
宂助李云即是人所食莓耳
覆盆味甘平無毒主益氣輕身令
髮不白五月採實蓬虆是根名方家不用乃昌容所服以易
顔色者也覆盆是實名李云是莓子乃似覆盆之形而以津汁為味其核甚微細藥中所用覆盆
子小異此未詳孰是謹案覆盆蓬虆一物異名本謂實非根也李云莓子近之其根不入藥用然生處不
同沃地則子大而甘塉地則子細而酸此乃子有甘酸根亦酸根亦酸味陶景以根酸子甘將根入藥重出子條殊為
孟浪
大棗味甘平無毒主心腹邪氣安中
養脾助十二經平胃氣通九竅補少
氣少津身中不足大驚四肢重和
百藥補中益氣強力除煩心下懸
腸澼久服輕身長年不飢神仙一名

乾棗一名美棗一名良棗八月採曝
乾三歲陳核中人燔之味苦主腹痛
邪氣生棗味辛令人多寒熱羸瘦者不
可令葉覆麻黃能出汗河東平澤 大棗殺烏
頭毒舊云河東猗氏縣棗特異今出青州彭城棗形小核細多膏甚甜郁州平市亦得之而鬱州者亦好小不及耳江東臨沂金城棗形大而虛少脂好者亦可用及洽棗大惡殆不堪噉道家方藥以棗為佳餌其皮利肉補所以合湯皆擘用之謹案別錄云棗葉散服使人瘦又取嘔吐揩熱沸瘡至良

藕實莖味甘平寒無毒主補中養神
益氣力除百疾久服輕身耐老不飢
延年一名水芝丹一名蓮生汝南池澤
八月採 即今蓮子八九月取堅黑者乾擣破之華及根並入神仙用今云莖恐即是根不分不應言甘也宋帝時太官作羊血䘓人削藕皮誤落血中遂皆散不凝醫仍用藕療血多効也 謹案別錄云藕主熱渴散血生肌久服令人心懽

雞頭實味甘平無毒主濕痺腰脊膝

痛補中除疾益精氣強志令耳目聰
明久服輕身不飢耐老神仙一名鴈
喙實一名芡生雷澤池澤八月採
此即今蔿子子形上花似雞冠故名雞頭仙方取此并蓮
實合餌能令小兒不長自別有方正爾食之亦當益人達
菜此實去皮作粉与
羹粉相似益人勝蓮之

芰實味甘平無毒主安中補藏不飢
輕身一名蔆 廬江間最多皆取火燔以為米充粮
今多蒸暴蜜和餌之斷穀長生水族

中又有菰首性冷恐非上品被霜後食之令陰不強又
不可雜白蜜食令生蟲蓍華芰作粉極白潤宜人

栗味鹹溫無毒主益氣厚腸胃補腎
氣令人忍飢生山陰九月採 今會稽最
豐諸暨栗
形大皮厚不美剡及始豐皮薄而甜相傳有人患脚弱往
栗樹下食數升便能起行此是補腎之義然應生噉之
今若餌服故宜蒸暴之 諸果作粉勝於菱芡嚼生者
塗病上療筋骨斷碎疼痛腫瘀血有效其皮名扶皺為
散蜜和塗肉令急縮毛殼療火丹瘡毒腫實飼孩
兒令齒不生樹白皮煮汁 主漆毒

櫻桃味甘主調中益脾氣令人好色美

志此即今朱櫻桃味甘酸可食而所主又與前櫻桃相似
恐是前誤載之本必是今朱櫻耳又故陵不熟子亦恐
益人或云寒熱病不可食　葉謹案
損葉封主蛇毒絞汁服防蛇毒攻内也

梅實味酸平無毒主下氣除熱煩滿
安心肢體痛偏枯不仁死肌去青黑
誌惡疾止下痢好唾口乾生漢中川谷
五月採火乾此亦是今烏梅也用之去核微熬之傷
寒煩熱水漬飲汁生梅子及白梅亦應
相似今人多用白梅和藥以點誌蝕惡肉也服黃精人云禁食梅
實謹案別錄云梅根療風痹出土者殺人梅實利筋脈去痹

枇杷葉平主卒啘不止下氣不暇煮但嚼
食亦差人以作
飲乃小冷謹案用枇杷葉須火布拭去
毛爾射人肺令欬不已又主欬逆不下食

柿味甘無毒寒主通鼻耳氣腸澼不足
柿有數種云今烏柿火熏者性熱斷下又療狗齧瘡火熘
者亦好日乾者性冷鹿心柿尤不可多食令人腹痛利生柿
彌冷又有椑色青唯堪生啖其冷復乃甚於柿散石熱家啖
之无益不入藥用謹案別錄云火柿主殺毒療金瘡火瘡生
肉止痛軟熟柿解酒熱
毒止口乾押胃間熱之

木瓜實味酸溫無毒主濕痹邪氣

霍亂大吐下轉筋不已其枝亦可

煮用 山陰蘭亭尤多彼人以為良藥最療轉〻筋〻 時但呼其名及書上作木瓜字皆愈理亦不可究

解俗人拄木瓜杖云利筋脛又有榠查大而黃可進酒去痰 又查子澀斷痢禮云查梨曰攢之鄭公不識查乃云是梨之

不臧者然則古亦以查為果今則 不入例也比供屬多不齊人若也

甘蔗味甘平無毒主下氣和中補脾氣

利大腸 今出江東為勝廬陵亦有好者廣州一種數年生 皆如大竹長丈餘取汁以為沙糖甚益人又有荻

蔗節疏而 細亦可噉

石蜜味甘寒無毒主心腹熱脹口乾渴性

冷利出益州及西戎煎煉沙糖為之作

餅塊黃白色 云用水牛乳米粉和煎乃得成塊西戎 來者佳近江左亦有殆勝蜀者云用牛

乳汁和煎之糖並作餅 解堅重蜀者也新附

沙糖味甘寒無毒功體與石蜜同而冷利

過笮甘蔗汁煎作蜀地西戎江東並有之

江東者先劣今優 新附

芋味辛辛有毒主寬腸胃充肌膚滑中一名土芝 錢唐最多生則有毒莶不可食性滑中下石服餌家所忌種芋三年不採成梠芋又别有野芋名老芋形葉相似如一根並殺人〻不識而食垂死者他人以土漿及糞汁与飲之得活矣 謹案芋有六種有青芋紫芋真芋白芋連禪芋野芋[illegible]其青芋細長毒多初煮要須灰汁易水煮熟乃堪食耳白芋真芋連禪芋紫芋毒少並正可蒸煮噉之又宜冷噉療熱止渴其真白連禪芋兼肉作羹大佳蹲鴟之饒蓋謂此也野芋大毒不堪噉

烏芋味苦甘微寒無毒主消渴痺熱〻中益氣一名藉姑一名水萍二月生葉〻如芋三月三日採根曝乾 今藉姑生水田中葉有椏狀如澤冩不正似芋其根黄似芋子而小煮食之乃可噉疑其有烏名今有烏者根極相似細而美葉乖異狀頭如莞草呼爲烏茨恐此非也 謹案此草一名槎丫一名茨菰主百毒產後血悶攻心欲死產難衣不出擣汁服一升生水中葉以[illegible]箭鏃澤冩之類也千金方云下石淋也

杏核味甘苦温冷利有毒主欬逆上氣雷鳴喉痺下氣產乳金創寒心賁豚驚癇心下煩熱風去來時行頭痛解肌消心下急𣪍狗毒一名杏子五月採其兩人

者殺人可以毒狗

杞味苦无毒主補不足安子傷中寒熱

痹痺逆實味酸不可多食傷中脾肉生西

山川谷 得火良惡地黃菖蒲着薯蕷芩葛根胡麻毒鼠李 甚草忌之有薛中多用之也仍主赤皮熱令黃

桃核味苦甘平無毒主瘀血閉瘕邪氣

殺小虫主欬逆上氣消心下堅除卒暴

擊血破症瘕通月水止痛七月採取人陰

乾 桃花 殺疰惡鬼令人好色 味苦平無

毒主除水氣破石淋利小便下三虫悅澤人

面三月三日採陰乾　一

桃梟 殺百鬼精物 味苦微溫主中惡腹

痛殺精魅五毒不祥一名桃奴實著樹

不落實中者正月採之　桃毛 主下血瘕寒

熱積聚無子帶下諸 疾破堅閉刺取實毛

桃蠹　殺鬼辟不祥食桃樹蟲也　其莖白皮
除邪鬼中惡腹痛去胃中熱　其葉味苦
平無毒主除尸蟲出瘡中蟲　其膠練之
主保中不飢忍風寒　其實味酸多食令
人有熱　生大山川谷　處處有京口者亦好當取解核種之爲佳又有山桃其人不堪用
俗用桃人作酪乃言冷桃膠入仙家用三月三日採花亦供丹方所須方言服三樹桃花盡則面色如桃花人亦無試之者服朮人云禁食桃
也謹案桃膠味甘苦平無毒主下石淋破血中惡疰忤花主下惡氣消腫滿利大小便腸

李核人味甘苦平無毒主僵仆躋瘀血骨
痛　根皮大寒主消渴止心煩逆奔氣　實味苦
除痼熱調中　李類又多京口有麥李麥秀時熟而脆晚核不入藥今此用姑熟所出
南居李解核如杏子者爲佳凡李實熟食之皆好不可合雀肉食又不可臨水上啖之李皮水煎含之療齒痛佳
梨味苦寒令人寒中金創乳婦尤不可食
梨種復殊多並皆冷利俗人以爲快藥不入藥用食之損人謹按梨削貼湯火創不爛止痛易差又主熱嗽止渴
葉主霍亂吐利不止煮汁服之

柰 味苦 寒 多食之令人臚脹 病人尤甚 江南乃

有而北國最豐皆以作脯不宜人有林檎相似而小亦恐非益人
若枇杷葉已出上卷其實乃宜人東兩[illegible][illegible]甚多也

安石榴 味酸[illegible]損人 不可多食 其酸實殼

療下利 止漏精 其東行根 療蚘蟲 寸白 石榴以花

赤可愛故人多植之尤為外國所重入藥唯根
殼而已其味有甜酢藥家用酢者其子為服食所忌也

新修本草卷第十七

新修本草菜部卷第十八

新井氏藏

司空上柱國英國公臣勣等奉　勅撰

菜上 白瓜子　白冬瓜　瓜蒂　冬葵子　葵根

莧實　苦菜　薺　蕪菁　萊菔根

龍葵　菘　芥　苜蓿　荏子

蓼實　葱實　韭　薤　白蘘荷　菾菜

蘇　水蘇　假蘇　香薷　薄荷

秦荻梨

菜下 苦瓠 水靳 馬芹子 蕈 落葵

蘩蔞 蕺 葫 蒜 堇

芸薹

右菜類合卅八種 十二種神農本經 廿種名醫別錄 六種新附

菜上 白苽子味甘平寒無毒主令人悅澤好顏色益氣不飢久服輕身能老主除滿不樂久服寒中可作面脂令悅澤一名水芝一名白苽子生嵩高平澤冬瓜人也八月採之 謹案經云冬瓜人也八月採之已下皆為冬瓜人說尔雅云水芝瓜也此謂冬瓜別名核餘及下條瓜蔕並生嵩高平澤此即一物但以甘字似白字後人誤以為白也若甚不是甘瓜何因一名白瓜此即是甘瓜或且木書論甘瓜之効是書說冬瓜之功々異條同陶為深誤矣案廣雅冬瓜一名地芝与甘瓜全異書宜附冬瓜科下瓜蔕与甘瓜共條別録云甘瓜子主腹内結聚破潰膿血最為腸胃脾内壅湯要藥本草以為冬瓜但用蔕不云子也今人以腸壅湯中之用俗人或用冬瓜子非也又案諸本草單云瓜子或云甘瓜子今此本誤作白字當改從甘也

白冬苽微寒主除小腹水脹利小便止渴 被霜後合取是

經年破取掾水澆烁乃擂取人用之冬苽性冷利解毒消渴心煩悶直擣絞汁服之

苽蔕味苦寒有毒主大水身面四支浮腫下水殺蠱毒欬逆上氣食諸菓不消病在胷腹中皆吐下之去鼻中息肉黃疸其華主療心欬生嵩高平澤七月七日採陰乾苽蔕多用早青蔕此云七月七日採便是熟苽蔕者取吐乃無異此論其蔕所主耳今苽例皆冷利早青尤甚熟苽乃有數種除瓤食不害人若覺食多入水自漬便消永嘉有寒苽甚大合母取藏經年食之亦有再熟苽又有越苽甚人以作菹者食之冷並非藥用耳博物志云水浸至項食苽無數又云飽苽華有毒分採之苽皮斂蛳虫也

冬葵子味甘寒無毒主五藏六府寒熱羸瘦五癃利小便婦人乳難內閉久服堅骨長肌肉輕身延年生少室十二月採黃芩為之使也

葵根味甘寒無毒主惡瘡療淋利小便解蜀椒毒葉為百菜主心傷人以秋種葵覆養經冬至春作子謂冬葵多入藥用至滑利能下石淋春葵子亦滑不堪餘藥用根故是常葵耳葉尤冷利不可食術家取此葵子微炒令爆㸌散著濕地遍踰之

朝種蓁暮生遠不過宿又云取羊角馬蹄燒作灰散於濕地即生羅勒俗
呼為西王母菜食之益人生菜中人有胡葰芸薹白苣邪蒿並可食大都

服藥自通忌生菜耳佛家啓忌食薰渠不知的是何菜今芸薹憎其
臭故也謹案羅勒此人謂之蘭香為石勒諱故也又薰渠者婆羅門云何魏是云

此草苗根似白芷取根汁曝之如膠或截根日乾並極臭西國持呪人禁食之
常食中用之云去臭氣戎人重此猶俗中貴胡椒巴人重負欅等非下菜也

苦菜味苦寒无毒主五藏邪氣厭穀胃痹腸

澼渴熱中疾惡瘡久服安心益氣聰察少卧

輕身耐老耐飢寒高氣不老一名荼草一名

選一名游冬生益州川谷山陵道旁陵冬不

死三月三日採陰乾

疑此則是今茗之一名荼又令人不眠亦凌冬不凋
而嫩其心生益之州之乃有苦菜正是苦蘵耳上卷

上品白英下已注之桐君藥録云苦菜葉三月生扶疏六月花從
葉出莖直黃八月實黑實落根復生冬不枯今茗極似此西陽

武昌及廬江晉陵茗皆好東人以作青茗之皆有浡飲之宜人凡
所飲物有茗及木葉天門冬苗并菝葜皆益人餘物並冷利又巴東

間別有真茶作卷結為飲亦令人不眠恐或是此俗中多煮檀葉
及大皂李作茶並冷又南方有瓜蘆木亦似茗至苦澁取其葉作

屑煮飲汁即通夜不眠煮鹽人唯資此飲尔交廣最所重客來先
設乃加以香芼輩耳謹案苦菜詩云誰謂荼苦又云堇荼如飴皆

苦菜異名也陶謂之茗之乃木類殊非菜流茗春採為苦搽之音
途遐反非途音也案尒雅釋草云荼苦菜釋木云檟苦搽二物全別

不得為例又顏氏家訓案易統卦驗玄圖曰苦菜生於寒秋經冬歷春得
夏乃成一名游冬葉似苦苣而細斷之而有白汁花黃似菊此則与桐君略同

今所在有之苦蘵乃龍
耳俗亦名苦菜非荼也

薺味甘溫無毒主利肝氣和中其實主明目

痛 薺類又多此是人可食者葉作菹羹亦佳詩云
誰謂荼苦其甘如薺又疑荼是菜類矣

蕪菁及蘆菔味溫無毒主利五藏輕身益

氣可長食之蕪菁子主明目 蘆菔是今溫菘其根可
食葉不中啖蕪菁根乃

細於溫菘而葉似菘好食西川惟種此而其子與溫菘甚相似小細耳
俗方无用服食家亦稀餌之而不云蘆菔子恐不用也俗人蒸其根及

作菹皆好但小薰臭耳細而過辛不宜服也謹案蕪菁北人又蔓
菁根葉及子乃是菘類與蘆菔全別至於體用亦殊今言蕪菁子似

蘆菔或謂蘆菔葉不堪食兼言小薰體是江表不產二物斟酌之言
理喪其真耳其蔓菁子療黃疸利小便水煮之汁取濃汁服之主癥

瘕積聚少飲汁主霍亂心腹
脹服主目暗其蘆菔別顯條

萊菔根味辛甘溫無毒主散服及炮煮服

食大下氣消穀去痰癖肥健人生擣汁服主

消渴試大有驗 陶謂溫菘是也其嫩葉為生菜食之大葉熟
啖消食和中根效在蕪菁之右新附

龍葵味苦寒無毒食之解勞少睡去虛熱腫其

子療丁腫所在有之 即關河間謂之苦菜者葉圓花白子若
牛李子生青熟黑但堪煮食不任生啖新附

菘味甘温无毒主通利腸胃除胸中煩解酒渴

菜中有菘最為恒食性和人无餘逮今人多食如似小冷而又耐霜雪其子可作油傅頭長髮塗刀釰令不鏽其有數種猶是一類正論丁其美与不美耳服藥有甘草而食菘令病不除　謹案菘菜不生北土有人子北種初一年半為蕪菁二年菘種都絕將蕪菁子南種亦二年都變土地所宜頗有此例其子乡隨色變但麄細无異耳菘子墨蔓菁子紫赤大小相似唯蘆菔子黄赤色大數倍復不同也其菘有三種有牛肚菘葉最大厚味甘紫菘葉薄細味小苦白菘似蔓菁青也

芥味辛温无毒歸鼻主除腎邪氣利九竅

明耳目安中久服温中

似菘而有毛味辣好作菹亦生食其子可藏冬月又有莨以作菹甚辣快　謹案此芥有三種葉大麄者葉堪食子入藥用熨惡疰至良葉子細者葉不堪食子但堪為齏耳又有白芥子麄大白色如白粱米甚辛美從戎中來別録云子主射及注氣發无恒處丸服之或擣為末醋和塗之隨手驗也

苜蓿味无毒主安中利人可久食

長安中乃有苜蓿園北人甚重此江南人不甚食之以无氣味故也外國復別有苜蓿草以療目非此類也　謹案苜蓿莖葉平根寒主熱病煩滿目黄赤小便黄酒疸擣取汁一升令人吐利即愈也

荏子味辛温无毒主欬逆下氣温中體葉主調

中去臭氣九月採陰乾

荏狀如蘇高大白色不甚香子共研之雜米作糜甚肥美下氣補

益東人呼為莫以其似蘇字但除木邊也若其子作油日煎之即今油帛及和漆用者勝食新蔽亦用之名為重油 謹案在葉人常生食子故不及蘇言為重油入漆及油絹帛此乃用大麻子油非用此也陶說油帛江左所无故陶為謬說也

中

蓼實味辛温无毒主明目温中耐風寒下水氣面目浮腫癰瘍葉歸舌除大小腸邪氣利中益志馬蓼去腸中蛭虫輕身生雷川澤此類又多人所食有三種一是紫蓼相似而紫色一名香蓼亦相似而香並不甚辛而好食一是青蓼人家常有之葉有圓有尖以負者為勝所用即是此乾之以釀酒主療風冷大良馬蓼生下濕地莖斑葉大有黑亦有兩三種其最大者名蘢薣即是葒草已在上卷中品 謹案今雖玄葒一名蘢薣者茵別最大者不名蘢薣陶誤呼之又有水蓼葉大似馬蓼而味辛主被地傷搗薄之絞取汁服此地毒入腹心悶者又水煮漬脚捋之消脚氣腫生下濕地水傍

葱實味辛温无毒主療明目補中不足其莖葱白平中作湯主傷寒寒熱出汗中風面目腫傷寒骨肉痛喉痺不通安胎歸目除肝邪氣安中利五藏益目精殺百藥毒葱根主傷寒頭痛葱汁平主溺血解藜蘆毒

謹案葱有數種山葱曰茖葱療病似胡葱〻主諸惡載狐尿刺毒山溪中沙
虱射工等毒煑汁浸或擣傅佔大効亦兼山蒜茱萸華輩不獨用也其

人間食葱又有二種有凍葱經冬不死分莖栽蒔而無子又有漢葱冬
則葉枯食用入藥凍葱最善氣味亦佳也

薤味辛苦溫無毒主金創〻敗輕身不飢耐

老歸骨菜芝也除寒熱去水氣溫中

散結利病人諸瘡中風寒水腫以塗之

生魯山平澤 葱薤異物而今共條本經既無韭以其同類故也
今亦取為副品種類方家多用葱白及葉中

涕名葱苒無復用實者葱亦有寒熱之白冷青熱傷寒湯不得
令有青也能消桂為水亦化五石仙術所用薤又溫補仙方及服食

皆須之偏入諸膏用並不可生取薰辛為忌耳 謹案薤乃是韭
類菜不似葱今云同類不識所以然薤有赤白二種白者補而美赤者

金創及風苦無味
今別顯條於此

韭味辛酸溫無毒歸心安五藏除胃中熱

利病人可久食子主夢泄精溺白根主養髮

韭子入棘刺諸丸主漏精用根入發膏用葉人以煑鯽魚鮓斷卒下
利多驗但此菜殊辛臭雖煑食之便出猶奇薰灼不如葱薤熟則

無氣最是養性所忌也生薑是常食物其已隨乾薑在中品今依
入食更別顯之而復有小異處所以彌宜書之薑微溫辛歸五藏

淡下氣止嘔吐除風邪寒熱久服小志少智傷心氣如此則不可多食
長御有病者是所宜也耳今人取謂辛辣物惟此最恒故論語云不

黴董食言可常取但勿過多耳　謹案　董久服通神明之風邪之淡氣生者尤良餌之久服通神明即可常取也今之少智少急傷心氣不可多服若誤爲此說檢元可據也

白蘘荷微溫主中蠱及瘧今人乃呼甘者爲蘘荷臬爲霞菹葉同一種耳於人食之赤者爲勝藥用白者中蠱服其汁可卧其葉即呼蠱主姓名亦主諸溪毒沙蝨輩多食損藥勢又不利腳人家種白蘘荷亦云辟蛇　謹案　根主諸惡瘡殺蠱毒根心主稻麥芒入目中不出者以汁注目中即出也

菾菜味甘苦大寒主時行壯熱解風熱毒即今以雜作鮓蒸者菾作莙字亦作菾時行熱病初得便搗飲汁諸除蒐　謹案　此菾似升麻苗南人蒸炰又作羹食亦大香美之也

蘇味辛溫主下氣除寒中子尤良葉下紫色而氣甚香其无紫不香似荏者名野蘇不任用子主下氣与橘皮相宜同療也

水蘇味辛溫无毒主下氣殺穀除飲食辟口臭去毒辟惡氣久服通神明輕身耐老主血衄血〻崩一名雞蘇一名勞祖一名芥苴一名假苴一名道華生九真池澤七月採方藥不用俗中莫識背九真遼遠亦无能識訪之　謹案此

蘇生下濕水側苗似復兩葉相當大香馥青齊河間人名為水蘇江左名為薺薴吳會謂之雞蘇主吐血衄血下氣消穀大効而陶更於菜部出雞蘇誤矣今以雞蘇為水蘇之一名除中吐血衄血之別六字也

假蘇 味辛溫无毒主寒熱鼠瘻瘰癧生瘡破結聚氣下瘀血除濕痺一名鼠蓂一名薑芥生漢中川澤方藥亦不復用謹案此藥即菜中荊芥是也薑荊聲訛耳先居草部中今人食之錄在菜部也

香薷 味辛微溫主霍亂腹痛吐下散水腫家家有此惟供生食十月中取乾之霍亂煮飲无不差作煎除水腫尤良之也

薄荷 味辛苦溫无毒主賊風發汗惡氣腹脹滿霍亂宿食不消下氣煮汁服亦堪生食人家種之飲汁發汗大解勞乏莖方葉似荏而尖長根經冬不死又有蔓生者功用相似新附

秦荻梨 味辛溫无毒主心腹冷脹下氣消食人所啖者生下濕地所在有之新附

菜下 苦瓠味苦寒有毒主大水面目四支浮腫下
水令人吐生晉地川澤 瓠與冬瓜氣類同輩而有上下〻
殊當是為其苦者耳今瓠自忽
有苦者如膽不可食非別生一種也又有瓠亦是瓠類小者名瓢
食之乃勝瓠凡此等皆利水道所以在夏月食之大理自不及冬瓜
矣謹案瓠與冬瓜瓠甊全非類例今此論性都是苦瓠甊耳
陶謂瓠中苦者大誤矣瓠中苦者不入用字依自瓠苦瓠甊
甊與瓠又須辨之此二物苗葉相似而實形有異瓠味皆甜時有
苦者而似越瓜長者尺餘頭尾相似其瓠甊形狀非一瓠夏中便熟
秋末並枯瓠甊夏末始實秋中方熟取其為器經霜乃堪瓠與
瓠甊體性相類但味甘冷通利水道止消渴熱無毒多食令人
吐苦瓠甊為療一如經說瓠甊苦者不堪食無所主療不方入用而
甜瓠與瓠子噉之俱勝冬瓜陶言不及是未悉也毛經必物非甘者

實而為苦也其苦瓠甊味瓠苦冷有毒主水腫石淋吐呀嗽囊
結注蠱痰飲或服〻過分令人吐利不止者宜〻以黍穰灰汁解〻又煮
以汁漬陰療
小便不通

水靳味甘平無毒主[illegible]女子赤沃止血養
精保血脈益氣令（宜）人肥健嗜食一名水英
生南海池澤 論靳主療乃應是上品未解何意乃在下
其二月三月英時善可作菹及熟瀹食可
亦利小便治水腫又有渣靳可為生菜此靳亦可生
噉俗中皆作芹字也謹案芹花味苦主脈溢也無用條

馬芹子味甘辛溫無毒主心腹脹滿下氣

消食調味用之香似橘皮无苦味生水澤

傍苗似鬼鍼菾菜等花青白色子黄色似

防風子 附薊

蓴 味甘寒无毒主消渴熱痺 蓴有寒夏時之冷補下氣雜鱧魚作羹亦逐水而性

滑服食家不可多噉也 謹案蓴久食大宜人合鮒魚為羹食之主胃氣弱不下食者至效又宜老人此應在上品中三月四月已七八

月通名絲蓴味甜體軟霜降已後至于二月名瓌蓴味苦體澁取以為羹猶勝雜菜

落葵 味酸寒无毒主滑中散熱實主悅澤人

面一名天葵一名繁露 又名承露人家多種之葉惟可飪鮓性冷滑人食之為狗所齧作瘡者

身不差其子紫色女人以漬粉傅面為假色少入藥用也

蘩蔞蔞味酸平无毒主積年惡瘡不愈

五月五日日中採乾用之當燔 此菜人以作羹五月五日採暴乾燒作屑療雜惡

瘡有效亦雜百草作之不必止此一種 謹案此草即是鷄腸也但此一經所出而二名說異多生濕地坑渠之側流俗通謂鷄腸雅士總

名蘩蔞蔞亦雅物重名蘩蔞之一物兩名也

蕺 味辛微溫主蠷螋溺瘡多食令人氣

喘 俗傳言食蕺不利人脚恐由閉氣故也今小兒食之便覺脚
痛蓮葉此物葉似蕎麦莖目從肥地而出蔓生莖紫赤色多
去濕地山谷陰處亦山方江左人好
生食關中謂之菹菜也

葫 味辛溫有毒主散癰腫䘌瘡除風邪殺毒
氣獨子者亦佳歸五藏久食傷人損目明五
月五日採之 今人謂葫為大蒜謂蒜為小蒜以其氣類相似也
性最葷臭不可食俗人作齏以啖膾肉損性伐命
莫此之甚此物唯生不中煑用以合青魚鮓食令人發黃耳其條
上子初種之成獨子葫明年則復本謹案此物煑
薰氣亦微下氣消穀除風破冷足為饌中
之俊而注之不中煑用當是未經試耳

蒜 味辛溫無毒歸脾腎主霍亂腹中不安消
穀理胃溫中除邪痺毒氣 五月五日採 小蒜生葉
時可煑和食至五月葉枯取名亂子正尔啖之亦甚薰臭性
辛熱中冷霍亂煑飲之亦主溪毒食之損人不可長用之 謹案
此蒜與胡葱相得主惡蕺毒
溪中沙蝨水毒大効山人俚獠時用之

堇汁 味甘寒無毒主馬毒瘡搗汁洗之并
服之堇菜也出小品方万畢方云除蚘蟲
毒及癰腫 此菜野生非人所種俗謂之堇菜葉似
蕺花紫色 新附

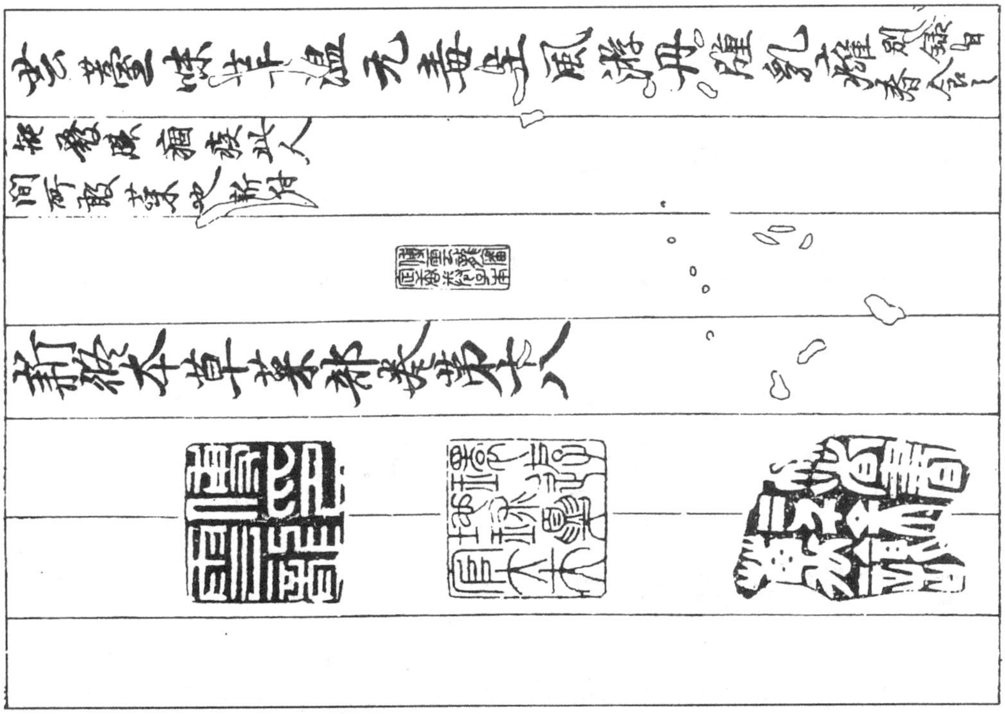

芸薹味辛温无毒主風游丹腫乳癰別錄曰春食之
能發膝痼疾此人間所啖菜也　新附

新修本草菜部卷第十八

新修本草米等部卷第十九　新井文庫

司空上柱國英國公臣勣等奉　勅修

上
胡麻　青蘘　麻蕡　粘糖

中
大豆　赤小豆　豉　大麥　穬麥
小麥　青粱米　黃粱米　白粱米　粟米
丹黍米　蘗米　秫米　陳廩米　酒

下
腐婢　藊豆　黍米　粳米　稻米

稷米　酢　[illegible]　塩

右米等部合廿八種（六種神農本經　二種名醫別録）

胡麻味甘平無毒主傷中虛羸補五内益氣力長肌肉填髓腦堅筋骨金創心痛及傷寒温瘧大吐後虛熱羸困久服輕身不老明耳目耐飢延年以作油微寒利大腸胞衣不落生者摩瘡腫生秃髮一名狗虱一名方莖一名鴻藏一名巨勝葉名青蘘生上黨川澤（八穀之中唯此爲良淳黑者名巨勝[illegible]者大也是爲大勝本生大宛故名胡摩又莖方名巨勝莖[illegible]麻服食家當九蒸九曝熬擣餌之斷穀長生[illegible]甘[illegible]易得俗中學者猶不能恒[illegible]而[illegible]餘藥耶蓋不熟令人骾落其性与伏苓相宜俗方用之甚少唯時以合湯丸耳麻油生笮者如若蒸炒正可供作食及[illegible]不入藥用也謹案此麻以角作八稜者爲巨勝四稜者名胡麻都以爲者良白者劣耳生嚼塗小兒頭瘡及浸淫悪瘡[illegible]効）

青蘘味甘寒無毒主五藏耶氣風寒濕痺

益氣補腦髓筋骨久服耳目聡明不飢不
老增壽臣勝苗也生中原川谷胡麻葉甚肥滑亦可以沐
頭但不知云何服之仙方正无用此法正當陰乾擣為丸
散耳既服其實故不須假苗五芋臣勝丸亦云葉名青
蘘本生大宛度來千年耳謹案青蘘本
经在草上品中既堪啟今從細麻條下
麻蕡味辛平有毒主七傷利五藏下血寒
氣破積心痺除散膿多食令人見鬼狂走
久服通神明輕身一名麻勃此麻華上勃

〻者七月七日採良
麻子味甘平無毒主補中益氣肥健不老
瘵中風汗出逐水利小便破積血復血脉
乳婦產後餘疾長髮可為沐藥久服神仙
九月採入土中者賊人生太山川谷畏牡蠣白薇惡
伏苓麻蕡即牡〻麻〻則无實令人作布及屬用之
麻勃方藥亦少用術家令人糸服之令逆知未然其
子中人合凡菜并釀酒大善而色滑利性麻根汁及
煑飲之亦主瘀血石淋謹案蕡即麻實非花也尒邪

云蕡葉實禮云苴麻之有蕡者注云有子之芯[illegible]詩謂
子耳陶以一名麻勃謂勃勃然如花者即以為花重出字
條謨夫既以麻蕡為米之上品今用花為之花豈堪食乎
根主產難胞衣不出破血壅脹帶下崩中不止者以水煮
服之又漚麻汁主消渴擣葉水絞取
汁服五合主蚘虫擣薄蠼毒効

粭糖味甘微溫主補虛乏止渴去血方家用
飴糖乃
云膠飴皆是濕糖如厚蜜者建中湯多用之其凝強及牽
白者不入藥又胡麻亦可作糖[illegible]甘補令酒用麴糖用
蘗猶同是米麥而為中上之異糖
當以和潤為優酒以醺亂為劣

大豆黄卷味甘平無毒主濕痺筋攣膝痛
五藏胃氣結積益氣止毒去黑皯潤澤皮
毛生大豆味甘平塗癰腫煮飲汁殺鬼毒
止痛逐水脹除胃中熱痺傷中淋露下瘀
血散五藏結積內寒殺烏頭毒久服令人
身重熬屑味甘主胃中熱去腫除痺消穀
止脹生太山平澤九月採惡五參龍膽得前
胡烏喙杏人牡蠣良
赤小豆主下水排癰腫膿血味甘酸平溫

無毒主寒熱々中消渴心洩利小便吐卒

澼下脹滿 大小豆共條猶如葱薤義也以大豆為
蘖牙生便乾之名為黃卷用之亡熱脹

食家所須煑大豆主温毒水腫殊効復白大豆不入
藥小豆性逐津液久食令人瘦燥矣謹案別錄云葉

名藿主心小
便數去煩熱

豉味苦寒無毒主傷寒頭痛寒熱鄣氣毒

煩躁滿悶虛勞喘吸兩脚疼冷又殺六畜

胎子諸毒 致食中之常用春夏天氣不和蒸炒以
酒漬服之至佳暴煥煩悶冷水漬飲二

三升依康伯法先以酢酒溲蒸曝㸐麻油和又蒸曝
九三過乃末椒乾薑屑合和以進食勝今作油豉也

患脚人恒將其酒以滓薄脚皆差好
者出襄陽錢唐香美而濃取中心弥善也

大麥味鹹温微寒無毒主消渴除熱益氣

調中又云令人多熱為五穀長 食蜜為之使
即令倮麦一

名麰麦似穬麦唯无皮耳謹案大麦出關中即青
科麦是形似小麦而大皮厚故謂大麦殊不似穬

麦也大麦麵平胃
心渴消食療脹

穬麦味甘微寒無毒主輕身除熱以作蘖

温消食和中此是今馬所食者性乃言熱而云微寒恐是作屑與合穀異也服食家並
食大穬二麥令人輕身健謹案穬麥性寒陶云性熱非也經復云作屑與合殼異此皆江東少有故斟酌言之耳
小麥味甘微寒無毒主除熱止燥渴利小
便養肝氣止漏血唾血以作麴溫消穀止
利以作麪溫消熱止煩小麥合湯皆完用之熱家療也作麪則溫明穬麥亦
當如此今服食家啖麴不及大穬麥猶勝於米耳謹案小麥湯用不許皮坼云坼則溫明麪不能消熱止煩也小麥麪止利平
胃主小兒癇消食痔又有女麴黃蒸女麴完小麥為之一名麴子黃蒸磨小麥為之一名黃衣並消食止洩利下胎破冷血也

青粱米味甘微寒無毒主胃痹熱中渴利
止洩利小便益氣補中輕身長年凡云粱米皆是粟類惟其
牙頭色異為分別耳青粱出北今江東少有汜勝之書云粱是秫粟今俗用則不分也謹案青粱殼穗有毛粒青米亦微青而細
於黃白粱也穀粒似青稞而少麤夏月食之極為涼清但以味短色惡不如黃白粱故人少種之此穀早熟而收少也作餳清
白勝餘米
黃粱米味甘平無毒主益氣和中止洩黃粱
亦出青冀州此間不見耳謹案黃粱出蜀漢商浙間亦種之穗大毛長穀米俱麤於白粱而收子少不耐水旱食之香美逾

於諸粱人今為竹根黃而陶注白粱云襄陽竹根者是此乃黃粱非白粱也

白粱米味甘微寒無毒主除熱益氣今處處有襄陽

竹根者最佳所以夏月作粟飧亦以除熱也 謹案白粱穗大多毛且長諸粱都相似而白粱殼麁扁長不似粟圓也米亦白且

大食之香美為黃粱之亞矣陶云竹根竹根乃黃粱非白粱也然粱雖粟類細論則別謂作粟餐殊乖的稱

粟米味鹹微寒無毒主養腎氣去胃脾中

熱益氣陳者味苦主胃熱消渴利小便江東所種

及西間皆是其粒細於粱米熟舂令白亦以當白粱呼為白粱粟陳者謂經三年五年者或呼為粢米粢者謂以作粉尤解煩悶

服食家及將食之 謹案粟有多種而並細於諸粱北土常食與粱有別陶云當白粱又云或呼為粢粢則是稷稷乃穄之異名也其米

泔汁主霍亂卒熱心煩渴飲數升立差臭泔止消渴尤良米麥麨味甘苦寒無毒主寒中除熱渴解煩消石氣蒸米麥熬磨作之

一作稷字

丹黍米味苦微溫無毒主欬逆霍亂止洩

除熱止煩渴所則即赤黍也亦出此間江東時有種而非土所宜多入神藥用又黑黍名秬供釀酒祭祀

用之

蘗米味苦無毒主寒中下氣除熱此是以米為蘗耳非別

米名也末其米時和傅面又使皮膚悅澤為熱不及麦蘖也謹案蘖者生不以理之名也皆當以可生之物為之陶稱以米為

蘖其米豈更能生乎止當取蘖中之米耳案食經稱用稻蘖稻即穬穀名明非米作也

秫米味甘微寒止寒熱利大腸療漆瘡此人以作

酒及煮糖者肥軟而易消方藥不正用唯嚼以塗漆[◎]釀諸菜釀　謹案此米功能是稻秫也今大都呼粟穬為秫稻秫為穬

矣此土亦多以粟秫釀酒而汁少於黍米粟秫應有別功但夲草不載凡黍稷粟秫秔此稷三穀之秈秫也

陳廩米味醎酸無毒主下氣除煩調胃止

洩此今久入倉陳赤者湯中多用之人以作酢酒勝於新粳米

酒味苦大熱有毒主行藥勢殺邪惡氣大寒

凝海唯酒不冰明其熱性獨冠群物藥家多須以行其熱人飲之使體弊神昏是其有毒故也昔三人晨行觸霧一人健一人病

一人死健者飲酒病者食粥死者空腹此酒勢辟惡勝於食謹案酒有蒲桃秫黍秔粟麴蜜等作酒醴以麴為而蒲桃蜜等

獨不用麴飲蒲桃酒消淡破澼諸酒醇醨不同唯米酒入藥　仁時均反不洗酒也　仁力支反薄酒也

腐婢味辛平无毒主痎瘧寒熱邪氣洩利

陰不起止消渴病酒頭痛生漢中小豆華

也七月採陰乾華用異實故其不得同品方家都不用之今自可依其所主以為療也但未解

何故有腐婢之名本經不云是小豆花後醫顕之耳未知審是不今海邉有小樹狀似支子莖條多曲氣作腐臭土人呼為腐婢用療瘧有効亦酒漬皮療心腹痛恐此多當是真若尔无此无條應在下品卷中也 謹案腐婢山南相承以為葛花本經云小豆華陶復稱海邉小樹未知孰是然葛花消酒大勝豆花葛根亦能消酒小豆全无此効校量葛豆二花葛為真矣也之

藊豆味甘㣲温主和中下氣葉主霍亂吐下不止 人家種之於籬援其莢蒸食甚美无正用其豆者菜乃單行用之患寒熱病者不可食之謹案此北人名鵲豆以其黑而間白故也

黍米味甘温无毒主益氣補中多熱令人煩 荊郢州及江北皆種此其苗如蘆而異於粟粒亦大粟而多是秫今人又呼秫粟為黍非也北人作黍飯方䒼釀黍米酒則皆用秫黍也又有穄米与黍相似而粒殊大食之不宜人乃言發宿病謹案黍有數種已略注前條今此通論黄黑黍米耳亦全不似蘆雚似粟而非粟也穄即稷也昊釋後條也

粳米味苦平无毒主益氣心煩心洩 此即今常所食米但有白赤小異族四五種猶同一類也前陳廩米亦是此種以廩軍人故曰廩耳 謹案傳稱食廩為禄廩倉也前陳倉米曰廩字誤作廩即謂廩軍米也若廩軍新米者亦為陳乎

稻米味苦主温中令人多熱大便堅 道家方茉

有倶用稻米粳米此則是兩物云稻米糠白如霜今江東无此皆通呼粳米為稻耳不知其色類復云何也　謹案稻者穬穀通名尒雅云稌稻也秔者不粳之稱一曰秈汜勝之云秔稻秫稻三月種秔四月種秫稻即並稻也今陶别為二事深不可解也

之

稷米味甘无毒主益氣補不足 稷米亦不識書多云黍稷〻〻恐与黍相似又有稌亦不知是何米詩云黍稷稻粱禾麻菽麦此即八穀也俗人莫能證辨如此穀稼尚弗能明而况芝英乎

案汜勝之種植書有黍即如前説无稷有稻猶是粳米粱是秫禾〻即是粟董仲舒云禾是粟苗名耳麻是胡麻枲是大麻外是大豆大豆有兩種小豆一名荅有三四種麦有大小穬〻即宿麦亦謂種麦如此諸穀之限也菰米一名彫胡可作𩜺又漢中有一種名枲粱粒如粟而皮黑亦可食釀為酒甚消玉人有烏禾生野中如䕩年代粮而𣫍玉煮以沃地螻蛁皆死薭亦可食凡此之類復有數種耳　謹案吕氏春秋云飯之美者有陽山之穄高誘曰關西謂之糜兾州謂之緊廣雅云緊穄也礼記祭宗廟稷曰明粢務天子傳云赤烏之人獻穄麦百載説文云稷五穀長田正也自商已来周弃主之此官名非穀号也又案先滞以為粟類或言粟之上者尒雅云粢稷也傳云粢盛解云黍稷為粱汜勝之種植書又不言稷陶云八穀者黍稷稻粱禾麻菽麦俗人尚不能尒况芝英乎既有稷禾明非粟也本草有稷不載穄稷即穄也今楚人謂之稷關中謂之糜呼其米為黄米与粟為秈林故其苗与黍粟同類陶又引詩云稷恐与粟相似斯並謬之矣儒家但説其義不知其實尋鄭玄注禮王莜云是枝楔謂

壹為梨之不減者周官瘍人主祝藥云祝當為注
義如附著此人尺有所短耳之官也矣哉

酢酒味酸温无毒主消癰腫散水氣殺耶

毒 酢酒為用无所不入逾久良謂之醯以有苦味俗呼苦酒
丹家又加餘物謂為華池左味但不可多食之損人肌藏
耳 謹案酢有數種此言米酢若蜜酢麦酢麹酢桃酢葡桃大
棗蘡薁等諸雜菓酢及糠糟等酢會者久極酸烈心可散之
不可入藥
用也

醬味鹹酸冷利主除熱心煩滿殺藥及火

毒 醬多以豆作純麦者少今此當是豆者亦以久久彌好
又有肉醬魚醬皆呼為醢不入藥用也 謹案又有榆人醬
亦辛美利大小便芜荑醬大
美殺三虫有少臭氣辛好

塩味鹹温无毒主殺鬼蠱耶注毒氣下部

䘌瘡傷寒熱吐胸中淡澼止心腹卒痛堅

肌骨多食傷肺喜欬 五味之唯此不可闕今有東海
北海供京都及西川市江用中
原有河東塩池梁益有塩井交廣有南海西羌有山塩胡中有
樹塩而色類各不同河東最為勝此間東海塩官塩白草粒細
北海塩黃草粒大以作魚鮓及鹹葅乃言北海勝而藏璽必用塩
官者蜀中塩小淡廣州塩鹹苦不知其為療體復有優劣 西
方北方人食不耐鹹而多壽少病東方南方人食絶欲鹹 及多
病便是損人則傷肺之効矣然以浸魚肉則 经久不敗以沽布

帛則易致朽爛所施
處各有所宜可也

新修本草米等部卷第十九

新修本草有名無用卷第廿
司空上柱國英國公臣勣等奉　勅撰

玉石
青玉　白玉髓　玉英　璧玉　合玉石
石芸　目石華　黃石華　厲石華　石肺
石肝　石脾　石腎　封石　陵石
碧石青　遂石　白肌石　龍石膏　五羽石
石流青　石流赤　石耆　紫加石　終石

玉石類某種

玉伯　文石　曼諸石　山慈石　石濡

越砥　金莖　夏臺　柒紫　鬼目

鬼蓋　馬顛　馬唐　馬逢　牛舌

羊乳　羊實　犀洛　鹿良　菟棗

雀梅　雀翹　雞涅　相烏　鼠耳

蛇舌　龍常草　離樓草　神護草　黃護草

天雄草　雀醫草　木甘草　益決草　九熟草

兌草　酸草　異草　癰草　茈草

莘草　勒草　英草華　吳葵華　隩華

棑華　節華　徐李　新雉木　合新木

俳蒲木　遂陽木　學木核　木核　栒核

荻皮　桑莖實　滿陰實　可聚實　讓實

蕙實　青雌　白背　白女腸　白扇根

白給	白并	白辛	白昌	赤舉
赤涅	黃秫	徐黃	黃白支	紫藍
紫給	天蓼	地朕	地芩	地筋
地耳	土齒	燕齒	酸惡	酸赭
巴棘	巴朱	蜀格	纍根	苗根
參果根	黃辯	良達	對廬	糞藍
委蛇	麻伯	王明	類鼻	師系

逐折	并苦	父陛根	索干	荊莖
鬼麗	竹付	秘惡	唐夷	知杖
葵松	河煎	區余	三葉	五母麻
疥拍腹	常吏之生	救赦人者	丁公寄	城裏赤柱
城東腐木	芥	載	慶	腂

草木類一百卌二種

雄黃虫	天社虫	桑蠹虫	石蠹虫	行夜

蝸籬　麋魚　丹戩　扁前　蚖類

蜚厲　梗雞　益符　地防　黃虫

虫類十五種

薰草　姑活　別羇　牡蒿　石下長卿

麕舌　練石草　弋共　蕈草　五色符

蘘草　翹根　鼠姑　船虹　屈草

赤赫　淮木　占斯　嬰桃　鴆鳥

右草木類及虫鳥等總廿種陶弘景不識今醫博

識人亦不識者

石

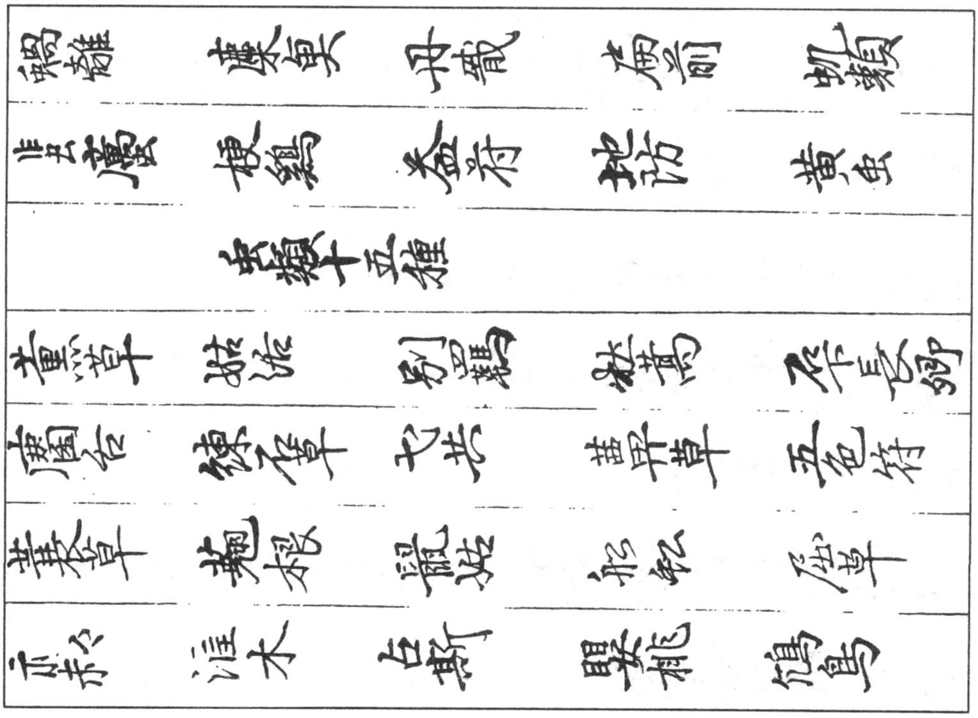

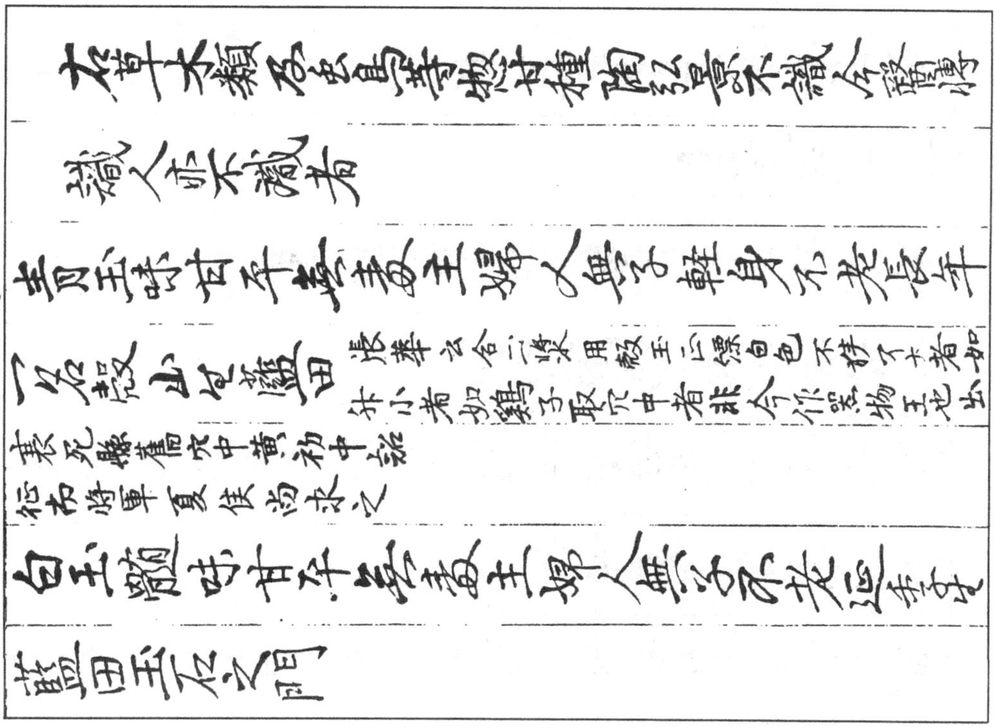

青玉味甘平無毒主婦人無子輕身不老長年

一名穀玉生藍田 張華云合玉漿用穀玉正縹白色不夾石大者如升小者如鷄子取穴中者非今作器物玉也出襄鄉縣舊穴中黃初中詔征南將軍夏侯尚求之

白玉髓味甘平無毒主婦人無子不老延年生

藍田玉石之間

六英味甘主風格皮膚痒一名鏡明白可鏡生
山竅十二月採

璧玉味甘無毒主明目益氣使人多精生子

合玉石味甘無毒主益氣消渴輕身辟穀生常
山中丘如彘肪

紫石華味甘無毒主渴去小腸熱一名茈石華生
中牛山陰採無時

白石華味辛無毒主癉消渴膀光熱生液北鄉
北邑山採無時

黑石華味甘無毒主陰痿消渴去熱月水利生
弗其勞山陰石間採無時

黃石華味甘無毒二陰痿消渴鬲中熱去百毒
生液北山黃色採無時

厲石華味甘無毒主益氣養神止渴除熱強陰

生江南如石華採無時
石腓味辛無毒主癘欬寒久瘻益氣明目主水
中狀如腓黑澤有赤文出水即乾 今注石赤療欬似腓而不黑澤恐非是也
石肝味酸無毒主身痒令人色美生常山色如肝
石脾味甘無毒主胃寒熱益氣痒疥令人有子
一名胃石一名膏石一名消石生隱蕃山谷石間黑
如大豆有赤文色微黄而泥薄如棊子採無時

石腎味鹹無毒主泄[illegible]名如白珠
封石味甘無毒主消渴熱中女子疽蝕生常[illegible]
山及少室採無時
陵石味甘無毒主益氣耐寒輕身長年生華
山其形薄澤
碧石青味甘無毒主明目益精去白皮瘢延年
遂石味甘無[illegible]主消渴傷中益氣生太山陰採

無時

白肌石味辛無毒主強筋骨止消不飢陰熱不足

一名肌石一名[illegible]石生廣焦國卷山青色潤澤

龍石膏無毒主消渴益壽生杜陵如鐵脂中黃

五羽石主輕身延季一名金黃生海水中蓬葭山

上金黃如

石流青味酸無毒主療泄益肝氣明目輕身長

年生武都山石間青白色

石流赤味苦無毒主婦人帶下止血輕身長年理如

石耆生山石間 芝鼎中有石流丹 又有石中黃子

石耆味甘無毒主欬逆氣生石間色赤如鐵脂四

月採

紫加石味酸主痹血氣一名赤英一名石血赤無理

生邯鄲山如爵茈二月採 卅六水方呼為紫賀石

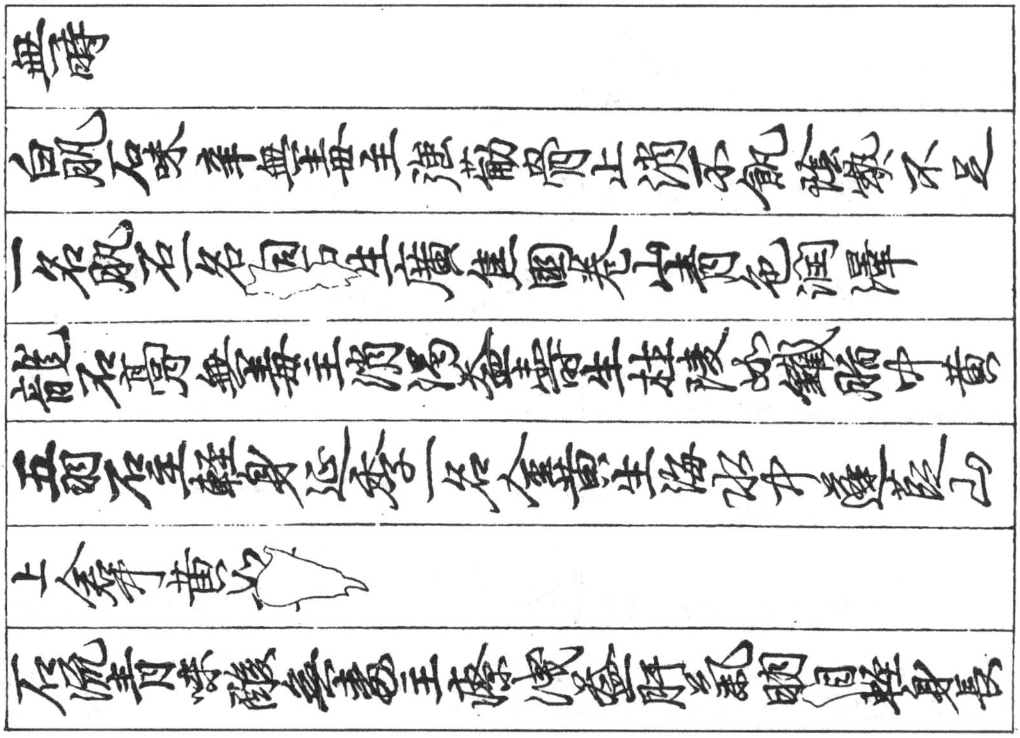

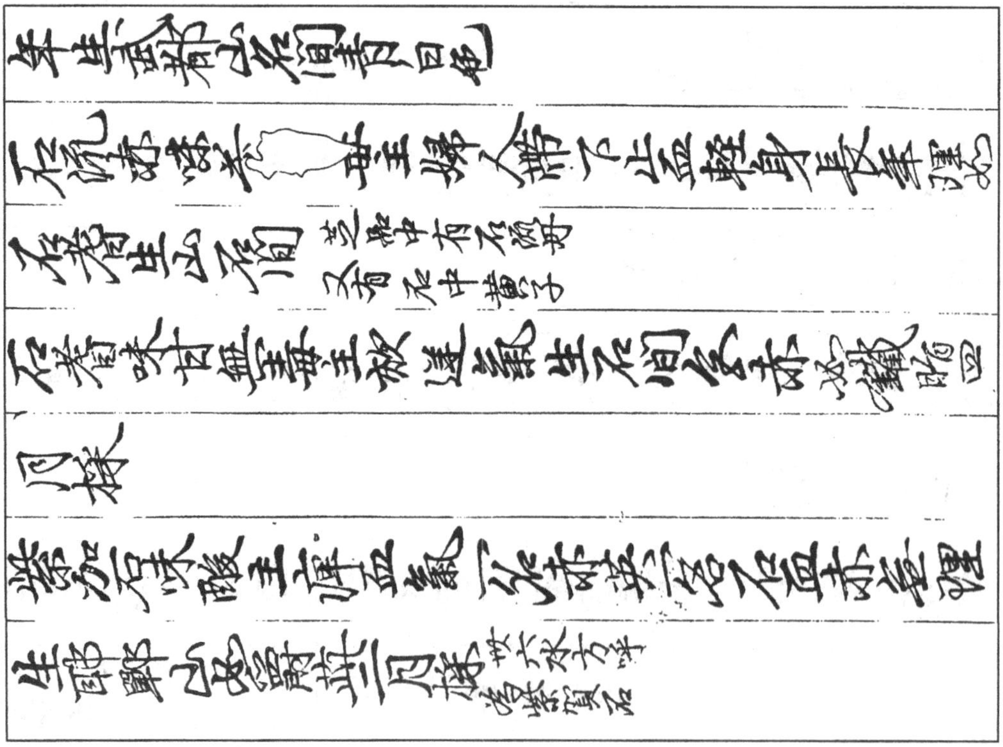

終石味辛无毒主陰痿痺小便難益精氣生陵
陰採無時

玉石類廿六種

玉伯味酸溫无毒主輕身益氣止渴一名玉遂生石
上如松高五六寸紫華用莖葉
文石味甘主寒熱心煩一名黍石生東郡山澤中水
下五色有汁潤澤

曼諸石味甘主益五藏氣輕身長年一名陰精六
月七月出石上青黃色夜有光
山慈石味苦平有毒主女子帶下一名爰茈生山之
陽正月生葉如梨蘆莖有衣
石濡主明目益精氣令人不飢渴輕身長年一名
石芥
石芸味甘无毒主目痛淋露寒熱溢血一名螫烈

一名顧啄三月五月採莖陰干
石劇 味甘無毒主渴中
路石 味甘酸無毒主心腹止汗生膚酒痂益氣
耐寒實骨髓一名陵石生草石上天雨獨乾日出
獨濡華 黃莖赤黑三歲一實實赤如麻子五月十月
採莖葉陰乾
曠石 味甘無毒主益氣養神除熱止渴生江南如

石草
敗石 味苦無毒主渴痹
越砥 味甘無毒主目盲止痛除熱瘙 疑此今細礪石也 所平若
金莖 味苦平無毒主金創內漏一名葉金草生澤中
高豪
夏臺 味甘主百疾濟絕氣 此藥乃尔神奇而不復識用可恨
柒紫 味苦主少腹痛利小腸破積聚長肌

肉久服輕身長年生宛朐二月七月採
鬼目味酸平無毒主明目一名来甘實赤如
五味十月採 俗人今呼白草子赤為鬼目此乃相似
鬼蓋味甘平無毒主小兒寒熱癇一名地
蓋生垣墻下叢生赤旦生暮死 一名朝生疑是今鬼繖
馬顛味甘有毒療浮腫不可多食
馬唐味甘寒主調中明耳目一名羊麻一名
羊粟生下地葉有節節生根五月採
馬逢味辛無毒主癬虫
牛舌實味鹹溫無毒主輕身益氣一名豕
尸生水中澤旁大葉長尺五月採
羊乳味甘溫無毒主頭眩痛氣長肌肉一
名地黄三月採立夏後母死
羊實味苦寒主頭禿惡瘡疥瘙痂癬生

蜀郡

犀洛味甘無毒主癃一名星洛一名泥洛

鹿良味鹹臭主小兒驚癇賁豚瘛瘲大人

痓五月採

菟棗味酸無毒主輕身益氣生丹陽陵地高

尺許實如棗

雀梅味酸寒有毒主蝕惡瘡一名千雀生海

谷間葉如李子實如麥李

雀翹味鹹主益氣明目一名去母一名更生々藍

中葉細黃莖赤有刺四月實々兌黃中黑五月

採陰乾

雞涅味甘平無毒主明目々中寒風諸不足水腹

邪氣補中止泄痢女子白沃一名陰洛生雞山採無時

相烏味苦主陰痿一名烏葵如蘭香赤莖生山陽

五月十五日採陰乾

鼠耳味酸无毒主痹寒々熱止欬一名无心生田中下

地厚葉肥莖

蛇舌味酸平无毒主除留血驚氣蛇癇生大

水之陽四月採華八月採根

龍常草味鹹溫无毒主輕身益陰氣療痹

寒濕生河水旁如龍芻冬夏生

離樓草味鹹平无毒主益氣力多子輕身長

年生常山七月八月採實

神護草可使獨守叱咄人寇盜不敢入門生常山

北八月採 此亦奇草計彼人猶應識用之

黃護草无毒主痹益氣令人嗜食生隴西

吳唐草味甘平无毒主輕身益氣長年生故稻

田中夜日有光草中有膏

天雄草味甘温無毒主益氣陰痿生山澤中
狀如蘭實如大豆赤色

雀醫草味苦無毒主輕身益氣洗浴爛瘡
療風水一名白氣春生秋花白冬實黑

木甘草主療癰腫盛熱煮洗之生木間三月
生大葉如蛇狀四四相值折枝種之生五月華白
實核赤三月三日採

益决草味辛溫無毒主欬逆肺傷生山陰根如
細辛

九熟草味甘溫無毒主出汗止洩療悶一名烏
粟一名雉粟生人家庭中葉如棗一歲九熟七月
七日採 今不見有此也

兌草味酸平無毒主輕身益氣長年生蔓草
木上葉黃有毛冬生

骸草主疣身長年名山體泉上陰居莖有五

葉青澤根赤黃可以消玉一名醜草 李云是今蹶箕而地生者而合處々有悉也

異草味甘無毒主痿痹寒熱去黑子 生蘺木

上葉如葵莖溫有角汁白

癰草葉主癰腫一名鼠肝葉滑青白

茈草味辛無毒主傷金創

莘草味甘無毒主盛傷痹腫生山澤如蒲黃葉

如芥

勒草味甘無毒主瘀血止精溢盛氣一名黑草

生山谷如栝樓 疑此猶是薰草西字附相似一誤耳而栝樓為誅也

英草華味辛無毒主痹氣強陰療面勞疸解

煩堅筋骨療風頭可作沐藥生蔓木上一名麻

英九日採乾

吴葵華味鹹無毒至理心氣不足封華味甘有

主粉瘡養肌去惡肉夏至採
躑華味甘無毒主上氣解煩堅筋骨
桃華味苦主除水氣去赤虫令人好色不可久服
春生仍採
節華味苦無毒主傷中痿痹溢腫皮主脾中客
氣一名山節一名達節一名通漆十月採曝乾
徐李主益氣輕身長季生太山陰如李小形實

青色無核熟採食之
新雉木味苦香温無毒主風頭眩痛可作沐藥
七月採陰乾實如桃
合新木味辛平無毒解煩心止療痛生遼東
俳蒲木味甘平無毒主少氣止煩生山陵葉
如柰實赤三核
遂陽木味甘無毒主益氣生山如白楊葉三月

實十月熟赤可食

學木核味甘寒無毒主脇下留飲胃氣不平除熱如蕤核五月採陰乾

木核療腸澼華療不足子療傷根療心腹逆氣止渴十月採

栒核味苦療水身面癰腫五月採

荻皮味苦止消渴去白蟲益氣生江南如松葉有別刺實赤黃十月採

來莖實味酸溫無毒主字乳餘疾輕身益氣一名草王葉似荏方莖大葉生園中十月採

滿陰實味酸平無毒主益氣除熱止渴利小便輕身長年生深山谷及園中莖如芥葉小實如桃七月成

可聚實味甘溫無毒主輕身益氣明目一名

長壽生山野道中穗如麥葉如艾五月採
讓實味酸主喉痹止洩痢十月採陰乾
蕙實味辛主明目補中根莖中涕療傷寒〻熱
出汗中風面腫消渴熱中逐水生魯山平澤
青雌味苦主惡瘡禿敗瘡火氣殺三虫一名
虫損一名孟推生方山〻谷
白背味苦平無毒主寒熱洗疥惡瘡生山

陵根似紫葳葉如燕盧採無時
白女腸味辛溫無毒主洩痢腸澼療心痛破疝
瘕生深山谷中葉如藍實赤〻女腸亦同
白扇根味苦寒無毒主瘧皮膚寒熱出汗令
人變
白給味辛平無毒主伏虫白癬腫痛生山谷如
藜蘆根白連九月採

白并味苦無毒主肺咳上氣行五藏令百病不
起一名玉簫一名箭簳葉如小竹根黃皮白生山陵三
四月採根曝乾

白辛味辛有毒主寒熱一名脫尾一名羊草
生楚山三月採根根白而香

白昌味甘無毒主食諸虫一名水昌一名水宿
一名茎蒲十月採

赤舉味甘無毒主腹痛一名羊飴一名陵
渴生山陰二月花兌蒂草上五月實黑中
有核三月三日採葉陰乾

赤涅味甘無毒主疰崩中止血益氣生蜀郡
山石陰地濕處採無時

黃秫味苦無毒主心煩汗出生如桐根黃

徐黃味辛平無毒主心腹積瘕莖葉主惡瘡生

澤中大莖細葉香如藁本
黄白文生山陵三四月採根曝乾
紫藍味鹹無毒主食肉得毒能消除之
紫給味鹹主毒風頑痺一名野葵生高陵
下地三月三日採根根如烏頭
天蓼味辛有毒主惡瘡去痺氣一名石龍
生水中

地朕味苦平無毒主心氣女子陰疝血結名
承夜一名夜光三月採
地芩味苦無毒主小兒癇除邪養胎風痺
洗洗寒熱目中青翳女子帶下生腐木積
草處如朝生天雨生蟲黄白色四月採
地筋味甘平無毒主益氣止渴除熱在腹臍
利筋一名菅根一名土筋生澤中根有毛三月生四

月實白三月三日採根（疑此猶是白芀而小異）

地耳味甘無毒主明目益氣令人有子生

丘陵如碧石青

土齒味甘平無毒主輕身益氣長年生

山陵地中狀如馬刀

燕齒主小兒癇寒熱五月五日採

酸惡主惡瘡去白蟲生水旁狀如澤寫

酸赭味酸主內漏止血不足生昌陽山採無時

巴棘味苦有毒主惡疥瘡出蟲一名女木生高

地葉白有刺根連數十枚

巴朱味甘無毒主寒止血帶下生雒陽

蜀格味苦平無毒主寒熱瘻痹女子帶下

癰腫生山陽如雚菌有刺

纍根主緩筋令不痛

苗根味鹹平無毒主痺及熱中傷跌折
生山陰谷中蔓草木上莖有刺實如椒
參果根味苦有毒主鼠瘻一名百連一名烏蓼
一名鼠莖一名鹿蒲生百餘根々有衣裹莖三月
三日採根
黃辯味甘平無毒主心腹疝瘕口瘡臍傷一名經辯
良達主齒痛止渴輕身生山陰莖蔓延大如葵
子滑小

對廬味苦寒無毒主疥諸久瘡不瘳生死
肌除大熱煮洗之八月採似菴閭
糞藍味苦主身癢瘡白禿漆瘡洗之生房陵
委蛇味甘平無毒主消渴少氣令人耐寒生
人家園中大二丈長鬚々莖赤而々相值子如芥子
麻伯味酸無毒主益氣出汗一名君莒一名衍

草一名適止一名白孔生平陵如蘭葉黑厚白裹
莖實赤黑九月採根
王明味苦主身熱邪氣小兒身熱以浴之
生山谷一名王草
類鼻味酸溫無毒主痿痺一名類生田中
高四尺葉如水蒿黃根五月採
師系味甘無毒主癰腫惡瘡煮洗之一名臣
堯一名臣骨一名鬼芭生平澤八月採
逐折殺鼠益氣明目一名百合厚實生木間莖
黃七月實黑如大豆 又杜仲子亦一名逐折
并苦主欬逆上氣益肺氣安五藏一名蜮薰一
名玉荊三月採陰乾
父陛根味辛有毒以熨癰腫膚脹一名膏魚
一名梓藻

索干味苦無毒主易耳一名馬耳荊莖赤蔓延

八月十月採陰乾

鬼麗生石上挼之日柔為沐

竹付味甘無毒主止痛除血

秘惡味酸無毒主療肝邪氣一名杜逢

唐夷味苦無毒主療踒折

知杖味甘無毒主療疝

葵松味辛無毒主眩痹

河煎味酸主結氣癰在喉頸者生海中八月九月採

區余味辛無毒主心腹熱癃

三葉味辛療寒熱蛇蜂螫人一名起莫一名三

石一名當田生田中莖一莖小黑白高三尺根黑三月

採陰乾

五母麻味苦有毒療痿痹不便下利一名鹿麻

一名歸澤蘭一名天麻一名若一草 生田野五月採

赤若 味辛溫無毒主輕身壽辟五月採

常吏之生 味苦平無毒主明目實有刺大如稻米

救赦人者 味甘有毒主疝痺通氣諸不足 生人

家宮室五月十月採暴乾

丁公寄 味甘主金瘡痛延年一名丁父生石間蔓

延木上葉細大枝赤莖母大如碛黃有汁七月七日採

城裏赤柱 味辛平主婦人漏血白沃陰蝕濕痺

邪氣補中益氣生晉平陽

〃東腐木 味鹹溫主心腹痛止洩便膿血

芥 味苦寒無毒主消渴止血婦人疾除痺一名

梨葉如大青

載 味酸無毒主諸惡氣

慶 味苦有毒主咳嗽

昨味甘無毒主益氣延年生山谷中白順理十月採

草木類一百卅二種

雄黄虫主明目辟兵不祥益氣力狀如蠮螉

天社虫味甘無毒主絶字益氣狀如蜂大腰食草木蓁三月採

桑蠹虫味甘無毒主心暴痛金瘡肉生不足

石蠹虫主石癃小便不利生石中行夜療腹痛

寒熱利血一名負槃今小兒呼為横槃或曰死蝢虫

蝸離味甘無毒主燭館明目生江夏

麋臭味甘無毒主痺止血

丹戩味辛主心腹積血一名飛龍生蜀如鼠負青股蛩頭赤七月七日採陰乾

扁前味甘有毒主鼠瘻癃利水道生山陵如

牛虻翼赤五月八月採

蚖類療痺內漏一名蚖短土色而文

蜚厲主婦人寒熱

梗雞味甘無毒主痺

益符主療閉一名無舌

地防令人不飢不渴生黄陵如濡居土中

黄虫味苦療寒熱生地上赤頭長足有角羣居

七月七日採

虫類十五種

薰草味甘平無毒主明目止淚療泄精去臭惡氣傷寒頭痛上氣腰痛一名蕙草生下濕地三月採陰乾脫節者良俗中人呼鷰草狀如茅而香者為薰草人家頗種之藥錄云葉如麻兩兩相對山海經云薰草麻葉而方莖赤花而黑實氣如蘼蕪可以止癘今市人皆用鷰草此則非今詩書家多用蕙語而竟不知是何草尚其名而迷其實皆此類也

姑活味甘溫無毒主大風邪氣濕痹寒痛久
服輕身益壽耐老一名冬葵子生河東川澤
方藥亦用无此者乃有固活丸即是冶葛一名耳此又名冬葵子非葵
菜之冬葵子療體乃異也 謹案別錄一名雞精也
別羇味苦微溫無毒主風寒濕痹身重四支疼
酸寒邪歷節痛一名別枝一名別騎一名鼈羇生
藍田川谷二月八月採 方家時有用處
今俗亦絕耳也
牡蒿味苦溫無毒主充肌膚益氣令人暴肥不

可久服血脉滿盛生田野五月八月採 方藥不復用 謹案齊頭蒿
也所在有之葉似防風細薄
无光
澤
石下長卿味鹹平有毒主鬼疰精物邪惡氣殺
百精蠱毒老魅注易亡走啼哭悲傷恍惚一名徐
長卿生隴西池澤山谷 此又名徐長卿恐是誤耳方家
无用此處俗中皆不復識別也
麕舌味辛微溫無毒主霍亂腹痛吐逆心煩生
水中五月採暴干 生小小水中今人五月五日採
陰乾以療霍亂甚良方也

練石草味苦寒無毒主五癃破石淋膀胱中結
氣利水道小便生南陽川澤一名爛石草又云馬矢蒿
弋共味苦寒無毒主驚氣傷寒腹痛羸瘦
皮中有邪氣手足寒無色生益州山谷
惡玉札蜚蠊
蕈草味鹹平無毒主養心氣除心溫溫
辛痛浸淫身熱可作鹽生淮南平澤

七月採礬石之使也
五色符味苦微溫主欬逆五藏邪氣調中
益氣明目殺虱青符白符赤符黑符黃符各隨
色補其藏白符一名女木生巴郡山谷方藥不復用今人並無識者
蘘草味苦寒无毒主溫瘧寒熱酸嘶邪氣
辟不祥生淮南山谷
翹根味甘寒平有小毒主下熱氣益

陰精，令人面悅好，明目，久服輕身耐老
以作蒸飲酒病人。生嵩高平澤，二月
八月採。方藥不復用，俗无識者也。
鼠姑，味苦，平寒，無毒。主欬逆上氣，寒熱
鼠瘻，惡瘡，邪氣。一名䶂。生丹水。今人不識此，鼠姑乃牡丹，人名鼠姑，罔知孰正。
舡魟，味酸，無毒。主下氣，止煩渴，可作浴
湯，藥色黃。生蜀郡，立秋取。古方不用，俗人無識者也。

屈草，味苦，微寒，無毒。主胸脇下痛
邪氣，腸間寒熱，陰痹。久服輕身益
氣耐老。生漢中川澤，五月採。方藥不復用，俗無識此者也。
赤赫，味苦，寒，有毒。主痂瘍惡敗瘡，除
三蟲邪氣。生益州川谷，二月、八月
淮木，味苦，平，無毒。主久欬上氣，傷中虛
羸，補中益氣，女子陰蝕，漏下赤白沃。

一名百歲中木生晉陽平澤 方藥亦不復用

石斯味苦溫微溫無毒主肺氣濕痺

寒熱疽瘡除水堅積血瘕月閉無子

小兒癖不能行諸惡瘡癰腫止腹痛

令女人有子一名炭皮生太山山谷採無時

解狼毒。李云是梓樹上寄生樹大銜枝在肌實今人皆以胡桃皮

為之非是真也案桐君錄云生上谷是木皮狀如厚朴色似桂白其

理一縱一橫今市人皆削乃似厚朴而无正縱橫理不

知此復是何物莫測真假何者為是也

嬰桃味辛平無毒主止洩腸澼除熱調

中益脾氣令人好色美志一名牛桃一

名英豆實大如麥多毛四月採陰乾 此非今菓

實嬰桃形乃相似而實乖異山

間乃時有方藥亦不復用爾之

鴆鳥毛有大毒入五藏爛殺人其口主殺

蝮蛇毒一名鴆日生南海 此乃是兩種鴆鳥狀如孔

雀五色雜皃高大黑頸赤

喙出交廣深山中鴆日鳥狀如黑傖鷄其共禁大朽樹令反負蛇

吞之作聲似云同力故江東人呼為同力鳥並噉蛇人誤食其宍亦

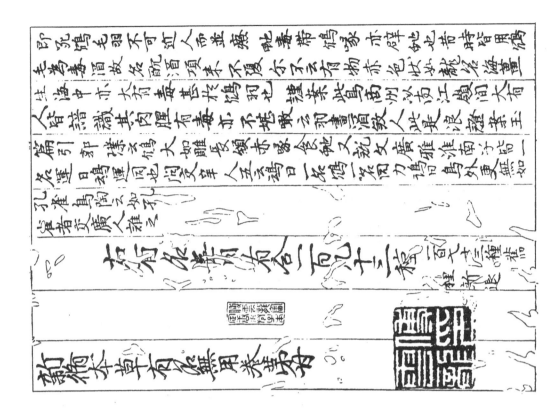

即孔鴆毛羽不可近人而並瘯虵毒帯鴆喙亦辟虵也昔時皆用鴆
毛為毒酒故名酖酒項来不復尓不云有物赤色状如龍名海薑
生海中亦大有毒甚於鴆羽也　謹案此鳥商州以南江嶺间大有
人皆諳識其肉腥有毒亦不堪噉云羽畫酒殺人此是浪證案王
篇引郭璞云鴆大如雕長頸赤喙食虵又説文廣雅淮南子皆一
名運日鴆運日同也閩交辛人五云鴆日一名鴆一名同力鴆日鳥外更無如
孔雀鳥陶云如孔
雀者交廣人誰之

右件名未用有合一百九十三種　一百七十三種舊　種新退

新脩本草有名無用卷第廿

附录四　日本武田氏影印《新修本草》仁和寺本

题解：日本京都仁和寺旧藏古抄本，部分转入国药商武田长兵卫的杏雨书屋中，其制药部内“本草图书刊行会”于昭和十一年（1936），将杏雨书屋所存仁和寺本卷4、卷5、卷12、卷17、卷19，用珂罗版影印，并附中尾万三《新修本草解说》1册。

次年（1937）本草图书刊行会又将尾张德川黎明会所藏卷15，用同法影印，卷首附狩谷棭斋给浅井的信。

两次影印合成一部，分为二帙，前一帙含卷4、卷5、卷12、卷17、卷19，后一帙含卷15。（见日本冈西为人《续中国医学书目》136页）

仁和寺宫宝库所藏《新修本草》的传录情况在日本安政年间（1854—1859）涩江全善等《经籍访古志》中有载，其记有《新修本草》20卷，并云：“往岁狩谷卿云（即狩谷棭斋）西上，观一缙绅人家旧钞，即五六百年前的人据天平抄本誊录，实为天壤间绝无仅有的秘籍。”

文中所言“缙绅人家”，按塚原修节《甲午笔乘》和狩谷卿云书信，指当时法亲王居住的仁和寺而言。

早在2年前，即日本天保三年（1832），狩谷棭斋从京都至江户（今东京市）归途中，路过名古屋时，就与浅井贞庵谈到《新修本草》的发现及传抄的经过。

天保五年（1834），浅井贞庵令其学生塚原修节前往京都仁和寺抄录此书，并获得东道策和小森典药头的帮助，从仁和寺宫宝库借出《新修本草》卷4、卷5、卷12、卷17、卷19，重加摹写一份。

罗振玉所藏《新修本草》卷19末记云：

第四、第五、第十二、第十五、第十七、第十九。右《新修本草》陆本。其中第十五为狩谷卿云游京师时传录见赠。其他五卷传录浅井紫山三经楼本。天保五年（1834）冬十月二十七日。小岛质记。右跋就小岛氏原本而写。

日本天保十三年（1842），小岛学古陪同一品准后舜仁法亲王到京都仁和寺，摹写《新修本草》卷13、卷14、卷18、卷20，并附记摹写时所作的记文。

罗振玉所藏《新修本草》卷20末，载有小岛质记文。其文为：

第十三、第十四、第十八、第二十。岁在壬寅（1842）一品准后法亲王朝覲于京师之时，传录此四卷。原卷仁和寺宫宝库所藏云。弘化丙午（1846）九月既望，小岛质记。右就小岛宝素堂本而录此文。

小岛学古传录之卷13、卷14、卷18、卷20，和浅井贞庵令塚原修节摹写之卷4、卷5、卷12、卷17、卷19，加上狩谷棭斋所得卷15，共计10卷。这与《经籍访古志》所记《新修本草》20卷，存卷4、卷5、卷12、卷13、卷14、卷15、卷17、卷18、卷19、卷20，凡10卷相符合。这说明《新修本草》20卷，今仅存影写抄本10卷。

此10卷本中，卷4、卷5、卷12、卷17、卷19，后为日本武田长兵卫杏雨书屋所藏。武田长兵卫为日本国药商，喜欢收藏古籍。他怕影写卷子本《新修本草》丧失，故在其制药部内“本草图书刊行会”于昭和十一年（1936），将杏雨书屋所藏仁和寺本《新修本草》卷4、卷5、卷12、卷17、卷19，用珂罗版按原样复制影印，并附中尾万三《新修本草解说》1册。

昭和十二年（1937），武田长兵卫又将尾张德川黎明会所藏卷15，交本草图书刊行会用同法影印，并于卷首附狩谷棭斋给浅井氏的信一封。

两次影印合成一部，分为二帙，前一帙是卷4、卷5、卷12、卷17、卷19，后一帙为卷15。

本书据日本武田长兵卫本影印。

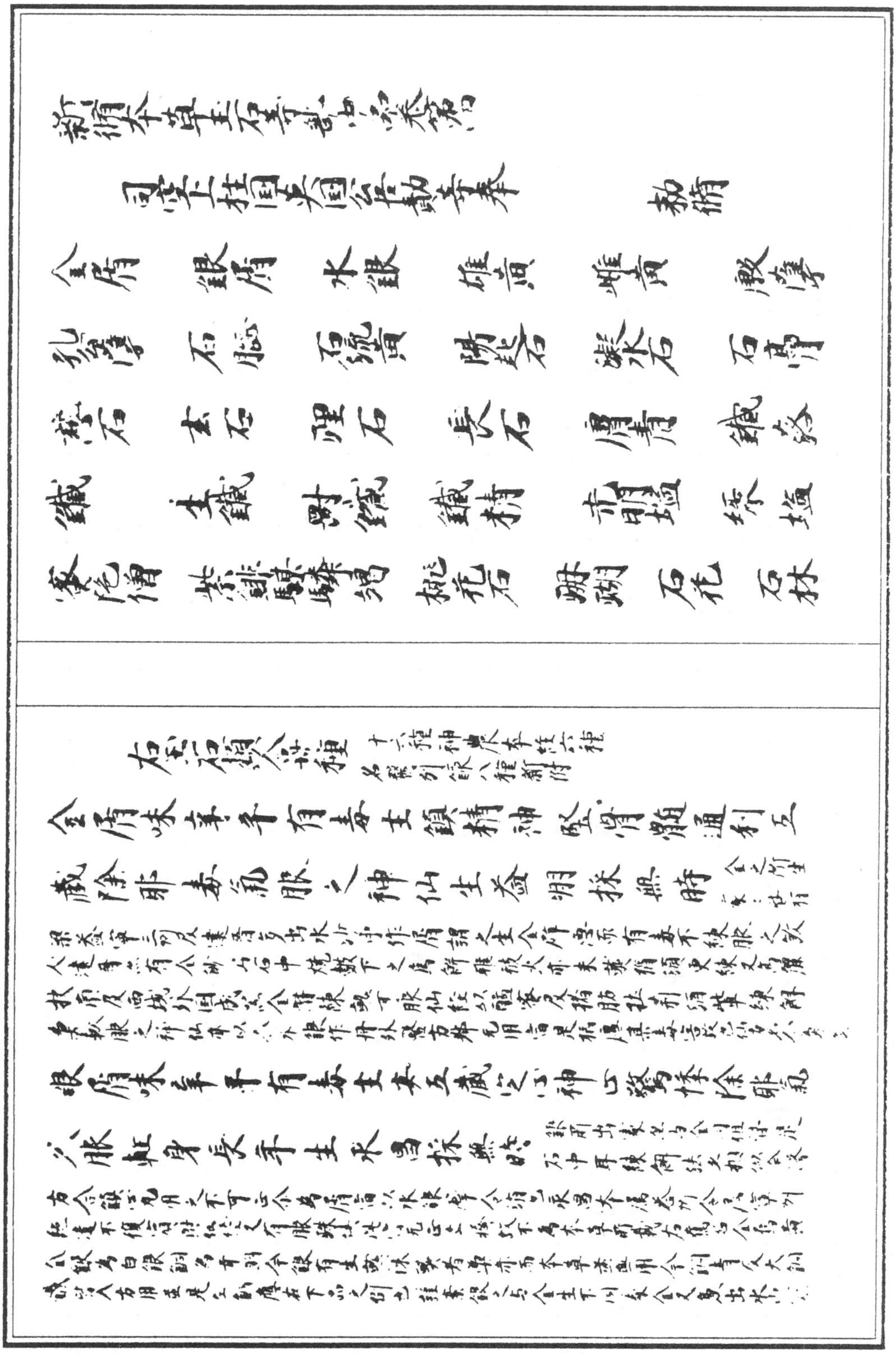

新脩本草玉石等部上品卷第四

司空上柱國英國公臣勣等奉　勅脩

金屑　銀屑　水銀　雄黃　雌黃　殷孽

孔公孽　石腦　石硫黃　陽起石　凝水石　石膏

礬石　玄石　理石　長石　膚青　鐵落

鐵　生鐵　鋼鐵　鐵精　光明鹽　綠鹽

密陀僧　紫鉚騏驎竭　桃花石　珊瑚　石花　石牀

右玉石類合卅種　十六種神農本經　六種名醫別録　八種新附

金屑　味辛平有毒　主鎮精神　堅骨髓　通利五藏　除邪毒氣　服之神仙　生益州　採無時　金之所生處處皆有

梁益寧三州及建晉多出水沙中作屑謂之生金辟惡而有毒不鍊服之殺

人建晉亦有金沙出石中燒鼓下之為碢雖被火亦未熟猶須更鍊又高麗

扶南及西域外國成器金皆鍊熟可服仙經以醯蜜及豬肪牡荊酒輩鍊餌

柔軟服之神仙亦以合水銀作丹外醫方無用當是猶慮其毒害故也仙方名金為太真

銀屑　味辛平有毒　主安五藏　定心神　止驚悸　除邪氣　久服輕身長年　生永昌　採無時　銀所出處亦與金同但皆生石中耳鍊餌法亦相似今醫

方合鎮心丸用之不可正餌為屑當以水銀摩令消也永昌本屬益州今屬寧州

絕遠不復宗中仙經又有服鍊法此當無正主療故不為本草所載為當為金銀為

以鈹為白銀銅為黃銀今銀有生熟陳藏者弟亦而本草無正用今銅青久大銅

識出入方用並是生銀療右下品之例也雜黃銀之與金生不同處金又多出水沙

古用銀屑當取見成銀薄以水銀消之為泥合消石及鹽研為粉燒出水銀淘去鹽石為粉極細用之乃佳不得已乃磨取屑耳且銀所在皆有而以朱提者為勝此外多錫穢為劣方家用者亦非食餌所須故此不復繁說又有黃銀本草不載俗云為器辟惡乃為瑞物也

水銀味辛寒有毒主疥瘙痂瘍白禿殺皮膚中虫虱墮胎除熱以傅男子陰陰消無氣殺金銀銅錫毒鎔化還復為丹久服神仙不死一名汞生符陵平土出於丹沙

是今水銀有生熟此云生符陵平土者是出朱沙腹中亦別出沙地皆青白色最勝出於丹沙者是今燒粗末朱沙所得色小白濁不及生者甚能消化金銀使成泥人以鍍物是也還復為丹事出仙經酒和日暴服之長生燒時飛著釜上灰名汞粉俗呼為水銀灰最能去虱雖云水銀出於朱沙中燒之亦別朱沙腹中自出之者又燒粗取之並術法而人又蒸取得水銀少於火燒而以朱沙不損但色小變黑耳

雄黃味苦甘平寒大溫有毒主寒熱鼠瘻惡瘡疽痔死肌疥虫䘌瘡目痛鼻中息肉及絕筋破骨百節中大風積聚癖氣中惡腹痛鬼疰殺精物惡鬼邪氣百虫毒勝五兵殺諸蛇虺毒解藜蘆毒悅澤人面鍊食之輕身神仙餌服之皆飛入人腦中勝鬼神延年益壽保中不飢得銅可作金一名黃食石生武都山谷敦煌山之陽採無時

氐八純中以銅為金亦出黃白術中晉末以來氐中紛擾此物絕不復通人間時有五三兩其價如金合丸皆用天門冬石黃之好者耳時以療物梁州平市夜有所得將下至都人亦取先見於使主陳曲藏寄於掾見十餘斤作紫不識此物是何等見有揉扶離須剉詳丹沙五禾語亦更眾見於是漸漸

多者作雞冠色不臭而堅實若黯黑及虛軟者不好也武都氐羌是為
仇池宕昌亦有與仇池正同而小劣敦煌在涼州西數千里所出者未嘗得來江
東不知當復云何此藥既要藥所不入也 謹案出石門名石黃者亦是雄黃而通名
黃食石而石門者最為劣耳宕昌武都者為佳塊方數寸明澈如雞冠或以為枕服之
辟惡其青黑堅者不入藥用若火燒飛之而精小療瘡疥根用之無膿又去鼻
息肉名熏黃用療瘡疥殺蟲名之無別要黃也自雞子中以宕州新出有得方數尺
者但重脆不可全致耳

雌黃 味辛甘平大寒有毒主惡瘡頭禿痂疥殺毒
蟲虱身癢邪氣諸毒蝕鼻內息肉下部䘌瘡
身面白駁散皮膚死肌及恍惚邪氣殺蜂蛇毒
久服輕身增年不老令人腦滿生武

都山谷與雄黃同山生其陰山有金金精熏則
生雌黃採無時 今雌黃出武都仇池者謂為武都仇池黃色小赤出扶南林邑者謂昆侖黃色如金而似雲母甲錯畫家所
重依此言既有雌雄之名又同山之陰陽於合藥便當以武都為勝仙經無單服法惟以合丹砂雄黃共飛煉為丹爾金精是雌黃銅精是空
青而服空青反勝於雌黃其義難了也

殷孽 味辛溫無毒主爛傷瘀血泄利寒熱鼠瘻
癥瘕結氣腳冷疼弱一名姜石鍾乳根也生趙國山
谷又梁山及南海採無時 趙國屬冀州此即今人所呼為孔公孽大如牛羊角長一二尺左右亦出始興
謹案此即石堂下孔公孽根也盤結如姜故名姜石俗人乃以孔公孽為之誤矣

孔公孽味辛温主伤食不化邪结气恶疮疽瘘痔利九窍下乳汁男子阴疮女子阴蚀及食病恒欲眠睡一名通石殷孽根也青白色生梁山山谷

木蘭為之使惡細辛梁山屬馮翊郡此即今鍾乳床也亦出始興皆大塊打破之凡鍾乳之類三種同一體從石室上汁溜積久盤結者為鍾乳床即此孔公孽也其次長小巃嵸者為殷孽今人呼為孔公孽殷孽復溜輕好者為鍾乳雖同一類而主療體為異貴賤懸殊此二孽不堪丸散人皆搗末酒漬飲之療腳弱腳冷疼弱亦能諸療悉此一物又名石二孽同根而所生各異療體亦異隨其土地為勝令耳　謹案此孽次鍾乳如牛羊角用者乃向上通故名通石本經誤以為殷孽之根　依本經以為公孽今人誤也

石腦味甘温無毒主風寒虚損腰脚疼痹安五臟益氣一名石飴餅生名山土石中採無時　此石亦鍾乳之類形如曾青而白色

黑斑軟易破今茅山東及西平山並有鑿土坎而取之俗方不見用仙經有劉君導仙散用之又真誥言李整採服療風痹虛損而得長生也　謹案隨時有化之者斯亦鍾乳之類石腦出徐州宋里山初在燒石中入土一丈已下得之大如雞卵或如棗許觸著即散如麪黃白色土人號為握雪礜石云服之長生與本條相會也

石流黃味酸温大熱有毒主婦人陰蝕疽痔惡血堅筋頭禿療心腹積聚邪氣冷癖在脇咳逆上氣脚冷疼弱無力及鼻衄惡瘡下部䘌瘡止血殺疥蟲能化金銀銅鐵奇物生東海牧羊山谷中及太山及河西礬石液也　東海郡屬北徐州而箕山亦有今第一出扶南林邑色如鵝子初出殼名崑崙黃

又出狀同扶南中來色深而煌煌信古用之療腳弱及痛冷甚良但性燥用之所
忌亦時並須次第三時及一千時法此石性石流尒而古則以礬石汝不中之

陽起石 味鹹，微温，無毒。主崩中漏下，破子藏中血，
癥瘕結氣，寒熱，腹痛，無子，陰痿不起，補不足，療男
子莖頭寒，陰下濕癢，去臭汗，消水腫。久服不飢，令
人有子。一名白石，一名石生，一名羊起石，雲母根也。生齊
山山谷及琅邪，或雲山、陽起山。採無時。桑螵蛸為之使，惡澤瀉、菌桂、雷丸、蛇蛻皮，畏菟絲子。

齊山在齊州，此所出即與雲母同處而甚似雲母，但厚實耳。今用乃出益州，與礬石同處，色小
黃黑，即礬石。雲母根未知何者是。俗用乃稀，仙經亦服之。謹案：此石以白色肌理似殷
孽，仍夾帶雲母滋潤者為良，故本經一名白石。今乃用純黑如炭者，誤矣。雲母
中既云黑者名雲膽，又名地涿，服之損人，豈陽起石而為良。經言生齊山，山在齊
州歷城西北五六里，采訪無陽起石，陽起山在齊州城西北四五十里，今齊州云齊山
盧山北又今太山北間惟有一黑者白者俱出常有也。

凝水石 味辛、甘，寒、大寒，無毒。主身熱，腹中積聚邪
氣，皮中如火燒，爛煩滿，水飲之。除時氣熱盛，五藏伏
熱，胃中熱，煩滿，止渴，水腫，少腹痺。久服不飢。一名白水
石，一名寒水石，一名凌水石。色如雲母，可析者良，鹽之
精也。生常山山谷，又中水縣及邯鄲。解巴豆毒，畏地榆。常山即恒山，屬并州，中水縣

屬河間郡，邯鄲即是趙郡，並屬冀州域。此處地皆鹹鹵，故云鹽精，而碧石亦似朴消也。此若
未言水中何處同此為此也。謹案：此石有兩種，有縱理、橫理，色清明者
為佳。或云縱理為寒水石，橫理為凝水石。今出同州韓城，
色青黃，理如雲母為良，出澄城者，斜理，文色白為劣也。

石膏 味辛、甘，微寒、大寒，無毒。主中風寒熱，心

下逆氣驚喘口乾舌焦不能息腹堅痛除
邪鬼產乳金創除時氣頭痛身熱三焦大熱
腸胃中膈熱解肌發汗止消渴煩逆腹脹暴
氣喘息咽熱亦可作浴湯一名細石細理白澤者
良黃者令人淋生齊山山谷及齊盧山魯蒙山
採無時 雞子為之使惡莽草毒公二郡之山即青州徐州也今出錢唐縣獄地中雨後時時出取之皆方如棋子白徹最佳比難得皆用虛隱山者彭城者亦好近道多有而大塊用之不及彼土仙經不須此 謹案[illegible]未見有真石膏也石膏生於石旁其方解石不因石而生端然獨處大者如升小者若拳或在土中或生溪水其上皮隨土及水苔色破之方解大者方尺今人以此為石膏療風去熱雖同而解肌發汗不如真者也

慈石味辛鹹寒無毒主周痹風濕肢節中痛不
可持物洗洗酸消除大熱煩滿及耳聾養腎
藏強骨氣益精除煩通關節消癰腫鼠瘻頸核
喉痛小兒驚癇鍊水飲之亦令人有子一名玄石一名
處石生太山川谷及慈山山陰有鐵者則生其陽採
無時 柴胡為之使殺鐵毒惡牡丹莽草畏黃石脂今南方亦有其好者能懸吸針虛連三四五為佳殺鐵物毒消金仙經丹方黃白術多用也
玄石味鹹溫無毒主大人小兒驚癇女子絕孕少腹
冷痛少精身重服之令人有子一名玄水石一名處石

生山陽 山陰有銅〻者雌玄石者雄惡松脂柏子菌桂本經磁石一名玄石別錄各種今案其一名處石既同磁體又相似而寒温銅鐵及畏惡有異俗中既不復用无識其形者不知与慈石相類不 謹案此物鐵液也但不能拾針療體如磁石於磁〻石〻中有細孔〻中黃赤色初破好者能連十針一斤鐵刀亦被迴轉其无孔光澤純黑玄石也不能懸針也

理石味辛甘寒大寒无毒主身熱利胃解煩益精
明目破積聚去虫除營衛中來大熱結熱解煩毒止
消渴及中風痿痹一名立制石一名肌石如石膏順理而
細生漢中山谷盧山採无時及 滑石爲之使畏麻黃 漢中屬梁州盧山屬青州今出寧州俗用亦希仙經時須亦呼爲長理石〻一名立制石今此又名立制疑必相亂類 謹案此石夾兩石間如石脈打用之或在土中重疊而生皮黃赤肉白作斜理文全不似石膏漢中人取酒漬服大療癖令人肥悅市人以刺去皮以代寒水石并州人當呑石並是假僞今盧山亦无此物見出襄州西沉水側也

長石味辛苦寒無毒主身熱胃中結氣四肢寒厥
利小便通血脉明目〻瞖眇去三虫殺蠱毒止消渴
下氣除脇肋肺間邪氣久服不飢一名方石一名土石一名
直石理如馬齒方而潤澤玉色生長子山谷及太山及
臨菑採無時 長子縣屬上党郡臨菑縣屬青州俗方及仙經並無用此者也 謹案此石狀同石膏而厚大縱理而長文似馬齒今均州遼坂山有之土人以爲理石〻者是長石〻

膚青味辛鹹平無毒主蠱毒〻蛇菜肉諸毒惡瘡
不可久服令人瘦一名推青一名推石生益州川谷 俗方及仙

经並元用此等
亦相与不復識之

鐵漿味辛甘平無毒主風熱惡瘡瘍疽瘡痂疥氣
在皮膚中除胸膈中氣余食不下心煩去黑子一
名鐵液可以染皂生牧羊平澤及枋城樸無時

鐵〻堅肌能痛

生鐵微寒主療下部及脫肛

鋼鐵味甘平無毒主金創煩滿熱中胸膈氣塞
食不化一名跳鐵

鐵精微溫主明目化銅療驚悸定心氣小兒風癎陰
㿉脫肛 鐵落是〻〻是鐵漿〻〻生鐵是不被鎔鍛金之類若鋼鐵是雜綠生
鐵作刀鐮者鐵精出鍛竈中如紫色輕者為佳亦以磨瑩銅器用也
謹案單言鐵者鍜鐵也鐵落是鍜家燒鐵赤沸砧上鍜之皮甲落者也甲乙子
卷陽厥條云之大諸鐵療病並不入丸散皆煮取漿用之若以漿為鐵漿鍉
生之汁復謂何等爲〻〻鐵皮落漿黑於餘鐵陶謂可以染皂云是鐵持水
誤矣又鐵屑炒使熱投酒中飲酒療賊風又癢以熨腋臭胡有

光明鹽味鹹甘平無毒主頭面諸風目赤痛多
眵淚生鹽州五原鹽池下取之大者如升皆正方光
徹一名石鹽附〻

綠鹽味鹹苦辛平無毒主目赤淚膚翳眵暗

云以光明瑩徹沙赤銅屑釀之為境綠色亦者出烏耆國水中取之狀若歸青
空青烏眼藥之要 新附
密陀僧味鹹辛平有小毒主久利五痔金創面
上瘢䵟面膏藥用之 形似黃龍齒而堅重亦有白色者作理石文出波斯國一名沒多僧並胡言也 新附
紫鉚騏驎竭味甘鹹平有小毒主五藏邪氣帶下
止痛破積血金創生肉与騏驎竭二物大同小異 紫鉚色如赤作赤漆
[illegible]細用為飲色亦以膠着物之騏於海畔樹藤皮中為之紫鉚樹名渴廪騏驎竭樹
名渴留翕(?)俗作造寒一取用之異味謂之赤膠者 新附
桃花石味甘溫無毒主大腸中冷膿血利久服令人
肌熱能食 出申州鍾山縣似赤石脂但不著舌 新附

珊瑚味甘平元毒主宿血去目中瞖鼻衄末吹鼻
中生南海 似玉紅潤中多有孔亦有元孔者又從波斯國及師子國來 新附
石花味甘溫無毒主酒積脹至胃脚風冷与殷孽
同一名乳花 三月九月採之乳水滴水上散如霜雪者出乳穴堂以 水内 新附
石牀味甘溫無毒主酒積脹与殷孽同一名同石一名乳牀
一名逆石 陶云乳公孽即乳牀非也二孽在上牀花在下性體雖同上下有別鍾乳水下凝積生如筍狀漸長久与上乳相接為柱也出鍾乳堂中採无時 新附

新脩本草玉石部中品卷第四

新脩本草玉石部下品卷第五

司空上柱國英國公臣勣等奉　勅修

青琅玕　礜石　特生礜石　握雪礜石　方解石

蒼石　土陰孽　代赭　鹵鹹　大鹽

戎鹽　白堊　鉛丹　粉錫　錫銅鏡鼻

銅弩牙　金牙　石灰　冬灰　鍛竈灰

伏龍肝　東壁土　硇砂　胡桐淚　薑石

赤銅屑乃青 銅鉱石 白瓷瓦 烏古瓦 石鷰

梁上塵

右玉石類合卅一種 九種新附 種以朱書本注 十種名醫別錄

青琅玕 味辛平無毒主身痒火瘡癰傷白禿疥瘙死肌浸淫在皮膚中煮錬服之起陰氣可化為丹一名石珠一名青珠生蜀郡平澤採無時

殺錫毒得水銀良畏雞骨此則蜀郡所出青珠黄珠者也黄珠乃是真之取名類而種族為異此則亦是真之土玉樹之又九真經中太丹名也此石今亦不用唯以療手足逆臚化丹之未的見其術

謹案此則乃有数色是瑠璃之類火齊寶也此則五色皆以青者入藥為勝今雟州以西烏白蠻中乃平澤略

礜石 味辛甘大熱生温熟熱有毒主寒熱鼠瘻蝕瘡死肌風痺腹中堅癖邪氣除熱明目下氣除鬲中熱止消渴益肝氣破積聚痼冷腹痛去鼻中息肉久服令人筋攣火鍊百日服刀圭殺人及百獸一名青分石一名立制石一名固羊石一名白礜石一名大白石一名澤乳一名食鹽生漢中山谷及少室

採無時得火良棘針之使惡毒公鶩矢虎掌細辛畏
水也今蜀漢亦有而好者出南康南野溪及彭
城界中洛陽城南塹恒取少室生礜石內水中令水不冰如
此則生亦大熱今人黃土泥苞炭火燒之一日一夕則解可
用療冷結為良丹方及黃白術多用此善藥今又湘東
新寧縣及零陵皆有白礜石謹案石能柔大火燒但解散
不　集其堅令市人乃取䃜白細理石當之燒即為灰非
也此藥攻擊積聚痼冷之良然以餘物代之療病無効
正為此也今漢川武當西遼坂名礜石谷即
是真出處少室亦有粒理細不如漢中者

一

特生礜石味甘溫有毒主明目利耳腹
內絕寒破結及鼠瘻殺百蟲惡獸

久服延年一名蒼礜石一名礜石一
名鼠毒生西城火煉之良畏水舊云鸛巢中
者最佳鸛恒入水冷故取
壅卵令熱今不可得惟用出漢中者其外形紫赤
色內白如霜中央有臼形狀如齒者佳大散方云出荊
州新城郡防陵縣練白色為好用之亦先黃土苞燒之
一日亦可內斧空中燒之合玉壺諸丸多用此仙經不云
時生則上是前白礜石耳謹案陶所說特生云中如
齒臼形者是今出梁州北馬道戍澗中有之形小於
白礜石而肥脆粒大數倍於如
小豆許白礜石粒細若粟米耳

握雪礜石味甘溫無毒主痼冷積聚輕身

逆氣多眠，令人熱。出徐州西宗里山，入土丈餘，生於爛土石間，黃白色，以軟如麵，一名化公石，一名石腦。練服別有法。新附

方解石 味苦辛，大寒，無毒。主胸中留熱結氣，黃疸，通血脈，去蠱毒。一名黃石。生方山，採無時。惡巴豆。案本經長石一名方石，療體亦相似，疑是此也。謹案：此石性冷，療熱不減石膏。

蒼石 味甘，平，有毒。主寒熱，下氣，瘻蝕，殺飛禽鼠。生西城，採無時。俗中不復用，莫識其狀。謹案：特生礜石一名蒼礜石，而梁州特生亦有青者。今出房陵、漢川，與白礜石同處，有色青者，並毒殺禽獸，與礜石同。漢中人亦取以毒鼠，不入方用。此石出梁州、均州、房州，二礜石所出處，特生及蒼石並生西城。西城在漢川金州是也。

土陰孽 味鹹，無毒。主婦人陰蝕，大熱，乾痂。生高山崖上之陰，色白如脂，採無時。此猶似鍾乳、孔公孽之類，故亦有孽名，但在崖上耳。今時有之，但不復採用。謹案：此則土乳是也。出渭州鄣縣三交驛西北坡平地上窟中，見有六十餘坎，昔人採處。土人云：服之亦同鍾乳，而不發熱。陶及本注俱云在崖上，此說非也。今渭州不復採用也。

代赭 味苦，寒，無毒。主鬼疰，賊風，蠱毒，殺精物惡鬼，腹中毒邪氣，女子赤沃漏下，帶下百病，產難，胞衣不出，墮胎，養血氣，除

五藏血脉中熱血痹血瘀大人小兒驚
氣入腹及陰痿不起一名須丸 出姑幕者名須丸 出代郡者名代赭
一名血師生齊國山谷赤紅青色如雞冠
有澤染爪甲不渝者良採無時 畏天雄舊說 云是代郡城門
下土江東久絕頃魏國所獻猶是彼間赤土耳非復真物此於
俗用乃疎而為丹方之要并與戎鹽鹵鹹皆是急須 謹案此
石多從代州來云山中採得非城門下土又言生齊國山谷今
齊州亭山出赤石其色有赤紅青者其赤者亦如雞冠且潤澤
土人唯採以丹楹柱而紫色且暗此物與代州出者相似古來用之
今靈州鳴沙縣界河北平地掘深四五尺得者皮上赤滑中紫如

雞肝大
勝齊代者

鹵鹹味苦鹹寒無毒主大熱消渴狂煩除
邪及吐下蠱毒柔肌膚去五藏腸胃留熱
結氣心下堅食已嘔逆喘滿明目目痛生河
東鹽池 云是煎鹽釜下凝滓 謹案鹵鹹既生河東河東鹽 不釜煎明非凝滓也此是鹹土名為鹵鹹今人熟皮用之於
[illegible]
[illegible]
大鹽令人吐生邯鄲及河東池澤味甘寒

無毒主腸胃結熱喘逆胸中病 漏蘆為之使
寒大鹽即河東印鹽人之常食者
是形粗於末鹽故以大別之也

戎鹽主明目目痛益氣堅肌骨去毒蠱
味鹹寒無毒療心腹痛溺血吐血齒舌血出
一名胡鹽生胡鹽山及西羌北地及酒泉
福祿城東南海赤十月採 今俗中不復見鹵鹹
惟魏國獻虜鹽即是
河東鹽形如結冰圓強味鹹苦夏月小潤液虜中鹽乃有九種
白鹽食鹽常食者黑鹽療腹脹氣滿胡鹽療耳聾目痛柔鹽療馬
脊瘡又有赤鹽駮鹽臭鹽馬齒鹽四種並不入食馬齒即大鹽黑鹽疑是
鹵鹹柔鹽疑是戎鹽而此戎鹽又名胡鹽二三相亂

今戎鹽虜中甚有從涼州來芮芮河南使及北部胡客從敦煌來
亦得之自是稀少爾其形作塊片或如雞鴨卵或如菱米色紫
白味不甚鹹口嘗氣臭正如毈雞子臭者言真又河南鹽池泥
中自有凝鹽如石片打破皆方青黑色善療馬脊瘡又疑此或是鹽
雖多種而戎鹽鹵鹹最為要用 謹案陶稱鹵鹹疑是黑鹽此說
鹵土鹹即所謂鹵鹹非是黑鹽戎鹽即胡鹽沙州名為禿登鹽廓州名為陰土鹽
生河岸山坂之陰土石間塊大小
不常堅白似石燒之不鳴灹爾

白惡味苦辛溫無毒主女子寒熱癥瘕
月閉積聚陰腫痛漏下無子泄利不可
久服傷五藏令人羸瘦一名白善生邯鄲山
谷採無時 此即今畫用者甚多而賤
俗方亦稀用仙經不須也

鈆丹味辛微寒主吐逆胃反驚癇癲疾
除熱下氣止小便利除毒熱臍攣金瘡溢
血練化還成九光久服通神明生蜀郡平澤
一名鈆華生於鈆 即今熬鈆所作黄丹畫用者俗方亦希用唯仙經塗丹釜所須此云化成九
光者當謂九光丹以為釜耳无別變鍊法
謹案丹白二粉俱炒錫作今俗稱鈆丹陶云熬鈆俱誤也
粉錫味辛寒無毒主伏尸毒螫殺三蟲鱉
瘕療惡瘡墮胎止小便利一名解錫 即今化鈆所作
胡粉也其有金色療尸虫彌良而謂之粉錫事與經乖
謹案胡粉實用錫造陶今人言化鈆作之經云粉錫錫亦為深誤
錫鏡鼻主女子血閉癥瘕伏腸絕孕伏尸
邪氣生桂陽山谷 此物與胡粉異類而今共條當以其非正成具一藥故以附見錫品中也
古與純以錫作鏡者時用銅雜之別錄用銅鏡鼻即是今破古
銅鏡鼻耳用之當燒令赤內酒中飲之若置醋中出入百遍亦
可擣也錫及鈆本經云生桂陽今乃出臨賀臨賀猶是分桂陽
所貴鈆與錫雜相似而入用大異 謹案臨賀出者名為鈆一名白鑞
唯此處貿天下用
其錫出處皆有之
銅弩牙主婦人產難血閉月水不通陰陽隔
塞 即今人所用射之弩牙也燒赤內酒飲汁亦以燒之得此者稱勝於鐵多也

金牙味鹹無毒主鬼毒蠱諸疰生蜀郡
如金色者良今出蜀漢似麁金而大小方皆如棊子又有銅牙亦相似但外黑內色小淺不入用金牙惟以合
酒散及五疰丸餘方不甚須此也謹案金牙離本處入土水中久皆
色黑不可謂之銅牙也此出漢中金牙湍湍兩岸石間打出者內
則金色岸崩入水年久者皆黑近
南山溪谷茂州雍州亦有勝漢中者
石灰味辛溫主疽瘍疥瘙熱氣惡瘡癩
疾死肌墮眉殺痔蟲去黑子息肉髓骨疽一名
惡灰一名希灰生中山川谷中山屬代郡今近山生石青白色作竈燒竟以水沃

之則熱蒸而解末矣性至烈人以度酒飲之則腹痛下利療金瘡亦甚
良俗名石堊古今以構冢用捍水而辟蟲故古冢中水以洗諸惡瘡皆
即差也謹案別錄及今人用療金瘡止血大效若五月五日採蘩葛
葉鹿活草槲葉地黃芍藥蒼耳葉青蒿葉合石灰擣為團如雞
卵暴乾末之
療瘡生肌極神驗
冬灰味辛微溫主黑子去肬息肉疽蝕疥瘙一
名藜灰生方谷川澤此即今浣衣黃灰耳燒諸蒿藜積聚鍊作之性烈又荻灰尤烈欲
消黑誌肬贅取此三種灰水和蒸以點之即去不可廣用爛人皮肉
謹案桑薪灰最入藥用療黑子疣贅功勝冬灰蒸小豆大下水腫然
冬灰本是藜灰餘草不真又有青蒿灰燒蒿作之
柃灰木葉作並入染用亦堪蝕惡柃灰一作大冬字

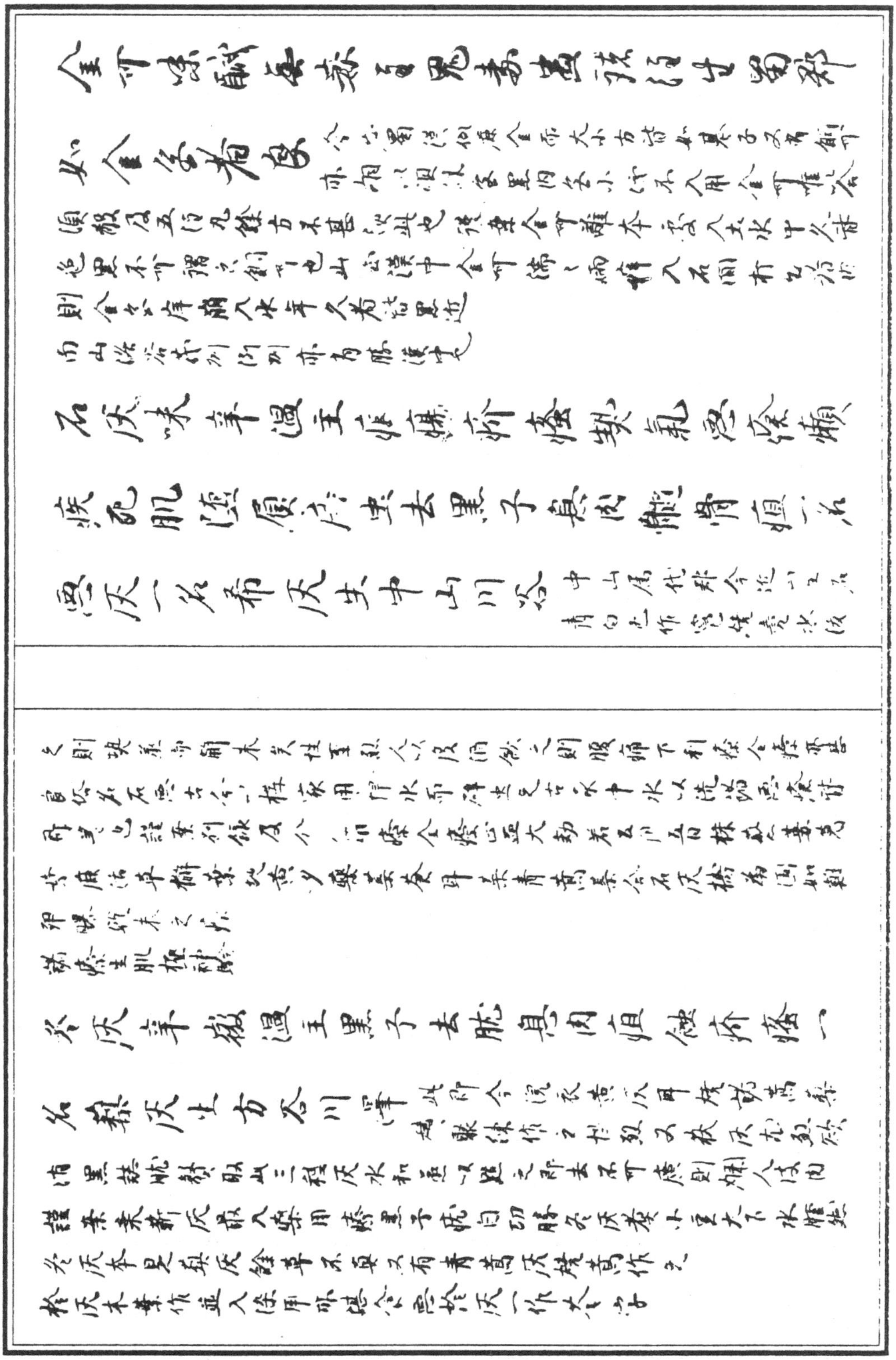

鍛竈灰主癥瘕堅積去邪惡氣此即今鍛鐵竈中灰耳兼得鐵力以療暴癥大有効貞東也用之

伏龍肝味辛微温主婦人崩中吐下血止欬逆止血消癰腫毒氣此竈中對釜月下黄土也取擣篩合葫塗癰甚効以竈有神故号爲伏龍肝并亦迂隱其名耳今人又用廣州鹽城屑以治漏血瘀血亦是近月之土兼大灶義也

東壁土主下部瘡脱肛此屋之東壁土耳當取東壁之東邊謂恒先見日光刺取用之亦療小兒風臍又可除油污衣勝石灰滑石謹案此土摩乾濕二癬極有効

硇沙味鹹苦辛温有毒不宜多服主積聚破結血爛胎止痛下氣療欬嗽宿冷去惡肉生好肌柔金銀可爲銲藥出西戎形如朴消光淨者良驢馬藥亦用之新附

胡桐淚味鹹苦大寒無毒主大毒熱心腹煩滿水和服之取吐又主牛馬急黄黑汗水研二三兩灌之立差又爲金銀銲藥出肅州以西平澤及山谷中形似黄礬而堅實有夾爛木者云是胡桐樹滋淪入土石鹼鹵地作之其樹高

大皮葉似白楊青桐桑輩故名胡桐木堪
器用一名胡桐律〻淚聲訛也西域傳云
胡桐似桑而曲 新附
薑石味鹹寒無毒主熱豌瘡丁毒等
腫生土石間狀如薑有五種色白者最
良所在有之以爛不磣者好齊州歷城
東者良 新附

赤銅屑以酢和如麥飯袋盛先刺腋下
脈去血封之治腋臭神効又熬使極
熱投酒中服五合日三主賊風反折又
燒赤銅五斤內酒二斗中百遍服同前
主賊風甚驗 新附
銅礦石味酸寒有少毒主丁腫惡瘡
馬驢脊瘡臭腋石上水磨取汁塗臭腋
其丁腫末之付瘡上良 新附

肉。瓷屑手藪毒，主婦人帶下白崩，止嘔吐
逆，破血，止血，水磨塗瘡滅瘢。廣州良，餘皆
不如。新附

烏古瓦，寒，無毒。以水煮及漬汁飲，止消渴。
取屋上年久者良。新附

䃃鵲以水煮汁飲之，主淋，有効。兩手各把
一枚，主產難，出零陵。俗云因家從石穴中出，随兩翼頂大如小豆。永州祁陽縣西北百一十五里土岡上掘深丈餘取之，形似雌雄，鳥石堅重。新附

梁上塵，主腹痛，噎，中惡，鼻衄，小兒軟瘡。新附

新修本草玉石部下品卷第五

新修本草木部上品卷第十二

司空上柱国英国公臣勣等奉 勑修

伏苓 虎魄 松脂 栢實 菌桂

牡桂 桂 杜仲 楓香 乾漆

蔓荊 牡荊 女貞 桑上寄生 蕤核

五加 沉香 蘗木 辛夷 木蘭

榆皮 酸棗 槐實 楮實 枸杞

蘇合 橘柚

右木部上品合廿七種 廿種神農本経 六種名醫別録 一種新附

伏苓味甘平無毒主胷脇逆氣憂恚驚邪恐悸心下結痛寒熱煩滿欬逆止口焦舌乾利小便止消渴好唾大腹淋瀝膈中淡水水腫淋結開胷府調藏氣伐腎邪長陰益氣力保神守中久服安䰟魄養神不飢延年一名伏菟其有根者名伏神 伏神味甘平主辟不祥療風眩風虛五勞七傷口乾止驚悸多恚怒善忘

開心益智安魂魄養精神生太山山谷大松下二月八月採陰乾 馬間爲之使按藥名無馬間或是馬莖聲相近故也得甘草防風芍藥紫石英麥門冬共療五藏惡白斂畏牡蒙地楡雄黃秦膠龜甲今出鬱州彼土人乃故斫松作之形多小虛赤不佳自然成者大如三四升器外皮黑細皺內堅白形如鳥獸龜鼈者良又復時燥則不水作丸散者皆先煑之兩三沸乃切曝乾白色者補赤色者利俗用甚多仙經服食亦爲至要云其通神而致靈和魂而練魄明竅而益肌厚腸而開心調營理胃上品仙藥也善能斷穀不飢爲藥無朽蛀吾嘗掘地得昔人所埋一塊計伏神是其次伏苓後結一塊也仙方惟云伏苓而伏神爲療既同用之亦應無嫌 謹案李氏本草云馬刀爲伏苓使无名馬間者間字草書似刀字寫人不識訛爲間耳陶不悟云是馬莖謬矣今太山亦有伏苓白實而塊小不復採用今第一出華山形極麁大雍州南山亦有不如華山者

虎魄味甘平無毒主安五藏定魂魄殺精魅邪鬼消瘀血通五淋生永昌 舊說云是松脂淪入地千年所化今燒之亦作松氣俗有虎魄中有一蜂形色如生博物志又云燒蜂巢所作恐非實此或當蜂爲松脂所粘因墮地淪沒耳有煑毈鷄子及青魚枕作者並非眞唯以拾芥爲驗俗中多帶之辟惡刮屑服療瘀血至驗仙經無正用曲晨丹所須以赤者爲勝今並從外國來而伏苓處處有不知虎魄處復有伏苓以否 謹案瑿味甘平無毒古來相傳云松脂千年爲伏苓又千年爲虎魄又千年爲瑿然二物燒之皆有松氣爲用與虎魄同補心安神破血尤善此似玄玉而堅出西戎來而伏苓處處見無此物今西州南三百餘里磧中得者大則方尺黑潤而輕燒作腥臭高昌人名爲木瑿謂玄玉爲石瑿洪州土石間得者燒作松氣破血生肌與虎魄同見風拆破不堪爲器量此二種及虎魄或非松脂所爲也有此差舛今略論之

松脂味苦甘溫無毒主癰疽惡瘡頭瘍白禿

疥瘙風氣安藏除熱胃中伏熱咽乾消渴及
風痹死肌練之令白其赤者主惡風痹久服
輕身不老延年一名松膏一名松肪生大山〻谷
六月採松實味苦無毒溫主風痹寒氣虛羸
少氣補不足九月採陰乾松葉味苦溫主風濕痹
瘡生毛髮安藏守中不飢延年松節溫主百節
久風〻虛脚痹疼痛根白皮主辟穀不飢採練松脂並在
服食方以桑灰汁若酒煮軟內寒水中數十過白滑則可用其有自流
出者乃勝於鑿樹及煮膏也其實不可多得唯葉止是斷穀所宜今

細切如粟以水及麪飲服之亦有陰乾擣爲屑丸服者人患惡病服此无不
差此來苦脚弱人釀松節酒亦皆愈松栢皆有脂潤又淩冬不凋理爲佳
物但人多輕忽近易之耳 謹案松花名松黃拂取似蒲黃正
酒服輕身療病云勝皮葉及脂其子味甚甘經直云味苦也松取枝
燒其上下承汁治瘑瘡牛馬瘡疥爲佳樹皮
綠衣名艾納合和諸香燒之其煙團聚青白可愛也
栢實味甘平無毒主驚悸安五藏益氣除風濕
痹恍惚虛損吸〻歷節腰中重痛益血止汗久
服令人潤澤美色耳目聰明不飢不老輕身延
年生太山〻谷栢葉尤良栢葉苦微溫無毒主吐
血衄血崩中赤白輕身益氣令人耐風寒不濕

痹止飢四時各依方面採陰乾柏白皮主火灼爛瘡
長毛髮
牡蠣桂瓜子為之使惡菊花羊蹄諸石及麪麯柏葉實亦為
服食所重服餌別有法柏處處有當以太山為佳並忌取冢
墓上也雖四時俱有而秋夏為好其脂亦入用此云惡麴人有以釀酒無
妨恐酒米相和異單用也 唐本注柏枝節煮以釀酒主風痹歷節風燒取
油療瘑疥及癩瘡尤良今子人又
也陳州宜州為勝太山無復狀者也

菌桂味辛温無毒主百病養精神和顏色為諸藥
先聘通使久服輕身不老面生光華媚好常如童
子生交址山谷桂林巖間無骨正圓如竹生桂林山谷立秋
採
交址屬交州桂林屬廣州而蜀都賦云菌桂臨崖今俗中不見正
圓如竹者惟嫩枝破卷成圓猶依桂用恐非真菌桂也仙經乃有用

菌桂云三重者良則判非今桂矣必當別是一物應更研訪 唐本注菌
者竹名古方用筒桂者是故云三重者良其筒桂亦有二三重卷者葉
中三道文肌理緊薄如竹大枝小枝皮俱是筒桂
然大枝皮不能重卷味極淡薄不入藥用今惟出韶州

牡桂味辛温無毒主上氣欬逆結氣喉痹吐
吸心痛脅風脅痛温筋通脈止煩出汗利關
節補中益氣久服通神輕身不老生南海山谷
南海郡即是廣州今俗用牡桂狀似桂而扁廣殊薄皮色黃脂
肉甚少氣如木蘭味亦類桂不知當是別樹為復是桂生而老宿
者耳亦所未究 唐本注爾雅云梫木桂古方亦用木桂或云牡桂即
今木桂及單名桂者是也此桂花子與菌桂同惟葉倍長大小枝皮
俱名牡桂然大枝皮肌理粗虛如木而肉少味薄不及小枝皮也
小枝皮肉多半卷中必皺起味辛美一名肉桂枝一名桂心融州

柳州
交州

桂味甘辛大熱有毒主溫中利肝肺氣心腹寒熱
冷疾霍亂轉筋頭痛腰痛出汗止煩止唾欬嗽
鼻齆能墮胎堅骨節通血脈理疏不足宣導百
藥無所畏久服神仙不老生桂陽二月七八月十月採皮
陰乾得人參麥門冬甘草大黃黃芩調中益氣得柴胡紫石乾地黃
療吐逆案本經唯有菌桂牡桂而無此桂用體大同小異今俗
用便有三種以半卷多脂者單名桂入藥最多所用悉與前說相應仙
經乃並有三種桂常服食以葱涕合和雲母蒸化水者正是此種耳今出
廣州湛惠為好湘州始興桂陽縣即是小桂亦有而不如廣州者交州桂州
形段小多脂肉亦好經云桂葉如柏葉澤黑皮黃心赤齊武帝時湘州送桂樹
以植芳林苑中今東山有山桂皮氣粗相類而葉乖異亦能凌冬恐或
是牡桂詩人多呼丹桂正謂皮赤耳北方今重此每食輒須之蓋禮所云薑
桂以為芬芳也謹案菌桂葉似柿葉中有縱文三道表裏無毛而光
澤牡桂葉長尺許陶云小桂或言其葉小者陶引經云葉似柏葉殊
不相類不知此言從何所出今案桂二種惟皮稍不同若菌桂老皮
堅板無肉全不堪用其小枝皮薄卷乃二三重者或名菌桂或名筒
桂其牡桂嫩枝皮名為肉桂亦名桂枝其老者名牡桂亦名木桂得人參
等良本是菌桂剩出單桂條陶為深誤也

杜仲味辛甘平溫無毒主腰脊痛補中益精
氣堅筋骨強志除陰下癢濕小便餘瀝腳中酸
疼痛不欲踐地久服輕身能老一名思仙一名思
仲一名木綿生上虞山谷又上黨及漢中二月

五月六月採皮陰乾 畏蛇說皮去矣上虞在黨州 虞錦之虞非會稽上虞縣也

今用出建平宜都杜仲狀如厚朴折之多白絲為佳用之薄削去上甲皮横理切令絲斷也

楓香脂一名白膠香味辛苦平无毒主身上風

癢浮腫齒痛樹皮味辛平有小毒主水腫

下水氣煑汁用之所在大山皆有 樹高大葉三角 五月斫樹為坎

十一月採 脂所以之

乾漆味辛溫无毒有毒主絕傷補中續筋骨

填髓腦安五藏五緩六急風寒濕痹欬嗽消瘀血

痞滿腰痛女子疝瘕利小腸去蚘蟲生漆去長

蟲久服輕身能老生漢中川谷夏至後採乾之

半夏為之使畏雞子令又忌油脂今梁州漆最勝益州亦有廣州漆性急易燥其諸處漆桶上蓋裹自然有乾者狀如蜂房孔隔者為佳生漆毒烈人以雞子白和服之去蟲猶有齒傷腸胃畏漆人乃致死外氣亦能使身肉瘡腫自別有療法仙方用蟹消之為水服

蔓荊實味苦辛微寒平溫无毒主筋骨間寒

熱濕痹拘攣明目堅齒利九竅去白蟲長蟲主風頭

痛腦鳴目淚出益氣久服輕身耐老令人好澤脂緻

長鬚髮小荊實亦等生益州 惡烏頭石膏小荊即應是牡荊 荊子大於蔓荊子而反呼為小

荊恐或以樹形為言復不知蔓荊樹若高大耳 謹案此荊子今人呼為牡荊子者是也其蔓荊子大故呼牡荊子為小荊實亦等之言其功用與蔓荊同也蔓荊苗蔓生故名蔓荊生水濱葉似杏葉而細莖長丈餘花紅白色今人誤以小荊為蔓荊遂將蔓荊子為牡荊

牡荊實 味苦溫無毒 主除骨間寒熱通利胃氣止欬下氣 生河間南陽冤句山谷或平壽都鄉高岸上牡荊生田野八月九月採實陰乾 得朮柏實青葙共療頭風防風為之使惡石膏

河間宛句平壽並在北南陽在西論蔓荊即應是今作杖捶之荊而復非見其子殊細正如小麻子色青黃荊子實小大如此也牡荊子乃出北方如烏豆大正圓黑仙術多用牡荊今人都無識之者李當之藥錄乃注溲疏下云溲疏一名陽櫨一名牡荊一名空疏皮白中空時有節子似枸杞子赤色味甘苦冬月熟俗仍無識者當此實是真非人籬域陽櫨也案如此說溲疏主療與牡荊都不同其形類乖異恐乖實理而仙方用牡荊云能通神見鬼非唯其實

乃枝葉並好又云有荊樹必枝枝相對此是牡荊有不對者即非牡荊既為牡則不應有子如此並莫詳虛實須博訪乃詳之耳 謹案此即作棰杖荊是也實細黃色莖勁作樹不為蔓生故稱之為牡非無實之謂也案漢書郊祀志以牡荊莖為幡竿此明則蔓不為幡竿今所在皆有此荊非本性而載今主此乃是蔓荊以為附服陶為誤矣荊葉味苦平無毒主久痢霍亂轉筋血淋下部瘡濕䘌薄腳主腳氣腫滿根味甘苦平無毒水煮服主心風頭風支體諸風解肌發汗有青赤二種赤者為佳出藍田古今相承以蔓荊為牡荊以牡荊為蔓荊此極誤也

女貞實 味苦甘平無毒 主補中安五藏養精神除百疾久服肥健輕身不老 生武陵川谷立冬採

冬不凋皮青肉白與秦皮為表裏其樹以冬生而可愛諸處時有仙經亦服食之俗方不復用市人亦無識之者 謹案女貞葉似枸骨及冬青樹

等其實九月熟黑似牛李子陶云與秦皮為表裏誤矣然
秦皮葉細冬枯女貞葉大冬茂殊非類也

桑上寄生味苦甘平無毒主腰痛小兒背強癰
腫安胎充肌膚堅髮齒長鬚眉主金創去痹
女子崩中內傷不足產後餘疾下乳汁其實
明目輕身通神一名寄屑一名寓木一名宛童
一名蔦生弘農川谷桑樹上三月三日採莖葉陰乾

桑上者名桑上寄生耳詩人云施于松上方家亦有用楊上楓上
者則各隨其樹名之形類猶是一般但根津所因處為異法生樹枝間寄
根在枝節之內葉圓青赤厚澤易折旁自生枝節冬夏生四月
華白五月實赤大如小豆今處處皆有以出彭城為勝俗人呼為

續斷用之案本經續斷別在中品藥所主療不同豈是一物市人使
混亂無復能識之服食方亦用之今方云是未得與此說又為不同耳謹案
寄生槲櫸柳水楊楓等樹上子黃大如小棗子唯虢州有桑上
者子汁甚粘核大如小豆葉無陰陽如細柳葉而厚脆莖麤短往往人相
承用為續斷則殊不相關且寄生實九月始熟而
黃今稱五月實赤大如小豆此是陶未見之也

蕤核味甘溫微寒無毒主心腹邪結氣明目目痛
赤傷淚出目腫眥爛齆鼻破心下結痰痞氣
久服輕身益氣不飢生函谷川谷及巴西七月採實

今從北方來云出彭城間形如烏豆大圓而扁有文理狀似胡桃核令人
皆合殼用為分兩此乃應破取人秤之醫方惟以療眼仙經以合守中丸
也謹案蕤核子
如此作也

五茄味辛苦温微寒無毒主心腹疝氣腹痛益
氣療躄小兒立能行疽瘡陰蝕男子陰萎囊下
濕小便餘瀝女人陰痒及腰脊痛兩脚疼痹風弱
五緩虚羸補中益精堅筋骨强志意久服輕身
耐老一名犲漆一名犲節五葉者良生漢中及冤
朐五月七月採莖十月採根陰乾 遠志爲之使畏蛇蜕皮玄參今此間處處有之東間亦多四葉者亦好煮根莖釀酒至益人道家用此作灰亦以煮石與地榆並有秘法 茄字或作家字者也
沉香薰陸香鷄舌香藿香詹糖香楓香並
微温悉療風水毒腫去惡氣薰陸詹糖去
伏尸鷄舌藿香療霍亂心痛楓香療風瘾
疹痒毒 此六種香皆合香家要用不正復入藥唯療惡核毒腫道方頗有用處詹糖出晋安岑州上真淳澤者難得多以其皮及柘虫屎雜之唯輕者爲佳其餘無甚真僞而有精麁耳外國用波津香明目白檀消風腫其青木香别在上品 謹案沉香青桂鷄骨馬蹄箋香等同是一樹葉似橘葉花白子似檳榔大如桑椹紫色而味辛樹皮青色木似櫸柳薰陸香形似白膠出天竺單于二國鷄舌香樹葉及皮並似栗花如梅花子似棗核此雌樹也不入香用雄樹雖花不實採花釀之以成香出崑崙及交愛以南詹糖樹似橘煎枝葉爲香似糖而黑出交廣以南又有丁香根味辛温主風毒諸腫此别一種樹葉似櫟高數丈凌冬不凋唯根堪療風熱毒腫不入心腹之用非鷄舌也

檗木味苦寒無毒主五藏腸胃中結氣熱黃疸
腸痔止泄利女子漏下赤白陰陽蝕瘡療驚氣
在皮間肌膚熱赤起目熱赤痛口瘡久服通神
名檀桓根名檀桓主心腹百病安魂魄不飢
渴久服輕身延年通神生漢中山谷及永昌

也邵陵者輕薄色深為勝出東山者厚重而色淺其根於道家
入木芝品今人不知取服之又有一種小樹狀如石榴其皮黃而
苦俗呼為子蘗亦主口瘡又一種小樹至多刺皮亦黃亦主口瘡
謹案子蘗一名山石榴子似女貞皮白不黃亦名小蘗所在皆有今云皮
黃恐謬矣今俗用子蘗皆多
刺小樹名刺蘗非小蘗也

辛夷味辛溫無毒主五藏身體寒風頭
腦痛面䵟溫中解肌利九竅通鼻塞涕出面
腫引齒痛眩冒身洋洋如在車船之上者生鬚
髮去白蟲久服下氣輕身明目增年能老可作
膏藥用之去中心及外毛毛射人肺令人欬一名
辛矧一名侯桃一名房木生漢中川谷九月採實
曝乾 芎藭為之使惡五石脂畏昌蒲黃連石膏黃環今出丹陽近
道形如桃子小時氣辛香即離騷所呼辛夷者也謹案此
是樹花未開時收之正月二月好採今見用者是其言九月採實者
恐誤其樹大連合高數仞葉大於柿葉所在皆有實臭不任用也

去毛用其心[illegible]而[illegible]人面
汁用[illegible]
木蘭味苦寒無毒主身有大熱在皮膚中去面
熱赤皰酒皶惡風癲疾陰下癢濕明目療中
風傷寒及癰疽水腫去臭氣一名林蘭一名杜
蘭皮似桂而香生零陵山谷及太山十二月採皮陰乾
零陵諸處皆有狀如楠樹皮甚薄而味辛香今益州有皮厚
狀如厚朴而氣味爲勝故蜀都賦云木蘭梫桂也今東人皆以山
桂皮當之亦相類道家用合香亦好也　謹案木蘭似菌桂
葉其葉氣味辛香不及桂
榆皮味甘平無毒主大小便不通利水道除邪氣

腸胃邪熱氣消腫性滑利久服輕身不飢其實
尤良療小兒頭瘡疕華主小兒癎小便不利傷
熱一名零榆生潁川山谷二月採皮取白暴乾
八月採實並勿令中濕濕則傷人此即今榆樹耳剝取皮刮除上赤可臨時
用之性至滑利初生莢人以作糜羹輩令人睡眠嵇公所謂榆令
人瞑斷穀乃屑其皮并檀皮服之即所謂不飢者也　謹案榆
三月實熟尋即落矣今云[illegible]
八月採實[illegible]今注[illegible]也
酸棗味酸平無毒主心腹寒熱邪結氣四
支酸疼濕痹煩心不得眠臍上下痛血轉久

洩汗渴，補中，益肝氣，堅筋骨，助陰氣，令人肥健。久服安五藏，輕身延年。生河東川澤。八月採實，陰乾卅日成。惡防己。今出東山間，云即是山棗樹，子似武昌棗而味極酸，東人乃啖之以醒睡，與此療不得眠正反矣。謹案：此即樲棗實也。樹大如大棗，實無常形，但大棗中味酸者是。本經唯用實，療不得眠，不言用人。今方用其人，補中益氣，自補中益肝已下，為酸棗人之功能。又於下品白棘條中復云用其實，今醫以棘實為酸棗，大誤矣也。

槐實　味苦酸鹹，寒，無毒。主五內邪氣熱，止涎唾，補絕傷，五痔，火瘡，婦人乳瘕，子藏急痛。以七月七日取之，擣取汁，銅器盛之，日煎令可作丸，大如鼠屎，內竅中，三易乃愈。又墮胎。久服明目益氣，頭不白，延年。枝主洗瘡及陰囊下濕癢。皮主爛瘡。根主喉痺寒熱。生河南平澤。可作神燭。景天云：槐子以多連者為好。十月上巳日採之，新瓷合泥百日，皮爛為水，核如大豆。服之令人腦滿，髮不白而長生。謹案：別錄云：八月斷槐大枝，使生嫩蘖，煑汁釀酒，療大風痿痺甚効。槐耳味苦辛，無毒，主五痔、心痛、婦人陰中瘡痛。槐樹菌也，當取堅如桑耳者。枝炮熨止蠍毒也。

楮實味甘寒無毒主陰痿水腫一名穀
實所在有之八月九月採實日乾葉味
甘無毒主小兒身熱食不生肌可作浴
湯又主惡瘡生肉樹皮主逐水利小便
莖主隱軫痒單煮洗浴其皮白汁療癬
此即今穀樹子也仙方採擣取汁和丹用亦乾服使人通神見鬼南人呼穀紙亦為楮紙作楮音武陵人作穀皮衣又甚堅好耳也

枸杞味苦寒根大寒子微寒無毒主五內邪氣熱
中消渴周痺風濕下胸脇氣客熱頭
痛補內傷大勞噓吸堅筋骨強陰利大
小腸久服堅筋骨輕身能老耐寒暑一
名杞根一名地骨一名苟忌一名地輔一名羊
乳一名却暑一名仙人杖一名西王母杖生常
山平澤及諸丘陵阪岸上冬採根春夏
採葉秋採實陰乾今石頭烽火樓下最多其葉可作羹味小苦俗諺云去家千里

勿食羅摩枸杞此言其補益精氣強盛陰道也羅摩一名苦丸葉厚大作藤生摘有白汁人家多種之可生噉亦蒸煮食也枸杞根實為服食家用其說乃甚美仙人之杖遠自有旨乎也

蘇合味甘溫無毒主辟惡殺鬼精物溫瘧蠱毒癇痓去三蟲除邪不夢忤魘脒通神明久服輕身長年生中臺川谷俗傳云是師子矢外國說不尔今皆從西域來真者難別亦不復入藥唯供合好香耳唐本注此香從西域及崑崙來紫赤色重如石燒之灰白者好云是師子屎者此是胡人誑言陶不悟之故以為疑

橘柚味辛溫無毒主胸中瘕熱逆氣利水穀下氣止嘔欬除膀胱留熱下停水五淋利小便主脾不能消穀氣充胸中吐逆霍亂止泄去寸白久服去臭下氣通神輕身長年一名橘皮生南山川谷生江南十月採此是說其皮功耳以東橘為好西江亦有而不如其皮小冷療氣乃言欲勝東橘北人亦用之以陳者為良其肉味甘酸食之多痰恐非益人也今此雜用皮既是果類所以宜相從柚子皮乃可食而不復入藥用此應下氣唐本注柚皮厚味甘不如橘皮味辛酸酸者名胡甘今俗人或謂橙為柚非也案呂氏春秋云果之美者有雲夢之柚郭璞曰柚似橙而大於橘孔安國云小曰橘大曰柚皆謂甘也

新修本草木部上品卷第十二

新脩本草獸禽部卷苐十五

司空上柱國英國公臣勣等奉　勅脩

獸上

龍骨　牛黄　麝香　人乳汁　髮髲

亂髮　頭垢　人屎等　馬乳　牛乳

羊乳　酪酥　熊脂　白膠　阿膠

醍醐　底野迦　酥

中

犀角　零羊角　羖羊角等　牛角䚡等　白馬莖等

牡狗陰等　鹿茸等　麞骨等　虎骨等　豹肉

下

狸骨等　兔頭骨等

六畜毛蹄甲　鼺鼠　麋脂角　豚卵等

鼹鼠　獺肝　狐陰　猯膏　野猪黄

驢屎　豺皮

禽上

丹雄雞等　白鵝　鶩肪　鴈肪　鷓鴣

中

雉肉　鷹矢白　雀卵等　鸛骨　雄鵲　鴝鵒

下

燕矢　孔雀　鸕鷀　鴟頭

右獸禽類五十六種　廿一種神農本經　廿六種名醫別録　九種新附

上獸

龍骨味甘平微寒無毒主心腹鬼注精物
老魅欬逆泄利膿血女子漏下癥瘕堅

結小兒熱氣驚癇療心腹煩滿四支痿枯
汗出夜卧自驚恚怒伏氣在心下得息喘
癰内疽陰蝕心汗小便利溺血養精神定魂
魄安五藏白龍骨療夢寤洩精小便洩精
龍齒主療小兒大人驚癇癲疾狂走心下結
氣不能喘息諸痙殺精物療小兒五驚
十二癇身熱不可近人大人骨間寒熱又殺
蠱得人參牛黃良畏石膏角主驚癇瘈瘲身熱如火腹中

堅及[illegible]畏乾漆蜀椒理石久服輕身通神明延年生
晉地川谷生太山巖水岸土穴石中死龍
處採無時今多出益州梁州間巴中有骨欲得脊腦作
白地錦文舐之著舌者良齒小強猶有齒形角強而
實又有龍腦肥軟亦斷利云是龍蛻非實死也比來巴中數得龍
胞吾自親見形體具存云治產後餘疾正當末服之　謹案
龍骨今并出晉地生硬者不好五色具者良其青黃赤白黑亦應隨色
與府藏相會如五芝五石英五石脂而本經不論莫知所以

牛黃味苦平有小毒主驚癇寒熱熱盛
狂痓除邪逐鬼小兒百病諸癇熱口不
開大人狂癲墮胎久服輕身增年令人

不忘生晉地平澤生於牛得之即陰乾百日
使時燥無令見日月光人參為之使得牡丹菖蒲
利耳目惡龍骨地黃龍膽
蜚蠊畏牛膝舊云神牛出入鳴吼者有之伺其出角上以盆
水承而吐之即墮落水中今人多皆就膽中得之今多出
梁益一子如雞子黃大相重疊藥中之貴莫復過此一子起
二三分好者直五六千至一萬也俗人多假作甚相似唯以磨
爪甲舐拭不脫者是真之　駝牛黃今出萊州密州淄州
戎州青州嶲州牛有黃者必多吼喚喝迫而得謂之生黃最佳黃
有三種散黃粒如麻豆漫黃若雞卵中黃糊在肝膽圓黃為塊形
大小並在肝膽中多生於榛特牛其吴牛未聞有黃

麝香味辛溫無毒主辟惡氣殺鬼精物溫
瘧蠱毒癇痓去三蟲諸凶邪鬼氣中惡心

腹暴痛脹急痞滿風毒婦人產難墮胎
去面䵟目中膚翳久服除耶不夢寤魘寐
通神仙生中臺川谷生益州及雍州山中春
分取之生者益良

麝香形似麞恒食栢葉又噉蛇五月
得香往往有蛇皮骨故麝香療蛇毒
今以蛇蛻皮裹麝香弥香則是相使也其香正在麝陰莖前皮
內別有膜裹之今出隨郡義陽晉熙諸蠻中者亞之今出其
形貞直如栗肤人以云是卵不然也香多被破雜蠻犯羌出益州
益州香形扁仍以皮膜裹之一子真者分糅作三四子刮取其血膜亦
雜以餘物大都亦有粗康破看有一片毛共在裹中者為勝故
人以為誌若於諸羌夷中得者多真好燒當門沸起良久亦好今
唯得活者自看取之必當全真耳生香人云是其精溺凝作殊不
尒麝香夏月食蛇蟲多至寒香滿入春患急痛自以腳剔出著
矢溺中覆之皆有常處人有遇得乃一斗五升也用此香乃
勝煞取者帶麝非但香亦辟惡以真者一子置頸間枕之辟惡夢
及尸注
鬼氣

人乳汁　補五藏令人肥白悅澤

張蒼恒服人乳故年百餘歲肥白如
瓠彊棗別錄云人首生男乳療目赤痛多淚解獨肝牛肉合
豉濃汁服之神効及知雀屎去目赤胬肉

髮髲　味苦溫小寒無毒主五癃關格不得
小便利水道療小兒癇大人痙仍自還神
化生卒譯合鷄子黃煎之消為水療小兒驚
熱下

李云是童髮神化之事未見別方今俗中嫗母為小兒
鷄子煎用髮雜熟良久得汁与兒服去淡熱療百病而
用髮皆用其人抗頭亂者耳不知此髮髲審取是何物且髮字書記

所無或作茀音人今呼斑髮為茀髮書家亦呼乱髮為鬅鬆即是鬅
音也童男之理未或全明 謹案此髮根也年久者用之神効即髮字
誤矣既有乱髮及頭垢則阛髮明矣又頭垢功劣於髮猶去病用陳
久者梳及船茹敗天公蒲席皆此例也甄立言作髮〻亦髮也髮五
㤕音發字書無髮字但有髮〻髮髮良作乱讀音有聲與髮則
髮為
真矣

亂髮 微温 主欬五淋大小便不通小兒驚
癇止血鼻衄燒之吹内立已 此常人頭髮耳術家用已乱髮及爪燒之飲人飲之

桐親愛此与髮髮療踈相似若然則長此一件 謹案乱髮療
轉肥又小便不通亦白利哽噎鼻衄癰腫狐尿刺尸注丁腫骨疽
雜瘡古方用之陶景但知字書
元髮字竟不悟髮誤為髮也

頭垢 主淋閉不通 術人頭垢傳針以肥枝耳今當用傅澤人者其垢可丸亦主噎又療勞復也

人屎 寒主療時行大熱狂走解諸毒人
溺 療寒熱頭痛温氣童男者尤良
溺白澱 療鼻衄湯火灼瘡東向清者
溺坑中青泥 療喉痺消癰腫若已有
膿即潰 夫菌俚人用撲銅為箭鏃射人裁傷皮便死唯
飲糞汁即差而射猪狗不死以其食糞故也時行
大熱飲糞汁亦愈今近城寺別塞空甖口内糞倉中積年得汁
甚黑而苦名為黄龍湯療温病垂死皆差若人初得頭痛直
飲人溺數升亦多愈合葱豉作湯弥佳溺垽及青泥為療並如所
說又婦人月水亦解毒箭并女勞復浣裩汁亦善此本經所載有
奇術能禁合刀人斫不入焦似月水塗刀便死此是汙穢壞神氣
也又人合藥所以忌觸之此既一種物故從屎溺之例又人精和鷹屎

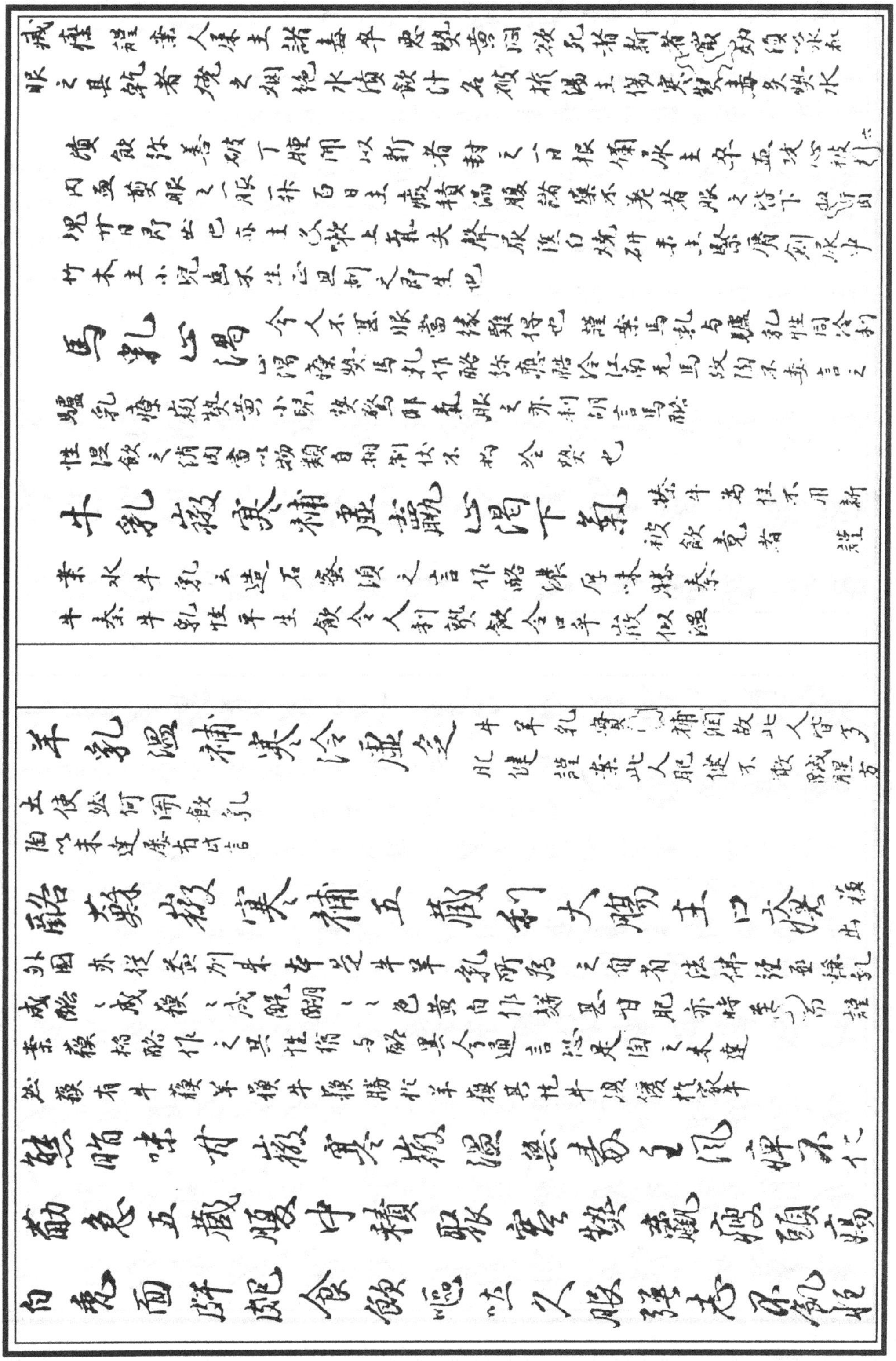
戚癢 謹案人屎主諸毒卒惡熱黃悶欲死者新者最效須以水和
服之其乾者燒之烟絶水漬飲汁名破棺湯主傷寒熱毒只熱水
漬飲弥善破丁腫開以新者封之一日根爛屎主卒血攻心被打
内血煑服之一服一升百日主癥積滿腹諸藥不差者服之瀉下出虫
愧甘日即出也亦主以牀上氣失聲不復自燒研末主緊脣瘡屎中
竹木主小兒蟲不生正旦削之即生也
馬乳 止渴 令人不墨服當緣難得也 謹案馬乳與驢乳性同冷利
止渴療熱馬乳作酪弥應酪冷江南无馬故陶不委言之
驢乳療癥熱黃小兒熱驚邪氣服之亦利胡言馬酪
性冷飲之消肉當以物類自相制伏不相冷熱也
牛乳 微寒補虛羸止渴下氣 紫牛為佳不用新
被飲竟者 謹
案水牛乳造石蜜須之言作酪濃厚味勝秦
牛秦牛乳性平生飲令人利熱飲令口乾微似温
羊乳 温補寒冷虛乏 牛羊乳實補潤故北人皆多
肥健 謹案此人肥健不敢賊腥方
土使然何關飲乳
陶以未達屡有此言
酪蘇 微寒補五藏利大腸主口瘡 蘇出
外國亦從益州來本是牛羊乳所爲之自有法佛經亟稱乳
成酪酪成蘇蘇成醍醐醍醐色黄白作餅甚甘肥亦時至 謹
案蘇插酪作之其性猶與酪異今通言恐是陶之未達
然蘇有牛蘇羊蘇牛蘇勝於羊蘇其犛牛復優於家牛
醍醐 味甘微寒無毒主風痺不仁
勸急五藏腹中積聚寒熱羸瘦頭痛
白秃面皯皰食飲嘔吐久服强志不飢恒

身長年生雍州山谷十一月取然白之光以晒即是

上膏寒月則有夏月則无其腹中肪及身中膏取可作苯面不
中取今東西諸山林皆有之自是非易得物耳痼病人不可食
然肉令綿身不滌念也　謹案然脂味苦寒无毒療時氣蟲毒
為黃疸暑月久利可墨心痛注忤吼療諸䘌而療小兒客忤如
今黑捻渾人西酒操服兆凡弊凡言膏者睹消已後之名
背上不得脊九得美大膏皆者乃是畢皆文誤有此不陶云
背膏因於
舊誤也

白膠味甘平溫無毒主傷中勞絕腰痛羸
瘦補中益氣婦人血閉無子止痛安胎療吐
血下血崩中不止四支酸疼多汗淋露折跌

傷損久服輕身延年一名鹿角膠生雲中
煮鹿角作之得火良畏大黃今人少復煮作惟合角弓猶言用此膠耳方藥用亦希道家時又須
之作白膠法先以米瀋汁漬七日令軟然後煮之如作阿膠法耳
又一法即細剉角與一片乾牛皮角即消爛矣不復相得百年
无一熟也　謹案麋鹿角膠但煮濃汁重煎即為
膠矣何至使爛求爛亦難當是未見煮膠誤為此說耳之

阿膠味甘平微溫無毒主心腹內崩勞極洒
如瘧狀腰腹痛四支酸疼女子下血安胎丈夫
少腹痛虛勞羸瘦陰氣不足腳酸不能久
立養肝氣久服輕身益氣一名傅致膠

煮牛皮作之出東阿 惡大黃 大良出東阿故曰阿 阿膠今都下能作之用皮亦

有老少膠則有清濁凡三種清薄者書畫用厚而清者名為

盆覆膠作藥用之用之皆火炙丸散須極燥入湯微炙爾濁黑

者可膠物用不入藥也用一片

鹿角即成膠不尒不成耳

醍醐味甘平無毒主風邪痺氣通潤骨髓

可為摩藥性冷利功優於酥生酥中 此酥之精

液也好酥一石有三四升醍醐熟杵練貯器中待凝穿中

至底便津出得之陶云黃白為餅此乃未達之言 新附

底野迦味辛苦平無毒主百病中惡客

忤邪氣心腹積聚出西戎 云用諸膽作之狀似久 坏丸藥赤黑色胡人時將

至此甚珍貴

試用有效新附

酪味甘酸寒無毒主熱毒止渴解散發

利除胸中虛熱身面上熱瘡肌瘡 牛羊 馬

水牛乳並尒言驢乳

尤冷不堪作酪新附

中獸

犀角味苦酸鹹寒微寒無毒主百毒

蠱疰邪鬼鄣氣殺鉤吻鴆羽蛇毒除邪

不迷惑魘寐療傷寒溫疫頭痛寒熱

精益氣久服輕身駿健生永昌川谷及
益州　松脂為之使惡雚菌雷丸今出武陵交州寧州諸遠山犀有二角以額上者為勝又有通天犀角上有一白縷直上至端此
至神驗或云是水犀角出水中漢書所謂駭雞犀者以置米邊雞
皆驚駭不敢啄又置屋中烏鳥不敢集屋上昔者有以犀為
簪死於野中有行人見鳥鵲飛翔甚上不敢下往者疑以為異
抽取便群鳥競集又云通天犀夜露不濡以此知之凡犀見成物
皆被蒸煮不堪入藥惟生者為佳雖用屑亦是已蒸灸洗用
屑耳牸犀角甚長文理亦似犀不堪藥用耳　謹案犀
有兩角鼻上者為良通天犀者即水犀云夜露不濡是為
說有人以犀角為簪死於野中鳥翔而不集矣此以為釵飾
耳今人冠簪則是貴人當有左右何得野死從今論豈是
為雖信光是唯犀文理細膩以白分明俗謂此犀限用為上然充素不以犀之
羚羊角味鹹苦寒微寒無毒主明目益
氣起陰去惡血注下辟蠱毒惡鬼不祥
安心氣常不魘寐療傷寒時氣寒
熱在肌膚溫風注毒伏在骨間除邪
氣驚夢狂越僻謬及食噎不通久服強筋
骨輕身起陰益氣利丈夫生石城
山川谷及華陰山採無時　今出建平宜都諸蠻中及西域多兩角者一
角者為勝角甚多節蹙蹙圓繞別有山羊角極長惟一邊有
節節亦疏大不入藥用爾雅云名羱羊而羌夷云只此即名零
羊甚能陟峻短角者乃是山羊耳亦未詳其正　謹案爾雅釋
獸云麢大羊　如牛大而角堪為鞍鞽一名羱羊俗名山羊或名野
羊善鬬至死又有山驢大如鹿皮堪靴用有兩角角大小如山羊

角形亦甚一邊有蹙文又疎慢者是此也陶不識謂之山羊誤矣二種並不入藥而俗人亦用山驢角之今用細如人指長四寸蹙文細者出山南漸間大有梁州龍州洋州亦貢之云俗相承用此不用羖羊角未知孰是也

羖羊角味鹹苦溫微寒無毒主青盲明目殺疥蟲止寒洩辟惡鬼虎狼止驚悸療百節中結氣風頭痛及蠱毒吐血婦人產後餘痛燒之殺鬼魅辟虎狼久服安心益氣力輕身生河西川谷取無時勿中濕〻有毒 菟絲爲之使謹案此羊角以青羖爲佳餘不入藥

羊髓味甘溫無毒主男女傷中陰氣不足利血脈益經氣以酒服之

青羊膽主青盲明目 謹案羊膽療疳濕時行熱熛瘡和醋服良

羊肺補肺主欬嗽 謹案羊肺療渴止小便數并小豆葉煮食之良

羊心止憂恚膈氣

羊腎補腎氣益精髓 謹案羊腎合脂爲羹療勞痢甚効蒜虀合食之一升療癥瘕也

羊齒主小兒羊癎寒熱三月三日取之

羊肉味甘大熱無毒主緩中字乳餘疾及頭腦大風汗出虛勞寒冷補中益氣安心止驚

暨粟羊肉熱病後食之發熱殺人也

羊骨熱主虛勞寒中羸瘦

羊屎燔之主小兒泄利腸鳴驚癇

羖羊角方藥不甚用餘皆入湯煎羊有三四種最以青色者為勝次則烏羊耳其羖䍽羊有及虜中無角羊正可噉食之為藥不及都下者其乳髓則肥好也羊肝不可合猪肉及梅子小豆食之傷人心大病人[illegible]羊屎煑湯下灌療大人小兒腹中諸疾疳濕大小便不通燒之熏鼻主中惡心腹刺痛熏療諸毒中瘡痔瘻等骨蒸除良羊肝性冷療肝風虛熱目赤闇無所見生食子肝七枚神効以療風眩瘦疾小兒癇骨与療同羊血主女人中風血虛悶產後血運悶欲絕者生飲一升即活

牛角䚡下閉血瘀血疼痛女人帶下下血燔之味苦無毒水牛角療時氣寒熱頭痛髓補中填骨髓久服增年髓味甘溫無毒主安五藏平三焦溫骨髓補中續絕傷益氣止泄利消渴以酒服之膽可丸藥膽味苦大寒除心腹熱渴利口焦燥益目精

此朱書牛角䚡髓其膽本經附出牛黃條中此以類相從耳非上品之藥今拔出隨例在此不關件數猶是

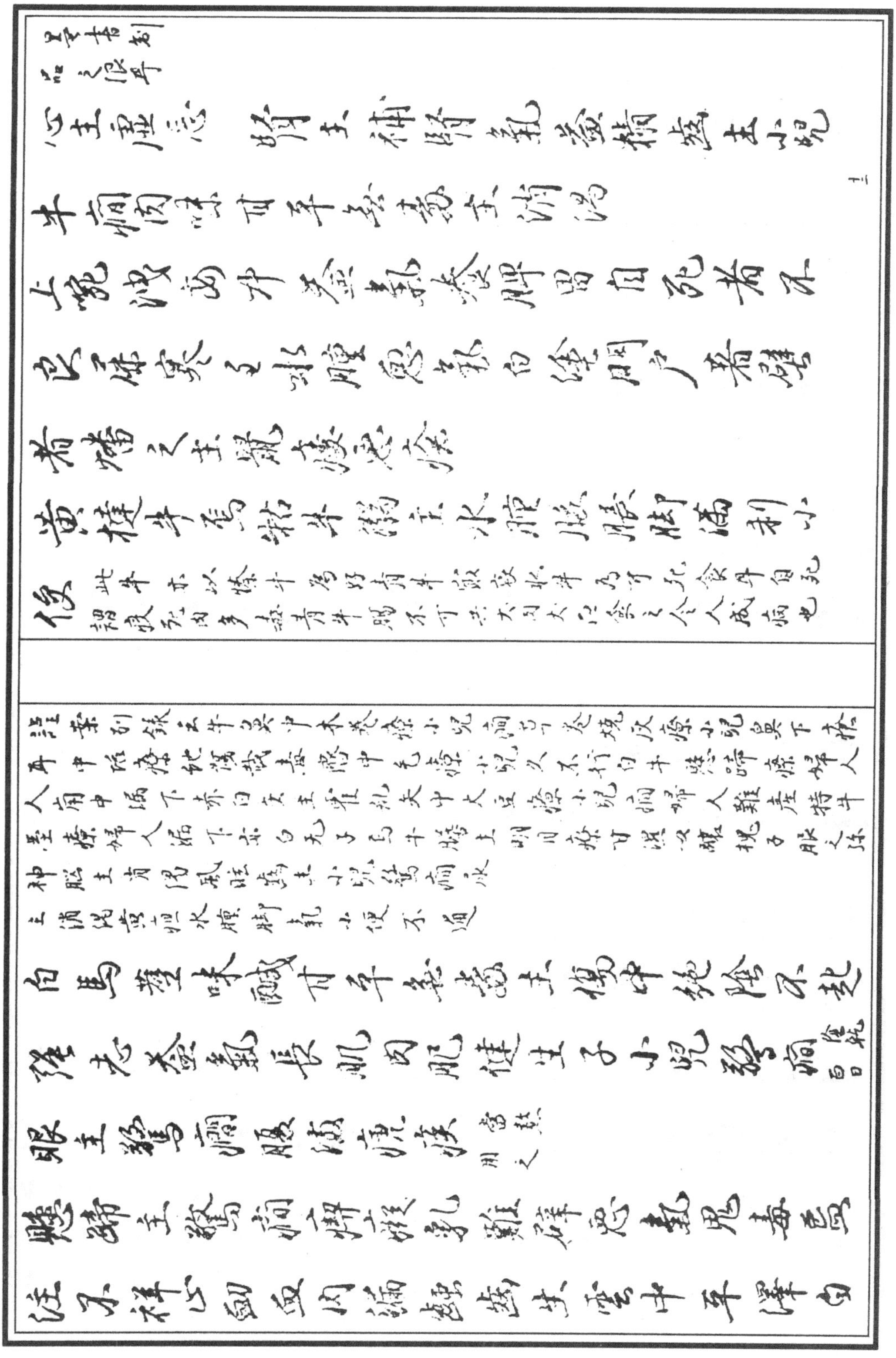

墨書別品之限耳
心主虛忘 腎主補腎氣益精髓主小兒
牛肉味甘平無毒主消渴
止啘洩安中益氣養脾胃自死者不
良 屎寒主水腫惡氣白塗門戶著壁
者燔之主鼠瘻惡瘡
黄犍牛烏牯牛溺主水腫腹脹脚滿利小
便 此牛亦以除牛為好青牛最良水牛乃可充食耳自死謂疫死肉多毒青牛腸不可共犬肉犬血食之令人成病也

謹案別錄云牛鼻中木卷療小兒癇草卷燒灰療小兒鼻下瘡
耳中垢療蛇傷惡蟲毒臍中毛療小兒久不行白牛懸蹄療婦人
人崩中漏下赤白無子主霍亂矢中大豆療小兒癇婦人難產特牛
莖療婦人漏下赤白無子烏牛膽主明目療甘濕以釀槐子服之除
神腦主消渴風眩齒主小兒牛癇尿
主消渴黄疸水腫脚氣小便不通
白馬莖味鹹甘平無毒主傷中絶陰不起
強志益氣長肌肉肥健生子小兒驚癇 陰乾百日
眼主驚癇腹滿瘧疾 當殺用之
懸蹄主驚癇瘈瘲乳難辟惡氣鬼毒蠱
注不祥止衄血內漏齲齒生雲中平澤白

馬蹄療婦人漏下白崩

赤馬蹄療赤崩甚驗

齒主小兒馬癇

鬐頭膏主生髮

鬐毛主女子崩中赤白

心主喜忘

肺主寒熱小兒莖瘻

肉味辛苦冷主除熱下氣長筋強腰脊壯健

十三

強意利志輕身不飢脯療寒熱痿痹

屎名馬通微溫主婦人崩中止渴利吐下血鼻衄金創止血

頭骨主喜眠令人不睡

溺味辛微寒主消渴破癥堅積聚男子伏梁積疝婦人瘕疾銅器盛飲

東行白馬蹄下土作方術用知女人外情馬色類甚多以純白者為良其口眼蹄皆白俗中時有兩三耳小小用不必拘馬肝及鞍下肉舊言殺人食駿馬肉不飲酒亦殺人白馬青蹄亦不可食禮云馬黑脊而斑臂漏脯亦不復中食骨傷人有毒人體有瘡馬汗馬氣馬毛亦並能為害人也

證案別錄云白馬毛療小兒驚癇白馬眼療小兒魃母帶之屎中
粟療金小兒客忤寒熱不能食馬銜主產難小兒毋無驚癇絆繩
主小兒癇並
煮汁洗之

牡狗陰莖味鹹平無毒主傷中陰痿不起
令強熱大生子除女子帶下十二疾一名狗精
六月之上伏取陰乾百日
膽主明目痂瘍惡瘡史平澤心主憂恚
氣除邪
腦主頭風痺痛療下部䘌瘡鼻中息肉

齒主癲癇寒熱卒風疿伏日取之
頭骨療金創止血
四腳蹄煮飲之下乳汁
白狗血味鹹無毒主癲疾發作肉味鹹酸溫
主安五藏補絕傷輕身益氣
屎中骨主寒熱小兒驚癇 白狗烏狗入藥用白狗 骨燒屑療諸瘡上瘻
及妬乳癰腫黃狗肉大補虛不及牡〻者文也又為牸犬言腳上別
有一懸蹄者是也白犬血合白雞肉白鵝肝白羊肉烏雞肉蒲子
等甘病人不可食犬春月目赤鼻燥欲狂猘不宜食 證案別
錄狗骨灰療下利生肌傅馬瘡狗血主產難橫生血上蕩心者

下頸骨主小兒諸癇陰卵生婦人十二疾為使服之
毛主產難白淋矢主丁瘡水紋汁服主諸毒吞入口者

鹿茸味甘酸溫微溫無毒主漏下惡血寒
熱驚癇益氣強志生齒不老療虛勞洒
洒如瘧羸瘦四肢酸疼腰脊痛小便利泄
精溺血破留血在腹散石淋癰腫骨中熱
疽養骨安胎下氣殺鬼精物不可近陰令
痿久服耐老四月五月解角時取陰乾使時燥

麻勃為之使　謹案鹿茸夏收陰乾
百不收一縱得一乾臭不任用破之火乾大好

角主惡瘡癰腫逐邪惡氣留血在陰中味鹹無毒
除少腹血痛腰痛折傷惡血益氣七月取　杜仲為之使
髓味甘溫主丈夫女子傷中脈絕筋急欬逆
以酒服之腎平主補腎氣肉溫補中強五臟
益氣力生骨療口僻割薄之　野肉之中唯麞鹿可食生不羶腥又非辰居

八卦先王所象故溫補於人則生死無尤故道家許聽為脯過其餘
肉雖牟羊雞犬補益充肌膚於亡魂皆為愆責並不足故允宗脯
炙之不動及見水而動及曝之不燥並殺人又茅屋漏脯即名漏
脯藏脯密器中名鬱脯並不可食之　謹案頭主消渴煎之可作
膠服之彌善筋主勞損續絕骨主虛勞可為酒主風虛補骨

髓脂主癰腫死肌溫中四支不隨風以通湊理一云不可近陰角主
猫鬼中惡腹注痛血主狂犬傷灸刺折傷陰痿補
虛止腰痛血主留血鼠瘻心腹痛不可近丈夫陰
麋骨微溫主虛損泄精肉溫補益五藏髓益
氣力悅澤人面 俗云白肉正是麋不能於庶言其白膝易點
卯此之許乃痛而不可合鵠肉食之成瘕痛也
十六
虎骨主除邪惡氣殺鬼疰毒止驚悸主惡
瘡鼠瘻
頭骨尤良
膏主狗齧瘡

爪辟惡魅
肉療惡心欲嘔益氣力 俗云熊食虎肉壞人齒信自如此
虎頭作枕辟惡魘以置戶上辟鬼
鼻懸戶上令生男頭骨雜朱書符療邪鬼疰痛凡多以壁土
小兒驚辟惡鬼 謹案別錄云屎療惡瘡其眼精療癲甚良中
骨灰療火瘡牙療丈夫陰瘡及
疽瘻鼻主癲疾小兒痼也
豹肉味酸平主安五藏補絕傷輕身利人 豹至希有用
亦鮮唯尾可
貴 謹案陰陽神豹尾及車駕鹵簿豹尾名
可尊故真豹尾有何可貴未辯陶證美理也
狸骨味甘溫無毒主風注尸疰鬼注毒氣皮中
淫躍如針刺者心腹痛走無常處及鼠瘻惡瘡

惡瘡頭骨尤良
肉亦療諸疰
陰莖療月水不通男子陰㿗燒之以東流水
服之 狸類又甚多今此用虎狸无用猫者猫狸亦好其骨至難别自取乃可信又有𤟹音信色黄而臭肉亦主鼠瘻及狸肉作羹如常法並佳　謹案狸屎灰主寒熱鬼瘧發无期度者極驗家狸亦好一名猫
兔頭骨平主頭眩痛癲疾
骨主熱中消渴
腦主凍瘡

十七

下獸

肝主目闇
宍味辛平無毒主補中益氣 兔宍乃大美亦益人任身不可食令子脣缺其肉又不可合白鷄宍食之令人面發黄合獺宍食之令人病遁尸　謹案兔皮毛合燒為灰酒服療難產產後衣不下及餘血搶心脹欲死者極驗頭皮主鬼注毒氣在皮中如針刺者又主鼠瘻膏主耳聾
六畜毛蹄甲味鹹平有毒主鬼疰蠱毒寒熱
驚癇癲痓狂走駱駝毛尤良 六畜謂馬牛羊猪狗鷄也騾驢亦其類駱駝出外國方家并不復用且馬牛羊鷄猪狗毛蹄亦已各出其身之品類中所主療不必偏用此矣　謹案駱駝毛蹄甲主婦人

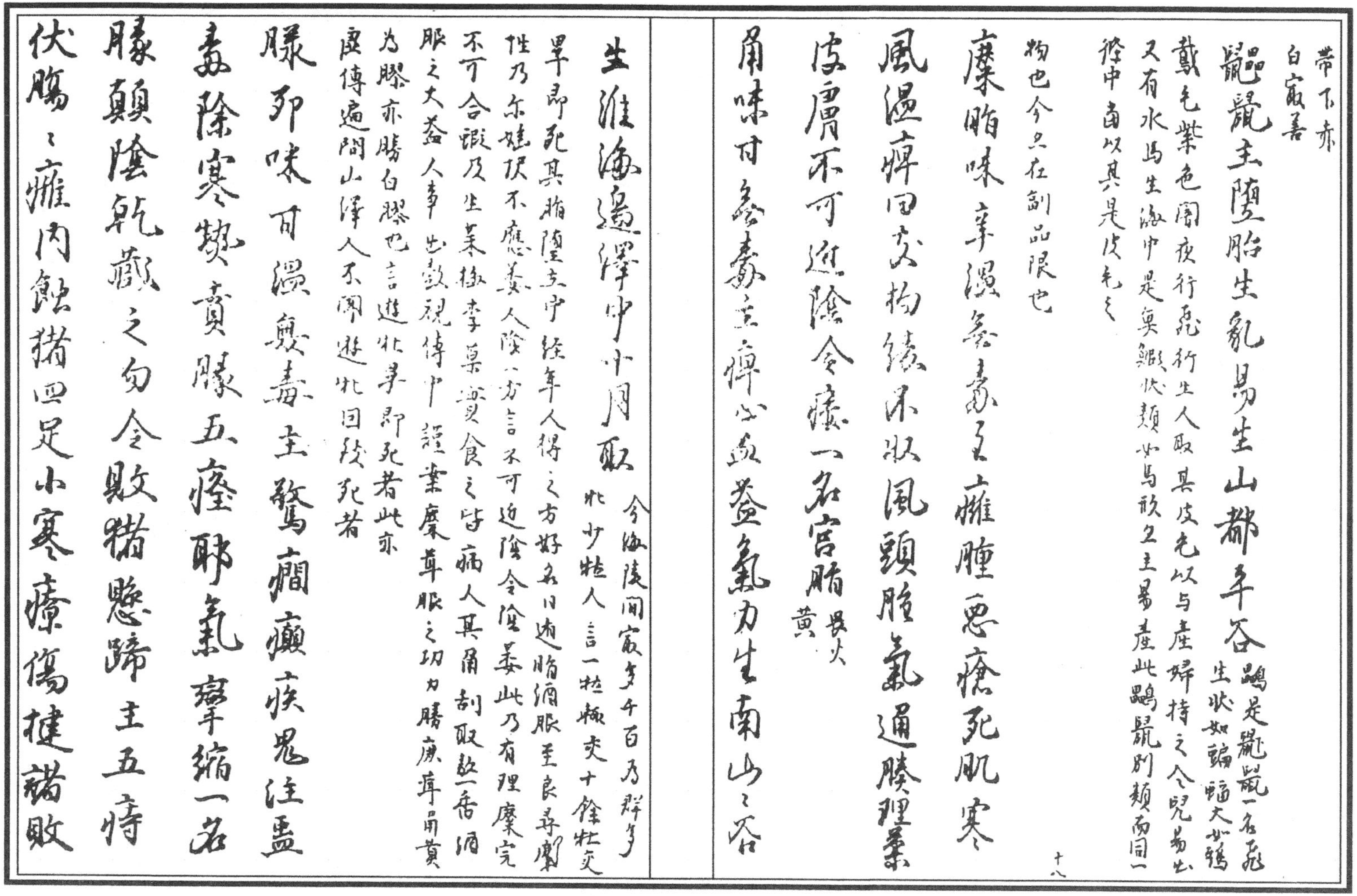

带下亦白癜善

鼺鼠主堕胎生乳易生山都平谷鸓是鼺鼠一名飛生狀如蝙蝠大如鸱鸢毛紫色闇夜行飛行生人取其皮毛以与産婦持之令兒易生又有水馬生海中是魚蝦狀類如馬形亦主易産此鸓鼺别類而同一條中者以其是皮毛之物也今亦在副品限也

麋脂味辛温无毒主癰腫惡瘡死肌寒風濕痺四支拘緩不收風頭腫氣通腠理柔皮膚不可近陰令痿一名官脂畏大黄

角味甘无毒主痺止血益氣力生南山山谷

十八

生淮海邊澤中十月取今海陵間最多千百為群多牝少牡人言一牡輒交十餘牝交畢即死其脂墮土中經年人得之方好名日遁脂酒服至良尋麋性乃尔婬佚不應痿人陰一方言不可近陰令陰痿此乃有理麋完不可合蝦及生菜梅李果實食之皆痛人其角刮取屑一兩酒服之大益人事出彭祖傳中謹案麋茸服之功力勝鹿茸角煑為膠亦勝白膠也言遊牝畢即死者此亦虚傳遍問山澤人不聞遊牝因致死者

豚卵味甘温无毒主驚癇癲疾鬼注蠱毒除寒熱賁豚五癃邪氣攣縮一名豚顛陰乾藏之勿令敗猪懸蹄主五痔伏腸腸癰內蝕猪四足小寒療傷撻諸敗

癎下乳汁心主驚邪憂恚腎冷利理腎
氣通膀胱療傷寒熱渴
肚補中益氣止渴利
齒主小兒驚癎五月五日取豬膏主生髮肪
膏主煎諸膏藥解斑苗芫青毒猳豬肉
味酸冷療狂病
凡豬肉味苦主閉血脉弱筋骨虚人肌不
可久食病人金創者尤甚

豬屎主寒熱黄疸濕痺 豬爲用家多唯宍不宜人人有多食皆能
暴肥此蓋惡風故也其脂能悅澤皮膚作手膏不皸裂
肪膏煎藥無不用之勿令中水臘月者歷年不壞頸上膏謂
之負革脂入道家用其乳汁極療溫毒食其宍飲酒不可卧
秫稻穰中又白豬蹄白雜青者不可食食豬膏又忌烏梅也
謹案別録云豬耳中垢療蛇傷豬腦主風眩腦鳴及凍瘡血主
奔㹠暴氣中風頭眩淋瀝乳汁療小兒驚癎頭亦主小兒驚癎及
鬼毒去來寒熱五癃五藏主小兒驚發汁十二月上亥日取肪内新瓦器
中埋亥地百日主癰疽名腽脂方家用之又云一升脂著雞子白十枚更良
鼹鼠味鹹無毒主癰疽諸瘻蝕惡瘡陰䘌
爛瘡在土中行五月取令乾燔之 從中一名隱鼠一名鼢鼠形如鼠大
而無尾黑色長鼻甚強恒穿耕地中行討掘即得今諸山林中又有
一獸大如水牛形似豬灰赤色下腳似象胸前尾上皆白有力而鈍亦

名鼺鼠人踪捕取食之肉亦似牛多以作脯其膏亦主痿乃云此
是鼫鼠五具精溺一滴落地輒成一鼠穀有鼠災年則多出恐非虛耳
穀字一作㲉此鼠踣殊未俑服又以
骨擣碎釀酒將飲之並治瘻良驗也

獺肝味甘有毒主鬼注蠱毒卻魚鯁欬燒服之肉
療疫氣溫病及牛馬時行病煮取汁灌之亦
良
獺有兩種有獱獺形大頭如馬身似蝙蝠不入藥用此當取
常所見者其骨亦療食魚骨鯁有牛馬家可取矢録之多
出溪岸邊其肉不可与兔肉雜食也
謹案别録云獺四足主手足皮皴裂

狐陰莖味甘有毒主女子絶産陰痒小兒陰
頹卵腫五藏及腸味苦微寒有毒主蠱毒寒

療小兒驚癇
雄狐屎燒之辟惡在木石上者是
似狸而黃亦善能為魅也　謹案狐肉及腸作臛食之主疥瘡久不差　江東無狐皆出
者腸主牙疾燒灰和水灌之乃瞎獺狐鼻尖似小狗唯尾大全不似狸　北方及益州間亦
猯膏肉胞膏味甘平無毒主上氣乏氣
欬逆酒和三合服之日二又主馬肺病蟲
顙等病肉主久水脹不差垂死者作
羹臛食之下水大効胞乾之湯摩如雞
卵許空腹服之誅蠱毒　新附

野猪黄味辛甘平无毒主金疮止血生
肉癫痫水研如枣核日二服効 新附
驴屎熬之主熨风肿瘘疮
屎汁主心腹卒痛诸疰忤尿主癥癖胃反
吐不止牙齿痛水毒
草驴屎主燥水
父驴尿主湿水一服五合良燥水者画体成
字湿水者不成字

乳主小儿热惊急黄等多服使利热毒
尾下轴垢水洗取汁和面如弹丸二枚作烧
饼未发前食一枚至发时发一枚主疟无
久新发无期者 新附
豺皮性热主冷痹脚气熬之以缠病上瘥
止 新附
丹雄鸡味甘微温微寒无毒主女人崩中
漏下赤白沃补虚温中止血不伤之疮通神

煞毒不祥頭主煞鬼東門上者弥良白雄雞
肉微溫主下氣療狂邪安五藏傷中消渴
烏雄雞肉溫主補中止痛
膽微寒主療目不明肌瘡
心主五邪
血主踒折骨痛及痿痺
肪主耳聾
雞腸主遺尿小便數不禁

廿二

肝及左翅毛主起陰
冠血主乳難
肶胵裏黃皮微寒主泄利小便利遺溺除熱
止煩
矢白微寒主消渴傷寒寒熱破石淋及轉筋利
小便止遺溺滅瘢
黑雌雞主風寒濕痺五緩六急安胎其血無毒
平療中惡腹痛及踒折骨痛乳難翮羽主下

血閉

黃雌鷄味酸平主傷中消渴小便數不禁腸

澼洩利補益五藏續絕傷療虛勞益氣力

助骨主小兒羸瘦食不生肌

廿三

雞子除熱火瘡療癇痓可作虎魄神物卵白

微寒療目熱赤痛除心下煩止煩滿欬逆小兒

下洩婦人產難胞衣不出醯漬之一宿療黃疸

破大煩熱卵中白皮主久欬結氣得麻黃紫菀

服之立已雞白蠹能肥脂生朝鮮平澤雞此例又甚多云雞子作

琥珀者用欲假卵黃白混雜煮作之亦極相似唯不拾芥耳又煮白

合銀口含須臾色如金雞子不合葫蒜及李子食之烏鷄肉不可合犬肝

腎食之小兒食雞肉好生蚘虫又鷄不可合芥菜蒸之朝鮮乃在玄菟

樂浪不應總是雞所出今云白蠹不知是何物恐此別一種耳　謹案白

雞距及脂療產難灰

酒服之腦主小兒雞癇

白鵝膏主耳卒聾以灌之

毛主射工水毒肉平利五藏東川多溪毒鵝以辟之毛羽亦佳中射工者飲血又以塗

身鵝未必食射工特以威相制耳乃言鵝不食生蟲今鵝子亦噉

蚯蚓輩也謹案鵝毛主小兒驚癇極者燒灰主之

鶩肪味甘無毒主風虛寒熱

白鴨屎名鴨通主殺石藥毒解結縛蓄熱內補虛熱和藏府利水道

鶩即是鴨々有家有野前本經鴈肪一名鶩肪具療小異此說則專是家鴨耳黃雌鴨爲補最勝鴨卵不可合鱉完食之凡鳥自死口不閉者皆不可食之食之殺人主小兒驚癇又主水腫通利小便古方療水用鴨頭丸也

廿四

陶景別錄云鴨肪主水腫血解諸毒肉

鴈肪味甘平無毒主風攣拘急偏枯氣不通利久服長髮鬚眉益氣不飢輕身耐老一名鶩肪生南海池澤取無時

詩云大曰鴻小曰鴈今鴈類亦有大小皆同一形又別有野鵞大於鴈猶似家蒼鵞謂之駕鵞鴈肪自不多食其肉亦鴈應好鵞作本青云是野鴨今此一名鶩肪則鴈鶩皆相類耳壯陵又有鴨事別注在後夫鴈乃住江湖而夏應産伏皆往北恐鴈門北人不食此鳥故也中原亦重之耳 雁條元時以冬月者好也 謹案別錄云鴈喉下白毛療小兒癇夫鴈爲陽鳥冬則南翔夏則北徂時當春夏則孳育於北豈謂此人不食乎然鴈與鵞相及鶩北則鴈往鶩往則鴈來也故禮云秋候鴈來春玄鳥至矣

鷓鴣鳥味甘溫無毒主嶺南野葛菌毒生金毒及溫瘴久欲死不可差者合毛熬酒漬服之生擣取汁服最良生江南形似母雞鳴云鉤輈格磔者是也 有鳥相似不作此鳴則非也 新附

禽中

雉完味酸微寒無毒主補中益氣力止泄利除蟻

瘻 雉雞非辰属酉正是離禽景午日不可食者明其王於火也 證類 東雉味甘主諸瘻瘡也

鷹矢白主傷撻滅瘢 正單用白亦不能滅瘢復應合諸藥僵蠶衣魚之属以為膏 證類

廿五

鷹矢灰之酒服方寸匕 主惡酒勿使飲人知之

雀卵味酸溫無毒主下氣男子陰痿不起強

之令熱多精有子腦主耳聾

頭血主雀盲

雄雀矢療目痛決癰癤女子帶下溺不利除

疝瘕五月取之良 雀性利陰陽故卵亦然術云雀卵和天雄丸服之令莖大不衰人患黃昏間目無所見謂之為雀盲其頭血療之雄雀矢兩頭尖是也亦療齲齒雀完不可合李食之亦忌合醬食任身尤禁也 證類別錄云雀矢和男首子乳如薄泥點目中胬肉赤脈貫瞳子上者即消神効以蜜和為丸酒飲服主癥癖久痼冷病或和少干薑服悅人

鸛骨味甘無毒主鬼蠱諸注毒五尸心腹疾

鸛亦有兩種似鵠而巢樹者為白鸛黑色曲頸者為烏鸛今此用白者

雄鵲味甘寒無毒主石淋消結熱可燒作灰以石

投中解者雄也 五月五日鵲腦入術家用一名飛駁烏烏之雌雄難別舊言其翼左覆右是雄右覆左是雌又燒毛作屑內水中沉者是雄浮者是雌今云投石恐止是鵲耳餘鳥未必爾並未試之

鴝鵒肉味甘平無毒主五痔止血炙食或爲散服飲之 鳥似鵙而有幘者

鷰矢味辛平有毒主蠱毒鬼疰逐不祥邪氣破五癃利小便生高山平谷 廿六 鷰有兩種有胡有越紫胸輕小者是越鷰不入藥用胸斑黑聲大者是胡鷰俗呼胡鷰爲夏候其作窠喜長人言有容一疋絹者令家富窠亦入藥用與矢同多以作湯洗浴療小兒驚邪也窠戶有北向及尾倔色白者皆是數百歲鷰食之延年凡鷰肉不可食令人入水爲蛟龍所吞亦不宜殺 謹案別録云胡鷰卵主水浮腫肉出痔虫越鷰屎亦療痔殺虫去目翳

孔雀矢微寒主女子帶下小便不利 生廣益諸州郡

謹案孔雀生廣州有納而元无下亦莶之古蘇不見用其矢也

鸕鷀矢一名蜀水華去面黑䵟黶誌頭微寒主哽及噎燒服之 溪谷間甚多見之當自取其矢勿用白處市賣不可信用亦主魚哽此鳥不卵生口吐其雛獨爲一異也

鴟頭味鹹平無毒主頭風眩顛倒癇疾 即俗人呼爲老鴟者一名鳶又作鷂音又有鵰鶚並相似而大雖不限雄雌恐雄者勝今合鴟頭酒用之當毀?不用老鴟也

新修本草獸禽部卷第十五　著官位廿三行

顯慶四年正月十七日朝議郎行右監門府長史騎都尉臣蘇敬上

儒林郎行禮部主事雲騎尉臣顏仁楚

登仕郎守潞王府參軍臣吳師哲

太子藥藏局丞飛騎尉臣蔣義方

朝議郎行太常寺太卜令上騎都尉臣賈文通

太子洗馬弘文館學士臣孔志約

朝議大夫行太史令上輕車都尉臣李淳風

廿七

中散大夫行太常丞上護軍臣呂才

太常寺醫監上騎都尉臣蔣元昌

太常寺太醫令臣許弘感

朝請郎行太常寺太醫令臣蔣季琬

朝請郎守太子藥藏監上騎都尉臣吳嗣宗

朝散大夫行太子藥藏監臣蔣孝瑜

給事郎守尚藥局侍御醫雲騎尉臣巢孝儉

尚藥局直長雲騎尉臣許弘真

新修本草獸禽部卷第十五

顯慶四年正月十七日朝議郎行右監門府長史騎都尉臣蘇敬上

登仕郎行禮部主事雲騎尉臣顏仁楚

登仕郎守潞王府參軍臣吳師哲

□守藥藏局丞飛騎尉臣蔣季瑜

朝議郎行太常寺太卜令上騎都尉臣賈文通

□太子洗馬弘文館學士臣孔志約

朝議大夫行太史令上輕車都尉臣李淳風

中散大夫行太常丞上護軍臣吕才

[illegible]太常寺[illegible]臣許弘[illegible]

太常寺太醫令臣許[illegible]

朝議郎行太常寺[illegible]令臣蔣季琬

朝議郎守太子藥藏監上騎都尉臣吳嗣宗

朝散大夫行太子藥藏監臣蔣孝璋

給事郎守尚藥局直長雲騎尉臣巢孝儉

尚藥奉御[illegible]騎都尉臣許孝崇

朝議郎行尚藥局直長騎都尉臣蔣孝璋

朝議郎守尚藥局奉御飛騎尉臣蔣孝琬

朝散大夫守尚藥局奉御上騎都尉臣胡家

廿八

中大夫行尚藥局奉御臣許孝崇

兼侍中護軍臣辛茂將

中書令太子賓客監修國史上柱國高陽郡開國公臣許敬宗

司空上柱國英國公臣勣

天平三年歲次辛未七月十七日書生田邊史

新修本草菓部卷第十七

司空上柱国英国公臣勣奉　勅修

上　豆蔻　蒲陶　蓬蘽　覆盆　大棗

藕實　鷄頭　芰實　栗　櫻桃

中　梅實　枇杷　柹　木瓜　甘蔗

石蜜　沙糖　芋　烏芋

下　杏核　桃核　李核　梨　柰　安石榴

右菓類合廿五種八種神農本經十五種名醫別二種新附已菓上

荳蔲味辛溫無毒主溫中心腹痛嘔吐去口臭氣生南海味辛烈者爲好甚香可恒含之其五和糝中物皆宜人廣薑最溫ㄣ下氣益智契枸緣溫甘貴麁日進小冷耳謹案杜若苗似山薑花黃白苗根及子亦似杜若藥緣性冷陶景云似杜若誤矣

蒱陶味甘平無毒主筋骨濕痺益氣倍力強志令人肥健耐飢忍風寒久食輕身不老延年可作酒逐水利小便生隴西五原燉煌山谷魏國使人多齎來狀如五味子而甘美作酒云用其藤汁殊美好北國人多肥健耐寒蓋食斯乎不植淮南亦如橘之變於河北矣人說即是此間蘡薁恐如彼之枳類橘耶謹案蘡薁與蒱陶相似然蘡薁是千歲虆蒱陶作酒法總收取子汁釀之自成酒蘡薁山蒱非[illegible]也矣酒陶景言用藤汁為酒謬矣

蓬蘽味酸鹹平無毒主安五藏益精氣長陰令堅強志倍力有子又療暴中風身熱大驚久服輕身不老一名覆

食一名陵累一名陰累生荊山平澤及
冤句李云所是人所食莓耳
覆盆味甘平無毒主益氣輕身令
髮不白五月採實蓬蘽是根名方家不用乃昌容所服以易顏色者也覆盆是實名李云是莓子乃似覆盆之狀而以津汁為味其核甚微細藥中所用覆盆子小異此未詳孰是謹案覆盆蓬蘽一物異名本謂實非根也李云莓子亦說其根不入藥用然生處不同沃地則子大而甘瘠地則子細而酸此乃子有甘酸根无酸味陶景以根酸子甘將根入藥重出子條殊為孟浪

大棗味甘平無毒主心腹邪氣安中
養脾助十二經平胃氣通九竅補少
氣少津液身中不足大驚四肢重和
百藥補中益氣強力除煩悶心下懸
腸澼久服輕身長年不飢神仙一名
乾棗一名美棗一名良棗八月採暴
乾三歲陳核中人燔之味苦主腹痛
邪氣生棗味辛令人多熱羸瘦者不

可食葉覆麻黃能出汗河東平澤大棗殺烏

頭毒舊云河東猗氏縣棗特異今出青州出彭城棗形小核細

多膏肯甚甜州互市亦得之而鬱州者亦好小不及耳江東臨沂

金城棗形大而虛少脂好者亦可用及南棗大惡殊不堪噉

道家方藥以棗為佳餌其皮利肉補所以合湯皆擘用之蒸

案別錄云棗葉散服使人瘦久即

嘔吐揩熱疿瘡至良

藕實莖味甘平寒無毒主補中養神

益氣力除百疾久服輕身耐老不饑

延年一名水芝丹一名蓮生池澤

八月採即今蓮子八九月取堅黑者乾擣破之華

及根並入神仙用今云莖恐即是根不爾不

應言甘也宋帝時太官作羊血䘓人削藕皮誤落血中遂皆散

不凝醫仍用藕療血多效也　蓬實別錄云藕主熱渴散血生肌

久令人

心懽

雞頭實味甘平無毒主濕痹腰脊膝

痛補中除疾益精氣強志耳目聰

明久服輕身不饑耐老神仙一名鴈

喙實一名芡生雷澤池澤八月採

此即今蔦子〻形上花似鷄冠故名雞頭仙方取此并蓮實合餌能令小兒不長自别有方正尔食之亦當益人謹案此實去皮作粉与菱粉相似益人勝菱也

芰實味甘平無毒主安中補藏不飢輕身一名蔆廬江間最多皆取火燔以爲米充粮今多蒸暴蜜和餌之斷穀長生水族中又有菰首性冷恐非上品被霜後食之令陰不强又不可雜白蜜食令生虫謹案芰作粉極白潤宜人

栗味鹹溫無毒主益氣厚腸胃補腎氣令人忍飢生山陰九月採今會稽最豐諸暨栗形大皮厚不美剡及始豐皮薄而甜相傳有人患脚弱往栗樹下食數升便能起行此是補腎之義然應生噉之今若餌服故宜蒸曝之謹案栗作粉勝於菱芰嚼生者塗病上療筋骨斷碎疼痛腫瘀有効其皮名扶擣爲散蜜和塗肉令急縮毛殼療丹火瘡毒腫實飼孩兒令齒不生樹白皮水煑汁主溪毒

櫻桃味甘主調中益脾氣令人好色美志此即今朱櫻桃味甘酸可食而所主又與前櫻桃相似恐醫濫載之未必是今者尔又胡頹子凌冬不凋子亦應益人或云寒熱病不可食謹案擣葉封主蛇毒絞汁服防蛇毒攻内也

梅實味酸平無毒主下氣除熱煩滿安心支體痛偏枯不仁死肌去青黑誌惡疾心下利好唾口乾生漢中川谷

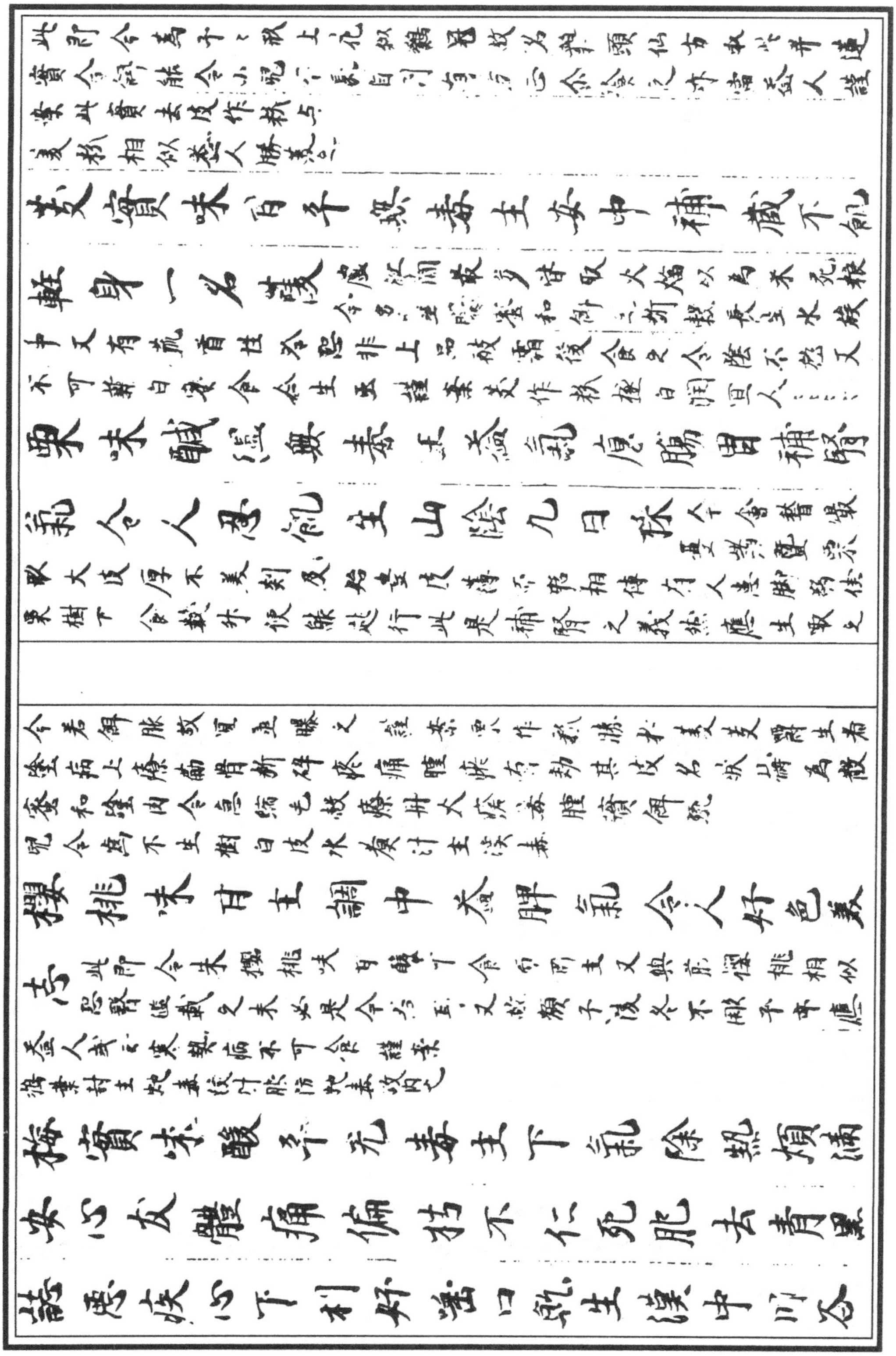

五月採火乾。此亦是今烏梅也，用之去核，微熬之。傷寒煩熱，水漬飲汁。生梅子及白梅亦應相似。人今多用白梅和藥，以點誌，蝕惡肉也。服黃精人云禁食梅實。謹案別錄云：梅根療風痹，出土者殺人。梅實利筋脈，去痹。

枇杷葉 平。主卒啘不止，下氣。不暇煮，但嚼食亦差。人以作飲，乃小冷。謹案：用枇杷葉須火布拭去毛，毛射人肺，令欬不已。又主啘逆不下食。

柿 味甘，寒，無毒。主通鼻耳氣，腸澼不足。柿有數種，云今烏柿，火熏者性熱，斷下，又療狗齧瘡。火柿若亦好。日乾者性冷，生柿彌冷，不多食，令人腹痛利。生柿枝冷。又有椑，色青，惟堪生噉，其冷復乃甚於柿，散石熱家噉之，亦無嫌，不入藥用。謹案別錄云：火柿主殺毒，療金瘡、火瘡，生肉止痛。軟熟柿解酒熱毒，止口干，壓胃間熱。

木瓜實 味酸，溫，無毒。主濕痹邪氣，霍亂大吐下，轉筋不止。其枝亦可煮用。山陰蘭亭尤多，彼人以為良藥，最療轉筋。轉筋時，但呼其名及書上作木瓜字，皆愈，理亦不可解。俗人拄木瓜杖，云利筋脛。又有榠樝，大而黃，可進酒去痰。又查子澀，斷利。禮云：查梨曰攢之。鄭公不識查，乃云是梨之不臧者。然則古亦以查為果，今則不入例也。已此屬多不益人者也。

甘蔗 味甘，平，無毒。主下氣，和中，補脾氣，利大腸。今出江東為勝，廬陵亦有好者。廣州人種，數年生，皆如大竹，長丈餘，取汁以為沙糖，甚益人。又有荻蔗，節疏而細，亦可噉。

石蜜味甘寒無毒主心腹熱脹口乾渴性
冷利出益州及西戎煎煉沙糖為之作
餅塊黃白色 云用水牛乳米粉和煎乃得成塊西戎
來者佳江左亦有殆勝蜀者云用牛
乳汁和煎之糖並作沙
餅堅重為者也新附
沙糖味甘寒無毒功體與石蜜同而冷利
過之笮甘蔗汁煎作蜀地西戎江東並有而
江東者先劣今優 新附

芋味辛平有毒主寬腸胃充肌膚滑中
一名土芝 錢唐最多生則有毒味蘞不可食性滑下
石服餌家所忌種芋三年不採成梠芋又
別有野芋名老芋形葉相似如一根並殺人人不識而食之
死者他人以土漿及糞汁與飲之得活矣謹案芋有六種有
青芋紫芋真芋白芋連禪芋野芋其青芋細長毒多初
煑粟須灰汁易水煑熟乃堪食耳白芋真芋連禪芋紫芋
毒少並正可蒸煑啖之又宜冷啖療熱止渴其真白連禪
兼肉作羹大佳蹲鴟之饒蓋謂此也野芋大毒不堪啖
烏芋味苦甘微寒無毒主消渴痹熱熱中益
氣一名藉姑一名水萍二月生葉葉如芋三
月三日采根暴乾 今藉姑生水田中葉有椏狀如澤
瀉不正似芋其根黃似芋子而小

羞食之乃可噉疑其有毒名今有毒茹根莖相似細而美葉
赤異狀頭如毛草中為鳥洗恐此非也謹案此草一名樸一名萩
蕪主百毒產後血悶欲心欲死產難衣不出擣汁服一升
生水中葉似箭鏃澤瀉之類也千金方去下石淋也

杏核味甘苦溫冷利有毒主欬逆上氣雷鳴喉痹下氣產乳金創寒心賁豚驚癇心下煩熱風去來時行頭痛解肌消心下急欬狗毒一名杏子五月採其兩人者欬人可以毒狗

花味苦无毒主補不足女子傷中寒熱痺厥逆實味酸不可多食傷筋骨生晉山川谷

得火良惡黃耆黃芩葛根解錫毒畏蘘草漆〻有藥中多用之湯浸去赤皮熬令黃

桃核味苦甘平無毒主瘀血閉瘕邪氣殺小虫主欬逆上氣消心下堅除卒暴擊血破癥瘕通月水止痛七月採取人陰乾

桃華殺注惡鬼令人好色味苦平無毒主除水氣破石水利小便下三虫悅澤人面三月三日採陰乾

桃梟殺百鬼精物味苦微溫主中惡腹痛殺精魅五毒不祥一名桃奴實著樹不落實中者正月採之　桃毛主下血瘕寒熱積聚無子帶下諸疾破堅閉刮取實毛　桃蠹殺鬼辟不祥食桃樹蟲也　其莖皮除邪鬼中惡腹痛去胃中熱　其葉味苦平無毒主除尸蟲出瘡中蟲　其膠練之主保中不飢忍風寒　其實味酸多食令人有熱生太山川谷處〻有京口者亦好當取解核種之為佳又有山桃其人不堪用俗用桃人作酪乃言冷桃膠入仙家用三月三日花亦供丹方所須方言服三樹桃花盡則面色如桃花人亦無試之者服木人去禁食桃也謹案桃膠味甘苦平無毒主下石淋破血中惡疰忤花主下惡氣消腫滿利大小便腸

李核人味甘苦平無毒主僵仆躋瘀血骨痛根皮大寒主消渴止心煩逆奔氣實味苦除固熱調中李類又多京口有麥李麥秀時熟小而甜脆核不入藥今此用姑熟所出南居李解核如杏子者為佳凡李實熟食之許好不可合雀肉食又不可臨水上啖之李皮水煎含之療齒痛佳之

梨味苦寒，令人寒中，金創乳婦尤不可食。

梨種復殊多，並皆冷利，俗人以為快果，不入藥用，食之損
人。謹案：梨削貼湯火創，不爛止痛，易差。又主熱嗽止渴。
葉主療霍亂吐利不止，
煮汁服之。

柰味苦寒，多食令人臚脹，病人尤甚。江南
乃有而
北國最豐，皆以作脯，不宜人。有林檎相似而小，亦恐非益人者。
枇杷葉已出上卷，其實乃宜人，東人陝子陽最少也。

安石榴味酸甘，損人，不可多食。其酸實殼，

療下利，止漏精。其東行根，療蛔蟲、寸白。石榴
以花

赤可愛，故人多植之，尤為外國所重。入藥惟根
殼而已。其味有甜酢，藥家用酢者。其子為服食所忌也。

新修本草菓部卷第十七

米上　　下　　中　　上

新修本草米等部卷第十九

司空上柱國英國公臣勣等奉　勅修

胡麻　青蘘　麻蕡　飴糖

大豆　赤小豆　豉　大麥　穬麥

小麥　青粱米　黃粱米　白粱米　粟米

丹黍米　蘗米　秫米　陳廩米　酒

腐婢　藊豆　黍米　粳米　稻米

稷米　酢　醬　鹽

右米等部合廿八種　六種神農本經　二種名醫別錄

胡麻　味甘平無毒主傷中虛羸補五內益氣力長肌肉填髓腦堅筋骨金創止痛及傷寒溫瘧大吐後虛熱羸困久服輕身不老明耳目耐飢延年以作油微寒利大腸胞衣不落生者摩瘡腫生禿髮一名狗虱

一名方莖一名鴻藏一名巨勝葉名青
蘘生上黨川澤
八穀之中唯此為良淳黑者名巨勝
巨者大也是為大勝本生大宛故名
胡麻又莖方名巨勝莖圓名胡麻服食家當九蒸九曝熬
擣餌之斷穀長生充飢雖易得俗中學者猶不能恒服而況餘藥
耶蒸不熟令人髮落其性與茯苓相宜俗方用之甚少唯時以合
湯丸耳麻油生笮者如此若蒸炒正可供作食及燃耳不入藥用
謹案此麻以角作八棱者為巨勝四棱者名胡麻都以
烏者良白者劣爾生嚼塗小兒頭瘡及浸淫惡瘡大効
青蘘味甘寒無毒主五藏邪氣風寒
濕痹益氣補腦髓堅筋骨久服耳目聰明
不飢不老增壽巨勝苗也生中原川谷

胡麻葉也甚肥滑亦可以沐頭但不知云何服之仙方並無用此
法正當陰乾擣為丸散耳既服其實故不復假苗五符巨勝丸亦
用葉名青蘘本生大宛度來千年耳謹案
青蘘本經在草上品中既堪啖今從細米部
麻蕡味辛平有毒主七傷利五藏下血
寒氣破積止痹散膿多食令人見鬼
狂走久服通神明輕身一名麻勃此麻
華上勃勃者七月七日採良
麻子味甘平無毒主補中益氣肥健
不老療中風汗出逐水利小便破積血

渴復血脈乳婦產後餘疾長髮可為沐藥

久服神仙九月採入土中者損人生太山川

谷畏牡蠣白薇惡茯苓麻蕡即牡麻牡麻則無實今人作布
及屩用之麻勃方藥亦少用術家合人參服之令逆知未來事

其子中人合丸藥并釀酒大善而是性滑利麻根汁及煮飲之亦

主瘀血石淋謹案蕡即麻實非花也爾雅云蕡枲實禮云苴麻

之有蕡者注云有子之麻為苴皆謂子也陶以一名麻勃謂勃勃然如花

者即以為花重出子條誤矣既以麻蕡為米之上品今用花

為之花豈堪食乎根主產難胞衣不出破血壅脹帶下崩中不止

者以水煮服之效漚麻汁主消渴搗葉水絞取汁服五合主蚘

蟲搗傅
蠍毒效

飴糖味甘微溫主補虛乏止渴去血

方家用飴糖乃云膠飴皆是濕糖如厚蜜者建中湯多

用之其凝強及牽白者不入藥[illegible]

酒用麴糖用蘗猶同是米麥而為中上之異糖

當以和潤為優酒以醇醨為劣

大豆黃卷味甘平無毒主濕痹筋攣

膝痛五藏胃氣結積益氣止毒去黑皯

潤澤皮毛生大豆味甘平塗癰腫煮飲

汁殺鬼毒止痛逐水脹除胃中熱痹傷

中淋露下瘀血散五藏結積內寒殺烏頭

毒久服令人身重炒為屑味甘主胃中熱去

腫除痺消穀止脹主太山平澤九月採惡五參龍膽得前胡烏喙杏人牡厲良

赤小豆主下水排癰腫膿血味甘酸平溫無毒主寒熱熱中消渴止泄利小便吐逆卒澼下脹滿大小豆共條猶如葱薤義也以大豆為蘗牙生便乾之名為黃卷用之亦熬服食家所須煮大豆主溫毒水腫殊効復有白大豆不入藥小豆性逐津液久食令人枯燥矣謹案別錄云葉名藿止小便數去煩熱

豉味苦寒無毒主傷寒頭痛寒熱瘴氣惡毒煩躁滿悶虛勞喘吸兩脚疼冷又殺六畜胎子諸毒豉食中之常用春夏天氣不和蒸炒以酒漬服之至佳暑熱煩悶冷水漬飲二三升依康伯法先以醋酒溲蒸曝燥麻油和又蒸曝之三過乃末椒乾薑屑合和以進食勝今作油豉也患脚人恒將其酒以滓傅脚皆差好者出襄陽錢唐香美而濃取中心彌善也

大麥味鹹溫微寒無毒主消渴除熱益氣調中又云令人多熱為五穀長食蜜為之使今裸麥一名麰麥似穬麥唯無皮耳謹案大麥出關中即青稞麥是形似小麥而大皮厚故謂大麥殊不似

穬麦也大麦麺平胃止渴消食疗胀

穬麦味甘微寒无毒主轻身除热以作糵温消食和中

此是今马所食者性乃言热而云微寒恐是作屑与合殻异也服食家并食大穬二麦令人轻身健

谨案穬麦性寒陶云性热非也稍凉云作屑与合殻异此谬江东少有故斟酌言之耳

小麦味甘微寒无毒主除热止燥渴利小便养肝气止漏血唾血以作麹温消穀止利以作麪温消热止烦

小麦合汤皆完

用之热家疗瘥也作麹则温明穬麦亦当如此今服食家噉麪不及大穬麦犹胜于米耳谨案小麦汤用不许皮坼云坼则温明坼不能消热止烦也小麦麹止利平胃主小儿痫消食痔子有半麹煮并半麪完小麦为之一名麹子者止痢小麦为之一人黄衣亦并消食下气利下脐破冷气已

青粱米味甘微寒无毒主胃痹热中渴利止泄利小便益气补中轻身长年

凡云粱米皆是粟类惟其牙头色异为分别耳青粱出北今江东少有汉中之表去粱定动粟米今作用则不全也谨案青粱穀穗有毛粒青米亦微青而细于黄白粱也穀粒似青稞而少粗夏月食之极为清凉但以味短色恶不如黄白粱故人少种之此穀早熟而收少也作饧清白胜余米

黄粱米味甘平無毒主益氣和中止洩

黄粱出青冀州此間不見耳 謹案黄粱出蜀漢商淅間
亦種之穗大毛長穀米俱麁於白而收子少不耐水旱食之香
美逾於諸粱人号為竹根黄而陶注白
粱云襄陽竹根者是此乃黄粱非白粱也

白粱米味甘微寒無毒主除熱益氣

今處〻有襄陽竹根者最佳所以夏月作粟飧亦以除熱也
謹案白粱穗大多毛且長諸粱都相似而白粱穀麁扁長不似粟
圓也米亦白且大食之香美黄粱之亞矣陶云竹根竹根乃黄粱非
白粱也然粱雖粟類細論則別謂作粟飧殊乖的稱

粟米味鹹微寒無毒主養腎氣去胃
脾中熱益氣陳者味苦主胃熱消渴利小便

江東所種及西間皆是其粒細於粱米熟舂令白亦以當白粱呼為白
粱粟陳者謂經三年五年者或呼為粢米粢音資以作粔籹尤解
煩悶服食家亦將食之 謹案粟有多種而並細於諸粱北土
常食與粱有別陶云當白粱又云或呼為粢粢則是稷稷乃穄
之異名也其米泔汁主霍亂卒熱心煩渴飲數升立差臭泔
止消渴尤良米麥麩米甘寒無毒主寒中除熱渴解煩消石
氣也米麥麩
麩作〻作麩字

丹黍米味苦微溫無毒主欬逆霍亂止
洩除熱止煩渴

此則赤黍也亦出此間江東時有種而
非土所宜多入神藥用又黑黍名秬供釀酒
祭祀
用之

糵米味苦無毒主寒中下氣除熱也

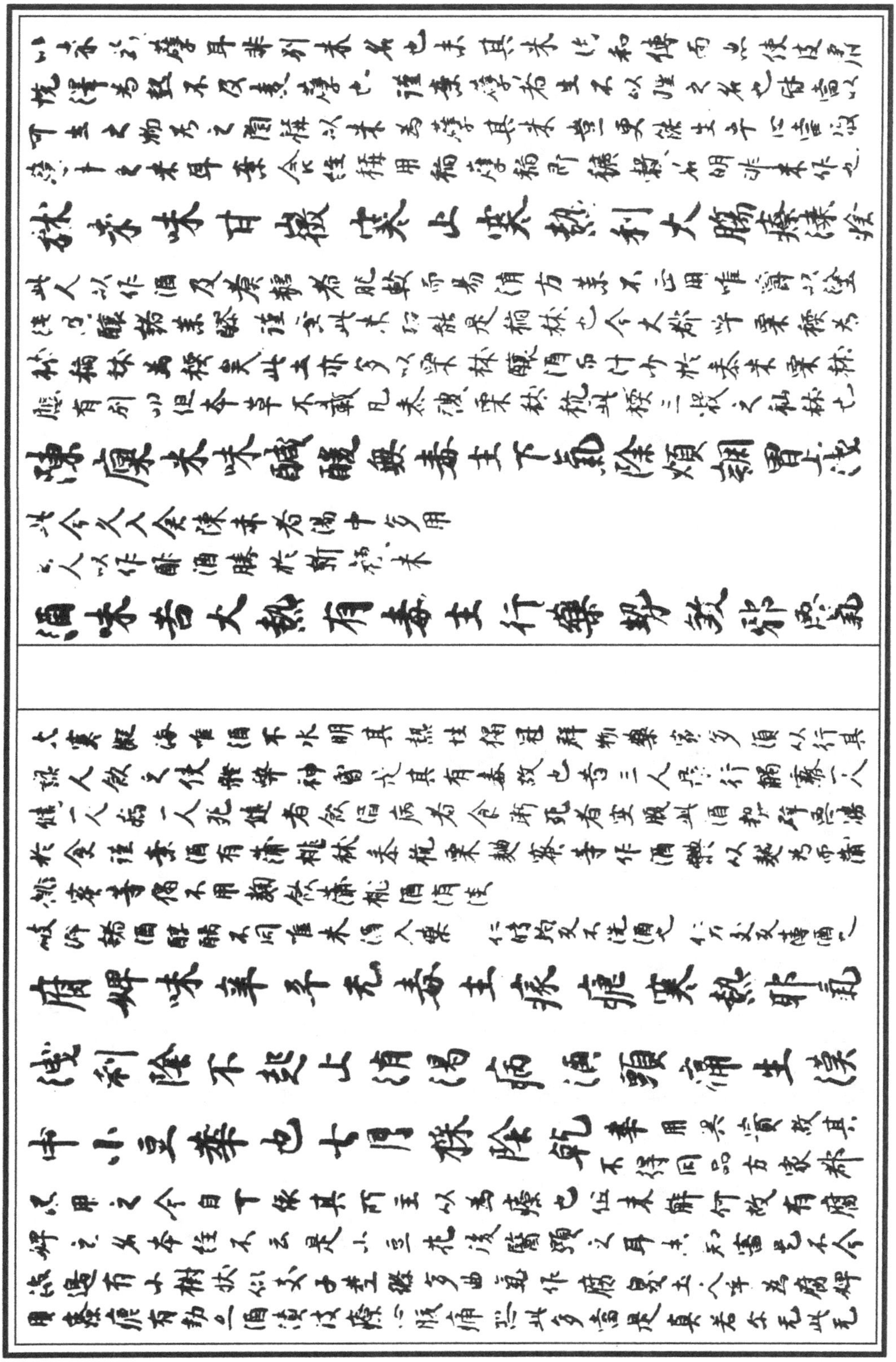

此是以米為糵耳非別米名也末其米脂和傅面亦使皮膚
悅澤為其不及糵也 謹案糵者生不以理之名也皆當以
可生之物為之陶稱以米為糵其米豈更能生乎止當以
穀、大豆、小豆之類今時稱用稻糵稻糵者明非米作也

秫米味甘微寒止寒熱利大腸療漆瘡

此人以作酒及煮糖者肥軟易消方藥不正用唯嚼以塗
漆瘡及釀諸藥醪 謹案此米功用是稻秫也今大都呼粟糯為
秫稻秫為糯矣北土亦多以粟秫釀酒而汁少於黍米粟秫
應有別功但本草不載凡黍稷粟秫杭糯此三穀之秫也

陳廩米味鹹酸溫無毒主下氣除煩渴調胃止泄

此今久入倉陳赤者湯中多用
之人以作醋酒勝於新粳米

酒味苦大熱有毒主行藥勢殺邪惡氣

大寒凝海唯酒不冰明其性熱獨冠群物藥家多須以行其
勢人飲之使體弊神昏是其有毒故也昔三人晨行觸霧一人
健一人病一人死健者飲酒病者食粥死者空腹此酒勢辟惡勝
於作食之效也酒有清濁桃秫黍粳粟麴蜜等作酒醴以麴為而蒲
桃蜜等獨不用麴諸酒醇醨不同唯米酒入藥用

腐婢味辛平無毒主痎瘧寒熱邪氣泄利陰不起止消渴病酒頭痛生漢中小豆花也七月採陰乾

凡用之今自可依其所主以為療也但未解何故有腐婢
之名本經不言是小豆花後醫顯之耳末知審是不今
海邊有小樹狀似梔子莖條多曲氣作腐臭土人呼為腐婢
用療瘧有效亦酒漬皮療心腹疼此乃是真腐婢也

陶後稱海邊小樹上知就之然葛花消酒大勝豆花々亦似
小豆全无此効枝量葛豆二
花葛為真矣也之

藊豆味甘微溫主和中下氣葉主霍亂吐下不止人家種之於籬援其莢蒸食甚美无正用其豆者蓁乃單行用之患寒熱病者不可食之

謹案此北人名鵲豆以其黑而間白故也

黍米味甘溫无毒主益氣補中多熱令人煩

荊郢州及江北皆種此其苗如蘆而異於粟粒亦大粟而多是秫今人又呼秫粟為黍非也北人作黍飯方藥釀黍米酒則皆用秫黍也又有穄米與黍米相似而粒殊大食之不宜人乃言發宿病 謹案黍有數種已詳注前稷今此通論黃黑黍米耳亦全不似蘆雖似粟而非粟也穄所祕也其釋後出也

粳米味苦平无毒主益氣止煩止泄

此即今常所食米但有白赤小大異族四五種猶同一類也前陳廩米亦是此種以廩軍人故曰廩耳 謹案傳稱食廩為禄廩食也前陳倉米曰廩字誤作廩所謂廩軍米之若廩軍新米者亦為陳乎

稻米味苦主溫中令人多熱大便堅

道家方藥有俱用稻米粳米此則是兩物云稻米粒白如霜江東无此皆通呼粳米為稻耳不知其色類復云何也 謹案稻者穬穀通名尒雅云稌稻也杭者不粘之稱一曰秈氾勝之云杭稻秫稻三月種杭稻四月種秫稻所述稻也今陶則為二事深不可解也之

稷米味甘無毒主益氣補不足

稷米亦不識，書多云黍稷，稷即與黍相似，又有稌，亦不
知是何米。詩云：黍稷稻粱禾麻菽麥，此即八穀也。俗人莫能
證辨。如此穀稼尚弗能明，而況芝英乎？案氾勝之種植書有
黍，即如前說，無稷，有稻猶是粳米，粱是秫，禾即是粟。董仲
舒云：禾是粟苗，麻是胡麻，枲是大麻，菽是大豆。大豆有
兩種，小豆一名荅，有三四種。麥有大小穬，穬即宿麥，亦謂種麥。
如此諸穀之限也。穢米一名歐胡，可作麹。又漢中有一種名
枲粱，粒如粟而皮黑，亦可食，釀為酒甚消玉。又有烏禾，生野
中如稗，荒年代糧而殺蟲，煮以沃地，螻蚓皆死。稗亦可食。凡此之
類，復有數種耳。 謹案：呂氏春秋云：飯之美者，有陽山之穄。高
誘曰：關西謂之糜，冀州謂之緊。廣雅云：緊，穄也。禮記：祭宗
廟，稷曰明粢。穆天子傳云：赤烏之人獻穄麥百載。說文云：稷，五
穀長，田正也，自商以來周棄主之，此官名，非穀號也。又案：氾勝之
書：是粟類哉，言粟之上者。爾雅云：粢，稷也。傳云：粢，盛。郭云：黍稷
為粢。氾勝之種植書又不言稷。陶云：八穀者，黍稷稻粱禾麻菽麥，
俗人尚不能辨，況芝英乎？按稷米明非粟也。本草有稷，不載
穄，稷即穄也。今楚人謂之稷，關中謂之糜，其米為黃米。
與黍為秫秫，故其苗與黍同類。陶引詩云：稷恐與黍相似，斯
並得之矣。儒家但說其義，不知其實。尋鄭注禮云：依云是稷
糜，謂查為粱之不滅者。周官瘍人主祝藥云：祝當為注，讀如附著之著。
尺有所短耳
之官也矣哉

酢酒味酸溫無毒主消癰腫散水氣殺邪毒

酢酒為用，無所不入，逾久逾良，亦謂之醯。以有苦味，俗呼苦酒。丹家又加
餘物，謂為華池左味，但不可多食之，損人肌藏耳。 謹案：酢有數
種，此言米酢。若蜜酢、麥酢、麴酢、桃酢、葡萄、大棗、蘡薁等
諸雜果酢，及糠糟等酢，會意亦極酸烈，止可啖之，不可入藥用也。

醬味鹹酸冷利主除熱心煩滿殺藥及火毒

醬多以豆作，純麥者少，今此間是豆者，以久久彌好。又

有肉醬、魚醬，皆呼為醢，不入藥用也。雜藁又有榆人醬，亦辛

美，利大小便。芜荑醬大美，

殺三虫，有少臭氣，辛似

鹽味鹹，溫，无毒。主殺鬼蠱邪疰毒氣，下部䘌

瘡，傷寒熱，吐胸中痰澼，止心腹卒痛，

堅肌骨。多食傷肺喜欬。五味之中，唯此不可闕。今

有東海、北海，供京都。

西川市江用。中原有河東鹽池，梁益有鹽井，交廣有南海，西羌

有山鹽，胡中有樹鹽，而色類各不同。河東鹽為勝，此間東海鹽，官

鹽白，草粒細；北海鹽黃，草粒大。以作魚鮓及鹹菹，乃言北海勝，而

藏繭必用鹽，官者蜀中鹽小淡，廣州鹽鹹苦，不知其為療體復

有優劣不。西方、北方人食不耐鹹，而多壽少病；東方、南方人食

絕欲鹹，亦以多病，便是損人則傷肺之效矣。然以浸魚肉則

經久不敗，以沾布帛則易致

朽爛，所施各有所宜也。

新修本草米等部卷第十九

附录五　罗振玉藏日本传抄卷子本《新修本草》残卷

题解：上虞罗振玉于光绪二十七年（1901），奉两江、湖广总督命赴日本视察教育时，于日本东京书肆购得《新修本草》影抄本 10 卷。每卷后有森立之手跋，当是日本森立之所藏。1985 年，该书由上海古籍出版社影印成两种版式。一种是原卷影印本，一种是缩印本。前者为线装本，后者为平装本。平装本书前印有“据上虞罗氏后书钞阁藏日本森氏旧藏影写卷子本缩印”。原写卷格式不同，卷 4 首七行，行格高 21.4 厘米，宽 16.8 厘米。

所存 10 卷为卷 4、卷 5、卷 12、卷 13、卷 14、卷 15、卷 17、卷 18、卷 19、卷 20。各卷末有森立之手跋，记该卷据某某藏本所抄。

例如，本书卷 19 末有两处记文。

一处记文为：“第四、第五、第十二、第十七、第十九凡五卷，以浅井氏紫山三经楼藏本传抄。”

一处记文为：“第四、第五、第十二、第十五、第十七、第十九。右《新修本草》陆本。其第十五狩谷卿云游京师时传录见赠。其他五卷传录浅井紫山三经楼藏本。天保五年（1834）岁在敦祥冬十月廿七日。小岛质记。右跋就小岛氏原本而写。”

按，狩谷卿云即日本汉学家狩谷棭斋，是他最先发现《新修本草》残卷抄本的。森立之云："世始得窥古本草之真，则卿云之功为至巨也。"

《笺注倭名类聚钞·序》云："森立之与掖斋交而传其学。"

又如，本书卷20末有小岛质记文，森立之转录云：

第十三、第十四、第十八、第二十。岁在壬寅（1842）一品准后法亲王朝觐于京师之时传录此四卷。原卷仁和寺宫宝库所藏云。弘化丙午（1846）九月既望，小岛质记。右就小岛宝素堂本而录此跋文。

本书所存10卷之卷4、卷5、卷12、卷17、卷19是据浅井紫山三经楼藏本传抄的；卷13、卷14、卷18、卷20是据仁和寺宫宝库藏本传抄的；卷15为狩谷棭斋所抄。

本书各卷均有记文。各卷的记文，使人对日本传抄卷子本《新修本草》历史情况，能获得更多的了解。1889年傅云龙影刻《新修本草》和1936年日本国药商武田长兵卫影印仁和寺本《新修本草》各卷内俱无记文。三家卷子本《新修本草》不仅有记文有无的不同，在其他方面也有很多差异。详见本书附录六之"日本流传《新修本草》回归中国概况"。

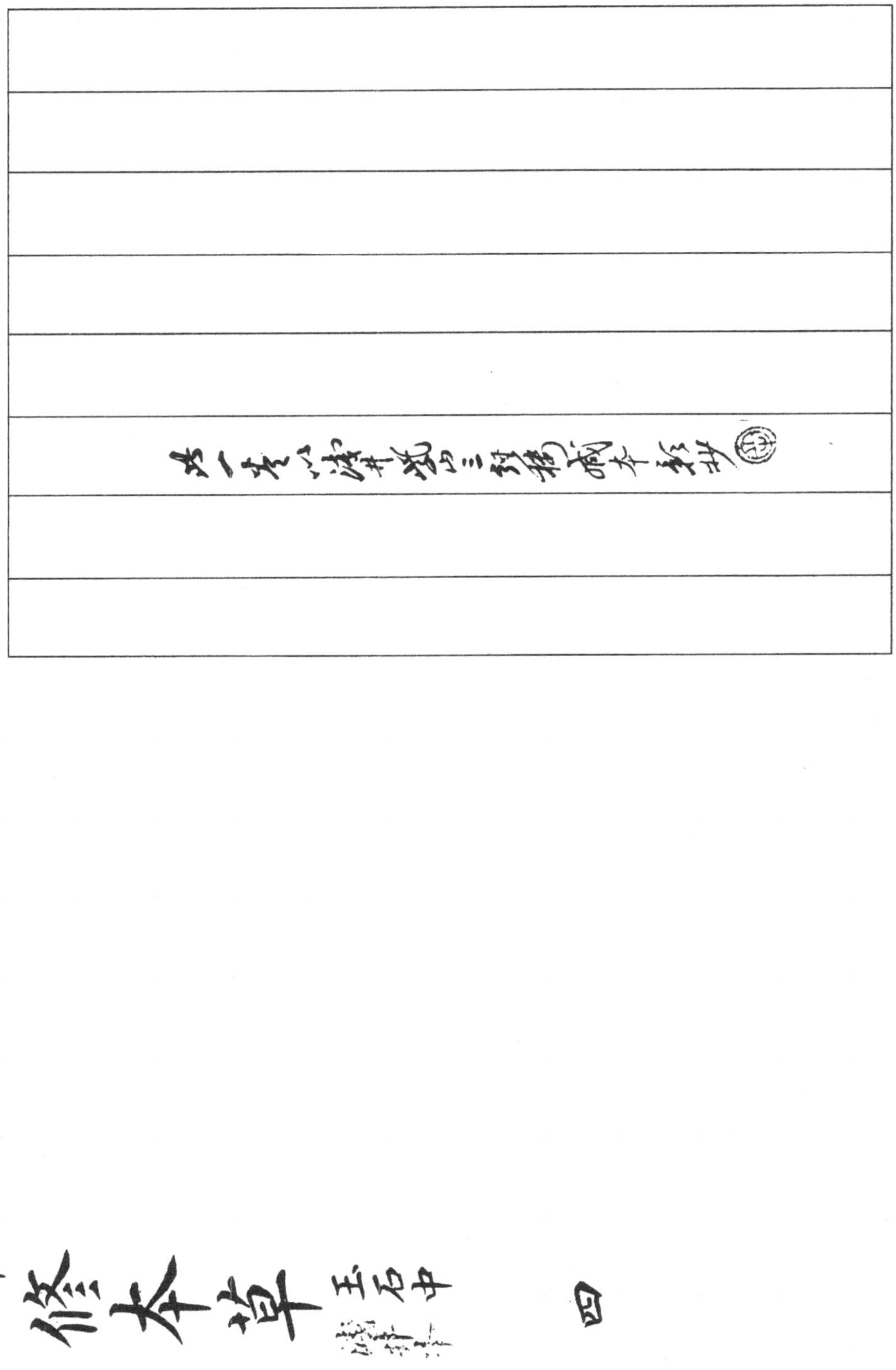
新修本草 玉石中
四

續日本紀延曆六年五月戊戌典藥寮言蘇敬注新脩本草與陶隱居集注本草相檢增一百餘條亦今採用草藥既合敬說請行用之許焉延喜式部式凡醫生皆讀蘇敬新脩本草

唐新脩本草殘本十卷　日本森氏舊藏影寫卷子本

此書中土久佚此本僅存十卷第四第五第十二第十七四卷及十五卷 [illegible]

[illegible]

新脩本草玉石等部中品卷第四

司空上柱国英国公臣勣等奉　勅脩

金屑　銀屑　水銀　雄黄　雌黄　殷孽

孔公孽　石腦　石流黄　陽起石　凝水石　石膏

慈石　玄石　理石　長石　膚青　鐵落

鐵　生鐵　鋼鐵　鐵精　光明鹽　綠鹽

密陀僧　紫鉚騏驎竭　桃花石　珊瑚　石花

石林

右玉石類合卌種　十六種神農本經　六種名醫別録　八種新附

金屑　味辛，平，有毒。主鎮精神，堅骨髓，通利五藏，除邪毒氣，服之神仙。生益州。採無時。金之所生

處々皆有梁益寧三州及建晉多出水沙中作屑謂之生金辟惡而有毒不練服之殺人建晉亦有金沙出石中燒歛下之為餅雖被火亦未熟猶須更練又高麗扶南及西域外国成器金皆練熟可服仙經以醯蜜及猪肪牡荊酒輩練餌柔軟服之神仙亦以合水銀作丹外醫方都无用當是猶慮其毒害故也仙方名金為太真

銀屑　味辛，平，有毒。主安五藏，定心神，止驚悸，除邪氣。久服輕身長年。生永昌。採無時。銀所

出處亦与金同但皆是石中耳練餌法亦相似今醫方合鎮心丸用之不可正尒為屑當以水銀摩令消也永昌本屬益州今屬寧州絕遠不復賓附仙經又有服陳法此當无正主療故不為本草所載右舊名金為黃金銀為白銀銅為赤銅今銀有生熟陳熟者藥赤而本草並無用今銅青及大銅鐵皆入方用並是生銅應在下品之例也謹案銀之与金生不同處金又兼出水中塞方用銀屑當取見成銀薄以水銀消之為泥合消石及塩研為粉燒出水銀訛去塩石為粉極細用之及佳不得已乃磨取屑耳且銀所在皆有而以虢州者為勝此外多錫穢

為芳高麗作帖者云非食鈍所出然色青不如神
別者又有黃銀本草不載俗云為器辟惡乃為瑞物也

水銀味辛寒有毒主疥瘻痂瘍白禿殺皮
膚中虫虱墮胎除熱以傅男子陰陰消無氣
殺金銀銅錫毒鎔化還復為丹久服神仙
不死一名汞生符陵平土出於丹沙畏慈石今水銀
有生熟此云生符陵平土者是出朱沙腹中亦別出沙地
皆青白色最勝出於丹沙者是今燒麄末朱沙所得
色小白濁不及生者甚能消化金銀使成泥人以鍍物是也
還復為丹事出仙經酒和日曝服之長生燒時飛著釜
上灰名汞粉俗呼為水銀灰最能去虱謹案水銀出於
朱沙皆因熱氣未閑朱沙腹中自出之者火燒飛取
人皆解法南人又蒸取得水銀少於火燒
而是朱沙不損但色少變黑耳

雄黃味苦甘平寒大溫有毒主寒熱鼠瘻惡
瘡疽痔死肌疥蟲䘌瘡目痛鼻中息肉
及絕筋破骨百節中大風積聚癖氣中
惡腹痛鬼注殺精物惡鬼邪氣百蟲毒
腫勝五兵殺諸蛇虺毒解藜蘆毒悅澤

人面。鍊食之，輕身神仙。餌服之，皆飛入人
腦中，勝鬼神，延年益壽，保中不飢。得銅
可作金。一名黃食石。生武都山谷、燉煌山之
陽。採無時。煉服雄黃法，皆在仙經中。以銅為金，亦出黃白術中。晉末來，氐羌中紛擾，此物絶
不復通。人間時有三五兩，其價如金。合丸皆用天門始興石黃之好者耳。始以齊初梁州互市微有所得，
將下至都。人未敢先見於使至陳典籤處，撿獲見十餘斤。伊輩不識此物是何等，見有摸挾雌黃，或謂丹
沙。吾示語并更屬覓，於是漸漸而來。好者作雞冠色，不臭而堅實。若黯黑及虛軟者不好也。武都氐羌是
為仇池宕昌，亦有，與仇池正同而小劣。燉煌在涼州西數千里，所出者未嘗得來江東，不知當復云何。此藥最要，
無所不入也。謹案：出石門名黃者，亦是雄黃，而通名黃食石。而門者最為劣耳，宕昌、武都者為佳，塊方數寸，
明徹如冠，或以為枕，服之辟惡。其青惡堅者不入藥用，若大塊飛之而精，小療瘡疥根用，皆无媿，又主惡瘡。
以名勳黃，用熏療瘡疥，故名之，无別熏黃也。貞觀年中，以宕州新出有得方數尺者，但重脆不可全致耳。

雌黃 味辛甘，平、大寒，有毒。主惡瘡頭禿痂
疥，殺毒虫虱，身癢，邪氣諸毒，蝕鼻中息
肉，下部䘌瘡，身面白駮，散皮膚死肌，及

伏怨邪氣殺蜂虵毒煉之久服輕身增年

不老令人腦滿生武都山谷與雄黃同山

生其陰山有金〻精熏則生雌黃採無時

今雌黃出武都仇池者謂為武都仇池黃色小赤出扶南林邑者謂昆崙黃色如金而似雲母甲錯畫家

所重依此言既有雌雄之名又同山之陰陽於合藥便當以武都為勝用之既希又賤於崑崙仙經無單服

惟以合丹()雄黃共飛煉為丹耳金精雌黃銅精空青服而空青及勝於雌黃其意難了也

殷孽味辛溫無毒主爛傷瘀血泄利

寒熱鼠瘻癥瘕結氣腳冷疼弱一名薑石

鍾乳根也生趙谷下山中國上又梁山及南海採無

時 惡朮防己趙國屬冀公孽大如牛羊角長一二尺左右亦出始興也謹案此即石堂下孔公孽根

也盤結如薑故名薑石俗人乃以孔公孽為之誤矣

孔公孽味辛溫無毒主傷食不化邪結氣

惡瘡疽瘻痔利九竅下乳汁男子陰瘡

女子陰蝕及食病恒欲眠睡一名通石殷

孽根也青黃色生梁山山谷
木蘭為之使惡
細辛梁山屬馮
翊郡此即今鍾乳床也亦出始興皆大塊打破之凡鍾乳
之類三種同一體從石室上汁溜積久盤結者為鍾乳
床即此孔公孽也其次長小巃嵸者為殷孽今人呼
為孔公孽殷孽復溜輕好者為鍾乳雖同一類而療
體為異貴賤懸殊此三孽不堪丸散人皆擣末酒漬飲
之療腳弱其前諸療恐宜水者一為陽也事今三種同
根而所生多異處當是隨其土地為勝合耳　謹案此孽
次於鍾乳如牛羊角者中尚孔通故名通石本經誤以
為殷孽之根陶依
本經以為今人誤也

石腦味甘溫無毒主風寒虛損腰腳疼痹
安五藏氣一名石飴餅生名山土石中採無時
此石亦鍾乳之類形如曾青而白色黑斑軟脆易破今茅
山東及西平山並有鑿土堪取之俗方不見用仙經有劉
君道學仙散用之又真誥云李整採服療風痹虛損而得
長生也　謹案隨時有化公者所服亦名石腦出徐州宋
里山初有爛石中入土丈已下得之大如雞卵或如棗許觸
著即散如麵黃白色土人号為握雪礜石云服之長生与
李整相
會也

石硫黃味酸溫大熱有毒主婦人陰蝕疽痔
惡血堅筋頭禿心腹積聚邪氣冷癖在脇

欬逆上氣脚冷疼弱無力及鼻衄惡瘡下

部瘻瘡心血欬疥虫能化金銅銀鐵奇物

生東海牧陽山谷中及太山及河西礬石也

案東海郡屬此條列而淡山之有今事一出南林邑色
汝載焉子初生熱石豈論黃吹出外國從蜀中來色

深而煙〃搭方用之療脚弱及痼冷甚良仙佳須用之所
化奇物並是黃白術及合冊法此必礬石被令南方則

元礬石次
不安出也

陽起石 味鹹微溫無毒 主崩中漏下破子藏

中血癥瘕結氣寒熱腹痛無子陰陽痿不

合補不足男子莖頭寒陰下濕痒去臭汗

消水腫久服不飢令人有子一名白石一名生

一名羊起石雲母根也生齊山山谷及琅琊

或雲山陽起山採無時 桑螵蛸為之使惡澤瀉菌
桂雷丸蛇蛻皮畏菟絲子

此所出即與雲母同而甚似雲母但厚實耳今用乃出
益州與礬石同處色小黃黑即礬石雲母根未知何

者俗用乃稀仙經少服之 謹案此石以白色肌理似殷孽
仍挾帶雲母綠潤者為良故本經一名白石今乃用

絲〻里如炭者謨矣雲母條中既云黑者名雲膽又名地涿服之損人黑陽起石必為惡矣經言生齊山〻在齊州歷城西北五六里採訪無陽〻起〻石〻乃在齊山西北方七里盧山出之本經云雲山或盧字記矣今大山許州唯有里者白者獨出齊州也

凝水石味辛甘寒大寒无毒主身熱腹中積聚邪氣皮中如火燒爛煩滿水飲之除時氣熱盛五藏伏熱胃中熱煩滿口渴水腫少腹痺久服不飢一名泉石一名寒水石一名凌水石色如雲母可析者良塩之精也生常山山谷又中水懸及邯鄲解巴豆毒畏地榆常山郡恒山屬并州中水縣屬河間郡鄲郎是趙郡並冀州域此處地皆鹹鹵故云塩精而亦似朴硝也此石末置水中夏月能為水节住謹案此石有兩種有縱理橫理以橫理色青明者為佳或云縱理為寒水橫理為凝水今出同州韓城色青黄理如雲母為良證城者針理文色白為劣也

石膏味辛甘微寒大寒無毒主中風寒熱心下逆氣驚喘口乾舌焦不能息腹堅

痛除耶鬼産乳金創除時氣頭痛身熱
三焦大熱腸胃中亭熱解肌發汗止消渴
煩逆腹脹暴氣喘息咽熱亦可作洛湯一
名細石細理白绛者良黄者令人淋生齊
山山谷及齊盧山魯蒙山採無時鷄子為之使惡莽草毒
公二郡之山即青州徐州也今出钱唐懸獄地中雨後時時出取之皆方如碁子白徹最佳比難得皆用靈隱山者彭城者亦好近道多有而大愧用之不及彼主仙经不須此 謹案石膏未見有真石膏也石膏生於石旁
其工解石不回石生端然獨家大者如升小者若拳或在土中感生溪水其上皮随土及水苔色破之方解大者方尺今人以此為石膏療風去熱雅因解肌發汗不如真者也
慈石味辛鹹寒無毒主周痺風濕支節中
痛不可特物洗洗酸痟除大熱煩滿及耳聾
養腎藏強骨氣益精除煩通關節消癰
腫鼠瘻頸核唯痛小兒驚癇練水飲之亦
令有子一名玄石一名處石生大山川谷及慈山

〻陰有鐵者則生其陽採無時茈胡爲之使殺鐵毒惡牡丹莽

草畏黃石脂今南方亦有其好者能懸吸針虛連三四五爲佳殺鐵物毒消金仙經丹方黃白術多用也

玄石味鹹温無毒主大人小兒驚癇女子絶

孕少腹寒痛少精身重服之令人有子一

名玄水石一名處石生山陽山陰有銅〻者雌玄石者雄惡松脂柏子

菌桂本經慈石一名玄石別錄各種今案其一名處石既同療體又相似而寒温銅鐵及畏惡有異俗中既不復用

無識其形者不知與慈石相類不　謹案此物鐵液也但不能拾針療體如經方共於慈〻石〻中有細孔孔中黃赤

色初破好者能連十針一斤鐵刀亦被迴轉其無孔光澤純里玄石也不能懸針也

理石味辛甘寒大寒無毒主身熱利胃解煩

益精明目破積聚去虫除營衛中來大熱結

熱解煩毒止消渴及中風痿痹一名立制石

一名肌石如石膏順理而細生漢中山谷盧山

採無時及滑石爲之使畏麻黃漢中屬梁州盧山屬青州今出寧州俗用亦希仙經時須亦呼

爲長理石〻膽一名立制石今此又名立制疑必相亂類謹案此石夾兩石間如石脉打用之或在土中重疊而

此皮黃赤肉白作針理文全不似石膏漢中人取酒浸服大療癖令人肥悅市人或刻去皮以代寒水石并州以當

礜石並是假偽今盧山亦无此物見出襄州而沆水側也

長石味辛苦寒無毒主身熱胃中結氣四

支寒厥利小便通血脈明目ゝ翳眇去三蟲

殺蠱毒止消渴下氣除脅肋肺間邪氣久

服不飢一名方石一名土石一名直石理如馬齒

方而潤澤玉色生長子山谷及太山及臨淄

採無時長子縣屬上黨郡臨淄縣屬青州俗方及仙經並無用此者也謹案此石狀同石膏而厚

大縱理而長文似馬齒今均州遼坂山有之主人以為理石者是長石也

膚青味辛鹹平無毒主蠱毒ゝ蛇菜肉

諸毒惡瘡不可久服令人瘦一名推[illegible]青一

名推石生益州川谷俗方及仙經並無用此者亦相與不復識之

鐵落味辛甘平無毒主風熱惡瘡瘍疽瘡

痂疥氣在皮膚中除胸膈中熱氣食不

下心煩去黑子一名鐵液可以染皂生牧羊
平澤及枋城㭨無時
鐵主堅肌能痛
生鐵微寒主療下部及脫肛
對鐵味甘平無毒主金創煩滿熱中胷
鬲中氣塞食不化一名跳鐵
鐵精微溫主明目化銅療驚悸定心氣
小兒風癇陰㿉脫肛 鐵落是染皂鐵漿生鐵是 不被鑐鎗釜之類者鋼鐵
是雜練生鍒作刀鎌者鐵精出鍜竈中如紫色輕者 為佳亦以摩瑩銅器用也 謹案單言鐵者鍒鐵也
鐵落是鍜家燒鐵赤沸砧上鍜之皮甲落者也甲乙子 卷陽厥條言之夫諸鐵療病並不入丸散皆煮取漿
用之若以漿為鐵落鋌生之汁復謂何等落是鐵皮 落液黑於餘鐵陶謂可以染皂云是鐵漿誤矣又鐵
屑炒使熱投酒中飲酒療賊 風又裹以熨腋療胡有
光明塩味鹹甘平无毒主頭面諸風目
赤痛多眵淚生塩州五原塩池下取之

大者罕皆正方充徹一名石塩新附

緑塩味鹹苦辛平无毒主目赤淚膚

翳眵暗以光明塩硇沙赤銅屑釀之爲塊緑色真者出焉耆国池中水取之状若扁青空

青爲眼藥之要新附

窑陁僧味鹹辛平有小毒主久利五痔

金創面上瘢䵟面膏藥用之形似黄龍齒而堅重亦有白色

者作理石文出波斯国一名没多僧並胡言也新附

紫鉚騏驎竭味甘鹹平有小毒主五藏

邪氣帶下心痛破積血金創生肉与騏驎

竭二物大同小異紫色如膠作赤皮陸鉚用爲鍛色亦以膠寶物云蟻於海畔樹藤

皮中爲之紫鉚樹名渴廪騏驎竭樹名渴畱喻如絳造蜜研取用之吴録謂之赤膠者新附

桃花石味甘温無毒主大腹中冷贓血利久

服令人肌熱能出申州鍾山縣似赤石脂但不著舌新附

珊瑚味甘平无毒主宿血去目中翳鼻

[illegible]未吹鼻中生南海似玉仁閏中多有孔亦有无孔者又從波斯國及師子

國表新附

石花味甘温無毒酒漬服主骨脚風冷

与殷孽同一名乳花三月九月採之乳水滴水上散如霜雪者出乳穴堂中水

內新附

石林味甘温無毒酒漬服与殷孽同一名

同石一名乳床一名逆石陶云孔公孽即乳林非也二孽在上林花在下性體

稚同上下有别鍾乳水下凝積生如笋狀漸長久与上乳相接為佳也出鍾乳堂中採无時新附

新脩本草玉石等部中品卷第四

新修本草 玉石下 殘卷 五

新修本草玉石部下品卷第五

司空上柱國英國公臣勣等奉 勅修

青琅玕 礜石 特生礜石 握雪礜石

方解石 蒼石 土陰孽 代赭

鹵鹹 大鹽 戎鹽 白惡

鉛丹 粉錫 錫銅鏡鼻 銅弩牙

金牙 石灰 冬灰 鍛竈灰

伏龍肝　東壁土　硇沙　胡桐淚
薑石　赤銅 乃青　銅錐石　白瓷瓦
烏古瓦　石鷰　梁上塵
右玉石類合卅一種 十二種神農本經 十種名醫別録 九種新附

青琅玕 味辛平無毒 主身痒火瘡癰傷白禿
疥瘙死肌浸淫在皮膚中煑錬服之起陰氣
可化為丹 一名石珠 一名青珠 生蜀郡平澤 採無時
殺錫毒得水銀良畏雞骨此即蜀都賦青珠黄環者也黄環乃是草木
取名類而種族為異琅玕亦是崑山上玉樹名又九真經中太丹名也此石今
亦无用唯以療手足逆臚化丹之事未的見其術
謹案琅玕乃有數色是瑠璃之類火齊寶也琅玕五色其以青者入藥為勝今
出巂州以西烏白蠻中乃于闐國

礜石 味辛甘大熱 生溫 熟寒 有毒 主寒熱鼠瘻蝕瘡死肌
風痺腹中堅邪氣除熱明目下氣除鬲中熱止消
渴益肝氣破積聚固冷腹痛去鼻中息肉久服
令人筋攣火錬百日服一刀圭殺人及百獸 一名

青分石一名立制石一名固羊石一名白礜石一名

大白石一名澤乳一名食鹽生漢中山谷及少室

採無時 得火良棘針之使惡毒公鶩屎虎掌細辛畏水也今蜀漢
亦有而好者出南康南野溪及彭城界中洛陽城南塹但

取少室生礜石內水中令水不冰如此則生亦大熱今人黃土泥包火燒
之一日一夕則解[illegible]用療冷結為良丹方及黃白術多用此善能柔金

又湘東新寧縣及零陵皆有白礜石 謹案礜石能拒火久燒但解散不
奪其堅今市人乃取潔白細理石當之燒即為灰非也此藥攻擊積

聚固冷之良若以餘物代之療病無効正為此也今漢川武當西遼坂名礜
石谷即是真出處少室亦有粒理細不如漢中者

特生礜石味甘溫有毒主明目耳腹內絕寒

破結及鼠瘻殺百蟲惡獸久服延年一名倉

礜石一名白礜石一名鼠毒生西域 火鍊之良畏水陶隱居云
舊鷹巢中者最佳鷹恆

入水冷故取 壅卵令熱今不可得惟用出漢中者其外形紫赤色 內
白如霜中央有臼形狀如齒者佳大散方云出荊州新城郡房陵縣練白

色為好用之亦先以黃土包燒之一日亦可內斧空中燒之合玉壺諸丸多
用此仙經不云特生則止是前白礜石耳 謹案陶所說特生云中如齒臼形

者是今出梁州北馬道戍澗中有之形塊小於白礜石而脆非大毒信乃如
小豆之許曰礜石粒細若黍米耳

握雪礜石味甘溫無毒主痼冷積聚輕身延年多服

令人熱 出徐州西宮里山入土丈餘 於爛土石間黃白色細軟如麪一名
化公石一名石腦煉服別不注新附

方解石味苦辛大温無毒主胸中留熱結氣黄疸通血脉去蛊毒一名黄石生方山採無時惡巴豆 案本注長石一名方石療體亦相似疑是此也 謹案此石性冷療熱不减石膏

蒼石味甘平無毒有毒主寒熱下氣瘻蝕殺飛禽鼠生西城採無時俗中不復用莫識其狀 謹案特生礜石一名蒼礜石而梁州時生亦有青者今房陵漢川與白礜石同處有色青並毒殺禽獸與礜石同漢中人亦取以毒鼠不入方用此石出梁州均州房州與二礜石同處特生蒼石並生西城西城在漢川金州是也

土陰孽味鹹無毒主婦人陰蝕大熱乾痂生高山崖上之陰色白如脂採無時此猶似鍾乳孔公孽之類故亦有孽名但在崖上耳今時有之但不復採用耳 謹案此即土乳是也出渭州鄣縣三交驛西北坡平地土窟中見有六十餘次昔人採處土人云服之曰鍾乳而不發熱陶及本經俱云在崖上此說非也今渭州不復採用也

代赭味苦寒無毒主鬼注賊風蛊毒殺精物惡鬼腹中毒邪氣女子赤沃漏下帶下百病産難胞衣不出墮胎養血氣除五藏血脉中熱血痺血瘀

大人小兒驚氣入腹及陰痿不起一名須丸出姑幕者

名須丸出代郡者名代赭一名血師生齊國山谷赤紅青色如鷄

冠有澤染爪甲不渝者良採無時畏天雄舊說云是代郡城門下土江東

之絶須魏國所獻猶是後间赤土耳非復真物此于俗用乃踈而為丹方之要并與戎鹽鹵鹹皆是急須 謹案此石多從代州來云山中採得非

城門下土又言生齊代山谷今齊州亭山出赤石其色有赤紅青者其赤者亦如鷄冠且潤澤土人唯採以丹校柱而紫色且暗此物與代州出者相似古來

用之今靈州鳴沙縣堺河北平地掘深四五尺得者皮上赤滑中紫如鷄肝大勝齊代者

鹵鹹味苦鹹寒無毒主大熱消渴狂煩除邪

及吐下蠱毒柔肌膚去五藏腸胃留熱結氣

心下堅食已嘔逆喘滿明目目痛生河東鹽池

云是煎鹽釜下凝澤 謹案鹵鹹既生河東河東鹽不釜煎明非凝澤也此是鹼土名鹵鹼今人熟皮用之字作古陷反斯則於鹽地掘取之

大鹽令人吐生邯鄲及河東池澤味甘寒無毒

主腸胃結熱喘逆吐胷中病扁蘆為之使 謹案大鹽即河東印鹽人之

常食者是形麁於末鹽故以大別之也

戎鹽主明目目痛益氣堅肌骨去毒蟲味

鹹寒無毒療心腹痛溺血吐血齒舌血出一名胡
鹽生胡鹽山及西羌北地及酒泉福祿城東南角
北海青南海赤十月採今俗中不復見鹵鹹惟魏國所獻虜鹽即是河東鹽刑
如結冰圓強味鹹苦夏月小潤液虜中鹽乃有九種
白鹽食鹽常食者黑鹽療腹脹氣滿胡鹽療耳聾目痛柔鹽療馬脊瘡又有
赤鹽駮鹽臭鹽馬齒鹽四種並不入食馬齒即大鹽黑鹽疑是鹵鹹柔鹽疑是
戎鹽戎鹽而此戎鹽又名胡鹽兼療眼痛二三相亂今戎鹽虜中甚有從涼
州來芮芮河南使及北部胡客從燉煌來亦得之自是希少爾其形作塊片或
如雞鴨卵或如菱米色紫白味不甚鹹口嘗氣臭正如毈雞子臭者言真
臭又河南鹽池泥中自有凝鹽如石片打破皆方青黑色善療馬脊瘡
又疑此或是鹽雖多種而戎鹽鹵鹹最為要用謹案陶稱鹵鹹疑是黑鹽
此是鹹土諜如前說其戎鹽即胡鹽沙州名為禿登鹽廓州名為羌鹽

生河岸山坂之陰土石間塊大小
不常堅白似石燒之不鳴灹者
白惡味苦辛溫無毒主女子寒熱癥瘕月閉積
聚陰腫痛漏下無子泄利不可久服傷五藏令
人羸瘦一名白善生邯鄲山谷採無時此即今畫用
者甚多而賤
俗方亦希仙
經不須也
鉛丹味辛微寒主吐逆胃反驚癇癲疾除熱下
氣止小便利除毒熱臍攣金瘡溢血鍊化還成

九光久服通神明生蜀郡平澤一名鉛華生於鉛

即今熬鉛所作黃丹畫用者俗方亦希唯仙經丹釜所須此云化成九
光者當謂九光丹以為釜耳無別變鍊法　謹案丹中[illegible]二粉俱炒錫作今

化釋鉛丹陶云
悉鉛俱謬也

粉錫味辛寒無毒主伏尸毒螫殺三虫鱉瘕療

惡瘡墮胎止小便利一名解錫

即今化鉛所作胡粉也其
有金色者療尸虫彌良而謂

之粉錫事與經乖　謹案胡實粉用陳陶
今又言化鉛作之注云粉錫亦為謬誤

錫鏡銅鼻主女子血閉癥瘕伏腸絕孕伏尸邪氣生

[illegible]

桂陽山谷

此物與胡粉異類而今此條皆以其非正成具一條故以附見
錫品中也古無純以錫作鏡者皆用銅雜之別錄用銅鏡鼻

即是今破古銅鏡鼻耳用之當燒令赤內酒中飲之若置醋中出入百過亦
可搗也錫及錫本出於蜀郡桂陽今乃出臨々賀々猶是分桂陽所置鉛

與錫[illegible]相似而[illegible]大[illegible]謹案臨賀出者名鉛
一名白錫唯此處資天下用其錫出處皆有之

銅弩牙主婦人產難血閉月水不通陰陽隔塞

此即今人所用射小[illegible]引取燒內酒飲
汁亦以淬之得古者尤勝制裁纔多巧也

金牙味鹹無毒主鬼毒蠱諸注生蜀郡如

金色者良

今出蜀漢似粗金而大小方皆如棊子又有銅
牙亦相似但外黑內色小淺不入用金牙唯以合

須散及五注凡餘方不甚須此也　謹案金牙離本處入土水中久皆色黑不可謂之銅牙也此出漢中金牙湍湍兩岸入石間打出者內即金色岸崩入水年久者皆黑近南山洛谷茂州汶州亦有勝漢中也

石灰味辛溫主疽瘍疥瘙熱氣惡瘡癩疾死肌墮眉痔虫去黑子息肉髓骨疽一名惡灰一名希灰生中山川谷　中山屬代郡今近山生石青白色作竈燒竟水沃之則熱蒸而解末矣性至烈人以度酒飲之則腹痛下利療金瘡亦甚良俗名石惡古今以構冢用捍水而辟虫之古冢中水以洗諸惡瘡皆即差也　謹案別錄及今人用療金瘡止血大效若五月五日採蘩蔞葛葉鹿活草槲葉地黃芍藥葉蒼耳葉青蒿葉合石灰擣為團如鷄卵暴乾末之療諸瘡生肌極神驗

冬灰辛微溫主黑子去肬息肉疽蝕疥瘙一名藜灰生方谷川澤　此即今浣衣黃灰耳燒諸蒿藜積聚煉作之性烈又荻灰尤烈欲消黑誌肬贅取此三種灰水和蒸以點之即去不可廣則爛人皮肉　謹案桑薪灰最入藥用療黑子疣自功勝冬灰煮小豆大下水腫然冬灰本是藜灰餘草不真又有青蒿灰燒蒿作之柃灰木葉作並入染用亦堪食惡柃灰一作苓字

鍛竈灰主癥瘕堅積去邪惡氣　此即今鍛鐵力以療暴癥大有効貳車凡用之（旁注：竈中灰耳兼得鐵）

伏龍肝味辛微溫主婦人崩中吐下血止欬逆止血

消癰腫毒氣此竈中對釜月下黄土也取搗篩合葫塗主癰甚効以竈有神故号爲伏龍肝并亦迂隱其名耳今人又用廣州鹽城屑以治漏血亦是近日之土兼火燒義也

東壁土主下部䘌瘡脱肛此屋之東壁上土耳當取東壁之東邊謂恒先見日先照處刮取用之亦療小兒風臍又可除油汙衣勝石灰滑石 謹案此土摩乾濕二癬極有効

硇沙味鹹苦辛温有毒不宜多服主積聚破結血爛胎止痛下氣療欬嗽宿冷去惡肉生好肌藥金銀可為汗藥出西戎形如朴消光淨者良驢馬藥亦用之新附

胡桐淚味鹹苦大寒無毒主大毒熱心腹煩滿水和服之取吐又主牛馬急黄黑汗水研二三兩灌之立差又為金銀汗藥出肅洲以西平澤及山谷中形似黄樊而堅實有夾爛木者云是胡桐樹滋淪入土石鹹鹵地作之其樹高大皮葉似白楊青桐桑輩故名胡桐木堪器用一名胡桐律々淚聲

訛也西域傳云胡桐似桑而曲 新附

薑石味鹹寒無毒主熱豌豆瘡丁毒等腫生

土石間狀如薑有五種色白者最良所在有之

以爛不碜者好齊州歷城東者良 新附

赤銅屑以醋和如麥飯袋盛先刺腋下脈去血封

之攻腋臭神效又熬使極熱投酒中服五合日三

主賊風反折又燒赤銅五斤內酒二斗中百遍服

同前主賊風甚驗 新附

銅礦石味酸寒有小毒主丁腫惡瘡馬驢脊

瘡臭腋石上水磨取汁塗之臭腋其丁腫末之傅

瘡上良 新附

白瓷瓦屑平無毒主婦人帶下白崩止嘔吐逆破

血止血水磨塗瘡滅瘢廣州良餘皆不如 新附

烏古瓦寒無毒以水煮及漬汁飲止消渴取

屋上年久者良 新附

石鷰以水煮汁飲之主淋有効兩手各把一枚立

産難出零陵 俗云因雷雨從石穴中出隨雨飛墮者妄也永州祁陽縣西北百一十五里土岡上掘深丈餘取之形似

蚶而堅重如石 新附

梁上塵主腹痛噎中惡鼻衄小兒軟瘡 新附

新修本草玉石部下品卷第五

新修本草木部上品卷第十二

司空上柱國英國公臣勣等奉 勅修

茯苓 琥珀 松脂 柏實 菌桂

牡桂 桂 杜仲 楓香 乾漆

蔓荊 牡荊 女貞 桑上寄生

蕤核 五加 沉香 檗木 辛夷

木蘭 榆皮 酸棗 槐實 楮實

枸杞　蘓合　橘柚

右木部上品合廿七種廿種神農本経六種名醫別録一種新附

伏苓味甘平無毒主胷脇逆氣憂恚驚
邪恐悸心下結痛寒熱煩滿欬逆口焦
舌乾利小便止消渴好唾大腹淋瀝膈中
淡水水腫淋結開胸府調藏氣伐腎邪
長陰益氣力保神守中久服安䰟魄養
神不飢延年一名伏菟其有根者名伏神
味甘平主辟不祥療風眩風虚五勞七傷
口乾止驚悸多恚怒善忘開心益智安䰟
魄養精神生太山山谷大松下二月八月採陰
乾馬間爲之使案名無馬間或是馬莖聲相近故也得甘草防風芍藥紫石麦门冬共療五藏惡白斂畏牡蒙地楡雄黄秦膠龜甲今出嶲州彼土人乃故斫松作之形多小虛赤不佳自然成者大如三四斗器外皮黑細皺內堅白形如鳥獸龜鼈者良又復時燒則不水作丸散者皆先煑之兩三沸乃切曝乾

白色者補赤色者利俗用甚多仙經服食亦為至要云
其通神而致靈和魂而練魄明竅而益肌厚腸而開心
調營理胃上品仙藥也善能斷穀不飢為藥無朽蛀
吾嘗掘地得昔人所埋一塊計伏神是其次伏苓後
結一塊也仙方唯云伏苓而無伏神為療既同用之亦應
無嫌 謹案季氏本草云為刀為伏苓使無名問者
問字草書似刀字寫人不識訛為問耳陶不悟云是馬
蓋謬矣今大山亦有伏苓白實而塊小不復采用今
第一出華山山秋挻庶大雍
州南山亦有不如華山者

虎魄 味甘平無毒主安五藏定魂魄殺精
魅邪鬼消瘀血通五淋生永昌 舊說云是松脂淪入地千
年所化今燒之亦作松氣俗有虎魄中有一蜂形色如生
博物志又云燒蜂巢所作恐非實此或當蜂為松脂
所黏因墮地淪沒耳有煮𪃍子及青魚枕作者並
非真唯以拾芥為驗俗中多帶之辟惡刮屑服療
瘀血至驗仙經無正用曲晨丹所須以赤者為勝今並
從外國來而伏苓處永無有不知虎魄處復有伏苓
以否 謹案瑿味甘平無毒古來相傳云松脂千年為
伏苓又千年為虎魄又千年為瑿然二物燒之皆有松
氣為用與虎魄同補心安神破血尤善狀似玄玉而
輕出西戎來而伏苓處見無此物今西州南三百余
里磧中得者大則方尺黑潤而輕燒作腥臭高昌人
名為木瑿謂玄玉為石瑿洪州土石間得者燒作松
氣破血生肌與虎魄同見風坼破不堪為器量此二
種及虎魄或非松脂所為也有此差舛今略論之

松脂味苦甘溫無毒主癰疽惡瘡頭瘍
白禿疥瘙風氣安藏除熱胃中伏熱
咽乾消渴及風痺死肌練之令白其赤
者主惡風痺久服輕身不老延年一名
松膏一名松肪生大山山谷六月採松實
味苦無毒溫主風痺寒氣虛羸少氣
補不足九月採陰乾松葉味苦溫主風

濕痺　瘡氣生毛髮安藏守中不飢延年
松節溫主白節久風風虛腳痺疼痛根
白皮主辟穀不飢　梢練松脂並在服食方以桑灰汁若酒煑輒內寒水中數十過白滑則可用其有自流出者乃勝於鑿樹及煑膏也其實不可多得唯葉止是斷穀所宜尒細切如粟以水及麵飲服之亦有陰乾擣為屑丸服者人患惡病服此无不差此来苦脚弱人釀松節酒亦皆愈松栢有脂潤又陵冬不凋理為佳物但人多輕忽近易之耳　謹案松花名[名松花]松黃拂取似蒲黃正尒酒服輕身療病云勝皮葉及脂其子味甚甘經直云味苦也松取枝燒其上下承汁名諸音主牛馬瘡疥為佳

樹皮緣衣忽芰納合和諸香燒之其烟團聚青白可愛也

栢實味甘平無毒主驚悸安五藏益氣除風濕痺恍惚虛損吸吸歷節腰中重痛益血止汗久服令人潤澤美色耳目聰明不飢不老輕身延年生太山山谷栢葉尤良栢葉苦微溫無毒主吐血衄血崩中赤白輕身益氣令人耐風寒不濕痺止飢四時各依方面採乾陰栢白皮主火灼爛瘡長毛髮牡蠣桂蔴子為之使惡菊華羊蹄諸石及麴栢葉實皆為服食所重練餌别有法栢處處有當以太山為佳並忌取冢墓上也雖四時俱有而秋夏為好其脂亦入用此云惡麴人有以釀酒无妨恐酒米相和異單用也謹案栢枝節煑以釀酒主風痺歷節風燒取湁醫心方引作取栢枝燒其下承取汁名溚甚治疥也療病疥及癩瘡尤良今子人唯出陝州宜州為勝太山无復採者也

菌桂味辛溫無毒主百疾養精神和顏色為諸藥先聘通使久服輕身不老面

生光華媚好常如童子生交阯山谷桂
枝間無骨正圓如竹生桂林山谷立秋採
交阯馬交州　桂林屬廣州　而蜀都賦云菌桂臨
崖今俗中不見正圓如竹者唯嬾枝破卷成圓狀
依桂用恐非真菌桂也仙經乃有用菌桂云三重者
良則判非今桂矣必當別是一物應更研訪　謹案
菌者竹名古方用筒桂者是故云三重者良其筒桂
亦有二三重卷者葉中三道又肌理緊薄如竹大枝
小枝皮俱是菌桂然大枝皮不能重
卷味極淡薄不入藥用今出欽州之

牡桂味辛溫無毒主上氣欬逆結氣
喉痺吐吸心痛恊痛溫筋通脉止煩（恊風）
出汗利關節補中益氣久服通神輕
身不老生南海山谷　南海郡即是廣州今
俗用牡桂狀似桂而扁
廣殊薄皮色黃脂肉甚少氣如木蘭味亦類桂不
知當是別樹爲犯是桂生有老宿者耳亦所未究
謹案尒雅云梫木桂古方亦用木桂或云牡桂即今
木桂及單名桂者也此桂花子與菌桂同唯葉倍
良大小枝皮俱名牡桂然大枝皮肌理麁虛如木蘭
肉少味薄不及小枝皮也小枝皮肉多半卷中必
皺起味辛美一名肉桂一名桂枝一名
桂心出融州柳州交州

桂味甘辛大熱有毒主溫中利肝肺氣
心腹寒熱冷疾霍亂轉筋頭痛腰痛
出汗止煩止唾欬嗽鼻齆能墮胎堅骨
節通血脈理疏不足宣導百藥無所
畏久服神仙不老生桂陽二月七八月十
月采皮陰乾得人參麥門冬甘草大黃〻芩調中益氣得柴胡紫石乾地黃療吐逆按本經唯有菌桂牡桂而無此桂用體大同小異今俗用便有三種以半卷多脂者單名桂入

藥最多所用悉与說相應仙仙經乃並有三種桂常
服食以葱涕合和雲母蒸化水者正是此種耳今出
廣州[illegible]者好湘州始興桂陽縣即是小桂亦有而
不如廣州者交州桂州者形段小多脂肉亦好經云桂
葉如柏葉澤黑皮黃心赤齊武帝時湘州送桂樹以
植芳林苑中今東山有山桂皮氣粗相類而葉乖異
亦能凌冬恐或是牡桂詩人多呼丹桂正謂皮赤耳
北方今重此每食輒須蓋禮所云薑桂以為芬芳也
謹按菌桂葉似柿葉中有縱文三道表裏無毛而
光澤牡桂葉長尺許陶云小桂或言其葉小者陶
引經云葉似柏葉驗不相類不知此言從何所出今案
桂有二種惟皮稍不同若菌桂老皮堅板無肉全不
堪用其小枝皮薄卷及二三重者或名菌桂或名筒
桂其牡桂嫩枝皮名為肉桂亦名桂枝其老者名

牡桂正名木桂後人参等良本是
菌桂出罕桂陶為深誤也

杜仲味辛甘平温无毒主腰脊痛補中益精氣堅筋骨强志除下部濕小便餘瀝脚中酸疼痛不欲踐地久服輕身耐老一名思仙一名思仲一名木綿生上虞山谷又上黨及漢中二月五月六月九月採皮陰乾畏蛇蜕皮玄參上虞在豫州虞虢之虞非會稽上虞縣也

今用出建平宜都朴者狀厚若狀如厚朴析之多
白絲為佳用之薄削去上甲皮横理切令絲斷也

楓香脂一名白膠香味辛苦平无毒主身上風癢浮腫齒痛樹皮味辛平有小毒主水腫下水氣煑汁用之所在大山皆有樹高大葉三角五月研樹為坎十一月採脂新附也

乾漆味辛温无毒有毒主絶傷補中續筋骨填髓腦安五藏五緩六急風寒

濕痹欬嗽消瘀血痞滿腰痛女子疝瘕
利小腸去蚘虫生漆去長虫久服輕身能
老生漢中川谷夏至後採乾之半夏為之使畏鷄子
今又忌油脂今梁州漆最勝益州亦有廣州漆性
急易燥其諸處漆桶上蓋裏自然有乾者狀如蜂
房孔孔隔者為佳生漆毒烈人以鷄子白和服之去虫
犹有齧齒腸胃者畏漆人乃致死外氣亦能使身
瘡腫自別有療法仙方用
蟹消之為水鍊服長生

蔓荊實味苦辛微寒平溫无毒　主

筋骨間寒熱濕痹拘攣明目堅齒
利九竅去白虫長主風頭痛腦鳴目淚
出益氣久服輕身耐老令人蔓澤脂緻
長鬚髮小荊實亦等生益州惡烏頭石膏小荊即
應是牡牡荊荊子大於蔓荊子而反呼為小荊恐或以
樹形為言復不知蔓荊樹若高大耳　謹案此荊子
今人呼為牡荊子者是也其蔓荊子大故呼牡荊子為
荊實亦等言其功用與蔓荊同也蔓荊苗蔓生故
名蔓荊生水濱葉似杏葉而細莖長餘花紅白色今
醫曰陶誤注萊州劉州邊將蔓荊子為牡荊

牡荊實味苦溫无毒主除骨間熱通利
胃氣止欬下氣生河間南陽宛朐山谷或
平壽都鄉高隄岸上牝荊生田野八
月九月採實陰乾得木栢實青葙共療頭風防
風為之使惡石膏河間宛朐
平壽並在此南陽在西論蔓荊即應是今作杖
棰之荊而復非見其子殊細正如小麻子色青黃荊
子實小大此也牡荊子乃出此方如烏豆大正員黑仙
術多用牡荊今人都无識之者李當之藥錄乃注
溲疏下云疏一名陽櫨一名牡荊一名空疏皮白中空時有
節子似枸杞子赤色味甘苦冬月熟俗乃无識者為

此實是真非人籬域陽櫨也案如此說溲疏主療與
牡荊都不同其形類乖異恐乖實理而仙方用牡
荊云能通神見鬼非唯其實乃枝莖並好又有云
荊樹必枝々相對此是牡荊有不對者即是牝荊
々々既為文則不應有子如此並莫詳虛實須更博
訪乃詳之耳　謹案此即作棰杖荊是也實細黃
黑色莖勁作樹　不為蔓生故稱之為牡非无實之謂
也案漢書郊祀志以牡荊莖為幡竿此明則蔓不
堪為竿今所在皆有此荊非本經所載案今生出
乃是蔓荊以為附後陶為誤矣別錄云荊葉味苦
平无毒主久利霍亂轉筋而淋下部瘡濕匿薄腳
主腳氣腫滿根味甘苦平无毒水煑服主心風頭
風支體諸風解肌發汗有青赤二種赤者為佳出類
聚方今醫相承以蔓荊為牡荊以柱荊為蔓荊極

誤也

女貞實味苦甘平無毒主補中安藏養精神除百疾久服肥健輕身不老生武陵川谷立夏採葉茂盛凌冬不凋皮肉白與秦皮為表裏其樹似冬生而可愛諸處時有仙經亦服食之俗方不復用市人亦無識之者謹案此貞葉似枸骨及青樹等其實九月熟黑似牛李子經云與秦皮爲表裏誤矣然秦樹葉細冬枯女貞葉大冬茂殊非類也

桑上寄生味苦甘平無毒主腰痛小兒背強癰腫安胎充肌膚堅髮齒長鬚眉主金創去痹女子崩中內傷不足産後餘疾下乳汁其實明目輕身通神一名寄屑一名寓木一名宛童一名蔦 生弘農川谷桑樹上三月三日採莖葉陰乾桑上者名桑上寄生耳詩人云施于松上方家亦有用楊上楓上者則各隨其樹名之形類猶是一但根津所因處爲異法生樹枝間寄根在枝節之內葉圓青赤厚澤易折旁自生枝節冬夏生四月

華白五月實赤大如小豆今處々皆有以出彭城為勝俗人呼皆為續斷用之案本經續斷別在中品藥所主療不同豈容是一物布人使混亂先復能甄識之者服食方云是桑檽與此說又為不同耳　謹案寄生槲櫸柳水楊楓等樹上子黄大如小棗子唯虢州有桑上者子汁甚黏核大如小豆葉無陰陽如細柳葉厚肌莖麁短江南人相承用為續斷殊不相關且寄生實九月始熟而黄今稱五月實赤大如小豆此是陶未見之也

蕤核味甘溫微寒無毒主心腹邪結氣明目々痛赤傷淚出療目腫眥爛齆鼻破心下結淡痞氣久服輕身益氣不飢生函谷川谷及巴西七月棌實今從此方來云出數城間形如烏豆大圓而扁有文理狀似胡桃今人皆合故用為分兩此乃應破取人禪之醫方唯以療眼仙經以合守中丸也　謹案棌字如此作也

五茄味辛苦溫微寒無毒主心腹疝氣腹痛益氣療躄小兒立能行疽瘡陰蝕男子陰萎囊下濕小便餘瀝女人陰痒及

腰脊痛兩脚疼〻痺風弱 五緩虛羸補中
益精堅筋骨强志意久服輕身耐老一名
狗漆一名豺節 五葉者良生漢中及宛朐
五月七月採莖十月採根陰乾 遠志爲之使畏虵脫皮玄参今近道處〻有東〻間旀多四葉者亦好煑根莖釀酒至益人道家用此作灰亦以煑石與地榆並有秘法茄字或作家字者也

沉香 薰陸香 鷄舌香 藿香 詹糖香

楓香 並微温 悉療風水毒腫 去惡氣 薰
陸 詹糖 去伏尸 鷄舌 藿香 療霍亂 心
痛 楓香 療風隱軫痒 毒 此六種香皆合香家要用不正復入
藥唯療惡核毒腫道方頗有用處詹糖出晉安岑
州上真淳澤者難得多以其皮及枯虫矢雜之唯
軟者爲佳其餘无甚真僞而有精麤耳外國用波
津香明目白檀消風腫其青木香別在上品 蘳
集沉香青桂鷄骨馬蹄棧香等同是一樹葉似橘
葉花白子似檳榔大如桑椹紫色而味辛樹皮
青色木似櫸柳薰陸香形似白膠出天竺單〻二國
鷄舌香樹葉及皮並似栗花如梅花子似來椓此唯

樹也不入香用雄樹者花不實採花釀〻以成香出崑崙及交愛以南詹糖樹似橘煎枝葉為香似糖而黑出交廣以南又有丁香根味辛溫主風毒諸腫此別一種樹葉似櫟高數丈陵冬不凋唯根堪療風熱毒腫不入心腹〻用非雞舌香也

蘗木 味苦寒無毒主五藏腸胃中結氣熱黃疸腸痔止泄利女子漏下赤白陰陽蝕瘡驚氣在皮間肌膚熱赤起目熱赤痛口瘡久服通神一名檀桓根名檀桓主心腹百病安魂魄不飢渴久服輕身延年通神 生漢中山谷及永 惡乾漆 今出邵陵者輕薄色深為勝出東山者厚重而色淺 其根 於道家入木芝品今人不知取服之又有一種小樹狀如石榴其皮黃而苦俗呼為子蘗亦主口瘡又一種小樹至多刺皮亦黃亦主口瘡 謹案子蘗一名山石榴子似女貞皮白不黃亦名小蘗所在皆有今云皮黃恐謬矣案今俗用子蘗皆多刺小樹名刺蘗非小蘗也

辛夷 味辛溫無毒主五藏身體寒風〻頭腦痛面䵟溫中解肌利九竅通鼻

塞涕出面腫引齒痛眩冒身兀兀如在
車船之上者生鬚髮去白蟲久服下氣輕
身明目增年能老可作膏藥用之去
中心及外毛毛射人肺令人欬一名辛矧
一名侯桃一名房木生漢中川谷九月採

實暴乾芎藭為之使惡五石脂畏菖蒲蒲黃黃連石膏
黃環今出丹陽近道形如桃子小時氣辛
香即離騷所呼辛夷者也謹案此是樹花未開時
收之正月二月好採今見用者是其言九月採實者

恐謬其樹大連抱高數仞葉大於柿葉所在皆有實臭
不任藥也方言老毛用其心然難得而腦入面苡用花
開者易得
而更香

木蘭味苦寒無毒主身有大熱在皮膚
中去面熱赤皰酒皶惡風癩疾陰下癢
濕明目療中風傷寒及癰疽水腫去臭
氣一名林蘭一名杜蘭皮似桂而香生零
陵山谷生太山十二月採皮陰乾零陵諸處皆
有狀如楠樹

皮甚薄而味辛香今益州 有皮厚狀如厚朴而氣
味為勝故蜀都賦云木蘭梫桂也今東人皆以山桂
及欓之亦相類適家亦用合香亦好也 謹案木
蘭葉似菌桂葉其葉氣味辛香不及桂

榆皮味甘平無毒主大小便不通利水道除
邪氣腸胃邪熱氣消腫性滑利久服輕
身不飢其實尤良療小兒頭瘡疕華主
小兒癇小便不利傷熱一名零榆生潁川山
谷二月採皮取白曝乾八月採實並勿令
中濕〻則傷人

此即今榆樹耳剝取皮刮除上
赤可臨時用之性至滑利初生
莢人以作糜羹輩令人睡眠嵇公所謂榆令人眠斷
穀乃屑其皮并檀皮服之即所謂不飢者也
謹案榆三月實熟尋即落矣
今稱八月採實恐本經誤矣也

酸棗味酸平無毒主心腹寒熱邪結氣
四支酸疼濕痺煩心不得眠臍上下痛
血轉久洩汗渴補中益肝氣堅筋大
骨助陰氣令人肥健久服安藏輕身延

年生河東川澤八月採實陰卅日成惡防

己今出東山间云即是山棗樹子子似武昌棗而味極酸

東人乃敢之以醒睡与此療不得眠正反矣 謹案此即

𢪛棗實也樹大如大棗實无常形但大棗中味酸者

是本经唯用實療不得眠不言用人今方用其人補

中益氣自補中益肝已下為酸棗人之功能又於下品白

棘條中復云用其實今墾棘實為酸棘太誤矣也

槐實味苦酸鹹寒無毒主五内邪氣熱

止涎唾補絕傷五痔火瘡婦人乳瘕子

藏急痛以七月七日取之擣取汁銅器

盛之日煎令可作丸大如鼠矢内竅中三

著愈又墮胎久服明目益氣頭不白延

年枝主洗瘡及陰囊下濕癢皮主爛

瘡根主喉痹寒熱生河南平澤可作

神燭 景天為之使 槐子以多連者為好十月上

已日採之新兒盛合瓷百日皮爛為水核

如大豆服之令人腦滿髮不白而長生處處有此云

七月取其子未堅故擣使取汁 謹案别録云八月

断槐大枝使生嫩糵煮汁釀酒療大風痿痹甚効

槐耳味苦辛平无毒主五痔心痛女人陰中瘡痛

槐樹菌也當取堅如桒耳若枝炮肘心鼈毒也

楮實味甘寒無毒主陰痿水腫一名穀實所在有之八月九月採實日乾葉味甘無毒主小兒身熱食不生肌可作浴湯又主惡瘡生肉樹皮主逐水利小便莖主隱軫痒單煮洗浴其皮白汁療癬此即今穀樹子也仙方採擣取汁和丹用亦乾服使人通神見鬼南人呼穀紙亦爲楮紙作楮音武陵人作穀皮衣又甚堅好耳也

枸杞味苦寒根大寒子微寒無毒主五內邪氣熱中消渴周痹風濕下胸脅氣客熱頭痛補內傷大勞噓吸堅筋骨強陰利大小腸久服堅筋骨輕身能老耐寒暑一名杞根一名地骨一名苟忌一名地輔一名羊乳一名却暑一名仙人杖一名西王

母杖　生常山平澤及諸丘陵阪岸上　冬採根　春夏採葉　秋採實　陰乾　今石頭烽火樓下家多其葉可作羹味小苦俗諺去去家千里勿食羅摩狗杞此言其補益精氣強盛陰道也羅摩一名苦丸葉厚大作藤生摘有白汁又人家多種之可生敢亦於蒸煑食也枸杞根實為服食家用其説乃甚美仙人之杖遠自有旨乎也

蘇合　味甘溫無毒　主辟惡殺鬼精物溫瘧蠱毒癇痓　去三虫　除邪　不夢忤魘脒　通神明　久服輕身長年　生中臺川谷　俗傳云是師子矢外國說不尒今皆從西域來真者難別亦不復入藥唯供合好香耳　謹案此香從西域及崑崙來紫赤色重如石燒之灰白者好云是師子屎者此是胡人誑言陶不誤之猶以為疑

橘柚　味辛溫無毒　主胷中瘕熱氣　利水穀　下氣　止嘔欬　除膀胱留熱　下停水　五淋　利小便　主脾不能消穀　氣充

胸中吐逆霍亂止洩去寸白久服去臭下氣通神輕身長年一名橘皮生南山川谷生江南十月採此是說其皮功耳以東橘為好西江亦有而不如甘皮小冷療氣乃言欲勝東橘此人亦用之以陳者為良其肉味甘酸食之多痰恐非益人也今此雖用皮既是菓類所以如宜相從柚子皮乃可食而不復入藥用此忽應下氣　謹案柚皮厚味甘不如橘有酸〻者名胡甘今俗人或謂橙為柚非也案呂氏春秋云菓之美者有雲夢之柚郭璞曰柚似橙而大於橘孔安國云小曰橘大曰柚皆謂甘也

新修本草木部之上品卷第十二

第十三一卷以仁和寺宫寶庫中所藏本付抄

新修本草 木中 仁和寺本 十三

新修本草木部中品卷第十三

司空上柱國英國公臣勣等 勅撰

龍眼 厚朴 豬苓 竹葉 竹笋

枳實 山茱萸 吳茱萸 秦皮 枝子

檳榔 合歡 秦椒 衛矛 紫葳

蕪荑 食茱萸 椋子木 每始王木 折傷木

茗苦搽 桑根白皮 松蘿 白棘 棘刺

安息香　龍腦　菴摩勒　毗梨勒

右木類中品廿八種　十七種神農本經二種
名醫別錄九種新附

龍眼味甘平無毒主五藏邪氣安志
厭食除虫去毒久服強魂魄聰察輕身
不通神明一名益智其大者似檳榔生
南海山谷　廣州別有龍眼似荔支而小非益智恐彼人別名
今者為益智耳食之並利人　謹案益知似連翹
子頭未開者味甘辛殊不似檳榔其苗葉花根与荳蔲无別唯
子小耳龍眼一名益智而益智非龍眼也其龍眼樹似荔枝葉若

林檎花白色子如檳榔有
鱗甲大如鳩卵味甘酸

厚朴味苦溫無毒主中風傷寒頭痛寒熱
驚氣血痺死肌去三虫溫中益氣消痰下
氣療霍亂及腹痛脹滿胃中冷逆胸中
嘔逆不止洩利淋露除驚去留熱心煩滿厚
腸胃一名厚皮一名赤朴其樹名榛其子名
逐楊療鼠瘻明目益氣生交阯宛朐三月

九月十月採陰乾乾薑為之使惡澤瀉寒水石消石今出建平宜都極厚肉紫色為好殼薄而白者不如用之去上甲錯皮俗方多用道家不須也

猪苓味甘苦平無毒主痎瘧解毒蠱疰不祥利水道久服輕身耐老一名豭猪屎生衡山山谷及濟陰宛朐二月八月採乾今湘州衡山元有此道不通皆從寧州來甚而亦是楓樹苓其皮至黑作塊似猪屎故以名之肉白而實者佳用之削去黑皮乃秤之比年殊難得耳

竹葉箽竹葉味苦平大寒無毒主欬逆上氣溢筋惡瘍殺小蟲除煩熱風痙喉痺嘔吐根作湯益氣止渴補虛下氣消毒汁主風痓痹實通神明輕身益氣生益州淡竹葉味辛平大寒主胸中痰熱欬逆上氣其瀝大寒療暴中風痺胸中大熱止煩悶其皮茹微寒療嘔啘溫氣寒熱吐血崩中溢筋苦竹葉

及癧瘍口瘡明眼痛通利九竅

竹笋味甘無毒主消渴利水道益氣可久食干笋燒服療五痔血竹類甚多此前一條云是篁竹吹用淡苦耳又一種薄殼者名甘竹葉最勝又有實中竹笙竹並以笋為佳於藥无用凡竹瀝唯用淡竹耳竹實出藍田江東乃有花而无實故鳳鳥不至而須來既〻有實〻狀如小麦也

枳實味苦酸寒無毒主大風在皮膚中如麻豆苦癢除寒熱〻結止利長肌宍利五藏益氣輕身除胸脇淡癖逐停水破結實消脹滿心下急痞痛逆氣脇風痛安胃氣止溏泄明目生河内川澤九月十月採陰乾今處〻有採破令乾用之除中核微炙令香亦如橘皮以陳者為良枳樹枝茎及皮療水脹暴風骨節疼急枳實俗方多用道家不須也　謹案枳實日干乃得陰便濕爛用當去核及中穰乃佳今云用枳殼乃尔若稱枳實須合核穰用者殊不然也誤矣

山茱萸味酸平微溫無毒主心下邪氣寒

欬逆寒溫濕痺去三虫腸胃風邪寒
熱疝瘕頭腦風風氣去來鼻塞目黃耳聾
面皰溫中下氣出汗強陰益精安藏通九
竅心小便利久服輕身明目強力長年一名
蜀棗一名雞足一名思益一名鬾實生漢中山谷
及瑯琊寃句東海承縣九月十月採實陰乾

蓼實為之使惡桔梗防風防己今出近道諸山中大樹子初赤未乾赤色如胡蘈子亦可噉既乾後皮甚薄當合核為用也

吳茱萸味辛溫大熱有小毒主溫中
下氣止痛欬逆寒熱除濕血痹逐風
邪開湊理去淡冷腹內絞痛諸冷實
不消中惡心腹痛逆氣利五藏根殺
三虫根白皮殺蟯虫療喉痹欬逆止泄
注食不消女子經產餘血療白癬一名藙
生上谷川谷及寃句九月九日採陰乾

藜實為之使惡丹參消石白惡畏紫石英此即今食茱萸禮記亦名藙而俗中呼為藙子當是不識藙字似藙仍以相傳其根南行東行者為勝道家去三尸方亦用之 謹案尒雅釋木云椒櫟醜梂陸氏本草疏云椒樧屬亦有樧名陶誤也

秦皮味苦微寒大寒無毒主風寒濕痺洗洗寒氣除熱目中青翳白膜男子少精婦人帶下小兒癇身熱可作洗目湯久服頭不白輕身皮膚光澤肥大有子一名岑皮一名石檀 生廬江川谷生宛朐二月八月採皮陰乾

大戟為之使惡茱萸俗云是樊槻皮而水漬以和墨書青色不脱微青且亦殊薄恐不必尒俗方以療目道術家亦有用處 謹案此樹似檀葉細皮有白點而不麁錯取皮水漬便碧色書紙看背青色者是俗見味苦名為苦樹亦用皮療眼有効以葉似檀故名石檀也

枝子味苦寒大寒無毒主五內邪氣胃中熱氣面赤酒皰皶鼻白癩赤癩瘡瘍目熱赤痛胸中心大小腸大熱心中煩悶胃中熱氣一名木丹一名越桃生南陽川谷九月採實曝

乾鮮玉支毒處々有亦兩三種小異以七道者為良經霜乃取之今皆入染用於藥甚希玉支即躑躅萌也

檳榔味辛温無毒主消穀逐水除淡澼殺三虫

去伏尸療寸白生南海此有三四種出交州形小而味甘廣州以南者形大而味澁核亦大尤大

者名猪檳榔作藥皆用之又小者南人名蒳子俗人呼為檳榔孫

亦可食　謹案檳榔生者極大停數日便爛今人此來者皆先

灰汁煑熟仍火薰使干始堪停久其中人主腹脹生擣末服利水穀

傳瘡生肌肉止痛燒為灰主口吻白瘡生交州愛州及崑崙

合歡味甘平無毒主安五藏和心志令人歡樂

無憂久服輕身明目得所欲生益州川谷嵇公養生論亦

云合歡蠲忿萱草忘憂　詩人又有萱草皆云即是今麻苊不入藥

用至於合歡舉俗無識之者當以其非療病之功稍見輕略遂致

永謝猶如長生之法人罕敦尚亦為遺棄也洛陽華林苑中

猶云合歡如丁林唯不來江左耳　謹案此樹生葉似皂莢槐等極

細五月花發紅白色所在山瀾(澗訛)中有之今東西京苐宅山池間亦有

種者名曰合歡或曰合昏　秋實作英(莢訛)子極薄細

秦椒味辛温生温熟寒有毒主風邪氣

温中除寒痺堅齒長髮明目療喉痺吐逆

疝瘕去老血産後餘疾腹痛出汗利五藏

久服輕身好色能老增年通神生太山川谷

及秦嶺上或鄜鄜八月九月採實 惡栝樓房葵
畏雌黄令從
西來欣似椒而大色黄黑味亦頗有椒氣或呼為大椒又云郎
今檫樹子而檫子是豬椒恐謬 謹案秦椒樹葉及子都似蜀
椒但味短實細藍田南
秦嶺閒大有

衛矛味苦寒無毒主女子崩中下血腹滿
汗出除邪殺鬼毒注蠱中惡腹痛去白虫
消皮膚風毒腫令陰中解一名鬼箭生霍山
山谷八月採陰乾 山野處處有其莖三羽狀如箭羽俗皆呼
為鬼箭而為用甚希用之削取皮及羽也

紫葳味酸微寒無毒主婦人乳餘疾崩中
癥瘕血閉寒熱羸瘦養胎 莖葉味苦无
毒主痿蹷益氣一名陵苕一名芙華生西
海川谷生山陽 李云是瞿麦根今方用至少 傳物志云郝晦
行華草於太行山此得紫葳華必當奇異今
瞿麦華乃可愛而處處有不應乃在太行山且又標其莖華恐
亦非瞿麦根詩云有苕之華郭云陵霄藤亦恐非也 謹案此
葳此即陵霄也花及莖葉俱用案尒雅釋草云苕一名陵苕黄華蔈
白華茇郭云一名陵時又名陵霄本草云一名陵苕一名芙華即用花
不用根也山中亦有白花者案瞿麦花紅无黄白者紫葳瞿麦皆本
經所載若用瞿麦根為紫葳紫葳何得復用莖葉 體性既与瞿麦

可累生廢赤不相似郭之陵䂊此為真說

蕪荑味辛平無毒主五內邪氣散皮膚骨節中淫溫行毒去三蟲化食逐寸白散腸中嗢嗢喘息一名無姑一名蕨䕬生川谷三月採實陰乾今惟出高麗狀如榆莢氣臭如犼彼人皆以作醬食之性殺蟲以置物中亦辟蛀但患其臭耳　謹案爾雅莁荑一名殺蘠今云蕨䕬字之誤也今出延州同州者最好

食茱萸味辛苦大熱無毒功用與吴茱萸同少為劣耳療水氣用之乃佳皮薄開口者是雖名為食而不堪噉　新附

椋子木味甘鹹平無毒主折傷破惡血養好血安胎止痛生肉葉似柿兩葉相當子細圓如牛李子生青熟黑其木堅重煮汁赤色爾雅云椋即椋者是也八月九月採木日乾　新附

每始王木味苦平無毒主折傷筋骨主肌破惡血痛酒水煮濃汁飲之生資州山谷藤生繞樹木上葉似蘿摩葉二月八月採　新附

折傷木味甘鹹平無毒主傷折筋骨疼痛

散血産後血悶心痛消水煮濃汁飲之生資州
山谷 藤生繞樹上葉似蔄草葉而光厚八月九月採莖日乾新附
茗苦𣘻茗味甘苦微寒無毒主瘻瘡利小
便去淡熱渴令人少睡秋採之苦𣘻主下氣
消宿食作飲加茱萸葱薑等 案尒雅釋木云檟苦𣘻春秋採之𣘻音名
蒔出山南金州梁州漢中山谷新附
桑根白皮味甘寒無毒主傷中五勞六極羸
瘦崩中脉絶補虚益氣去肺中水氣唾
血熱渴水腫腹滿臚脹利水道去寸白可以
縫創採無時出土上者殺人 續斷桂心麻子為之使
葉主除寒熱出汗汁解吳公毒
桑耳味甘有毒黑者主女子漏下
赤白汁血病癥瘕積聚腹痛陰陽寒
熱無子月水不調其黄熟陳白者

已久洩益氣不飢金色者療癖痹

飲積聚腹痛金創一名桒菌一名木麥

五木耳名檽益氣不飢輕身强志生

犍為六月多雨時採木耳即曝乾 東行桒根

乃易得而江邉多出土不可輕信桒耳斷穀方云木檽又呼為

桒上寄生此云五木耳而不顯四者是何木案桒樹生燥耳

有黄赤白者又多雨時亦生軟濕者人採以作葅皆无復藥用

謹案拧耳人常食槐耳用療痔榆柳桒耳此為五耳軟者

並堪噉桒楮耳味甘寒无毒簞食主消渴葉味苦甘寒有小毒

水煎取濃汁除脚氣水腫利大小腸灰味辛寒有小毒蒸

淋取汁為煎與冬灰等同滅誌疵黑子蝕

惡肉煑小豆（大豆）大下汁（水腫皆）服傳金創止血生肌也

医心方引云桒灰汁煑大豆食之下水腫 医心方疥门引云以桒薪灰汁洗之 又疥目门引文同

松蘿味苦甘平無毒主瞋怒邪氣止虛汗

出風頭女子陰寒腫痛療淡熱溫瘧可為

吐湯利水道一名女蘿生熊耳山川谷松樹

上五月採陰乾 東山甚多生雜樹上而以松上者為真 毛詩云蔦與女蘿施于松上蔦是寄生今

以桒上者為真不用 松者此𠫤有異同耳

白棘味辛寒無毒主心痛癰腫潰膿止痛

決刺結瘵大夫虛損陰痿精自出補腎氣
益精髓一名棘鍼一名棘刺生雍州川谷李云此是棗樹
針今人用天門冬代之非真也 謹案白棘莖白如粉
㙇子葉與赤棘同棘林中時復有之亦為難得
棘刺花味苦無毒平主金創內漏明目
冬至後百廿日採之實主明心腹痿痹
熱利小便生道旁四月採一名菥蓂一名
胸一名刺原又有棗針療腰痛喉痹了

此一條又相違越恐李所言多是然復无道其花葉一名析
別一物不關棗刺也今俗人不皆用門冬苗乃是好作飲益人正自不只
儒棘刺耳 謹案棘有白赤二種亦猶諸棗色類非一依條用
不足怪以江南无棘李云用棗針天門冬苗一名顛棘南人取亻
陶亦不許今用棘刺當取白者為勝花即棘花定无別物然刺有
種有鉤有直補益用直者療腫宜取鉤者又云棗針宜在棗
人昧於棗棘所
以困在棘條

安息香味辛苦平無毒主心腹惡氣鬼
西戎似松脂黃黑色為塊新者亦柔韌新
龍腦香及膏香味辛苦微寒一云溫平無毒

主心腹邪氣，風濕積聚，耳聾，明目，去目赤翳。出婆律國，形似白松脂，作杉木氣，明淨者善；久經風日，或如雀屎者不佳。云合粳米炭、相思子貯之則不耗。膏主耳聾。樹形似杉木，言婆律膏是樹根下清脂，龍腦是樹根中乾脂。子似荳蔻，皮有甲錯。香，代龍腦，味辛，尤下惡氣，消食，散脹，香口。又云出婆律國，葉以國為名也。亦言即杉脂也。江南有杉木，經試造，或方云無脂，猶甘蕉比，聞花而無實耳。新附

菴摩勒，味苦、甘，寒，無毒。主風虛熱氣。一名餘甘。生嶺南交、廣、愛等州。樹葉細似合歡，花黃，子似李、柰，青黃色，核圓，六七稜，中人亦入藥。新附

毗梨勒，味苦，寒，無毒。功用與菴摩勒同。出西域及嶺南交、愛等州，戎人謂之三果。樹似胡桃，子形亦似胡桃，核似訶梨勒而圓短無稜，用之亦同。新附

新修本草木部中品卷第十三

新修本草 木下 十四

仁和寺本

新修本草木部下品卷第十四

司空上柱國英國公臣勣等奉　勅修

黄環　石南草　巴豆　蜀椒　莽草

郁核　鼠李　欒華　杉材　楠材

匪實　蔓椒　釣樟　雷丸　溲疏

櫸樹皮　白楊樹皮　水楊葉　欒荊　小檗

莢蒾　鉤藤　藥實　皂莢　練實

柳華　桐華　梓白皮　蘇方木　接骨木
杉材　木天蓼　烏臼木　赤檉　訶梨勒
楓柳　賣子木　大空　紫真檀　椿木
橡實　無食子　楊櫨木　槲若
右木類下品合卌五種一十七種神農本經　七種名醫別錄　廿一種新附

黃環　味苦平有毒　主蠱毒鬼注鬼魅邪氣在藏中除咳逆寒熱一名陵泉一名大就生蜀郡山谷三月採根陰乾或鳶尾為之使惡伏苓以防己亦作車輪理解蜀都賦所云王不黃環者或云是大戟花定非也俗用甚希市人尠有識者一名比物襄陽巴西人謂之就葛作藤生根亦類防己作車輪理解若近之人取葛根誤得食之吐利不止以土漿解乃差此真黃環也餘處亦希唯襄陽是有本經用根今云大戟花非也其子作角生似皂莢花實与葛同時矣是種之大者莖經六七寸所謂之謂其子名狼跋子今太常科劒南來者乃雞屎葛根非也

石南　味辛苦平有毒　主養腎氣內傷陰衰利筋骨皮毛療腳弱五藏邪氣除熱女子不可服令思男實殺蠱毒破積聚逐風

癖一名鬼目生華陰山谷二月四月採葉八月採

實陰乾 五茄為之使今盧江及東間皆有葉狀如枇杷葉方用亦希 謹案此草葉似䓍草陵冬不凋以葉細者為良關中者好為療風邪丸散之要其江山已南者長大如枇杷葉无氣味殊不任用今醫家不復用實也

巴豆 味辛溫 生溫熟寒 有大毒主傷寒溫瘧寒

熱破癥瘕結堅積聚留飲淡澼大腹水

蕩練五藏六府開通閉塞利水穀道

去惡肉除鬼蠱毒注邪物殺虫魚女子月

閉爛胎金創膿血不利丈夫陰殺斑苗毒

可練餌之益血脈令人色好變化與鬼神

通一名巴椒生巴郡川谷八月採實乾之用

去心皮 芫花為之使惡蘘草畏大黃黃連梨蘆出巴郡似大豆最能利人新者佳用皆之去心皮乃稱又熬令黃黑別擣如脂乃合和丸散可道方亦有練餌法服之乃言神仙人吞一枚便欲死而鼠食之三年重卅斤物性乃有相耐如此 謹案樹高丈餘葉似櫻桃葉頭微赤十二月葉漸凋至四月落盡 月葉漸生七月花八月結實九月成十月採其子三枚共蒂各有殼殼出眉州嘉州

蜀椒味辛溫大熱有毒主邪氣欬逆溫中逐
骨節皮膚死肌寒濕痹痛下氣除
五藏六府寒冷傷中溫瘧大風汗
不出心腹留飲宿食止腸澼下利泄
精女子字乳餘疾散風邪瘕結水腫黃
疸鬼注蠱毒殺蟲魚毒久服之頭
不白輕身增年開腠理通血脈堅齒

髮調關節耐寒暑可作膏藥多食
令人乏氣口閉者殺人一名巴椒一名
蓎藙生武都川谷及巴郡八月採實乾
杏人為之使畏橐吾出蜀郡北部西川人家種之皮肉厚
腹裏白氣味濃江陽晉原及建平間亦有而細赤辛而不香
力勢不如巴郡巴椒有毒不可服而此為一名恐不爾又有秦椒黑色在上
品中凡用椒皆火微熬之令汗出謂為汗椒令有力勢椒目冷利去水
則入藥不得相雜耳注蜀椒目味苦寒無毒
主水腹脹滿利小便今椒出金州西城最佳

莽草味辛苦溫有毒主風頭癰腫乳癰

疝瘕除結氣疥瘙虫疽瘡殺虫魚療
喉痹不通乳難頭風痒可用沐勿近目
一名葞一名春草生上谷山谷及冤句五
月採葉陰乾上谷遠在幽州今東間諸山處處皆有葉青新烈者良人用搗以和米內水中魚吞即死
浮出人取食之无妨莽字亦有作菵者浮為同音

郁核味酸平无毒主大腹水腫面目四
支浮腫利小便水道根主齒斷腫齲
齒堅齒去白虫一名爵李一名車下
李一名棣生高山川谷及丘陵上五月
六月採根山野處處有其子熟赤色亦可噉之

鼠李主寒熱瘰癧瘡皮味苦微
寒无毒主除身皮熱毒一名牛李
一名鼠梓一名椑生田野採无時此條又附
見今亦在副品也謹案此藥一名趙李一名皂李一名烏槎樹皮主諸瘡寒熱毒痹子主牛馬六畜瘡中虫或生瘡

薄〻或和脂塗皆効子味苦採取日乾九蒸酒漬服三合日
二餘下虫及拌肉除𤸇瘕積冷氣大良皮子俱有小毒

欒華味苦寒无毒主目痛泣出傷眥
消目腫生漢中川谷五月採 次明為之使
謹案此樹葉似木
堇而薄細花黃似槐少長大殼似酸漿其中有實如熟豌豆圓
黑堅鞕堪為數珠者是也五六月花可收南人取合黃連作煎療目
赤爛大効花以染
黃色甚鮮好也

杉材微温療漆 削作柿煑以洗漆〻亦不即差又
有鼠查生去地高丈餘許煑以洗
漆多差穴肖漆以葉細〻高丈生石邊亦療漆其鷄子及蟹並忌
舊方 謹案杉木水煑汁浸將差脚氣腫滿服之療心腹脹痛法惡
氣其鼠查漆姑有
別功別出下品

樕材微温主霍亂吐下不止 削作柿煑服之
窮无他茟用此

榧實味甘主五痔去三虫蠱毒鬼注
生永昌 今出東陽諸郡食其子乃言療寸白不復有
餘用丕入藥方疑此与彼虫部彼子療說符同
謹案此物是虫部中彼子也尒雅云彼杉也其樹大連
抱高數仞葉似杉其樹如柏作杉理肥細軟堪罡用者

蔓椒味苦温无毒主風寒濕痹癧節
疼痛除四支厥氣膝痛一名豕椒一名豨

椕一名狗椕，生雲中山川谷及丘冢間株

莖根煑釀 山野處處有，俗呼為樑，似檄藁，小不香耳。一名𥟅，故可以蒸病出汗。

釣樟根皮主金創，止血。出桂陽邵陵諸處，亦呼作烏樟。方家乃不用，而俗人多識此，刮根皮屑以療金創，斷血易合，甚驗。又有一草似狼牙，氣辛臭，名地菘，人呼為劉盡草，五月五日採，乾作屑，亦匡療金瘡，言劉𥫗昔採用之耳。謹案：釣樟生柳州山谷，樹高丈餘，葉似楠葉而尖長，背有赤毛，若枇杷葉，八月九月採根皮，日乾之。

雷丸味苦鹹，寒，微寒，有小毒。主殺三蟲，逐毒氣，胃中熱，利丈夫，不利女子，作膏摩小兒百病，逐邪氣惡風，汗出，除皮中熱結積聚，蠱毒，白蟲寸白自出不止。久服令陰痿。一名雷矢，一名雷實。赤者殺人。生石城山谷，生漢中土中。八月採根，曝乾。荔實、厚朴為之使，惡葛根。今出建平宜都間，累累相連如丸。本經云利丈夫，別錄云久服陰痿，於事相反。謹案：雷丸是竹之苓也，無有苗蔓，皆零出，無相連者。今出房州、金州。

溲疏味辛苦，寒，微寒，無毒。主身皮

膚中熱，除邪氣，止遺溺，通利水道，除胃中熱，下氣，可作浴湯。一名骨。生熊耳川谷及田野故丘墟地。四月採。漏蘆為之使。李云溲疏一名楊櫨，一名牡荊，一名空疏。皮白中空，時〻有節，子似枸杞子，冬月熟，色赤，味甘苦。末代無乃識者，此實真也，非人籬援之楊櫨也。李當〻此說於論牡荊，乃不為大乖，而濫引溲疏，恐斯誤矣。又云溲疏與空疏亦不同掇耳剝膚作熊耳山名，而都無施用〻者也。謹案：溲疏形似空疏，樹高丈許，皮白，其子八月九月熟，色赤，似枸杞子，味苦，必兩〻相並，與空疏不同。空疏一名楊櫨，子為莢，不似溲疏。

欅樹皮，大寒。主時行頭痛，熱結在腸胃。山中處〻有。皮似檀、槐，葉如櫟、槲，人亦多識。用〻削取裏皮，去上甲，煎服之。夏日作飲去熱。謹案：此樹所在皆有，多生溪澗水側。葉似樗而狹長，樹大者連抱，高數仞，皮極麤厚，殊不似檀。今人取皮煮汁以療水腫折下利，取嫩葉挼火爛瘡，有効。

白楊樹皮，味苦，無毒。主久風脚氣腫，四支緩弱不隨，毒氣遊易在皮膚中，痰癖等，酒漬服之。取葉圓大，蒂小，無風自動者。新附

水楊葉嫩枝味苦平无毒主久利赤白擣水
絞取汁服一升日二大効此陶注郁者是新附
欒荊味辛苦温有小毒主大風頭面手足諸
風癲狂痓濕痺寒冷疼痛俗方大用之而
本草不載亦无別名但有欒花功用又別非
此花也於其莖葉都似石南乾亦反卷經冬不死葉上有細黑點者真也今雍州所用者是而洛州乃用石荊當之非也新附
小蘗味苦大寒无毒主口瘡甘䘌殺諸虫去
心腹中熱氣一名山石榴其樹枝葉與石榴无別但花異子細黑員如牛李子耳生山石間所在皆有襄陽峴山東者為良陶於蘗木附見二種其一見是陶云皮黃其樹乃皮白今太常所貯乃葉多刺者名曰刺蘗非小蘗新附
莢蒾味甘苦平无毒主三虫下氣消穀葉似木槿及似榆作小樹其子如溲疏兩兩為並四四相對而色赤味甘煮樹枝汁和作粥甘美以飼小兒殺蚘不入方用陸機草木疏名擊蒾一名羿先單云欓榆也所在山谷有之新附
鈎藤微寒主小兒寒熱十二驚癇出建平亦作弔藤字

唯療小兒不入餘方。謹案出渠州，柔細長莖似有刺，狀若釣鉤者。

欒實根味辛溫无毒主耶氣諸痺疼酸續傷絶補骨髓一名連木生蜀郡山谷採无時 謹案此欒子也當今盛用胡名那綻出通州渝州本經用根恐誤載根字子味辛平无毒主破血止利消腫除蠱注地毒樹生葉似杏花紅白色子肉味酸甘用其椽人之

皂莢味辛鹹溫有小毒主風痺死肌耶氣風頭淚出下水利九竅殺鬼精物療腹脹滿消穀破欬嗽囊結婦人胞不落明目益精可為沐藥不入湯生雍州川谷及魯鄒縣如豬牙者良九月十月採莢乾 栢實為之使惡麦门冬畏空青人參苦參 今處處有長尺二者良俗人見其皆有虫孔而未嘗見虫形皆言不可近令人惡病殊不尔其虫狀如草米之青虫其微欵殺便出去所以難見耳但取生者看目知之也 謹案此物有三種猪牙皂莢最下其形曲戾薄惡全无滋潤洗垢亦不去其尺二寸者麻長虛无潤也若長六七寸圓厚節促直者皮薄多肉味濃大好也

楝實味苦寒有小毒主溫疾傷寒大熱煩

狂殺三蟲疥瘍利小便水道根微寒療蚘
蟲利大腹生荊山〻谷處〻有俗人五月五日皆取花葉佩帶之云辟惡其根以苦酒摩塗疥甚良煑汁作糜食之去蚘虫也謹案此物有兩種有雄有雌雄者根赤无子有毒服之多使人吐不能止時有至死雌者根白有子毒微用當取雌者

柳華味苦寒无毒主風水黃疸面熱黑痂
疥惡瘡金創一名柳絮葉主馬疥痂瘡取
煎煑以洗馬疥立愈療心腹內血止痛實
主潰癰逐膿血子汁療渴生瑯琊川澤柳即今水楊也花熟隨風起狀如飛雪陳元正方以爲譬若當用其未舒時子亦隨花飛正應水漬取汁耳柳花亦宜貼灸瘡皮葉療漆瘡謹案柳與水楊全不相似水楊葉員闊而赤枝條短鞕柳葉狹長青綠枝條長軟此論用柳不載水〻楊〻亦有療能本草不錄樹枝[illegible]空中虫屑枝皮味苦寒无毒主痰熱淋可爲吐湯煑洗風腫癢酒煑含主齒痛空中虫屑可爲浴湯主風瘙癮軫本効此人間柳樹是陶云水楊非也本草載花是灸瘡

桐葉味苦寒无毒主惡蝕瘡著陰皮主五
痔殺三蟲華傅猪瘡肥大三倍生桐

栢山谷 桐樹有四種青桐莖皮青葉似梧桐而無子梧桐色白葉似青而有子ゝ肥亦可食白桐与崗桐無異惟有花子耳花三月舒黄紫色礼云桐始花者也崗桐無子是作琴瑟者今此云花便應是白ゝ桐ゝ亦堪作琴瑟一名椅桐人家多植之 謹案古本草桐花飼猪肥大三倍今云傳瘡恐誤矣豈有故破傷猪傳花者

梓白皮味苦寒无毒主熱去三虫目中惡葉

葉擣傳猪瘡肥大易養三倍生河内山谷 此亦 梓樹之皮梓亦有三種當用作梓處不腐者方葉不復用葉療猪脚水爛桐葉及此以肥猪之法未見其事應在商丘子養猪經中耳 謹案此二樹花葉取以飼猪並能肥大且易養今見李氏本草及博物志但云飼猪使肥今云傳猪瘡並誤謬矣別錄云以主吐逆胃反去三蟲小兒壯熱身頭熱煩蝕瘡湯浴之并封薄散傅瘡葉主爛瘡也

蘇方木味甘鹹平无毒主破血産後血脹悶欲死若水煮若酒煮五兩取濃汁服之効 此人用染色者出有 此似榆葉交州愛州並有樹似菴羅葉若榆葉而無澀抽條長丈許花黄子生青熟黑新附

接骨木味甘苦平无毒主折傷續筋骨除風痒齲齒可為浴湯 葉如陸英花亦相似但樹高一二丈木輕虛无心斫枝插便生人家亦種之一名木蒴藋所在皆有之新附

枳椇味甘平无毒主頭風少腹拘急陸機云一名

木蜜其木皮温无毒主五痔和五藏以木為屋〻

中酒則味薄此亦奇物 其樹修尺大如白石葉如棗柘其子 作房似珊瑚核在其端人皆食之新附

木天蓼味辛温有小毒主癥結積聚風勞虛

冷生山谷中 作藤蔓葉似柘花白子如棗許无定形中瓤似茄子味 辛啖之以當薑蓼其苗藤切以酒浸服或以釀酒去風冷

癥癖大効所在皆有 亦出安州申州新附

烏臼木根皮味苦微温有毒主暴水癥結積

聚生山南平澤 樹高數仞葉似梨杏 花黄白子黑色新附

赤爪草味苦寒无毒主水利風頭身癢生平

陸所在有之實味酸冷无毒汁服主利洗頭及

身瘡癢一名羊梂一名鼠查 小樹生高五六尺子似 掌爪大如小林檎赤色出

山南申州安州 隨州新附

訶梨勒味苦温无毒主冷氣心腹脹滿下宿物

生交愛州 樹似木梡花白子形似梔子青黄色 皮肉相着水磨或散水服之新附

風柳皮味辛大熱有毒主風齲齒痛出石州

葉似槐莖赤根黃子六月熟錄
也今沙州取其葉以用之新附

實子 味甘，微溫、鹹平，無毒。主折傷，血內溢，補

骨髓，止痛，安胎。生山谷中。其莖似柳葉甚細
赤子似竹葉新附

大空 味辛苦，平，有小毒。主三虫，殺蟣虱。生山谷

中。以根皮末，油和塗之，蟣虱皆死。其皮赤，葉似楮小
圓厚，作小樹枝條

高六七尺。出蒲州山谷，所在亦
有。李德人名為大空。新附

紫真檀木 味鹹，微寒。主惡毒風毒。俗人磨以塗風
毒諸腫亦効，然

不及青木香。又主金創，止血，亦療淋，用之
佳。其此物出昆侖盤盤國，雖不生中華，人間遍有。

椿木葉 味苦，有毒。主洗瘡疥，風疽；水煮葉汁用

之。皮主甘䘌。樗木根葉尤良。二樹形相似，樗木疏，
椿木實也。新附

胡椒 味辛，大溫，無毒。主下氣，溫中，去痰，除藏

腑中風冷。生西戎。形如鼠李子，調食用之，味甚

辛辣，而芳香不及蜀椒。新附

橡實 味苦，微溫，無毒。主下利，厚腸胃，肥健人。其

榖為散及煮汁服亦主利并堪染用一名杼計
槲櫟皆有以櫟為勝所在山谷中皆有新附
无食子味苦温无毒主赤白利腸滑生肌肉出
西戎 云生沙磧間樹似檉 若新附
楊盧木味苦有毒主疸瘻惡瘡水煮葉汁
洗瘡立差生籬垣間一名空疏所在皆有新附
槲若味甘苦无毒主痔止血〻利止渴取脉
灸用之皮味苦水煎濃汁除蠱及瘻俗効
新附

新修本草 木部下品卷第十四

弟十四 仁和寺付抄本也

新修本草 獸禽 椗齋傳抄 十五

新修本草獸禽部卷第十五

司空上柱國英國公臣勣等奉 勅修

龍骨 牛黄 麝香 人乳汁 髮髲

亂髮 頭垢 人屎等 馬乳 牛乳

羊乳 酪蘇 熊脂 白膠 阿膠

醍醐 底野迦 酪

卍 犀角 羚羊角 羖羊角等 牛角䚡等 白馬莖等

牡狗陰莖等 鹿茸等 麞骨等 虎骨等 豹肉
狸骨等 兔頭骨等
下 六畜毛蹄甲 鼺鼠 麋脂角 豚卵等
鼹鼠 獺肝 狐陰 猯膏 野猪黄
驢屎等 豺皮
禽 上 丹雄雞等 白鵝 鶩肪 鷓鴣
中 雉肉 鷹屎白 雀卵等 鸛骨 雄鵲 鴝鵒
下 鷰矢 孔雀 鸕鷀 鴟頭
右獸禽類五十六種 廿一種神農本經 廿六種名醫別錄 九種新附
龍骨 味甘平微寒無毒主心腹鬼注精物老魅欬逆泄利膿血女子漏下癥瘕堅結小兒熱氣驚癇療心腹煩滿四支痿枯汗出夜臥自驚恚怒伏氣在心下不得喘息腸癰內疽陰蝕止汗小便利溺血養精神定魂

魄安五藏。白龍骨療夢寤泄精，小便泄精。
龍齒主小兒大人驚癇，癲疾狂走，心下結
氣，不能喘息，諸痙，殺精物。療小兒五驚、
十二癇，身熱不可近人，大人骨間寒熱，又殺
蠱（得人參、牛黃良，畏石膏）。角主驚癇瘈瘲，身熱如火，腹中
堅及骨熱（畏乾漆、蜀椒、理石）。久服輕身，通神明，延年。生
晉地川谷及太山巖水岸土穴石中死龍

處。採無時。（今多出晉益州梁州間，巴中亦有。骨欲得脊腦，作
白地錦文，舐之著舌者良。齒小強，猶有齒形。角強而
實。又有龍腦，肥軟，亦斷痢。云皆是龍蛻，非實死也。比來巴中數得龍
胞，吾自親見，形體具存，雖[illegible]療產後餘疾，正當末服之。
龍骨今益比來地生得者不好，五色具良，其青黃赤白黑亦應隨色
與府藏相會，如五芝、五石英、五石脂，而本經不論，莫知所以。）
牛黃　味苦，平，有小毒。主驚癇，寒熱，熱盛
狂痓，除邪逐鬼，療小兒百病，諸癇熱，口不
開，大人狂癲，又墮胎。久服輕身增年，令人
不忘。生晉地平澤，生於牛，得之即陰乾百日

使時燥無令見日月光 人参為之使得牡丹昌蒲利耳目惡龍骨地黄龍膽
蜚蠊畏牛膝舊云神牛出入鳴吼者有之伺其出角上以盆
水承而吐之即墮落水中今人多皆就膽中得之耳多出
梁益一子如雞子黄大相重疊藥中之貴莫復過此一子起
二三分好者直五六千至一万也俗人多假作甚相似唯以磨
爪甲拭不脱者是真之 謹案牛黄今出萊州密州淄州
戎州青州嶲州牛有黄者必多吼喚喝迫而得謂之生黄最佳黄
有三種散黄粒如麻豆漫黄若雞卵中黄糊在肝膽團黄為塊形
大小並在肝膽中多生於榛特牛其吴牛未聞有黄

麝香味辛温無毒主辟惡氣殺鬼精物温
瘧蠱毒癇痓去三蟲療諸凶邪鬼氣中惡心
腹暴痛脹急痞滿風毒婦人産難墮胎
去面䵟目中膚翳久服除邪不夢寤魘寐
通神仙生中臺川谷及益州雍州山中春
分取之生者益良 麝形似麞常食柏葉又噉蛇五月得香往往有蛇皮骨故麝香療蛇毒
今以蛇蜕皮裹麝弥香則是相使也其香正在麝陰莖前皮
内別有膜裹之今出隨郡義陽晋熙諸蠻中者亞之今出其
形皂顛如粟暁人云是卵不然也香多被破雜蠻於異於益州
益州香形扁仍以皮膜裹之一子真香分糅作三四子刮取其血膜亦
雜以餘物大都亦有精麤破看一片毛共在裹中者為勝彼
人以為誌若於諸羌夷中得者多真好燒當門沸起良久亦好今

唯得活者自者取之必當全真耳生者人去是其精溺凝作殊不尒麝香夏月食蛇蟲多至寒香滿入春患急痛自以脚剔出著矢溺中覆之皆有常處人有遇得乃一斗五升也用此香乃勝殺取者帶麝非但香亦辟惡以真者一子置頸間枕之辟惡夢兒氣

尸疰

人乳汁補五藏令人肥白悅澤 服食埵服人乳故年百餘歲肥白如執彈棊別錄云人首生男乳療目赤痛多淚解獨肝牛肉毒合豉濃汁服之神效又殺和雀屎去目赤努肉

髮髲味苦溫小寒無毒主五癃關格不得小便利水道療小兒癇大人痓仍自還神

括述類卷下男字

化生平澤令鷄子黃煎之消為水療小兒驚熱下 李云是童髮神化之事未見別方今俗中嫗母為小兒鷄子煎用髮雜熬良久得汁与兒服去痰熱療百病而用髮皆用其人梳頭亂者耳不知此髮髲審取是何物且髲字書記所無或作笄音人今呼𠇍髮為笄髮書家亦亂髮為鬈恐髲即是鬄字音也童男之理未或全明 謹案此髮根也年久者用之神效即髮字誤矣既有亂髮及頭垢則䯻髮明矣又頭垢功劣於髮猶去病用陳久者梳及船茹敗天公蒲席皆此例也甄立言作髮之亦髮也髮物々音撿字書無髲字但有髮之髮義皃作丘惟音有聲無質則髮為真矣

亂髮微溫主欬五淋大小便不通小兒驚

癎上血臭衄燒之吹內立已 此常人頭髮耳術家用已 亂髮及爪燒與人飲之

相親愛此与髮髲療體相似若並則長此一件 髗桀亂髮 療

括訶疑髮下脫字

轉肥又小便不通赤白利嚏噎鼻衄癰腫抓尿刺尸注丁腫骨疽

雜瘡古方用之陶景但知字書

无髲字竟不悟髲誤為髮也

頭垢主淋閉不通 術ム頭垢洊針以肥故耳 今當用傳擇 人者其垢可丸亦主噎又療勞復也

人屎寒主療時行大熱狂走解諸毒人

溺療寒熱頭痛溫氣童男者尤良

溺白㙠療鼻衄湯火灼瘡東向清者

溺坑中青泥療喉痺消癰腫若已有

膿即潰 支廣俚人用爆銅為箭鏃射人裁傷皮便死唯 飲糞汁即差而射猪狗不死以其食糞故也時行

大熱飲糞汁亦愈今近城寺別塞空罌口內糞倉中積年得汁

甚黑而苦名為黃龍湯療溫病垂死飲皆差若人初得頭痛直

飲溺數升亦多愈合葱豉作湯弥佳溺㙠及青泥為療並如所

說又婦人月水亦解毒箭并女勞復浣褌汁亦善非內國舊有

奇術能禁合刀人研不入喉以月水塗刀便死此是汙穢壞神氣

也又人合藥所以忌觸之皮既一種物故從屎溺之例又人精和鷹屎

滅瘢 謹案人屎主諸毒卒惡熱黃悶欲死者新者最效須以水和

服之其乾者燒之烟絕水漬飲汁名破棺湯主傷寒熱毒炙熱水

漬飲弥善破丁腫開以新者封之一日根爛屎主卒血攻心被

內血兌服之一服一升百日主癥積滿腹諸藥不差者服之皆下 血亍肉

塊廿日即出也亦主久欬上氣失聲尿澁白燒研末主緊脣劇尿中竹木主小兒齒不生正旦刺之即生也

馬乳止渇 今人不甚眼當像難得也 謹案馬乳与驢乳性同冷利止渇療熱馬乳作酪弥應酷冷江南无馬故陶不委言之驢乳療嶽熱黄小兒熱驚邪氣服之亦利胡言馬酪性湿飲之消肉當以物類自相制伏不拘冷熱也

牛乳嶽寒補虚羸止渇下氣 搽牛爲佳不用新被飲竟者 謹案水牛乳亦造石蜜須之言作酪濃厚味勝秦牛秦牛乳性平生飲令人利熱飲令口乾嶽似温

羊乳温補寒冷虚乏 牛羊乳實補潤故此人皆多肥健 謹案此人肥健不敢醎腥方土使然何閑飲乳陶以未達屡有此言

[illegible]

酪蘇嶽寒補五藏利大腸主口瘡 蘇出外國亦從益州來本是牛羊乳所為之有省法佛經至捊乳成酪〻成蘇〻成醍醐〻〻色黄白作餅甚甘肥亦時至而 謹案蘇栴酪作之其性猶与酪異今通言忍是陶之未達然蘇有牛蘇羊蘇牛蘇勝於羊蘇其犛牛復優於家牛

鯤鮹味甘嶽寒嶽温無毒主風痺不仁鯽急五藏腹中積聚寒熱羸瘦頭瘍白秃面皯皰食飲嘔吐久服强志不亂恒身長年生雍州山谷十一月取 此鮹即是鯤白〻是

上膏寒月則有夏月則无其腹中肪及身中膏取可作藥而不
中服今東西諸山林皆有之自是非易得物耳痛病人不可食
熊肉令終身不除愈也　謹案熊膽味苦寒无毒療時氣熱盛變
為黃疸暑月久利甘𧏮心痛注忤腦療諸聾而療小兒客忤脂長
髮令黑悅澤人面酒練服差風痺凡言膏者時肪消已後之名
背土不得□身尤傳美云膏旨者乃是羣旨文誤有此名陶云
背膏同於
蔦誤也

白膠味甘平溫無毒主傷中勞絕腰痛上用羸
瘦補中益氣婦人血閉無子心痛安胎止
血下血崩中不止四支酸多汗淋露折跌
傷損久服輕身延年一名鹿角膠生雲中
煮鹿角作之　得良黃令人少浸黃作唯合角弓
偏言用此膠耳方藥用亦希道家時又須
之作白膠法先米瀋汁七日漬令軟然後煮煎之如作阿膠法耳
又一法即細剉角與一斤乾牛皮角即消爛矣不余相撤百年
无一熟也　謹案麋鹿角膠但煮取濃汁重煎即為
膠矣何至使爛杤亦難尚是未見煮膠誤為此說耳之

阿膠味甘平微溫無毒主心腹內崩勞極洒
洒如瘧狀腰腹痛四支酸疼女子下血安胎丈夫
少腹痛虛勞羸瘦陰氣不足腳酸不能久

主養肝氣久服輕身益氣一名傅致膠 火良也東阿故
煮牛皮作之出東阿 惡大黃 阿膠今都下能作之用皮亦
有老少膠則有清濁凡三種清薄者書畫用厚而清者名為
盆覆膠作藥用之用之皆火炙丸散須極燥入湯微炙耳濁黑
者可膠物用不入藥也用一片
鹿角即成膠不介不成耳

醍醐味甘平無毒主風邪痺氣通潤骨髓
可為摩藥性冷利功優於蘇生蘇中 此蘇之精
液也好蘇一石有三四升醍醐熟杵使貯器中待凝穿中
至底便津出得之陶云黃白為餅此乃未達 之言 新附

底野迦味辛苦平無毒主百病中惡客
忤邪氣心腹積聚出西戎 云用豬膽作之狀似久壞丸藥赤黑色胡人時將
至此亦甚珍貴試用有効新附

酪味甘酸寒無毒主熱毒止渴解散發
利除胸中虛熱身面上熱瘡肌瘡 業牛羊馬
水牛乳並余言驢乳尤冷不堪作酪新附

中獸

犀角味苦鹹酸寒微寒無毒主百毒

蠱疰邪鬼瘴氣殺鉤吻鴆羽蛇毒除邪
不迷惑魘寐療傷寒溫疫頭痛寒熱
諸毒氣久服輕身駿健生永昌山谷及
益州

松脂為之使惡雚菌雷丸今出武陵交州寧州諸遠山犀
有二角以額上者為勝又有通天犀角上有一白縷直上此
至神驗或云是水犀角出水中漢書所云駭雞犀者以置米中雞即驚
駭雞雀不敢啄又置[illegible]屋中烏鳥不敢集屋上者有[illegible]犀為
毒鴆死於野中有行人見[illegible]鳶飛翔其上不敢下往者乃為異
抑取皮解烏雞在中又云通天犀夜露不濡以此知之凡犀見成物
皆被蒸煮不堪入藥惟生者為佳雖曰犀片亦是已經煮炙況用
屑乎[illegible]又有牸犀其角甚長文理亦似犀不堪藥用耳　謹案犀

有兩角鼻上者為食角通天犀者即水犀云夜露不濡[illegible]是亦
說有人[illegible]所為毒鴆死於野中見鳥翔而不集疑其此以為飯錯
耳此人冠毒鴆則是貴人當有左右何得野死從今為就之
為雞信光是雌犀文理細膩[illegible]斑白分明俗謂斑犀服用為上然充藥不如雄犀也

羚羊角味鹹苦寒微寒無毒主明目益
氣起陰去惡血注下辟蠱毒惡鬼不祥
安心氣常不魘寐療傷寒時氣寒
熱在肌膚溫風注毒伏在骨間除邪
驚夢狂越僻謬及食噎不通久服強

觔骨輕身起陰益氣利丈夫生石城
山川谷生華陰山採無時今出建平宜都諸蠻中及西域多兩角者一
角者為勝角甚多節蹙蹙圓繞別有山羊角極長唯一邊有
節節亦疏大不入藥用而尒雅云名羱羊而羌夷云只此即名零
羊甚能陟峻短角者乃是山羊耳亦未詳其正 謹案尒雅釋
獸云羱大羊羱如牛大角堪為鞍橋一名羱羊俗名山羊或名野
羊善鬬至死又有山驢大如鹿皮堪靴用有兩角角大小如山羊
角前言其一邊有蹙文又疏慢者是此也陶不識謂之山羊誤
矣二種並不入藥而俗人亦用山驢角者今用細如人指長四寸蹙
文細者而山南淛間大有梁州龍州直州洋州亦貢之已上相承
用此不用兒羊
角未知孰是也

羖羊角味鹹苦溫微寒無毒主清盲明目
煞疥虫止寒泄辟惡鬼虎狼止驚悸療百
節中結氣風頭及蠱毒吐血婦人產後
餘痛燒之煞鬼魅辟虎狼久服安心益
氣力輕身生河西川谷取無時勿中濕濕
有毒菟絲為之使 羖案此羊角以青羖者佳餘不入藥
羊髓味甘溫無毒主男女傷中陰氣不足

利血脈益經氣以調脈之

青羊膽主清盲明目 謹案羊膽療甘濕時行熱熛瘡和醋服良

羊肺補肺主欬嗽 謹案羊肺療渴止小便數并小豆葉煑食之良

羊心主憂恚膈氣

羊腎補腎氣益精髓 謹案羊腎合脂爲羹療勞利甚効蒜齏合食晌一升療癥瘕

羊齒主小兒痒癇寒三月三日取之

羊肉味甘大熱無毒主緩中字乳餘疾及頭

腦大風汗出虛勞寒冷補中益氣安心止驚 謹案羊肉熱病後食之發熱殺人也

羊骨熱主虛勞寒中羸瘦

羊屎燔之主小兒泄痢腸鳴驚癇 羖羊角方藥不甚用餘皆入湯煑羊有三四種最以青色者爲勝次則烏羊耳其羖䍽羊有及虜中無角羊正可噉食之爲藥不及都下者其乳髓則肥好也羊肝不可合猪肉及梅子小豆食之傷人心大病人 謹案羊屎煑湯下灌療大人小兒腹中諸疾疳濕大小便不通燒之熏鼻主中惡心腹刺痛熏療諸毒中瘡痔瘻等骨蒸彌良羊肝性冷療肝風虛熱目赤闇無所見生食子肝

七枚神効以療風眩癲〻小〻嬰癇骨与療同羊血主女人中風血虚悶産後血運悶欲絶者生飲一升即活

牛角䚡下閉血〻瘀血女人帶下〻血燔之

味苦無毒水牛角療時氣寒熱頭痛

髓補中填骨髓久服增年髓味甘溫無

毒主安五藏平三焦溫骨髓補中續

絶傷益氣止洩利消渴以酒服之膽可丸

藥膽味苦大寒除心腹熱渴利口焦燥益

目精 此朱書牛角䚡髓其膽本經附出牛黄條中此以類相從耳非上品之藥今拔出隨例在此不關件數猶是墨書別品之限耳

心主虛忘 腎主補腎氣益精齒主小兒

牛癇肉味甘平無毒主消渴

止啘洩安中益氣養脾胃自死者不

良屎寒主水腫惡氣白塗門戶著壁

者燔之主鼠瘻惡瘡

黄犍牛烏牸牛溺主水腫腹脹脚滿利小
便
此牛亦以㹀牛爲好青牛最良水牛乃可死食耳自死
謂疫死肉多毒青牛腸不可共犬肉犬血食之令人成病也
謹案別錄云牛鼻中木卷療小兒癇草卷燒灰療小兒鼻下瘡
耳中治療蛇傷蠱毒臍中毛療小兒久不行白牛懸蹄療婦人
人崩中漏下赤白矢主霍亂矢中大豆療小兒癇婦人難產特牛
莖療婦人漏下赤白无子烏牛膽主明目療甘濕以釀槐子服之注
神腦主消渴風眩齒主小兒驚癇尿
主消渴黃疸水腫脚氣小便不通

白馬莖味鹹甘平無毒主傷中絕陰不起
強志益氣長肌肉肥健生子小兒驚癇 陰乾百日

眼主驚癇腹滿瘧疾 當殺用之

懸蹄主驚癇瘈瘲乳難辟惡氣鬼毒蠱
注不祥止衄血內漏齲齒生雲中平澤白
馬蹄療婦人漏下白崩
赤馬蹄療赤崩並溫
齒主小兒馬癇
鬐頭膏主生髮

鬐毛主女子崩中赤白

心主喜忘

肺主寒熱小兒莖痿

肉味辛苦冷主除熱下氣長筋強腰脊壯健

強意利志輕身不飢脯療寒熱痿痹

屎名馬通微溫主婦人崩中止渴利吐下血鼻

衄金創止血

頭骨主喜眠令人不睡

溺味辛微寒主消渴破癥堅積聚男子

伏梁積疝婦人瘕疾 同 器 莢 飲 東行白馬蹄下土作

方術用知女人外情馬色類甚多以純白者為良其口眼蹄皆白俗中時

有兩三耳小小用不必其馬肝及鞍下肉舊言殺人食駿馬肉不飲

酒亦殺人白馬青蹄亦不可食礼云馬黑脊而斑臂漏脯亦不復

中食骨傷人有毒人體有瘡馬汗馬氣馬毛亦並能為害人也

謹案別錄云白馬毛療小兒驚癇白馬眼療小兒魃母帶之屎中

粟療金創小兒客忤寒熱不能食馬銜主產難小兒毋毒驚癇絆繩

主小兒癇并

煮汁洗之

牡狗陰莖味鹹平无毒主傷中陰痿不起令強熱大生子除女子帶下十二疾一名狗精六月之上伏取陰乾百日

膽主明目痂瘍惡瘡生平澤心主憂恚氣除邪

腦主頭風痹痛療下部䘌瘡鼻中息肉

齒主癲癎寒熱卒風痱伏日取之

頭骨療金創心血

四脚蹄煑飲之下乳汁

白狗血味鹹無毒主癲疾發作肉味鹹酸溫主安五藏補絕傷輕身益氣

屎中骨主寒熱小兒驚癇 白狗烏狗入藥用白狗骨燒屑療諸瘡瘻

及妬乳癰腫黄狗肉大補牝不及牡々者父也又為呼犬言脚上別有一懸蹄者是也白犬血合白鷄肉白鵝肝白羊肉烏鷄肉蒲子々并皆病人不可食犬春月目赤鼻燥欲狂猘不宜食 謹案別錄狗骨灰療下利生肌傳馬瘡烏狗血主產難橫生血上蕩心者

下鎮骨主小兒諸癇陰卵生婦人十二疾為灰服之毛生產難白猪矢主丁瘡水絞汁服主諸毒不可入口者

鹿茸味甘酸溫微溫無毒主漏下惡血寒熱驚癇益氣強志生齒不老療虛勞洒洒如瘧羸瘦四支酸疼腰脊痛小便利洩精溺血破留血在腹散石淋癰腫骨中熱疽養骨安胎下氣殺鬼精物不可近陰令痿久服耐老四月五月解角時取陰乾使時燥

麻勃為之使　謹案鹿茸夏收陰乾白不收一縱得一乾臭不任用破之火乾大好

角主惡瘡癰腫逐邪留血在陰中味鹹無毒除少腹血痛腰痛折傷惡血益氣七月取杜仲為之使

髓味甘溫主丈夫女子傷中脈絕筋急欬逆以酒服之

腎平主補腎氣

肉溫補中強五藏益氣力生者療口僻割薄之野肉之中唯麞鹿可食生不羶腥又非辰屬八卦无主而兼能溫補於人則生死无尤故道家許聽為脯過其餘肉雖牛羊雞犬補益充肌膚於已魂皆為愆責並不足啖

炙之不動及見水而動及曝之不燥並煞人又茅屋漏脯即名漏脯藏脯密器中名鬱脯並不可食之 謹案頭主消渴煑之可作膠服之除善驚主勞損續絶骨主虛勞可為角去風虛補骨髓脂主癰腫死肌溫中四支不隨風以通湊理一云不可近陰角主猫鬼中惡腹注痛血主狂犬傷鼻衄折傷陰痿補虛止腰痛齒主留血鼠瘻心腹痛不可近丈夫陰

麞骨微溫主虛損洩精肉溫補益五藏髓益氣力悅澤人面 俗云白肉正是麞不純於麅言其白膽易驚怖也又呼為麕之肉不可合鵠肉食之成癥瘕也

虎骨主除耶惡氣煞鬼注毒止驚悸療惡瘡鼠瘻

頭骨尤良

膏療狗齧瘡

爪辟惡魅

肉療惡心欲嘔益氣力 俗云噉食虎肉壞人齒信自然此虎頭作枕辟惡魘以置戶上辟鬼鼻懸戶上令生男睛骨雜朱書符療耶驗療齒痛爪多以繫小兒臂辟惡鬼 謹案別錄云屎療惡瘡其眼精療癲其矢中骨灰療大瘡療丈夫陰以療及疽瘻鼻主癲疾小兒癇也

豹肉味酸平主安五藏補絶傷輕身利人 豹至希有為用亦鮮唯尾可

貴䝚棠陰陽神豹尾及車駕鹵簿豹尾名
可尊敬真豹尾有何可貴未識陶據矣狸也

狸骨味甘溫無毒主風注尸注鬼注毒氣在皮中
淫躍如針刺者心腹痛走無常處及鼠瘻
惡瘡頭骨尤良
肉亦療諸注
陰莖療月水不通男子陰𩓞燒之以東流水
服之 狸類又甚多今此用虎狸无用者猫狸亦好其骨至難別自
取乃可信又有𤞐音信色黄而臭肉亦主鼠瘻及狸肉作羹

如常法並佳 䝚棠狸屎灰主寒熱鬼瘧發
无期度者極驗家狸亦好一名猫

兔頭骨平主頭眩痛癲疾
骨主熱中消渴
腦療凍瘡
肝主目闇
宍味辛平無毒主補中益氣 兔宍乃大美亦益人
任身不可食令子脣
缺其肉又不可合白鷄宍食之令人面發黄合獺宍食之令
人病遁尸 䝚棠兔皮毛合燒爲灰酒服療難産之後衣不

亦及餘血擣心腹欲死若柾驗頭皮主鬼注毒
氣在皮中如針刺者又主鼠瘻膏主耳聾鳴

下　獸

六畜毛蹄甲味鹹平有毒主鬼疰蠱毒寒熱驚癇癲痓狂走駱駝毛尤良六畜謂馬牛羊猪狗鷄也騾驢亦其類駱駝出外國方家並不復用且馬牛羊鷄猪狗毛蹄亦已各出其身之品類中所主療不必皆用此矣　種業駱駝毛蹄甲主婦人帶下赤白最善

鼺鼠主墮胎生乳易生山都平谷鼺是鼯鼠一名飛生狀如蝙蝠大如鴟鳶毛紫色闇夜行飛生人取其皮毛以与產婦持之令兒易出又有水馬生海中是魚蝦狀類如馬形亦主易產此鼺鼠別類而同一絛中崗以其是皮毛之物也今在副品限也

麋脂味辛溫無毒主癰腫惡瘡死肌寒風濕痺四支拘緩不收風頭腫氣通腠理柔皮膚不可近陰令痿一名官脂畏大黃

角味甘無毒主痺止血益氣力生南山山谷生淮海邊澤中十月取今海陵間最多千百為群多牝少牡人言一牡輒交十餘牝交畢即死其脂墮土中經年人得之方好名曰遁脂酒服至良尋麋性乃尔婬快不應萎人陰方言不可近陰令陰萎此乃有理麋宍

不可合蝦及生菜梅李菓實食之皆病人其角刮取屑一斤酒
服之大益人事出彭祖傳中　謹案麋茸服之功力勝鹿茸角煑
為膠亦勝白膠也言遊牝畢即死者此亦
虛傳遍問山澤人不聞遊牝因致死者

豚卵味甘温無毒主驚癇癲疾鬼注蠱
毒除寒熱賁豚五癃邪氣攣縮一名
豚顛陰乾藏之勿令敗　猪懸蹄主五痔
伏腸腸癰內蝕　猪四足小寒療傷撻諸敗
瘡下乳汁　心主驚邪憂恚　腎冷利理腎
氣通膀胱　膽療傷寒熱渴
肚補中益氣止渴利
齒主小兒驚癇五月五日取　鬐膏主生髮　肪
膏主煎諸膏藥解斑猫元青毒　猳猪肉
味酸冷療狂病
凡猪肉味苦主閉血脉弱筋骨虛人肌不
可久食病人金創者尤甚

豬屎主寒熱，黃疸，濕痹。豬為用最多，唯宍不宜人，人有多食，皆能暴肥，此蓋虛肌故也。其脂能悅澤皮膚，作手膏，不皸裂。脂膏煎藥無不用之，勿令中水，臘月者歷年不壞。頸上膏謂之負革脂，入道家用。其屎汁極療溫毒。食其宍，飲酒不可卧秋稻穰中。又白豬蹄白雜青者不可食。豬膏又忌烏梅也。

謹案別錄云：豬耳中垢療蛇傷；豬腦主風眩，腦鳴及凍瘡；血主奔豚暴氣，中風頭眩，淋瀝；乳汁療小兒驚癇；頭亦主小兒驚癇及鬼毒去來，寒熱五癃五藏，主小兒驚癇，汁十二月上亥日取肪內新瓦器中，埋亥地百日，主癰疽，名膒脂，方家用之。又云：一升脂着雞子白十四枚，更良。

鼹鼠味鹹，無毒。主癰疽，諸瘻蝕惡瘡，陰䘌爛瘡。在土中行。五月取，令乾，燔之。俗中一名隱鼠，一名鼹鼠，形如鼠，大而無尾，黑色，長鼻甚強，恒穿耕地中行，討掘即得。今諸山林中又有一獸，大如水牛，形似豬，灰色，下腳似象，胸前尾上皆白，有力而鈍，亦名鼹鼠。人張網取食之，肉亦似牛，多以作脯，其膏亦去主瘡，乃云此是鼠王，其精溺一滴落地，輒成一鼠，穀有鼠災年則多出，恐非虛耳。穀字一作彀。此鼠，蹄燒末，酒服，又以骨擣碎，釀酒，將服之，並治瘻，良驗也。

獺肝味甘，有毒。主鬼注蠱毒，奥胗嗽，燒服之。肉療疫氣溫病，及牛馬時行病，煮屎灌之亦良。獺有兩種：有獱獺，形大頭如馬，身似蝙蝠，不入藥用。此當取常所見者。其骨亦療食魚骨鯁。有牛馬家可送取矢。錄之多出溪岸邊。其肉不可與兔肉雜食也。

謹案別錄云：獺四足主手足皮皸裂。

狐陰莖味甘有毒主女子絶産陰痒小兒陰
顙卵腫五歲及腸味苦微寒有毒主蠱毒寒
熱小兒驚癇
雄狐屎燒之辟惡在木石上者是 江東無狐皆出
北方及益州間狐
似狸而黄亦善能為魅也 獾㹠狐肉及腸作臛食之主疥瘡久不差
若腸主卒瘦燒灰和水灌之乃勝 獺狐鼻尖似小狗唯尾大全不似狸
猯膏肉胞膏味甘平無毒主上氣乏氣
嗽逆湯和三合服之日二[蘇引二孫三]又主馬肺病蟲
獺等疾肉生[主 醫心引本草經]久水脹不差垂死者作
羹臛食之下水大効肥軏之湯磨如鷄
卵許空腹服吐諸蠱毒 新附
野猪黄味辛甘平無毒主金瘡止血生
肉癲癇水研如棗核日二服効 新附
驢屎熬之主熨風腫瘻瘡
屎汁主心腹卒痛諸疰忤尿主癥癖目及

胃不止牙齒痛水毒
草驢屎主燥水
父驢尿主濕水一服五合良燥水者盡體成
字濕水者不成字
乳主小兒熱驚急黃等多服使利熱毒
尾下軸垢水洗取汁和麵如彈丸二枚作燒
餅未發前食一枚至發時發一枚主瘧發

久新殺多翔者　新附
豺皮性熱主冷痺脚氣熟之以纏病上差止　新附

禽上
丹雄雞味甘微溫微寒無毒主女人崩中
漏下赤白沃補虛溫中止血不傷之瘡通神
殺毒不祥頭主殺鬼東門上者良白雄雞
肉微溫主下氣療狂邪安五藏傷中消渴

為雄雞肉溫主補中止痛
膽微寒主療目不明肥瘡
心主五邪
血主踒折骨痛及痿痹
肪主耳聾
雞腸平主遺尿小便數不禁
肝及左翅毛主起陰

冠血主乳難
肶胵裏黃皮微寒主洩利小便利遺溺除熱
止煩
矢白微寒主消渴傷寒寒熱破石淋及轉筋利
小便止遺溺滅瘢
黑雌雞主風寒濕痹五緩六急安胎其血無毒
平療中惡腹痛及踒折骨痛乳難翮羽主下

血閉

黃雌雞味酸平主傷中消渴小便數不禁腸澼洩利補益五藏續絶傷療勞益氣力肋骨主小兒羸瘦食不生肌

雞子除熱火瘡癇痓可作虎魄神物卵白微寒療目熱赤痛除心下熱止煩滿欬逆小兒下洩婦人產難胞衣不出醯漬之一宿療黃疸破大煩熱卵中白皮主久欬結氣得麻黃紫菀服之立已

雞白蠹肥脂生朝鮮平澤雞此例又甚多云雞子作琥珀者用欲毈卵黃白混雜煮作之亦極相似唯不拾芥耳又煮白合銀口含須臾色如金雞子不合蒜蕪及李子食之烏雞肉不可合犬肝腎食之小兒食雞肉好生蚘虫又雞不可合芥葉蒸食之朝鮮乃在玄菟樂浪不應總是雞所出今云白蠹不知是何物恐此別一種耳 謹案白雞距及脂療產難灰酒服之腦主小兒雞癇

白鵝膏主耳卒聾以灌之毛主射工水毒肉平利五藏東川多溪毒養鵞以辟之也羽亦佳中射工者飲血又以塗

身鶩肉多食射工特以鹹相制耳乃言鶩不食生蟲今鶩子亦鼓
蝕則雌掌也雅掌鵞毛主小兒驚癇爾解若毛尿主噎

鶩肪味甘無毒主風虛寒熱

白鴨屎名鴨通主殺石藥毒解結縛蓄熱肉補

虛除客熱和藏府利水道鶩即是鴨鴨有家有野前本經雁
肪一名鶩肪其療小異此說則專是
家鴨耳黃雌鴨為補最勝鴨卵不可合鱉肉食之凡鳥自死口不
閉者皆不可食食之殺人謹案別錄云鴨肪主水腫血解諸毒肉
主小兒驚癇頭主水腫通利
小便古方療水用鴨頭丸也

雁肪味甘平無毒主風攣拘急偏枯氣

不通利久服長毛髮須眉益氣不飢輕身

耐老一名鶩肪生江南池澤取無時

詩云大曰鴻小曰雁今雁類亦有大小皆同一形又別有野鵝大於
猶似家蒼鵝謂之駕鵝雁肪自不多食其肉亦應好鶩
作木音言是野鴨今此一名鶩肪則雁鶩皆相類耳此說大有
鴨事別註在後夫雁乃住江湖而夏應產伏皆往北恐雁門北人
不食此鳥故也中原亦重之耳唯採無時以冬月為好也謹案
別錄云雁喉下白毛療小兒癇有驗又雁為陽鳥冬則南翔夏則北徂時當
春夏則孳育於北豈謂此人不食乎然雁與燕相反燕
則雁往燕往則雁來也故禮云秋候雁來春玄鳥至矣

鷓鴣鳥味甘溫無毒主嶺南野葛菌毒生金毒

及温瘧久欲死不可差者合毛熬酒漬服之生
擣取汁服最良生江南形似母鷄鳴云鉤輈格磔
者是也布鳥相似不為此鳴則北也新附

雉宍味酸微寒無毒主補中益氣力止洩利除蟻
瘻雉雉非辰属而正是離禽景午日不可食者明其王於火也謹案雉味甘主諸瘻瘡也

鷹屎白主傷撻滅瘢正單用白亦不能滅瘢復應合諸藥殭蚕衣魚之属以為膏謹案
鷹屎灰之酒服方寸匕主惡酒勿使飲人知之

雀卵味酸温無毒主下氣男子陰痿不起強
之令熱多精有子腦主耳聾
頭血主雀盲
雄雀矢療目痛决癰癤女子帶下溺不利除
疝瘕五月取之良雀性利陰陽故卵亦然術云雀卵和天雄丸服之令莖大不衰人患黃昏間
目无所見謂之雀盲其頭血療之雄雀矢兩頭尖是也亦療
齲齒雀宍不可合李食之亦忌合醬食任身尤禁也謹案別録
云雀矢和男首子乳點目中努肉赤脉貫上瞳子上者即
消神効以蜜和為丸酒飲服主癥癖久痼冷病或和少干薑服悦人

鸛骨味甘無毒主鬼蛊諸注毒五尸心腹疾

鸛亦有兩種似鵠而巢樹者為白鸛黑色曲頸者為陽烏鸛今此用白者

雄鵲味甘寒無毒主石淋消結熱可燒作灰以石投中解者雄也

五月五日鵲腦入術家用一名飛駮烏烏之雌雄難別舊言其翼左覆右是雄右覆左是雌又燒毛作屑内水中沉者是雄浮者是雌今云投石恐止是鵲耳餘鳥未必亦盡爾

鸜鵒肉味甘平無毒主五痔止血炙食或為散服之

鳥似鵙而有幘者

禽下

鷰矢味辛平有毒主蠱毒鬼注逐不祥邪氣破五癃利小便生高山平谷

鷰有兩種有胡有越紫胸輕小者是越鷰不入藥用胸斑黑聲大者是胡鷰俗呼胡鷰為夏候其作窠喜長人言有容一疋絹者令家富窠亦入藥用與矢同多以作湯浴療小兒驚邪也窠戶有北向及尾倔色白者皆是數百歲鷰食之延年凡鷰肉不可食令人入水為蛟龍所吞亦不宜殺 謹案別錄云胡鷰卵主水浮腫肉出痔虫越鷰屎亦療痔殺虫去目翳

孔雀矢微寒主女子帶下小便不利

下亦畜之亡象不見用其矢也 謹案孔雀主廣州有劒而无无

鸕鷀矢一名蜀水華去面黑䵟黶誌頭瘢寒主噎及噎燒服之
此鳥不溪谷間甚多見之當自取其矢擇用白處市賣不可信骨亦主魚哽此鳥不卵生口吐其鶵獨為一異也

鴟頭味醎平無毒主頭風眩顛倒癇疾
即俗人呼為老鵄者一名鳶又作鴟鵄音又有鵰鶚並相似而大雖不限雌雄恐雄者當勝今合鵄頭酒用之西嶽多不用鷹茲者

新修本草獸禽部卷第十五　　著官位廿三滲

顯慶四年正月十七日朝議郎行右監門府長史騎都尉臣蘇敬上
〃〃仕郎行禮部主事雲騎尉臣顏仁楚
登仕郎守潞王府行參軍臣吳師哲
太子藥藏局丞飛騎尉臣蔣義方
朝議郎行太常寺太卜令上騎都尉臣賈文通
守太子洗馬弘文館學士臣孔志約
朝議大夫行太史令上輕車都尉臣李淳風

中散大夫行太常丞上護軍臣呂才

宣義郎行太常寺太醫丞雲騎尉臣蔣元昌

太常寺太醫令臣蔣季琬

朝請郎行太常寺太醫令臣蔣孝琬

朝請郎守太子藥藏監上騎都尉臣吳嗣宗

朝散大夫行太子藥藏監臣蔣季瑜

給事郎守尚藥局侍御醫雲騎尉臣巢孝儉

尚藥局直長雲騎尉臣許弘直

朝議郎行尚藥局直長飛騎尉臣藺復珪

朝議郎守尚藥奉御上騎都尉臣許孝崇

朝散大夫守尚藥奉御上騎都尉臣胡子家

中大夫行尚藥局奉御臣蔣季璋

兼侍中護軍臣辛茂將

中書令太子賓客監修國史弘文館學士上柱國高陽郡開國公臣許敬宗

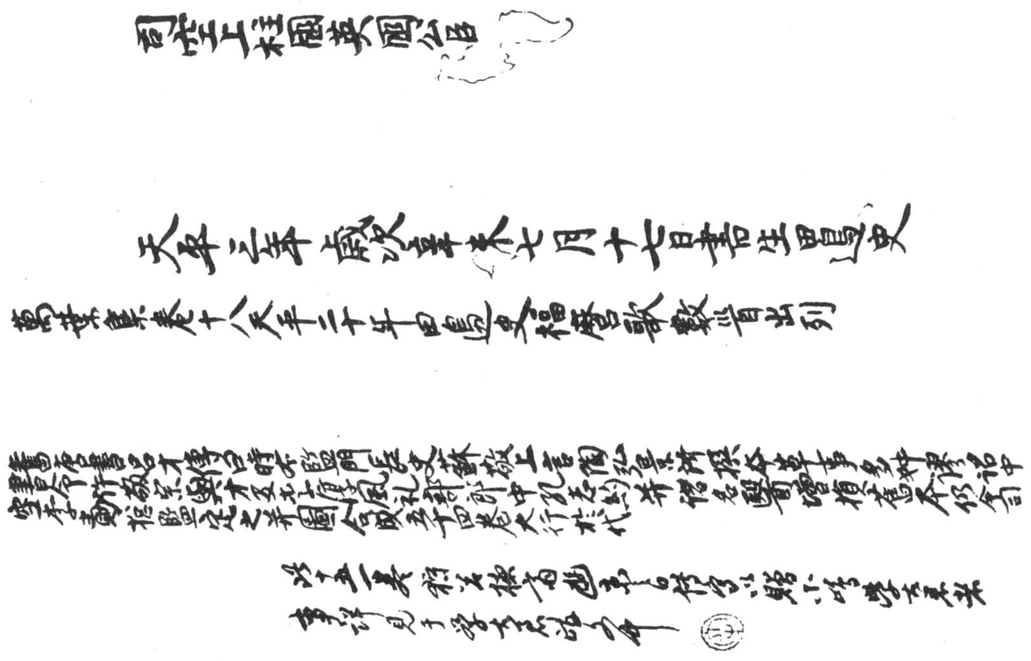

司空上柱國英國公臣

天平三年歲次辛未七月十七日書生田邊史

萬葉集卷十八天平二十年田邊史福麿歌數首出列

舊唐書呂才傳曰時右監門長史蘇敬上言陶弘景所撰本草事多舛謬詔中書令許敬宗與才及太子賓淳風禮部郎中孔志約并諸名醫增損舊本仍令司空李勣總監定之并圖合成五十四卷大行於代

此十五一卷狩谷棭齋真本近日傳寫以贈小嶋學古來求

事詳見于學古存誠之本

新修本草 菓 淺井本 十七

新修本草菓部卷第十七

司空上柱国英国公吕勣奉勅修

上 荳蔲 蒲陶 蓬蘽 覆盆 大棗

藕實 鷄頭 芰實 栗 櫻桃

中 梅實 枇杷 柹 木瓜 甘蔗

石蜜 沙糖 芋 烏芋

下 杏核 桃核 李核 梨 柰 安石榴

右菓類合廿五種 八種神農本經十五種蜸別二種新附也菓上

荳蔲味辛溫無毒主溫中心腹痛嘔

吐去口臭氣生南海 味辛烈者為好甚香可恒合之其五和糝中物皆宜人廣薑最溫下氣益智契枸櫞溫甘蕉庵同益小冷耳謹案荳蔲苗似山薑花黃白苗根及子亦似杜若蒟櫞性冷陶景云熱者謬矣

蒲陶味甘平無毒主筋骨濕痹益

氣倍力強志令人肥健耐飢忍風寒

人食輕身不老延年可作酒逐水利

小便生隴西五原燉煌山谷 魏國使人多賫來狀如五味子而甘美作酒云用其藤汁殊美好此國人多肥健耐寒蓋食斯乎不枉淮南名如橘之變於河北矣人說即是此間蘡薁恐如彼之才類橘耶 謹案蘡薁與蒲桃狀同然蘡薁是千歲虆蒲陶作酒法總取子汁釀之自成酒蘡薁山蒲為酒負酒陶景言用藤汁為酒謬矣

蓬虆味酸鹹平無毒主安五藏益精

氣長陰令堅強志倍力有子又療暴

中風身熱大驚人服輕身不老一名霞
倉一名陵累一名陰累生荆山平澤□
宛朐李云即是人所食莓耳
覆盆味甘平無毒主益氣輕身令
髮不白五月採實蓬蘽是根名方家不用乃昌容所服以易顏色者也覆盆是實名李云是莓子乃似覆盆之形而以津汁爲味其核甚微細藥中所用覆盆子小異此未詳孰是謹案覆盆蓬蘽一物異名本謂實非根也李云莓子近之其根不入藥用然生處不同淡地則子大而甘墝地子細而酸此乃子有甘酸根无酸根无酸味陶景以根酸子甘將根入菓重出子條殊爲孟浪

大棗味甘平無毒主心腹邪氣安中
養脾助十二经胃氣通九竅補少
氣少津身中不足大驚四支重和
百藥補中益氣強力除煩心下懸
腸澼久服輕身長年不飢神仙一名

乾棗一名美棗一名良棗八月採曝乾三歲陳核中人燔之味苦主腹痛耶氣生棗味辛令人多熱羸瘦者不可令葉覆麻黄能出汗河東平澤大棗殺烏頭毒舊云河東猗氏縣棗特異今出青州出彭城棗形小核細多膏甚甜州平市亦得之而鬱州者亦好小不及耳江東臨沂金城棗形大而虚少脂好者亦可用及南棗大惡殆不堪噉道家方藥以棗為佳餌其皮利肉補所以合湯皆擘用之謹案別錄云棗葉散服使人瘦久即嘔吐揩熱沸瘡至良

藕實莖味甘平寒無毒主補中養神益氣力除百疾久服輕身耐老不飢延年一名水芝丹一名蓮生汝南池澤八月採即今蓮子八九月取堅黑者乾擣破之華及根並入神仙用今云莖恐即是根不尔不應言甘也宋帝時太官作羊血䘓人削藕皮誤落血中遂皆散不凝醫乃用藕療血多效也　謹案別錄云藕主熱渴散血生肌令人心懽

鷄頭實味甘平無毒主濕痺腰脊膝

痛補中除疾益精氣強志耳目聰
明久服輕身不飢耐老神仙一名鴈
喙實一名芡生雷澤池澤八月採
此即今蔿子子形上花似鷄冠故名鷄頭仙方取此并蓮
實合餌能令小兒不長自別有方正尒食之亦當益人謹
案此實去皮作粉与
麦粉相似益人勝菱叹之

芡實味甘平無毒主安中補藏不飢
輕身一名蔆
蘊江間最多皆取火焙以為米充粮
今多蒸曝蒸和合之斷穀長生水族

中又有菰首性冷恐非上品被霜後食之令陰不強又
不可新白蜜食令人生虫謹案茇作粉極白潤宜人

栗味鹹温無毒主益氣厚腸胃補腎
氣令人忍飢生山陰九日採
今會稽最
豐諸暨栗
形大皮厚不美剡及始豐皮薄而甜相傳有人患腳弱往
栗樹下食數升便能起行此是補腎之義然應生取之
令若餌服故宜蒸曝之謹案栗作粉勝於菱芡嚼生者
塗病上療筋骨斷碎疼痛腫瘀有効其皮名扶[illegible]為
散蜜和塗肉令急縮毛殼療丹火瘡毒腫實餌飢
兒令齒不生樹白皮水煑汁 主溪毒

櫻桃味甘主調中益脾氣令人好色美

志此即今朱櫻桃味甘酸可食而所主又與前櫻桃相似恐醫濫載之耳必是今者耳又故顏子陵冬不彫子亦應益人或云寒熱病不可食 謹案鳲葉封主蛇毒絞汁服防蛇毒攻內也

梅實 味酸平无毒 主下氣除熱煩滿安心支體痛偏枯不仁死肌去青黑誌惡疾心下利好唾口乾 生漢中川谷五月採火乾此亦是今烏梅也用之去核微熬之傷寒煩熱水漬飲汁生梅子及白梅亦應相似今人多用白梅和藥以點誌蝕惡肉也服黃精人云禁食梅實 謹案別錄云梅根療風痺出土者殺人梅實利筋脉去痺也

枇杷葉 平 主卒啘不止下氣不假煮但嚼食亦差人以作飲乃小冷 謹案用枇杷葉須火布拭去毛毛射人肺令欬不已又主啘逆不下食

柹 味甘無毒 寒 主通鼻耳氣腸澼不足柹有數種云今烏柹火熏者性熱斷下又療狗齧瘡火熠者亦好日乾者性冷鹿心柹尤不可多食令人腹痛利生柹彌冷又有椑色青唯堪生噉其冷復乃甚於柹散石熱家噉之无嫌不入藥用 謹案別錄云火柹主殺毒療金瘡火瘡生肉止痛軟熟柹解酒熱毒止口子干鮮椑匈間熱之

木蓰實 味酸溫無毒 主濕痺耶氣

霍乱大吐下轉筋不止甚枝亦可煑用山陰蘭亭尤多彼人以為良藥最療轉〻筋〻時但呼其名及書上作木瓜字皆愈理亦不可解俗人拄木依杖云利筋脛又有樝查大而黄可進酒去淡又查子澀斷利禮云查梨曰攢之鄭公不識查乃云是梨之不臧者然則古亦以查為菓今則不入例也凡此屬多不益人者也

甘蔗味甘平無毒主下氣和中補脾氣利大腸今出江東為勝盧陵亦有好者廣州人種數年生皆如大竹長丈餘取汁以為沙糖甚益人又有荻蔗節疏而細亦可噉

石蜜味甘寒無毒主心腹熱脹口乾渴性冷利出益州及西戎煎煉沙糖為之作凝塊黄白色云用水牛乳米粉和煎乃得成塊西戎來者佳近江左亦有殆勝蜀者云用牛膝汁和煎之糖並作餅堅重蜀者也新附

沙糖味甘寒無毒功體與石蜜同而冷利過之笮甘蔗汁煎作蜀地西戎江東並有而江東者先劣今優 新附

芋味辛平有毒主寬腸胃充肌膚滑中一名土芝 錢唐最多生則有毒莶不可食性滑中下石服餌家所忌種芋三年不採成梠芋又别有野芋名尤芋形葉相似如一根並殺人〃不識而食之垂死者他人以土漿及糞汁与飲之得活矣 謹案芋有六種有青芋紫芋真芋白芋連禪芋野芋其青芋細長毒多初煮要須灰汁易水煮熟乃堪食耳白芋真芋連禪芋紫芋並毒少並可蒸煮噉之又宜冷噉療熱止渴其真白連禪三芋兼肉作羹大佳存鴟之饑益謂此也野芋大毒不堪噉 「已上咸蒼卷八大般若五百七十卷中慧琳引」

烏芋味苦甘微寒無毒主消渴痺熱〃中益氣一名藉姑一名水萍二月生葉〃如芋三月三日採根曝乾 今藉姑生水田中葉有椏狀如澤瀉不正似芋其根黃似芋子而小煮食之乃可噉疑其有烏名今有烏者根極相似細而美葉乖異狀頭如莧草呼爲鳥茨恐此非也 謹案此草一名槎丫一名茨菰主百毒產後血悶攻心欲死產難衣不出擣汁服一升生水中葉以鈲箭鏃澤瀉之類也千金方云下石淋也

杏核味甘苦温冷利有毒主欬逆上氣雷鳴喉痺下氣產乳金創寒心賁豚驚癎心下煩熱風去來時行頭痛解肌消心下急殺狗毒一名杏子五月採其兩人

若殺人可以毒狗

花味苦無毒主補不足之女子傷中寒熱

痺瘕洋實味酸不可多食傷筋骨生瘡

山門冬 得火良惡黃耆黃芩葛根解偶毒畏蘽
草烏布藘中多用之湯浸去赤皮熟令黃

桃核味苦甘平無毒主瘀血閉瘕邪氣

殺小虫主欬逆上氣消心下堅除卒暴

擊血破症瘕通月水止痛七月採取人陰

乾 桃華殺注惡鬼令人好色味苦平無

毒主除水氣破石淋利小便下三虫悅澤人

面三月三日採陰乾

桃梟殺百鬼精物味苦微溫主中惡腹

痛殺精魅五毒不祥一名桃奴實著樹

不落實中者正月採之 桃毛主下血瘕寒

熱積聚無子帶下諸疾破堅閉刮取實毛

桃蠹殺鬼辟不祥食桃樹虫也 其茎皮除邪鬼中恶腹痛去胃中热 其葉味苦平無毒主除尸虫出瘡中虫 其膠練之主保中不飢忍風寒 其實味酸多食令人有熱 生大山川谷

處處有京口者亦好當取解核種之為佳又有山桃其人不堪用

俗用桃人作酪乃言冷桃膠入仙家用三月三日花亦供丹方所須方言服三樹桃花盡則面色如桃花人亦无試之者服术人云禁食桃也謹案桃膠味甘苦平无毒主下石淋破血中恶疰忤花主下恶氣消腫滿利大小便腸

李核人味甘苦平無毒主僵仆躋瘀血骨痛 根皮大寒主消渴止心煩逆奔氣 實味苦除固熱調中

李類又多京口有麦李麦秀時熟小而甜脆核不入藥今此用姑熟所出南居李解核如杏子者為佳凡李實熟食之皆好不可合雀肉食又不可臨水上散之李皮水煎含之療齒痛佳

梨味苦寒令人寒中金瘡乳婦尤不可食

梨種復殊多並皆冷利俗人以為快菓不入藥用食之損人謹按梨削貼湯火瘡不爛止痛易差又主熱嗽止渴葉主霍乱吐利不止煮汁服之

榛味苦寒多食令人臚脹病人尤甚榛江南乃有而此國最豐皆以作脯不宜人又有林檎相似而小亦恐非益人者枇杷葉已出上卷其實乃宜人東陽尋陽最多也

安石榴味酸甘損人不可多食其酸實殼療下利止漏精其東行根療蚘虫寸白石榴以花赤可愛故人多植之尤為外國所重入藥唯根殼而已其味有甜酢藥家用酢者其子為服食所忌也

新修本草菓部卷第十七

淺井奉傳抄

二四二

新修本草菜部卷第十八

司空上柱國英國公臣勣等奉　勅撰

上菜

白瓜子　白冬瓜　瓜蔕　冬葵子　葵根

莧實　苦菜　薺　蕪菁　萊菔

龍葵　菘　芥　苜蓿　荏子

蓼實　葱實　薤　白蘘荷　蒸菜

蘇　水蘇　假蘇　香薷　薄荷

秦荻梨

下菜 苦瓠　水靳　馬芹子　蓴　落葵

蘩蔞　蕺　葫　蒜　堇

芸薹

右菜類合卅八種 十二種神農本經廿種名醫別錄六種新附

上菜 白苽子 味甘平寒無毒主令人悅澤好顏色益氣不飢久服輕身能老主除渴不樂久服寒中可作面脂令悅澤一名水芝一名白苽子生嵩高平澤冬瓜人也八月採之 謹案經云冬瓜人也八月採之已下七為冬瓜人說尔雅云水芝瓜也非謂冬瓜別名據經及下條瓜蔕並生嵩高平澤此即一物但以甘字似白後人誤以為白也若其不是甘瓜何因一名白瓜此即是甘瓜或且朱書論甘瓜之効墨書說冬瓜之功功異條同陶為深誤矣案廣雅冬瓜一名地芝与甘瓜全別墨書宜附冬瓜科下瓜蔕与甘瓜共條別錄云甘瓜子主腹內結聚破潰膿血最為好腹腎脾內癰湯要藥本草以為冬瓜但用蔕不云子也今腸癰湯中之用俗人或用冬瓜子非也又案諸本草單云瓜子或云甘瓜子今此本誤作白字當改從甘也

白冬瓜 微寒主除小腹水脹利小便止渴 被霜後合取是

经年破取核，水浇炼乃擂取人用之。冬花性冷利，解毒，消渴烦闷，宜捣饮汁服之。

花帶味苦，寒，有毒。主大水身面四支浮腫，下水，殺蠱毒，欬逆上氣，食諸菓不消，病在胷腹中，皆吐下之。去鼻中息肉，黄疸。其華主療心欬。生嵩高平澤。七月七日採，陰乾。花帶多用早青蔕，此云七月七日採，便是熟花蔕者。取吐乃無異。此止論其蔕所主耳。今花例皆冷利，早青尤甚。熟花乃有數種，除瓣食不害人。若覺食多，入水自漬便消。永嘉有寒花甚大，合可取藏經年，食之亦有。再熟花又有越花，甚人以作葅者，食之冬冷，並非藥用耳。《博物志》云：水浸包頭，令瓜花無數。又云：貌花葦有毒，勿採之。花皮飲蜘蛛也。

冬葵子味甘，寒，無毒。主五藏六府寒熱羸瘦，五癃，利小便，婦人乳難內閉。久服堅骨，長肌肉，輕身延年。生少室。十二月採。黄芩為之使也。

葵根味甘，寒，無毒。主惡瘡，療淋，利小便，解蜀椒毒。葉為百菜主，心傷人。以秋種葵，覆養經冬，至春作子，謂冬葵，多入藥用，至滑利，能下石淋。春葵子亦滑，不堪餘藥用。根故是常葵耳。葉尤冷利，不可食。術家取此葵子微炒令熚灹，散著濕地，遍踏之。

朝種莫暮生遠不過宿又云取羊角馬蹄燒作灰散於濕地即生羅勒俗呼為西王母菜食之益人生菜中又有胡荾芸薹白苣耶蒿並可食大都服藥自通忌生菜耳佛家齋忌食薰渠不知的是何菜今芸臺憎其臭故也謹案羅勒北人謂之蘭香為石勒諱故也又薰渠者婆羅門云何魏言此草苗根似白芷取根汁曝之如膠或截根日乾並極臭西國持呪人禁食之常食中用之云去臭氣戎人重此猶俗中貴椒巴人重負蠜等非西堇也

苦菜 味苦寒无毒主五藏邪氣厭穀胃痹腸澼渴熱中疾惡瘡久服安心益氣聰察少卧輕身耐老耐飢寒高氣不老一名荼草一名選一名游冬生益州川谷山陵道旁陵冬不死三月三日採陰乾疑此則是今茗茗一名荼又令人不眠亦陵冬不凋而嫌其只生益州益州乃有苦菜正是苦蘵耳上卷上品白英下已注之桐君藥錄云苦菜三月生扶疏六月花從葉出莖直黃八月實黑實落根復生冬不枯今茗極似此西陽武昌及廬江晉熙茗皆好東人止作青茗茗皆有浡飲之宜人凡所飲物有茗及木葉天門冬苗并菝葜皆益人餘物並冷利又巴東間別有真茶作卷結為飲亦令人不眠恐或是此俗中多煮檀葉及大皂李作茶並冷又南方有瓜蘆木亦似茗至苦澀取其葉作屑煮飲汁即通夜不眠煮鹽人唯資此飲而交廣最所重客來先設乃加以香芼輩耳謹案苦菜詩云誰謂荼苦又云堇荼如飴皆苦菜異名也陶謂之茗茗乃木類殊非菜流茗春採為苦搽搽音途遐反非途音也案爾雅釋草云荼苦菜釋木云檟苦搽二物全別不得為例又顏氏家訓案易統卦驗玄圖曰苦菜生於寒秋經冬歷春得夏乃成一名游冬葉似苦苣而細斷之而有白汁花黃似菊此則與桐君略同

今所在有之也苦識乃詭
耳俗名苦菜与非荼也

蘑味甘温无毒主利肝氣和中其實主明目〻
痛 蘑類又多此是人可食者之葉作菹美赤佳詩云
誰謂荼苦其甘如薺又彭荼是菜類矣

蕪菁及蘆菔味温无毒主利五藏輕身益
氣可長食蕪菁子主明目 蘆菔是今温菘其根
可食葉不中噉蕪青根乃
細於温菘而葉似菘好食西川唯種此而其子与温菘甚相似小細耳
俗方无用服食家亦練餌之而不云蘆菔子恐不用也俗人蒸其根及
作菹皆好但小薰臭耳細而過辛不宜服也[illegible]葉蕪菁此人又[illegible]蔓
菁根葉及子乃是菘類与蘆菔全別而於飲用无殊今言蕪菁子似
蘆菔或謂蘆菔葉不堪食兼言小蓮體是江表不產二物斟酌未諳
理食其真耳其蔓菁子療黃疸利小便水煑三斗取濃汁服主瘕
瘕積聚少飲汁主霍乱心腹
脹服主目暗其蘆菔別顯條

萊菔根味辛甘温无毒主散服及煑服
食大下氣消穀去淡澼肥健人生擣汁服主
消渴試大有驗 陶謂温菘是也其嫩葉為生菜又主大蒜熱〻
取消食和中根効在蕪菁之右 新附

龍葵味苦寒无毒食之解勞少睡去虛熱腫其
子療丁瘡所在有之 即開河間謂之苦菜者葉圓花白子若
牛李子生青熟黑但堪煑食不任生噉 新附

菘味甘温无毒主通利腸胃除胷中煩解酒渴 菜中有菘最為恒食性和利人无餘逆忤令人多食如似小冷而又耐霜雪其子可作油傅頭長髮塗刀劔令不鏥其有數種猶是一類正論其美与不美耳服藥有甘草而食菘令病不除 謹案菘菜不生北土有人將子北種初一年半為蕪菁二年菘種都絶將蕪菁子南種亦二年都變土地所宜頗有此例其子亦隨色變但麁細无異耳菘子黑蔓菁子紫赤大小相似唯蘆菔子黄赤色大數倍復不圓也其菘有三種有牛肚菘葉最大厚味甘紫菘葉薄細味小苦白菘似蔓菁也

芥味辛温无毒歸鼻主除腎邪氣利九竅明耳目安中久服温中 似菘而有毛味辣好作菹亦生食其子可藏冬菹又有莨以作菹甚辣快 謹案此芥有三種葉大麁者葉堪食子入藥用熨惡疰至良葉小子細者葉不堪食其子但堪為齏耳又有白芥子麁大白色如白粱米甚辛美從戎中來别録云子主射工及注氣發无恒處丸服之或擣為末酢和塗之隨手驗也

苜蓿味无毒主安中利人可久食 長安中乃有苜蓿園北人甚重此江南人不甚食之以无氣味故也外國復别有苜蓿草以療目非此類也 謹案苜蓿ゝ茎葉平根寒ゝ主熱病煩滿目黄赤小便黄酒疸擣取汁一升令吐利即愈也

荏子味辛温无毒主欬逆下氣温中體葉主調中去臭氣九月採陰乾 荏狀如蘇高大白色不甚香子其研之雜米作糜甚肥美下氣補

益東人呼為莫以其似蘇字但除木邊故也 荏其子作油日煎之即今油帛及和漆用者勝食新穀亦用之名為重油 謹案 在葉人常生食子故不及蘇言為重油入漆及油緔帛此乃用大麻子油非用此也漆及油帛江左所无 投陶為謬誤也

中 蓼實 味辛温无毒主明目温中耐風寒下水氣面目浮腫癰瘍 葉歸舌除大小腸邪氣利中益志 馬蓼 去腸中蛭虫輕身 生雷川澤 此類又多人所食有三種一是紫蓼相似而紫色一名香蓼亦相似而香並不甚辛而好食一是月蓼人家常有之葉有圓有尖以負者為勝所用即是此乾之以釀酒主療風冷大良 馬蓼生下濕地莖斑葉大有黑点亦有兩三種其最大者名蘢鼓即是葒草已在上卷 中品 謹案 尒雅云葒一名蘢鼓者蘬則最大者不名蘢鼓陶誤呼之又有水蓼 葉太似馬蓼而味辛主被地傷搗薄之使取汁服亦地毒入腹心悶者又水煑漬脚捋之消脚氣腫生下濕地水傍

葱實 味辛温无毒主明目補中不足其莖 葱白 平中作湯主傷寒寒熱出汗中風面目腫傷寒骨肉痛喉痺不通安胎歸目除肝邪氣安中利五藏益目精殺百藥毒 葱根主傷寒頭痛 葱汁平主溺血解藜蘆毒

謹案葱有数種山葱曰茖葱療病似胡葱主諸悪載狐尿刺毒山溪中沙
虱射工等毒煮汁浸或擣傅亦大效亦兼小蒜茱萸輩不獨用也其
人間食葱又有二種有凍葱即經冬不死分莖栽蒔而無子又有漢葱冬
則葉枯食用入藥凍葱最善氣味亦佳也

薤味辛苦温無毒主金創創敗輕身不飢耐
老除骨菜芝也除寒熱去水氣温中
散結利病人諸瘡中風寒水腫以塗之
生魯山平澤 葱薤異物而今共條本經既無薤以其同類故也今亦取爲副品種數方家多用葱白及葉中
涕名葱苒無復用實葱亦有寒熱白冷青熱傷寒湯不得
令有青也能消桂爲水亦化五石仙術所用薤又温補仙方及服食
皆須之偏入諸膏用並不可生取董辛爲忌耳 謹案薤及(乃)是韭
類葉不似葱今云同類不識所以然薤有赤白二種白者補而美赤者主
金創及風苦無味
今別顯條於此

韮味辛酸温無毒歸心安五藏除胃中熱
利病人可久食子主夢泄精溺白根主養髮
韮子入棘刺諸丸主漏精用根入髮膏用葉人以煮鲫魚鮓斷卒下
利多驗但此菜殊辛臭雖煮食之便出猶奇薰灼不如葱薤熟則
無氣最是養性所忌也生薑是常食物其已隨乾薑在中品今依次
入食更別顯之而復有小異處所以弥宜書之生薑微温辛歸五藏去
淡下氣止嘔吐除風邪寒熱久服小志少智傷心氣如此則不可多食
長御有病者是所宜也耳今人敢謂辛韭物唯此最恒故論語云不

撤薑食言可常啖但勿過多耳 謹案 薑久服通神明主風邪之淡氣生者尤良能之久服通神明即可常啖也今云少智少志傷心氣不可多服者誤為此說檢元可據也

白蘘荷 微溫 主中蠱及瘧 今人乃呼赤者為蘘荷其白者為覆葅葉同一種耳於人食之赤者為勝藥用白者中蠱服其汁并臥其葉即呼蠱主姓名亦主諸溪毒沙蝨輩多食損藥勢又不利腳人家種白蘘荷亦云辟蛇 謹案 葉根主諸惡瘡殺蠱毒根心主稻麥芒入目中不出者以汁注目中即出也

菾菜 味甘苦大寒 主時行壯熱解風熱毒 即今以雜作鮓蓋者菾作脈青字之作菾時行熱病初得便搗飲汁除差 謹案 此菾似升麻苗南人蒸炰又作羹食亦大香美之也

蘇 味辛溫 主下氣 除寒中 子尤良 葉下紫色而氣甚香其无紫不香似荏者名野蘇不任用子主下氣與橘皮相宜同療也

水蘇 味辛溫无毒 主下氣殺穀除飲食 辟口臭 去毒 辟惡氣 久服通神明 輕身耐老 主血衄血血崩 一名雞蘇 一名勞祖 一名芥苴 一名依苴 一名道華 生九真池澤 七月採 方藥不用俗中莫識昔九真遼遠亦无能識訪之 謹案

蘇生下濕水側苗似旋復兩葉相當大香馥青齊河間人名
為水蘇江左名為薺薴吳會謂之雞蘇主吐血衄血下氣
消穀大效而陶更於菜部出雞蘇誤矣今以
雞蘇為水蘇之一名復中吐血衄血之刪六字也

假蘇味辛溫無毒主寒熱鼠瘻瘰癧生瘡結聚氣破散之下瘀血除濕痺一名鼠蓂一名薑芥生漢中川澤方藥亦不復用謹案此藥即菜中荊芥是也薑荊聲訛耳先居草部中今人食之錄在菜部也

香薷味辛微溫主霍亂腹痛吐下散水腫家家有此惟供生食十月中取乾之霍亂煮飲無不差作煎除水腫尤良之也

薄荷味辛苦溫無毒主賊風傷寒發汗惡氣心腹脹滿霍亂宿食不消下氣煮汁服亦堪生食人家種之飲汁發汗大解勞乏莖方葉似荏而尖長根經冬不死又有蕃荷生者功用相似新附

秦荻藜味辛溫無毒主心腹冷脹下氣消食人所噉者生下濕地所在有之新附

菜下

苦瓠味苦寒有毒主大水面目四支浮腫下水令人吐生晋地川澤瓠与冬瓜氣類同輩而有上下之殊當是為其苦者耳今瓠自忽有苦者如膽不可食非別生一種也又有瓠𤬛亦是瓠類小者名瓢食之乃勝瓠凡此等皆利水道所以在夏月食之大理自不及冬瓜矣謹案瓠与冬瓜瓠𤬛全非類例今此論性都是苦瓠耳陶謂瓠中苦者大誤矣瓠中苦者不入用冬瓜自依前說瓠与瓠𤬛又須辨之此二物苗葉相似而實形亦有異瓠味皆甜時有苦者而似越瓜長者尺餘頭尾相似其瓠𤬛形狀此一瓠夏中便熟秋末並枯瓠𤬛夏末始實秋中方熟取其為器經霜乃堪瓠与瓠𤬛體性相類俱味甘冷通利水道止渴消熱无毒多食令人吐苦瓠𤬛為療一如經說然瓠苦者不堪食无所主療不入方用而甜瓠与瓠子啖之俱勝冬瓜陶言不及是未悉之毛稊分別非甘者變而為苦也其苦瓠𤬛味瓠苦冷有毒主水腫石淋吐呀嗽囊結注蠱痰飲或服之過分令人吐利不止者宜以黍穰灰汁解之又煮汁漬陰療小便不通

水靳味甘平无毒主女子赤沃止血養精保血脈益氣令人肥健嗜食一名水英生南海池澤論靳主療乃應是上品未解何意乃在下其二月三月英時善可作葅及熟爚食可亦利小便治水腫又有渣靳可為生菜此靳亦可生啖俗中皆作芹字也謹案芹花味苦至勝溢也无用條

馬芹子味甘辛溫无毒主心腹脹滿下氣

消食調味用之香似橘皮无苦味廿水澤傍苗似鬼鍼蔥菜等花青白色子黄色似防風子

附新

蓴味甘寒无毒主消渴熱 蓴有寒夏苻云冷補下氣雜鯉魚作羹亦逆水而性滑服食家不可多敢也 謹案蓴久食大冝人合鮒魚為清羹食之主胃氣弱不下食者至効又宜老人此應在上品中三月四月至七八月通名絲蓴味甜體軟霜降已後至于二月名瑰蓴味苦體澁取以為羮犯賤雜菜

落葵味酸寒无毒主滑中散熱實主悅澤人面一名天葵一名繁露 又名蕠露人家多種之葉唯可飡鼎性冷滑人食之為狗所齧瘡終身不差其子紫色女人以漬粉傅面為假色不入藥用也

蘩蔞味酸平无毒主積年惡瘡不愈五月五日日中採乾用之當燔 此菜人以作羹五月五日採曝乾燒作屑療雜惡瘡有効亦雜百草取之不必止此一種 謹案此草即是鷄腸也但非亡說所出而二處說異多生濕地坑渠之側流俗通謂鷄腸雅士總名蘩蔞尔雅物重名並之而有名也

蕺味辛微温主蠼螋溺瘡多食令人氣

喘 俗傳言食蕺不利人脚恐由閉氣故也今小兒食之便覺脚痛謹案此物葉似蕎麦莖目從肥地亦能蔓生莖紫赤色多生濕地山谷陰處山南江左人好生食關中謂之菹菜也

葫味辛温有毒主散癰腫𧏾瘡除耶殺毒氣獨子者亦佳歸五藏久食傷人損目明五月五日採之 今人謂葫為大蒜謂蒜為小蒜以其氣類相似也性最薰臭不可食俗人作齏以噉膾肉損性伐命莫此之甚此物唯生不中食用以合青魚鮓食令人發黄取其條上子初種之成獨子葫明年則復本謹案此物煑為羹臛極美薰氣亦微下氣消穀除風破冷足為饌中之俊而注云不中食用尚是未經試耳

蒜味辛温无毒歸脾腎主霍乱腹中不安消穀理胃温中除邪痹毒氣五月五日採 小蒜生葉時可煑和食至五月葉枯取其根名䔉子正爾噉之亦甚薰臭性辛熱中冷霍乱煑飲之亦主溪毒食之損人不可長用之謹案此蒜與胡葱相得主惡𧕴毒溪中沙虱水毒大効山人俚獠時用之

堇汁味甘寒无毒主馬毒瘡擣汁洗之并服之堇菜也出小品方万畢方云除蛇蝎毒及癰腫 此菜野生非人所種俗謂之堇葵葉似蕺花紫色者 新附

芸薹味辛温无毒主風游丹腫乳癰別録 春食之能發膝痼疾此人間所敢菜也新附

新修本草菜部卷第十八

第十八 仁和寺本付宮

新修本草米等部 十九

新修本草米等部卷第十九

司空上柱國英國公臣勣等奉 勅修

上 胡麻 青蘘 麻蕡 粭糖

中 大豆 赤小豆 豉 大麥 穬麥

小麥 青粱米 黄粱米 白粱米 粟米

丹黍米 蘖米 秫米 陳廩米 酒

下 腐婢 藊豆 黍米 粳米 稻米

稷米　酢　将　塩

右米等部合廿八種　六種神農本經　二種名醫別録

米穀部上

胡麻味甘平無毒主傷中虛羸補五内益氣力長肌肉填髓腦堅筋骨金創心痛及傷寒溫瘧大吐後虛熱羸困久服輕身不老明耳目耐飢延年以作油微寒利大腸胞衣不落生者摩瘡腫生禿髮一名狗虱一名方莖一名鴻藏一名巨勝葉名青蘘生上黨川澤　八穀之中唯此為良淳黑者名巨勝巨勝者大也是為大勝本生大宛故名胡摩又莖方名巨勝莖ム[illegible]麻服食家當九蒸九曝熬擣餌之斷穀長生甘肌易得俗中學者猶不能恒服而況餘藥耶蒸不熟令人髮落其性與伏苓相宜俗方用之甚少唯時以合湯丸耳麻油生笮者如若蒸炒正可供作食及燃耳不入藥用也謹案此麻以角作八稜者為巨勝四稜者名胡麻都以烏者良白者劣耳生嚼塗小兒頭瘡及侵淫惡瘡大効

青蘘味甘寒無毒主五藏邪氣風寒濕痺

益氣補腦髓筋骨久服耳目聰明不飢不老增壽臣勝苗也生中原川谷胡麻葉甚肥滑作可以沐頭但不知云何服之仙方並无用此法正當陰乾擣為丸散耳旣服其實故不復假苗五符臣勝丸亦云葉名青蘘本生大宛度來千年耳謹案青蘘本経在草上品中旣堪歠今從細麻條下

麻蕡味辛平有毒主七傷利五藏下血寒氣破積心痺除散膿多食令人見鬼狂走久服通神明輕身一名麻勃此麻華上勃〻者七月七日採良

麻子味甘平無毒主補中益氣肥健不老療中風汗出逐水利小便破積血復血脉乳婦産後餘疾長髮可為沐藥久服神仙九月採入土中者賊人生太山川谷畏牡厲白嶶惡伏苓麻蕡即牡〻麻〻則无實令人作布及屩用之麻勃方藥亦少用術家合人參服之令逆知未然其子中人合凡菜并釀酒大善而邑滑利性麻根汁及煑飲之亦主瘀血石淋謹案蕡即麻實非花也尓邪

云蕡實禮云苴麻之有蕡者注云有子之□□皆謂
子耳陶以一名麻勃謂勃勃然如花者即以為花重出子
條誤矣既以麻蕡為米之上品今用花為之花豈堪食乎
根主產難胞衣不出破血壅脹帶下崩中不止者以水煑
服之効漚麻汁主消渴搗葉水絞取
汁服五合主蚘蟲搗薄蠍毒効

粭糖味甘微溫主補虛乏止渴去血方家用鉛糖乃云膠飴皆是濕糖如厚蜜者建中湯多用之其凝強及牽白者不入藥又胡麻亦可作糖糯甘補今酒用麯糖用蘗猶同是米麥而為中上之異糖當以和潤為優酒以薰亂為劣

大豆黃卷味甘平無毒主濕痹筋攣膝痛
五藏胃氣結積益氣止毒去黑皯潤澤皮
毛生大豆味甘平塗癰腫煑飲汁殺鬼毒
止痛逐水脹除胃中熱痹傷中淋露下瘀
血散五藏結積內寒殺烏頭毒久服令人
身重熬屑味甘主胃中熱去腫除痹消穀
止脹主太山平澤九月採惡五參龍膽得前胡烏喙杏人牡蠣良

赤小豆主下水排癰腫膿血味甘酸平溫

無毒主寒熱、、中消渴心泄利小便吐卒澼下脹滿大小豆共條猶如葱薤義也以大豆為蘗牙生便乾之名為黃卷用之亦熬服食家所須蒸大豆主溫毒水腫殊効復有白大豆不入藥小豆性逐津液久食令人偏燥矣謹案別錄云葉名藿去心小便數去煩熱

豉味苦寒無毒主傷寒頭痛寒熱鄣氣毒煩躁滿悶虛勞喘吸兩脚疼冷又殺六畜胎子諸毒豉食中之常用春夏天氣不和蒸炒以酒漬服之至佳暑熱煩悶冷水漬飲二三升依康伯法先以酢酒溲蒸曝燥麻油和又蒸曝凡三過乃末椒乾薑屑合和以進食勝今作油豉也患脚人恒將其酒以滓薄脚皆差好者出襄陽錢唐香美而濃取中心彌善也

大麦味鹹溫微寒無毒主消渴除熱益氣調中又云令人多熱為五穀長食蜜為之使即今倮麦一名麰麦似穬麦唯無皮耳謹案大麦出關中即青科麦是形似小麦而大皮厚故謂大麦殊不似穬麦也大麦麵平胃止渴消食療脹

穬麦味甘微寒無毒主輕身除熱以作蘖

温消食和中
此是今馬所食者性乃言熱而云微
寒恐是作屑与合穀異也服食家並
食大穬二麦令人輕身健謹案穬麦性寒陶云性熱非也
經復云作屑與合穀異此皆江東少有故斟酌言之耳

小麦味甘微寒無毒主除熱止燥渴利小
便養肝氣止漏血唾血以作麴温消穀止
利以作麵温消熱止煩
小麦合湯皆完用之熱家
療也作麵則温明穬麦也
當如此今服食家啖麵不及大穬麦猶勝於米耳謹案小麦湯
用不許皮圻云圻則温明麵不能消熱止煩也小麦麵止利平
胃主小兒癇消食痔又有女麴黃蒸女麴完小麦為之一名麵
子黃蒸磨小麦為之一名黃衣並消食止洩利下胎破冷血也

青粱米味甘微寒無毒主胃痺熱中渴利
止洩利小便益氣補中輕身長年
凡云粱米皆
是粟類唯其
芽頭色異為分別耳青粱出北今江東少有汜勝之書云粱是秫
粟今俗用則不分也謹案青粱穀穗有毛粒青米亦微青而細
於黃白粱也穀粒似青稞而少虞夏月食之極為涼清但以味
短色惡不如黃白粱故人少種之此穀早熟而收少也作餳清
白勝
餘米

黃粱米味甘平無毒主益氣和中止洩
黃
粱
亦出青冀州此間不見耳謹案黃粱出蜀漢商淅間亦種之
穗大毛長穀米俱麁於白而收子少不耐水旱食之香美逾

於諸粱人兮為竹根黄而陶注白粱云襄陽竹根者是也乃黄粱非白粱也

白粱米味甘微寒無毒主除熱益氣今處處有襄陽竹根者最佳所以夏月作粟飧亦以除熱也　謹案白粱穗大多毛且長諸粱都相似而白粱穀麁扁長不似粟圓也米亦白且大食之香美黄粱之惡矣陶云竹根竹根乃黄粱非白粱也然粱稚粟類細論則別謂作粟飧殊乖的稱

粟米味鹹微寒無毒主養腎氣去胃痹中熱益氣陳者味苦主胃熱消渴利小便江東所種及西間皆是其粒細於粱米熱舂令白亦以當白粱乎為白粱粟陳者謂經三年五年者或呼為粢米粢音濟以作粉尤解煩悶服食家多將食之　謹案粟有多種而並細於諸粱北土常食与粱有別陶云當白粱又云或呼為粢粢則是稷稷乃穄之異名也其米泔汁主霍亂夾熱心煩渴飲數升立差臭泔止消渴尤良米麥麨味甘苦寒无毒主寒中除熱渴解煩消石氣蒸米麥熱磨作之一作糗字

丹黍米味苦微溫無毒主欬逆霍亂心泄除熱心煩渴此則即赤黍也亦出此間江東時有種而非土所宜多入神藥用又黑黍名秬供釀酒祭祀用之

糵米味苦無毒主寒中下氣除熱此是以米為糵耳非別

米名也末其米脂和傅面亦使皮膚悅澤為熱不及麦蘗也
謹案蘗者生不以理之名也皆當以可生之物為之陶稱以米為
蘗其米豈更能生乎心當取蘗中之米耳 案食經
稱用稻蘗稻即穬穀名明非米作也

秫米味甘微寒止寒熱利大腸療漆瘡此人以作
酒及煮糖者肥軟而易消方藥不正用唯嚼以塗漆瘡釀諸菜
醪 謹案此米功能是稻秫也今大都呼粟稉為秫稻秫為稉
矣此土亦多以粟秫釀酒而汁少於黍米粟秫應有別
功但本草不載凡黍稷粟秫秔此稉三穀之秈秫也

陳廩米味鹹酸無毒主下氣除煩調胃上
洩此今久入倉陳赤者湯中多用
之人以作酢酒勝於新粳米

酒味苦大熱有毒主行藥勢殺邪惡氣大寒
凝海唯酒不冰明其熱性獨冠群物藥家多須以行其熱人飲
之使體弊神昏是其有毒故也昔三人晨行觸霧一人健一人病
一人死健者飲酒病者食粥死者空腹此酒勢辟惡勝於食謹
案酒有蒲桃秫黍秔粟麴蜜等作酒醴以麴為而蒲桃蜜等
獨不用麴飲蒲桃酒消淡破澼
諸酒醇醨不同唯米酒入藥
仁時均反不洗酒也
仁力支反薄酒也

腐婢味辛平无毒主痎瘧寒熱邪氣洩利
陰不起止消渴病酒頭痛生漢中小豆華
也七月採陰乾華用異實故其不得同品方家都不用
之今自可依其所主以為療也但未鮮

何故有腐婢之名本經不云是小豆花後醫顯之耳未知審是不今海邊有小樹狀似支子莖條多曲氣作腐臭土人呼為腐婢用療瘧有効亦酒漬皮療心腹痛恐此多當是真若尒无此无條應在下品卷中也　謹案腐婢山南相承以為葛花本經云小豆華陶復稱海邊小樹未知孰是然葛花消酒大勝豆花葛根亦能消酒小豆全无此効校量葛豆二花葛為真矣也

之

藊豆味甘微溫主和中下氣葉主霍亂吐下不止　人家種之於籬援其莢蒸食甚美无正用其豆者葉乃單行用之患寒熱病者不可食之謹案此北人名鵲豆以其黑而間白故也

黍米味甘溫无毒主益氣補中多熱令人煩　荊郢州及江北皆種此其苗如蘆而異於粟粒亦大粟而多是秫今人又呼秫粟為黍非也北人作黍飯方藥釀黍米酒則皆用秫黍也又有穄米與黍相似而粒殊大食之不宜人乃言發宿病謹案黍有數種已略注前條今此通論黃黑黍米耳亦全不似蘆稚似粟而非粟也穄即禝也具釋後條也

粳米味苦平无毒主益氣心煩心洩　此即今常所食米但有白赤小異族四五種猶同一類也前陳廩米亦是此種以廩軍人故曰廩耳　謹案傳稱食廩為禄廩倉也前陳倉米曰廩字誤作廩即謂廩軍米也若廩軍新米者亦為陳乎

開寶已来已稻米已下為下品光此空已此卷目錄知古

稻米味苦主温中令人多熱大便堅　道家方茱有俱用稻米粳米此則是兩物云稻米糠白如霜今江東无此皆通呼粳米為稻耳不知其色類復云何也　謹案稻者穬穀通名尔雅云稌稻也秔者不粳之穪一曰秈汜勝之云秔稻秫稻三月種秔四月種秫稻即並稻也今陶别為二事深不可解也

之

稷米味甘无毒主益氣補不足　稷米皇不識書多云黍稷ゝ恐与黍相似又有稌亦不知是何米詩云黍稷稻梁禾麻菽麥此即八穀也俗人莫能證辨如此穀稼尚弗能明而況芝英乎案汜勝之種植書有黍即如前説无稷有稻猶是粳米梁是秫禾ゝ即是粟董仲舒云禾是粟苗名耳麻是胡麻枲是大麻菽是大豆大豆有兩種小豆一名荅有三四種麥有大小穬ゝ即宿麦亦謂種麥如此諸穀之限也菰米一名彫胡可作𩝐又漢中有一種名枲梁粒如粟而皮黑亦可食釀為酒甚消玉人有烏禾生野中如菰年代粮而致亜黄以淺地螻蛄皆死稗亦可食凡此之類復有數種耳　謹案吕氏春秋云飯之美者有陽山之穄高誘曰關西謂之糜冀州謂之緊廣雅云緊穄也礼記祭宗廟稷曰明粢穆天子傳云赤烏之人獻穄麦百載説文云稷五穀長田正也自高已来周弃主之此官名非穀号也又案先濡以為粟類或言粟之上者尔雅云粢稷也傳云粢盛解云黍稷為粢汜勝之種植書又不言稷陶云八穀者黍稷稻梁禾麻菽麦俗人尚不能弁況芝英乎既有稷禾明非粟也本草有稷不載穄稷即穄也今楚人謂之稷關中謂之糜呼其米為黄米与黍為秈秫故其苗与黍同類陶又引詩云稷恐与黍相似斯並浔之矣儒家但説其義不知其實寻　鄭玄注禮王莜云是梭楔謂

查為梨之不減者周官殤人主祝某云祝當為注義如附著此人尺有所短耳之官也矣弐

酢酒味酸温无毒主消癰腫散水氣殺邪毒

酢酒為用无所不入逾良也謂之醯以有苦味俗呼苦酒丹家又加餘物謂為華池左味但不可多食之損人肌藏耳

謹案酢有數種此言米酢若蜜酢麦酢麹酢桃酢葡桃大棗蘡薁等諸雜菓酢及糠糟等酢會者也極酸烈心可散之不可入某用也

醬味鹹酸冷利主除熱心煩滿殺藥及火毒

醬酉多以豆作緒麦者少今此當是豆〻者〻也以久〻祢好又有肉醬魚醬皆呼為醢不入某用也

謹案又有偷人醬亦辛義利大小便芜荑醬大義殺三虫有少晏氣辛好

塩味鹹温无毒主殺鬼蠱邪注毒氣下部䘌瘡傷寒熱吐胃中淡澼止心腹卒痛堅肌骨多食傷肺喜欬

五味之唯此不可闕今有東海北海供京都及西川市江用中原有河東塩池梁益有塩井交廣有市海西芜有山塩胡中有樹塩而色類各不同河東寂為勝此間東海塩官塩白草粒細北海塩黃草粒大以作魚鮓及鹹菹乃言北海勝而藏蠒必用塩官者蜀中塩小淡廣州塩鹹苦不知其為療體復有優劣不西方北方人食不耐鹹而多壽少病東方南方人食絶欲鹹奕多病便是損人則傷肺之効矣然以浸魚肉則能經久不敗以沾布

帛則易致朽烟所施
處各有所宜可也

新脩本草米等部卷第十九

第四第五第十二第十七第十九九五卷
以淺井氏紫山三經樓藏本傳鈔

第四 第五 第十二 第十五 第十七 第十九
右新脩本艸殘本之第十五鶴峯卿雲遊京師時
借錄見貽其他五卷傳鈔淺井紫山三經樓
藏本
天保五年歲在閼逢敦牂冬十月
廿七日小島尚質記
右[illegible][illegible]小島氏原本手寫

新修本草 有名無用 仁和寺本

廿

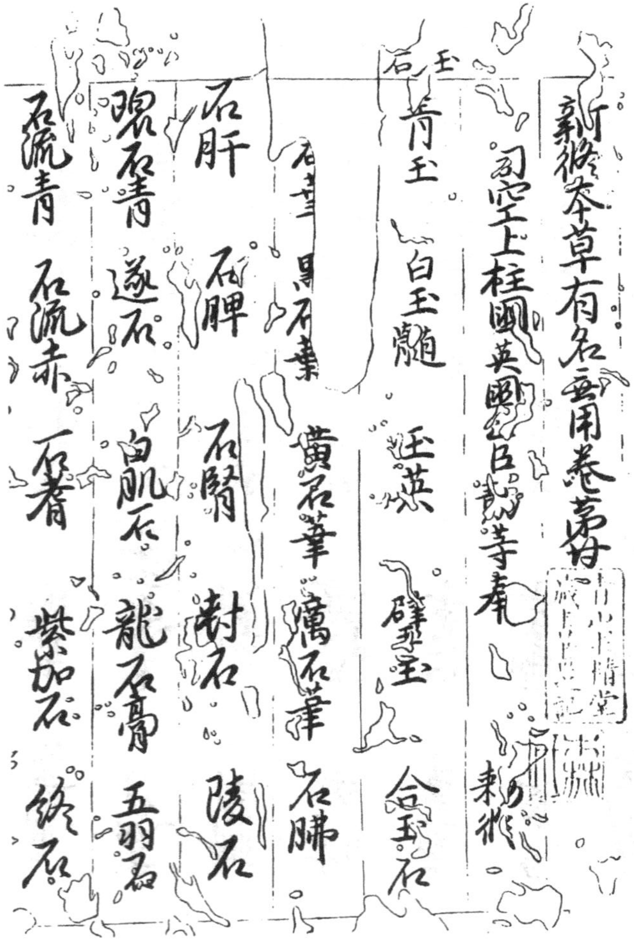

新修本草有名無用卷第廿

司空上柱國英國公臣勣等奉勅撰

青玉 白玉髓 玉英 璧玉 合玉石

石華 黒石華 黄石華 厲石華 石肺

石肝 石脾 石腎 封石 陵石

碧石青 遂石 白肌石 龍石膏 五羽石

石流青 石流赤 石耆 紫加石 終石

玉石類廿六種

玉伯　文石　曼諸石　山慈石　石濡

越砥　金莖　夏臺　柒紫　鬼目

鬼蓋　馬顛　馬唐　馬逢　牛舌

羊乳　羊實　犀洛　鹿良　菟棗

雀梅　雀翹　雞涅　相烏　鼠耳

蛇舌　龍常草　離樓草　神護草　黃護草

天雄草　雀醫草　木甘草　益決草　九熟草

兑草　酸草　異草　癰草　茈草

莘草　勒草　英草華　吳葵華　封華

棑華　節華　徐李　新雉木　合新木

俳蒲木　遂陽木　學木核　木核　栒核

荻皮　桑莖實　滿陰實　可聚實　讓實

蕙實　青雌　白背　白女腸　白扇根

白給　白并　白辛　白昌　赤舉
赤涅　黃秫　徐黃　黃白支　紫藍
紫給　天蓼　地朕　地芩　地筋
地耳　土齒　燕齒　酸惡　酸赭
巴棘　巴朱　蜀格　纍根　苗根
參果根　黃辯　良達　對廬　糞藍
委蛇　麻伯　王明　類鼻　師系
逐折　并苦　父陛根　索干　荊莖
鬼麗　竹付　秘惡　唐夷　知杖
葵松　河煎　區余　三葉　五母麻
疥栢、常吏之生　救赦人者　丁公寄　城裏赤柱
城東腐木　芥　載　慶　腂

草木類一百卅二種

雄黃虫　天社虫　桑蠹虫　石蠹虫　行夜

蝸離　麋魚　丹戩　扁前　蚖類
蜚厲　梗雞　益符　地防　黃蟲

蟲類十五種

薰草　姑活　別羇　牡蒿　石下長卿
麕舌　練石草　弋共　蕈草　五色符
蘘草　翹根　鼠姑　船虹　屈草
赤赫　淮木　占斯　嬰桃　鴆鳥

右草木類及蟲鳥等惣廿種陶弘景不識今醫博識人亦不識者

石

青玉味甘平無毒主婦人無子輕身不老長年一名穀玉生藍田謹案云合玉漿用穀玉正縹白色不夾石大者如升小者如鷄子取穴中者非今作器物玉也出襄鄉縣舊穴中黃初中詔征南將軍夏侯尚求之

白玉髓味甘平無毒主婦人無子不老延年生藍田玉石之間

玉英味甘主風瘙皮膚痒一名石鏡明白可鏡生
山窍十二月採

璧玉味甘无毒主明目益氣使人多精生子

合玉石味甘无毒主益氣消渴輕身辟穀生常
山中丘如彘肪

紫石華味甘无毒主渴去小腸熱一名茈石華生
中牛山陰採无時

白石華味辛无毒主癉消渴膀胱熱生液北鄉
北邑山採无時

黑石華味甘无毒主陰痿消渴去熱療月水不利生
弗其勞山陰石間採无時

黃石華味甘无毒主陰痿消渴膈中熱去百毒
生液北山黃色採无時

厲石華味甘无毒主益氣養神止渴除熱強陰

生江南如石華採無時

石肺味辛無毒主癘欬寒久痿益氣明目生水

中狀如肺黑澤有赤文出水即乾 今浮石亦療欬似肺而不黑澤恐非是也

石肝味酸無毒主身痒令人色美生常山色如肝

石脾味甘無毒主胃寒熱益氣痒瘑令人有子

一名胃石一名膏石一名消石生隱蕃山谷石間黑

如大豆有赤文色微黄而輕薄如棊子採無時

石腎味鹹無毒主泄□色如白珠

封石味甘無毒主消渴熱中女子疽蝕生常□

山及少室採無時

陵石味甘無毒主益氣耐寒輕身長年生華

山其形薄澤

碧石青味甘無毒主明目益精去白皮瘕延年

遂石味甘無□主消渴傷中益氣生太山陰採

無時
白肌石味辛無毒主強筋骨止消不飢陰熱不足
一名肌石一名洞石生廣焦國卷山青色潤澤
龍石膏無毒主消渴益壽生杜陵如鐵脂中黄
五羽石主輕身延年一名金黄生海水中蓬葭山
上倉黄如
石流青味酸無毒主療洩益肝氣明目輕身長
年生武都山石間青白色
石流赤味苦[illegible]毒主婦人帶下止血輕身長年理如
石耆生山石間 芝品中有石流丹 又有石中黄子
石耆味甘無毒主欬逆氣生石間色赤如鐵脂四
月採
紫加石味酸主痺血氣一名赤英一名石血赤無理
生邯鄲山如爵茈二月採 廿六水方呼為紫賀石

終石味辛無毒主陰痿痹小便難益精氣生陵
陰採無時

玉石類廿六種

玉伯味酸溫無毒主輕身益氣止渴一名玉遂生石
上如松高五六寸紫華用莖葉

文石味甘主寒熱心煩一名黍石生東郡山澤中水
下五色有汁潤澤

曼諸石味甘主益五藏氣輕身長年一名陰精六
月七月出石上青黃色夜有光

山慈石味苦平有毒主女子帶下一名爰茈生山之
陽正月生葉如梨蘆莖有衣

石濡主明目益精氣令人不飢渴輕身長年一名
石芥

石芸味甘無毒主目痛淋露寒熱溢血一名螫烈

一名顧啄三月五月採莖陰干

石劇味甘無毒主渴中

路石味甘酸無毒主心腹止汗生肌酒痂益氣耐寒實骨髓一名陵石生草石上天雨獨乾日出獨濡華黃莖赤黑三歲一實實赤如麻子五月十月採莖葉陰乾

曠石味甘無毒主益氣養神除熱止渴生江南如石草

敗石味苦無毒主渴痺

越砥味甘無毒主目盲止痛除熱瘙 疑此今細礪石也砥平者

金莖味苦平無毒金創內漏一名葉金草生澤中

高夏

夏臺味甘主百疾濟絕氣 此藥乃尔神奇而不復識用可恨

淥紫味苦主少腹痛利小腸破積聚長肌

肉久服輕身長年生宛朐二月七月採

鬼目味酸平無毒主明目一名來甘實赤如

五味十月採 俗人今呼白草子赤為鬼目此乃相似

鬼蓋味甘平無毒主小兒寒熱癇一名地

蓋生垣墟下叢生赤旦生暮死 一名朝生疑是今鬼繖

馬顛味甘有毒療浮腫不可多食

馬唐味甘寒主調中明耳目一名羊麻一名

羊粟生下地莖有節節生根五月採

馬逢味辛無毒主癬蟲

牛舌實味鹹溫無毒主輕身益氣一名彖

尸生水中澤旁大葉長尺五月採

羊乳味甘溫無毒主頭眩痛氣長肌肉一

名地黃三月採立夏後母死

羊實味苦寒主頭禿惡瘡疥瘙痂癬生

蜀郡

犀洛味甘無毒主痒一名星洛一名泥洛

麻良味鹹臭主小兒驚癎賁豚瘈瘲大人
痓五月採

蒐棗味酸無毒主輕身益氣生丹陽陵地高
尺許實如棗

雀梅味酸寒有毒主蝕惡瘡一名千雀生海水
谷間葉如李實如麦李

雀翹味鹹主益氣明目一名去母一名更生生藍
中葉細黃莖赤有刺四月實實兑黃中黑五月
採陰乾

鷄涅味甘平無毒主明目目中寒風諸不足水腹
邪氣補中止洩利女子白沃一名陰洛生鷄山採無時

桐鳥味苦主陰萎一名鳥葵如蘭香赤莖生山陽

五月十五日採陰乾

鼠耳味酸無毒主痹寒熱止欬一名無心生田中下地厚華肥莖

蛇舌味酸平無毒主除留血驚氣蛇癎生大水之陽四月採華八月採根

龍常草味鹹溫無毒主輕身益陰氣療痹寒濕生河水旁如龍芻冬夏生

離樓草味鹹平無毒主益氣力多子輕身長年生常山七月八月採實

神護草可使獨守叱咄人寇盜不敢入門生常山此芸八月採此亦奇草詎彼人猶應識用之

黃護草無毒主痹益氣令人嗜食生隴西

吳唐草味甘平無毒主輕身益氣長年生故稲田中夜日有光草中有膏

天雄草味甘溫無毒主益氣陰痿生山澤中
狀如蘭實如大豆赤色

雀醫草味苦無毒主輕身益氣洗浴爛瘡
療風水一名白氣春生秋花白冬實黑

木甘草主療癰腫盛熱煮洗之葉如藍三月
生大葉如蛇牀四四相值折枝種之生五月華白
實核赤三月三日採

益決草味辛溫無毒主欬逆肺傷生山陰根如
細辛

九熟草味甘溫無毒主出汗止泄療悶一名烏
粟一名雀粟生人家庭中葉如棗一歲九熟七月
七日採 今不見有此之

兌草味酸平無毒主輕身益氣長年生蔓草
木上葉黃有毛冬生

酸草主輕身長年名山醴泉上陰居莖有五

葉青澤根赤黄可以消玉一名醜草 李云是今酸箕布地生者而今處處有恐非也

異草味甘無毒主痿痺寒熱去黑子生蘺木

上葉如葵莖温有角汁白

癰草葉主癰腫一名鼠肝葉滑青白

苑草味辛無毒主傷金創

莘草味甘無毒主盛傷痺腫生山澤如蒲黄葉

如芥

勒草味甘無毒主瘀血止精溢盛氣一名黑草

生山谷如栝樓 疑此猶是薰草兩字皆相似一誤耳而栝樓為殊也

英草華味辛無毒主痺氣強陰療面勞疽解

煩堅筋骨療風頭可作沐藥生蔓木上一名庶

英九月採乾

吴葵華味鹹無毒主理心氣不足封華味甘有

、、、主粉瘡養肌去惡肉夏五採
陳華味甘無毒主上氣解煩堅觔骨
桃華味苦主除水氣去赤虫令人好色不可久服
春生仍採
節華味苦無毒主傷中痿痹溢腫皮主脾中客
氣一名山節一名達節一名通漆十月採曝乾
徐李主益氣輕身長季生太山陰如李小形實
青色無核熟採食之
新雉木味苦香溫無毒主風頭眩痛可作沐藥
七月採陰乾實如桃
合新木味辛平無毒解煩心上療痛生遼東
俳蒲木味甘平無毒主少氣止煩生山陵葉
如柰實赤三核
遂陽木味甘無毒主益氣生山如白楊葉三月

實十月熟赤可食

學木核味甘寒無毒主脇下留飲胃氣不平

除熱如棗核五月採陰乾

木核療腹澼華療不足子療傷根療心腹逆氣

止渴十月採

枸核味苦療水身面癰腫五月採

荻皮味苦止消渴去白虫益氣生江南如松葉

有別刺實赤黃十月採

棗莖實味酸溫無毒主字乳餘疾輕身益

氣一名草王葉似荏方莖大葉生園中十月採

滿陰實味酸平無毒主益氣除熱止渴利小

便輕身長年生深山谷及園中莖如芥葉小

實如桃七月成

可聚實味甘溫無毒主輕身益氣明目一名

長壽生山野道中穗如麦葉如芡五月採
讓實味酸主喉痺止洩利十月採陰乾
蕙實味辛主明目補中根莖中湯療傷寒寒熱
出汗中風面腫消渴熱中逐生魯山平澤
青雌味苦主惡瘡禿敗瘡火氣殺三虫一名
蟲損一名血推生方山山谷
白背味苦平無毒主寒熱洗浴疥惡瘡生山
陵根似紫葳葉如燕廬採無時
白女腸味辛溫無毒主洩利腸澼療心痛破疝
瘕生深山谷中葉如藍實赤赤女腸亦同
白扇根味苦寒無毒主瘧皮膚寒熱出汗令
人變
白給味辛平無毒主伏虫白癬腫痛生山谷如
藜蘆根白連九月採

白并味苦無毒主肺欬上氣行五藏令百病不起一名玉簫一名箭悍葉如小竹根黃白皮生山陵三四月採根曝乾

白辛味辛有毒主寒熱一名脱尾一名羊草生楚山三月採根根白而香

白昌味甘無毒主食諸虫一名水昌一名水宿一名莖蒲十月採

赤舉味甘無毒主腹痛一名羊飴一名陵渴生山陰二月華兑茅草上五月實黑中有核三月三日採葉陰乾

赤涅味甘無毒主注崩中止血益氣生蜀郡山石陰地濕處採無時

黃秫味苦無毒主心煩汗出生如桐根黃

徐黃味辛平無毒主心腹積瘕莖主惡瘡生

澤中大莖細葉香如萬本
黄白文生山陵三四月採根曝乾
紫藍味鹹平無毒主食肉得毒能消除之
紫給味鹹主毒風頭洩注一名野葵生高陵
下地三月三日採根〻如烏頭
天蓼味辛有毒療惡瘡去痺氣一名石龍
生水中

地朕味苦平無毒主心氣女子陰疝血結一名
羕夜一名疲光三月採
地芩味苦無毒主小兒癇除耶養胎風痺
洗浴寒熱目中青翳女子帶下生腐木積
草處如朝生天雨生蓋黄白色四月採
地筋味甘平無毒主益氣止渴除熱在腹臍
利筋一名菅根一名土筋生澤中根有毛三月生四

月實白三月三日採根疑此猶是白莧而小異
地耳味甘無毒主明目益氣令人有子生
丘陵如碧石青
土齒味甘平無毒主輕身益氣長年生
山陵地中狀如馬刀
燕齒主小兒癇寒熱五月五日採
酸惡主惡瘡去白虫生水旁狀如澤寫
酸赭味酸主內漏止血不足生昌陽山採無時
巴棘味苦有毒主惡疥瘡出虫一名女木生高
地葉白有刺根連數十枚
巴朱味甘無毒主寒止血帶下生雒陽
蜀格味苦平無毒主寒熱痿痹女子帶下
癰腫生山陽如藋菌有刺
纍根主緩筋令不痛

苗根味鹹平無毒主痺及熱中傷跌折
生山陰谷中蔓草木上莖有刻實如椒

參果根味苦有毒主鼠瘻一名百連一名烏蓼
一名鼠莖一名鹿蒲生百餘根根有衣裹莖三月
三月採根

黃辯味甘平無毒主心腹疝瘕口痛瘡一名經辯
良達主齒痛止渴輕身生山陰莖蔓延大如葵
子滑小

對廬味苦寒無毒主疥諸久瘡不瘳生死
肌除大熱煮洗之八月採似菴蕳

播鹽味苦主身痒瘙白禿漆瘡洗之生房陵

委蛇味甘平無毒主消渴少氣令人耐寒生
人家園中大文長鬚多葉兩兩相值子如芥子

麻伯味酸無毒主益氣出汗一名君莒一名衍

草一名道止一名自死生平陵如蘭葉黑厚白裹

莖實赤黑九月採根

王明味苦主身皰耶氣小兒身皰以浴之

生山谷一名王草

類鼻味酸温無毒主痿痹一名類重生田中

高地葉如名精美根五月採

師系味甘無毒主癰腫惡瘡煮洗之一名臣

竟一名巨骨一名鬼芭生平澤八月採

遂折殺鼠益氣明目一名百合厚實生木間莖

黄七月實黑如大豆 又杜仲子亦一名遂折

弁苦主欬逆上氣益肺氣安五藏一名蜮薰一

名王荊三月採陰乾

父陛根味辛有毒以熨癰腫膚脹一名膏魚

一名梓藻

索干味苦無毒主易耳一名馬耳荊莖療灼爛
八月十月採陰乾

鬼麗跑生石上挼之日柔為沐

竹付味甘無毒主止痛除血

秘惡味酸無毒主療肝邪氣一名杜逢

唐夷味苦無毒療瘻折

知杖味甘無毒主療疝

葵松味辛無毒主眩痹

河煎味酸主結氣癰在喉頸者生海中八月九月採

區余味辛無毒主心腹熱癃

三葉味辛療寒熱虵蜂螫人一名起莫一名三
石一名當田生田中莖小黑白高三尺根黑三月
採陰乾

五母麻味苦有毒療痿痹不便下利一名康麻

一名歸澤麻一名天麻一名若一草生田野五月採
疥栢味辛温無毒主輕身療痺五月採
常吏之生味苦平無毒主明目實有刺大如稻米
救赦人者味甘有毒主疝痺通氣諸不足生人
家宮室五月十月採暴乾
丁公寄味甘主金瘡痛延年一名丁父生石間蔓
延木上葉細六枝赤莖母大如積黄有汁七月七日採

城裏赤柱味辛平療婦人漏血白沃陰蝕濕痺
邪氣補中益氣生晉平陽
小東廧木味鹹温主心腹痛上洩便膿血
芥味苦寒無毒主消渴止血婦人疾除痺一名
梨葉如大青
載味酸無毒主諸惡氣
慶味苦有毒主咳嗽

昨味甘無毒主益氣延年生山谷中白順理十

月採

草木類一百卌二種

雄黄虫主明目辟兵不祥益氣力狀如蠮螉

天社虫味甘無毒主絶孕益氣狀如蜂大腰食

草木葉三月採

桑蠹虫味甘無毒主心暴痛金瘡肉生不足

石蠹虫主石癃小便不利生石中行夜療腹痛

寒槃利血一名負槃今小兒呼為積槃或以死蝘虫

蝸籬味甘無毒主燭館明目生江夏

麋魚味甘無毒主痹止血

丹戩味辛主心腹積血一名飛龍生蜀如鼠負青

股蜚頭赤七月七日採陰乾

扁前味甘有毒主鼠瘻癃利水道生山陵如

牛虽翼赤五月八月採

蚖類療痺内漏一名蚖短土色而文

蜚蠇主婦人寒熱

梗類味無毒療痺

益符主療閉一名無舌

地防令人不飢不渴生黄陵如濡居土中

黄虫味苦療寒熱生地上赤頭長足有角群居

七月七日採

虫類十五種

薰草味甘平無毒主明目止淚療洩精去臭

惡氣傷寒頭痛上氣腰痛一名蕙草生下濕地

三月採陰乾脱節者良俗中人呼鷰草狀如茅而香者為薰草人家頗種之藥録云葉

如麻兩兩相對山海經云薰草麻葉而方莖赤花而黑實氣如蘼蕪可以止癘今市人皆用鷰草此則非今詩書家多用蕙語而竟不知是何草尚其名而迷其實皆此類也

姑活味甘温無毒主大風邪氣濕痺寒痛久服輕身益壽耐老一名冬葵子生河東川澤方藥亦用无此者乃有固活丸即是治葛一名耳此又名冬葵子非葵菜之冬葵子療體未異也 謹案別録一名雞精也

別羇味苦微温無毒主風寒濕痺身重四支疼酸寒邪歷節痛一名別枝一名別騎一名鼈羇生藍田川谷二月八月採方家時有用處今俗亦絶耳也

杜蘅味苦温無毒主死肌膚益氣令人暴肥不可久服血脉滿盛生田野五月採方藥不復用 謹案齊頭蒿也所在有之葉似防風細薄无光澤

石下長卿味鹹平有毒主鬼注精物邪惡氣殺百精蠱毒老魅注易亡走啼哭悲傷恍惚一名徐長卿生隴西池澤山谷此又名徐長卿恐是誤耳方家无用此處俗中皆不復識別也

麕舌味辛微温無毒主霍亂腹痛吐逆止煩生水中五月採曝干生小小水中今人五月五日採陰乾以療霍乱甚良方也

練石草味苦寒無毒主五癃破石淋膀胱中結氣利水道小便生南陽川澤一名爛石草又云即馬矢蒿

弋共味苦寒無毒主驚氣傷寒腹痛羸瘦皮中有耶氣手足寒無色生益州山谷畏玉札蜚蠊

蕈草味鹹平無毒主養心氣除心温〻辛痛浸淫身熱可作塩生淮南平澤七月採樊石為之使也

五色符味苦微温主欬逆五藏耶氣調中益氣明目殺虱青符白符赤符黒符各隨色補其藏白符一名女木生巴郡山谷方藥皆不復用今人並无識者

蘘草味苦寒无毒主温生寒熱酸嘶耶氣辟不祥生淮南山谷

翹根味甘寒平有小毒主下熱氣益

陰精令人面悦好明目久服輕身能老
以作蒸飲酒病人生嵩高平澤二月
八月採（方藥不復用俗无識者也）
鼠姑味苦平寒無毒主欬逆上氣寒熱
鼠瘻惡瘡耶氣一名䑕生丹水（今人不識此鼠姑乃牡丹人名鼠姑同知孰正）
舡虹味酸無毒主下氣止煩渴可作浴
湯藥多黄甘蜀郡立秋取（古方不用俗人無識者也）
屈草味苦微寒無毒主胸脇下痛
耶氣腸間寒熱陰痺久服輕身益
氣能老生漢中川澤五月採（方藥不復用俗無識此者也）
赤赫味苦寒有毒主痂瘍惡敗瘡除
三虫耶氣生益州川谷二月八月
淮木味苦平無毒久欬上氣傷中虛
羸補中益氣女子陰蝕漏下赤白沃

一名百歲中木生晉陽平澤方藥亦不復用
占斯味苦温微温無毒主邪氣濕痺
寒熱疽瘡除水堅積血癥月閉無子
小兒躄不能行諸惡瘡癰腫止腹痛
令女人有子一名炭皮生太山山谷採無時
解狼毒毒李云是樟樹上寄生樹大銜枝在肌宍今人皆以胡桃皮當之非是真也桑桐君録云生上洛是木皮狀如厚朴色似桂白其理一縱一横今市人皆削乃似厚朴而无正縱横理不知此復是何物莫測真假何者為是也
嬰桃味辛平無毒主止洩腸澼除熱調
中益脾氣令人好色美志一名牛桃一
名英豆實大如麥多毛四月採陰乾非今果
實嬰桃形乃相似而實乖異山間乃時有方家亦不復用耳之
鴆鳥毛有大毒入五藏爛殺人其口主殺
蝮蛇毒一名鴆日生南海此乃是兩種鴆鳥狀如孔雀五色雜斑高大黑頸赤
喙出交廣深山中鴆日鳥狀如黑傖鷄其共禁大朽樹令反蝮蛇吞之作聲似云同力故江東人呼為同力鳥並噉蛇人誤食其宗亦

即孔鴆毛羽不可近人而並瘡 虵毒帶鴆喙 亦辟虵也昔時皆用鴆毛為毒酒故名酖酒項来不復尒不云有物赤色狀如龍名海董生海中亦大有毒甚於鴆羽也 謹案此鳥商州以南江嶺間大有人皆諳識其肉腥有毒亦不堪噉云羽畫酒殺人此是浪證案玉篇引郭璞云鴆大如雕長頸赤喙食虵又說文廣雅淮南子皆一名運日鴆運同也問吏辛人五云鴆日一名鴆一名同力鴆日鳥外更無如孔雀鳥陶云如孔雀者交廣人誰之

右有名無用合一百九十三種 一百七十三種舊 廿種新退

三五八

新脩本草有名無用卷第廿

第十三 第十四 第十八 第廿

右在壬寅陵記 一品準后法親王朝覲
於京師之時借録此四卷原本仁和寺宮
寶庫所藏云 弘化丙午九月既望小嶋寶記
本郡小島寶素當年手錄此本文

附录六　《新修本草》研究资料

（本资料共 24 篇，前 19 篇为尚志钧撰写，后 5 篇为各家对尚辑本评价资料）

一、我国最早的药典——《新修本草》

《新修本草》，又称《唐本草》，是中国最早的一部药典，同时也是世界上最早的一部药典。外国最有名的药典是《纽伦堡药典》。《纽伦堡药典》是在 1546 年由纽伦堡政府刊行的[1]，而《新修本草》是唐高宗显庆四年（659）编成的[2]，比《纽伦堡药典》要早 887 年。但 1930 年编的《中华药典》的序文里却说“缅维首制，实始纽伦”。

（一）《新修本草》编修的原因

唐以前通行的本草是陶弘景的《本草经集注》。陶弘景编《本草经集注》时，正是中国南北对峙而未统一的时候。陶弘景处在江南地带，其个人见闻和经验当然是有限度的。但由于南北对峙 100 多年，到隋唐才统一，唐代经济繁荣，对外交通日趋频繁，人民物质文化生活提高，医药发展迅速，医疗经验比前代更加丰富，那么原来的《本草经集注》，就赶不上时代的需要了，也就有重修的必要了。首先提

① 陈思义．实用药剂学．南京：华东药学院，1952：5.

② 苏敬．新修本草：下册．上海：群联出版社，1955：369.

出重修问题的，就是苏敬。他向政府提出的修纂建议，很快就得到了当时政府的批准。

（二）《新修本草》编修的时间和参加编修的人员

关于《新修本草》编修的时间和参加编修的人数，各书记载不一。李时珍说："唐高宗命司空英国公李勣等修陶隐居所注《神农本草经》，增加七卷。世谓之《英公唐本草》……苏恭①重加订注，表请修定。帝复命太尉赵国公长孙无忌等二十二人与恭详定。"② 孔志约所作"唐本序"云："苏恭摭陶氏之乖违，辨俗用之纰紊，遂表请修定，深副圣怀，乃诏太尉扬州都督监修国史上柱国赵国公臣无忌……许孝崇等二十二人与苏恭详撰。"③ 李时珍认为《新修本草》先经李勣修过一次，再由苏恭提出重修，而孔志约只说苏恭根据陶弘景《本草经集注》的缺点，提出重修的建议，《新唐书·于志宁传》曰："志宁与司空李勣修定本草并图，合五十四篇。"④ 欧阳修所撰《新唐书·艺文志》对《新修本草》注云："显庆四年，英国公李勣，太尉长孙无忌，兼侍中辛茂将，太子宾客弘文馆学士孔志约，尚药奉御许孝崇、胡子家、蒋季璋，尚药局直长蔺复珪、许弘直，侍御医巢孝俭，太子药藏监蒋孝瑜、吴嗣宗，丞蒋义方，太医令蒋孝琬、许弘，丞蒋茂昌，太常寺丞吕才、贾文通，太史令李淳风，潞王府参军吴师哲，礼部主事颜仁楚，右监门府长史苏敬等撰。"⑤ 按欧阳修注释，《新修本草》在显庆四年（659）由23人合修，这和李时珍、孔志约所说22人合修不符。《唐会要》云："显庆二年，右监门府长史苏敬上言：陶弘景所撰《本草》，事多舛谬，请加删补。诏令检校中书令许敬宗、太常寺丞吕才、太史令李淳风、礼部郎中孔志约、尚药奉御许孝崇并诸名医等二十人，增损旧本，征天下郡县所出药物并书图之。仍令司空李勣总监定之，并图合成五十四卷。至四年正月十七日撰成。"⑥

现存《新修本草》残卷卷15末记显庆四年正月十七日修成，并附有21人的名单，但名单中没有长孙无忌、许敬宗、于志宁。

---

① 苏恭，原名苏敬，因避赵匡胤祖父赵敬的讳，改为"恭"。

② 见人民卫生出版社影印本《本草纲目》。

③ 王秋刊、秦凤仪等所校清顺治丙申（1656）年刊本《重刊经史证类大全本草》卷1第8页。

④ 欧阳修. 新唐书：于志宁传. 上海：商务印书馆，1936：16373.

⑤ 刘昫，欧阳修，等. 唐书经籍艺文合志. 上海：商务印书馆，1956：273－274.

⑥ 王溥. 唐会要：卷82. 北京：中华书局，1955：1522－1523.

按《资治通鉴》记载，长孙无忌在唐高宗显庆四年和李勣争权失败，显庆四年四月被革职，七月被逼自缢而死。① 权移新臣，所以《新修本草》中没有长孙无忌的名字。

综上所述，《新修本草》是在唐高宗显庆二年，由苏敬向当时政府提出修纂建议，并由政府批准，且指派当时掌握大权的长孙无忌、李勣等着手编修的，而实际责任则可能是由苏敬负的。到显庆四年正月十七日全书54卷告成，参加编修的共22人。

（三）《新修本草》的卷数

各书记载不一，孔志约序云："撰本草并图经、目录等，凡成五十四卷。"《新唐书·于志宁传》曰："志宁与司空李勣修定本草并图，合五十四篇。"

《新唐书·艺文志》云："本草二十卷，目录一卷，药图二十六卷，图经七卷。"

《新唐书·艺文志》关于此书的另一种记载是48卷。但是《旧唐书·经籍志》记载该书有54卷，其云："《本草图经》七卷，《新修本草》二十一卷，《新修本草图》二十六卷。"

李含光《本草音义》云："正经二十卷，目录一卷，又别立图二十五卷，目录一卷，图经七卷，凡五十四卷。"②

宋·掌禹锡所引《蜀本草序》和《唐英公进本草表》载该书有53卷，掌禹锡说："臣禹锡等谨按《蜀本草序》作五十三卷，及《唐英公进本草表》云，敕成本草二十卷，目录一卷，药图二十五卷，图经七卷，凡五十三卷，又英公撰本草并图经、目录等，凡成五十三卷。"③

李时珍亦说该书有53卷。李时珍云："本草凡二十卷，目录一卷，别为药图二十五卷，图经七卷，共五十三卷。"

综上所述，53卷和54卷的差别在药图部分的卷数。孔志约、于志宁、李含光，以及《新唐书·艺文志》《旧唐书·经籍志》等，均说药图部分有26卷。惟掌禹锡和李时珍所引，说药图部分有25卷。笔者认为药图部分共26卷，因李含光

---

① 司马光. 资治通鉴：卷200. 北京：古籍出版社，1956：6314－6316.

② 丹波元胤. 中国医籍考. 北京：人民卫生出版社，1956：114.

③ 见上海商务印书馆缩印金泰和刊本《重修政和经史证类备用本草》卷1第26页。

《本草音义》注明药图部分25卷，另有目录1卷，共26卷。药图部分26卷加图经部分、本草部分合共54卷。

（四）《新修本草》的药物分类

李时珍说："（《新修本草》）分为玉石、草、木、人兽、禽、虫、鱼、果、米谷、菜、有名未用十一部。"孙思邈《千金翼方》分玉石部、草部、木部、人兽部、虫鱼部、果部、菜部、米谷部、有名未用部。日本丹波康赖《医心方》分玉石、草、木、兽禽、虫鱼、菓、菜、米谷、有名未用9类。"梁·陶隐居序"中注解云："今以序为一卷，例为一卷，玉石三品为三卷，草三品为六卷，木三品为三卷，禽兽为一卷，虫鱼为一卷，果为一卷，菜为一卷，米谷为一卷，有名未用一卷。"

综上所述，《新修本草》把药物分为9类，即玉石、草、木、禽兽、虫鱼、果、菜、米谷、有名未用。其比《本草经集注》多2类，按"梁·陶隐居序"中注，《本草经集注》将药物分玉石、草木三品，虫兽、果、菜、米食三品，有名未用三品。而《新修本草》把虫兽分为禽兽和虫鱼2类，草木分草与木2类。[①] 由此可见《新修本草》的分类完全沿袭陶弘景的分类，不过因动植物药数量增加，才把虫兽、草木等作更细的分类而已。

（五）《新修本草》的药物数目

"梁·陶隐居序"注云："合二十卷，其十八卷中药合八百五十种，三百六十一种《本经》，一百八十一种《别录》，一百一十五种新附，一百九十三种有名未用。"孙思邈《千金翼方》记载，《新修本草》有玉石三品82种，草三品257种，木三品101种，人兽56种，虫鱼71种，果25种，菜37种，米谷28种，有名未用196种，共853种。[②] 但《千金翼方》目录中的有名未用类实载195种，所以《新修本草》所载药物实数是852种。《医心方》载有《新修本草》药物目录，卷1第

---

① 《重修政和经史证类备用本草》卷1第27页"梁·陶弘景序"注中云："……陶据此以《别录》加之为七卷，序云三品混糅，冷热舛错……岂使草木同品，虫兽共条，披览既难，图绘非易。"由此注可知陶弘景以草木为一类，虫兽为一类。《中华医史杂志》第7卷第2期（1955年2号）第84页，马继兴说陶弘景以果菜为一类，笔者不同意他的说法。

② 孙思邈. 千金翼方：卷2至卷4. 北京：人民卫生出版社，1955：14－59.

24页记有“本草内药八百五十种”。[1] 这和陶隐居序中所注的850种相同。按，《医心方》是日本的古书，在圆融帝永观二年（984）著成，距离《新修本草》编成之年代较近，所以其记载的数字当然比较可靠些，所以《新修本草》药物总数可能是850种。

（六）《新修本草》编修的情况

《新修本草》共包括三部分，即本草、药图、图经，在本草方面，基本上按陶弘景《本草经集注》的分类编排，如陶弘景将《神农本草经》药用朱书写，将《名医别录》药用墨书写，而《新修本草》亦如此，凡出自《神农本草经》者用朱书写，凡出自《名医别录》者用墨书写，凡唐代新增的药物均标以“新附”2字。这种做法，非常重要，因它能够保存药物发展的根源。所以《新修本草》在药物方面，除了以陶弘景《本草经集注》加以删整外，还新增药物114种[2]。在药图方面，当时曾下诏全国，征询各种药物标本，施以绘图，如《唐会要》云：“征天下郡县，所出药物，并书图之。”孔志约序云：“普颁天下，营求药物，羽毛鳞介，无远不臻，根茎花实，有名咸萃……丹青绮焕，备庶物之形容。”这就是绘制药图的经过。《新修本草》共有药图25卷，目录1卷，合共26卷。另外，当时还编写了药图说明书，名“图经”。图经部分共7卷。以药图部分26卷和图经部分7卷的数量来看，药图部分和图经部分远超过了正文部分的篇幅，这证明唐代对药物实物的观察和记载是十分重视的。《新修本草》真是药物学空前的巨著。可惜其药图部分和图经部分早已失传了。

（七）结语

《新修本草》是由苏敬在唐高宗显庆二年（657）向政府建议编修，由李勣领衔和许孝崇等22人在显庆四年（659）正月十七日编成的。《新修本草》54卷，计本草部分20卷，目录1卷；药图部分25卷，目录1卷；图经部分7卷。该书分玉石、草、木、禽兽、虫鱼、果、菜、米谷、有名未用9类，载药850种，新增药

---

① 丹波康赖．医心方．北京：人民卫生出版社，1955：24.

② 《重修政和经史证类备用本草》卷1第22页“嘉祐补注总序”云：“李勣等与恭参考得失，又增一百一十四种，分门别类，广为二十卷，世谓之《唐本草》。”但同书卷1第26页“梁·陶弘景序”中注为“一百一十五种新附”。究竟是新增114种药还是115种药，待考。

114种。凡《神农本草经》药用朱书写，《名医别录》药用墨书写，新增药标以“新附”字样。这些标记保存了药物的出处。《新修本草》是国家编修的药典，比《纽伦堡药典》要早887年，是中国最早的药典，也是世界上最早的药典。

二、《新修本草》以前所流行的本草

在《新修本草》以前所流行的本草，将近有60种本草（见《隋书·经籍志》103页，1955年商务版）。

其中以梁·陶弘景《本草经集注》最为流行。陶弘景书在498年前后编成。按1955年群联出版社影印敦煌出土的陶弘景《本草经集注》第28页说：“自余投缨宅岑，犹不忘此……今撰此三卷，并《效验方》五卷，又补阙葛氏《肘后方》三卷。”按，《南史·陶弘景传》（商务版缩印百衲本二十四史，第12501页）说：“永明十年，脱朝服挂神武门，上表辞禄。”永明十年即492年，那么陶弘景著述上面3种书，是在492年以后。葛洪《肘后备急方》所载“华阳隐居补阙《肘后百一方》序”（1955年商务版第4页）云：“太岁庚辰，隐居曰：余宅身幽岭，迄将十载……又别撰《效验方》五卷……凡如上诸法，皆已具载在余撰本草上卷中。”这个“太岁庚辰”是南朝齐东昏侯永元二年，即500年。那也就是说，陶弘景著述上面3种书，是在500年以前完成的。据此推知陶弘景作《本草经集注》是在492年到500年之间。

自陶弘景书问世到唐代建国初，有160多年，在这么长的时间里，人们对药物的认识和应用都有新的进展，而且新药也不断出现。加之陶弘景编书时，中国正处在南北对峙的局面，而陶弘景偏居南方，所以其所编的书不免存在一些缺点。这些缺点，到了唐初，即被当时很多学者所指责。

唐慎微《重修政和经史证类备用本草》（1957年人民卫生出版社版，第28页）所载“唐本序”说：“时钟鼎峙，闻见阙于殊方；事非佥议，诠释拘于独学。至如重建平之防己，弃槐里之半夏。秋采榆人，冬收云实。谬粱、米之黄白，混荆子之牡、蔓。异繁蒌于鸡肠，合由跋于鸢尾。防葵、狼毒妄曰同根，钩吻、黄精引为连类，铅锡莫辨，橙柚不分。”这是孔志约批评陶弘景书中存在的问题，并指出陶弘景书错误的例证。

又按，王溥《唐会要》卷82载：“右监门府长史苏敬上言：陶弘景所撰《本草》，事多舛谬，请加删补。”①

又按，《新唐书·于志宁传》云：“昔陶弘景以《神农经》合杂家别录注名之，江南偏方，不周晓药石，往往纰缪，四百余物。”② 因此，陶弘景《本草经集注》流行到唐初时，不能满足当时的需要，故有重修的必要。加之唐朝统一中国后，国威远振，经济发展，对外交流日益频繁，外来药物亦增多，这时就更有必要编修一部更完备的本草了！

三、《新修本草》编修概况

首先提议编修《新修本草》的人是苏敬（苏敬在宋代改名苏恭，因避赵匡胤祖父之讳而改）。

苏敬在657年（唐高宗显庆二年）上表建议编修本草，此建议立即得到唐朝政府的批准。唐高宗令老臣长孙无忌领衔负责主持《新修本草》的编修工作。③

长孙无忌组织当时的史学家、医学家和药学家等20余人，从事这项工作。

根据《新唐书·艺文志》（商务版缩印百衲本二十四史，第15814页）的记载，参与编修的有23人，即李勣、长孙无忌、辛茂将、许敬宗、孔志约、许孝崇、胡子家、季璋、蔺复珪、许弘直、巢孝俭、蒋季瑜、吴嗣宗、蒋义方、蒋季琬、许弘、蒋茂昌、吕才、贾文通、李淳风、吴师哲、颜仁楚、苏敬。此外，于志宁等亦参加过工作，不过实际责任还是由苏敬来负的。

经过2年编修，到659年（显庆四年正月十七日④），全书54卷告成。

编修工作在开始时，是由老臣长孙无忌领衔的。后来许敬宗为争夺朝权⑤⑥，

---

① 王溥．唐会要：卷82．北京：中华书局．1955：1522．

② 刘昫．旧唐书：卷78．上海：商务印书馆，1958：14627．

③ 孔志约“唐本序”云：“朝议郎行右监门府长史骑都尉臣苏恭，摭陶氏之乖违，辨俗用之纰紊，遂表请修定，深副圣怀，乃诏太尉扬州都督监修国史上柱国赵国公臣无忌、太中大夫行尚药奉御臣许孝崇等二十二人与苏恭详撰。”

④ 《唐会要》云：“显庆二年，右监门府长史苏敬上言：陶弘景所撰《本草》，事多舛谬，请加删补。诏令检校中书令许敬宗、太常寺丞吕才、太史令李淳风、礼部郎中孔志约、尚药奉御许孝崇并诸名医二十人，增损旧本，征天下郡县所出药物并书图之。仍令司空李勣总监定之，并图合成五十四卷。至四年正月十七日撰成。及奏，上问曰……诏藏于秘府。”

⑤ 刘昫．旧唐书：许敬宗传．上海：商务印书馆，1958：14647．

⑥ 欧阳修．新唐书：许敬宗传．上海：商务印书馆，1936：16994．

逢迎武后，密告长孙无忌有叛国阴谋①②，长孙无忌被陷，因此其负责的编修《新修本草》的工作遂改由另一老臣李勣领衔。当《新修本草》编修工作结束时，李勣所上《进本草表》中就没有长孙无忌的名字。后来《新修本草》各卷首页只题"李勣等奉敕修"。

《新修本草》的组成共有三个部分，第一是本草部分，第二是药图部分，第三是图经部分，每一部分的卷帙都是浩大的。

根据文献记载，这三部分合共是54卷，即本草部分20卷，本草目录1卷；药图部分25卷，药图目录1卷；图经部分7卷。

孔志约的"唐本序"和李含光《本草音义》以及《新唐书·艺文志》都作54卷，只有《蜀本草》引李勣《进本草表》说："敕成本草二十卷，目录一卷，药图二十五卷，图经七卷，凡五十三卷。"这里54卷和53卷的分歧，主要在药图目录1卷的有无，其他卷数都是相同的。

从《新修本草》药图部分和图经部分的卷数来看，《新修本草》编修者在开始编修时，即很重视药材实物的观察和研究。朝廷曾通令全国各地进献当地所产的地道药材，以作实物对照，进行具体的研究、描写、图绘。所以孔志约"唐本序"云："普颁天下，营求药物，羽毛鳞介，无远不臻，根茎花实，有名咸萃。"

我国在7世纪时就能有这样的做法，确实是一件了不起的事情。

药图部分和图经部分的内容是相当多的，《新修本草》全书54卷，药图部分占26卷，图经部分占7卷（图经就是说明药图的文字），而本草只有21卷。

图经部分和药图部分的篇幅，远远超过了本草部分。像这样的做法，在我国本草史上，除此还未有见到过，所以《新修本草》是一部空前的巨著。

现在所讲的《新修本草》，多指这21卷本草而言。这21卷本草是在陶弘景所著的《本草经集注》基础上增修而成的。其除了把《本草经集注》加以删整外，还增加了114种新药，共载药850种。其对每个药物的性味、产地、功效和主治，均做了详细的论述。

在书写形式上，该书都有一定的体例。其将每个药物的正文，作大号字体单行书写；将每个药物的小注，用小号字体作双行书写。小注有两种，一种是引用的陶弘景所著的《本草经集注》中的注文，另一种是《新修本草》编修时所增加的注

---

① 刘昫. 旧唐书：长孙无忌传. 上海：商务印书馆，1958：14555。

② 欧阳修. 新唐书：长孙无忌传. 上海：商务印书馆，1936：16377.

文。《新修本草》所增加的注文，均有“谨案”字样冠在注文的前面。

该书对850种药及其正文的来源，均用记号注明。凡药物或正文来自《神农本草经》者，均用朱书写；凡药物或正文来自《名医别录》者，一律用墨书写。唐代新增的114种药，也用墨书写，但是在药物正文的末尾，均加“新附”2字。

这些标记，对古代药学文献的保存，是十分重要的。

唐以后历代本草的编修，都效法《新修本草》这种办法，仅仅是标记的方法不同而已。

我们今日所能了解《神农本草经》和《名医别录》的药学资料，完全是依靠历代本草中所做的标记认识的。

四、《新修本草》是否二次编修之考证

首先建议编纂《新修本草》的是苏敬。苏敬在唐显庆二年（657）上言重修本草。诏从其请。显庆四年正月十七日，《新修本草》修成。

《旧唐书·吕才传》云：“时右监门府长史苏敬上言：陶弘景所撰《本草》，事多舛谬。诏中书令许敬宗与才及李淳风、礼部郎中孔志约，并诸名医，增损旧本，仍令司空李勣总监定之，并图合成五十四卷，大行于代①。”

按史书记载，《新修本草》的编修，只有一次，并无第二次，但是《本草纲目》认为《新修本草》经过了两次编修。

《本草纲目》卷1“序例上”之“历代诸家本草”标题下，有《新修本草》一书的介绍。李时珍曰：“唐高宗命司空英国公李勣等修陶隐居所注《神农本草经》，增为七卷。世谓之《英公唐本草》，颇有增益。显庆中，右监门长史苏恭重加订注，表请修定。帝复命太尉赵国公长孙无忌等二十二人与恭详定。增药一百一十四种。”

那么，《新修本草》是否经过两次编修呢？

李时珍谓第一次编修是“唐高宗命司空英国公李勣修陶隐居所注《神农本草经》，增为七卷。世谓之《英公唐本草》”。李时珍又在“历代诸家本草”标题下的《本草图经》的介绍文中说：“宋仁宗既命掌禹锡等编绎本草，累年成书；又诏天下郡县，图上所产药物，用永徽故事，专命太常博士苏颂撰述成此书，凡二十一

① 唐代为避唐太宗李世民之讳，改“世”为“代”。

卷。”永徽是唐高宗第一个年号，即650—655年。其大意谓，在永徽年间，唐高宗修订《新修本草》时，亦曾“诏天下郡县，图上所产药物”，制成唐本《药图》及唐本《图经》。所以称之为“永徽故事”。

李时珍之所以用“永徽故事”一词，是由于他认为《新修本草》的第一次编修是在永徽年间。李时珍称第一次编修成的书名《英公唐本草》。英公原是李勣的封号，故以英公名之。

李时珍认为第二次编修在显庆中，所成之书名《唐新本草》。但根据欧阳修《新唐书·艺文志》注和《唐会要》的记载，《新修本草》是一次修成的，没有经过两次编修。

欧阳修《新唐书·艺文志》对《新修本草》注云：“显庆四年，英国公李勣，太尉长孙无忌，兼侍中辛茂将，太子宾客弘文馆学士许敬宗，礼部郎中兼太子洗马、弘文馆大学士孔志约，尚药奉御许孝崇、胡子家、蒋季璋，尚药局直长蔺复珪、许弘直，侍御医巢孝俭，太子药藏监蒋季瑜、吴嗣宗，丞蒋义方，太医令蒋季琬、许弘，丞蒋茂昌，太常丞吕才、贾文通，太史令李淳风，潞王府参军吴师哲，礼部主事颜仁楚，右监门府长史苏敬等撰。”

《唐会要》云：“显庆二年，右监门府长史苏敬上言：陶弘景所撰《本草》，事多舛谬，请加删补。诏令检校中书令许敬宗、太常寺丞吕才、太史令李淳风、礼部郎中孔志约、尚药奉御许孝崇并诸名医等二十人，增损旧本，征天下郡县所出药物并书图之。仍令司空李勣总监定之，并图合成五十四卷。至四年正月十七日撰成。”

根据《唐会要》所记，修订《新修本草》，征天下郡县所出药物的工作，是显庆二年（657）以后的事，并非如李时珍所说的永徽年间（650—655）的事。故李时珍所言“永徽故事”，均不见于《新唐书》和《唐会要》。

《新唐书》和《唐会要》既然没有记唐永徽年间修订《新修本草》之事，那么李时珍为什么要说“唐高宗命司空英国公李勣等修陶隐居所注《神农本草经》，增为七卷。世谓之《英公唐本草》”呢？这可能与李时珍误解了《证类本草》所载《新修本草》介绍文有关。

因为陶弘景《本草经集注》和苏敬《新修本草》久已失传，李时珍不可能见到此书。李时珍《本草纲目》原是以《证类本草》为蓝本撰写的。《证类本草》卷1“序例上”，载有“补注所引书传”，其中有《新修本草》的介绍。介绍文为：“唐司空英国公李勣等奉敕修。初，陶隐居因《神农本经》三卷，增修为七卷。显庆中，监门府长史苏恭表请修定，因命太尉赵国公长孙无忌、尚药奉御许孝宗与恭等二十二人重广定为二十卷，今谓之《唐本草》。”

把《证类本草》对《新修本草》的介绍文和《本草纲目》对《新修本草》的介绍文加以比较，即可发现，在两个介绍文的前半截，《证类本草》介绍文有“初”“因”2 字，并无“世谓之《英公唐本草》，颇有增益”12 字，而《本草纲目》介绍文，省去“初”“因”2 字，又加上“世谓之《英公唐本草》，颇有增益”。这样一来，《本草纲目》介绍文的文义，就改变了，就把陶弘景增修《神农本草经》3 卷为 7 卷的意思变成李勣修订成《英公唐本草》7 卷的意思了。

这完全是一种误解。

李时珍误解的原因，一是陶弘景《本草经集注》7 卷亡佚过久，李时珍误陶弘景书为《英公唐本草》；二是《证类本草》介绍文后半截有“重广定为二十卷”，李时珍从“重广”2 字推演《新修本草》在此以前必定是修订过一次，否则不会讲“重广”的。所以，李时珍对《证类本草》介绍文前半截进行化裁，省去“初”“因”2 字，加上“《英公唐本草》”等字。

现再将上文“永徽故事”的疑问讨论如下。

上文李时珍所云“永徽故事”，是李时珍认为唐高宗在永徽年间（650—655）修本草，诏天下郡县，图上所产药物，编制成唐本《药图》及唐本《图经》而言。此事原出于李时珍对苏颂《本草图经序》中用“永徽故事”之误。

查《证类本草》书末“《图经本草》奏敕”云：“嘉祐三年（1058）十月校正医书所奏：窃见唐显庆中（656—660）诏修本草，当时修定注释《本经》外，又取诸药品绘画成图，别撰《图经》。”

在此奏敕中，只言“唐显庆中诏修本草”外还“别撰《图经》”，没有提到“唐永徽中诏修本草，别撰《图经》”。所以苏颂《本草图经序》中所用“永徽故事”，实为“显庆故事”之误。李时珍据《本草图经序》中误文，推衍出《新修本草》在永徽中编修的事，完全出于误解。

五、《新修本草》编修人排列次序及其领衔监修人讨论

关于《新修本草》编修人员排列次序，各书所记不一。兹分述如下。

（一）日本传抄卷子本《新修本草》对编修人员的排列

该书兽禽部卷第 15 末，载有“着官位廿三阴”。

显庆四年正月十七日朝议郎行右监门长史骑尉臣苏敬上

登仕郎行礼部主事云骑尉臣颜仁楚

登仕郎守潞王府行参军臣吴师哲

太子药藏局承飞骑尉臣蒋义方

朝议郎行太常寺太卜令上骑都尉臣贾文通

兼太子洗马弘文殿学士臣孔志约

朝议大夫行太史令上轻车都尉臣李淳风

中散大夫行太常丞上护军臣吕才

兼太常寺医丞堂骑尉臣蒋元昌

太常寺太医令臣许弘感

朝请郎行太常寺太医令臣蒋李峣

朝请郎守太子药藏监上骑都尉臣吴嗣宗

朝散大夫行太子药藏监臣蒋孝崳

给事郎守尚药局侍医云骑尉臣巢孝俭

尚药局直长云骑尉臣许弘真

朝议郎行尚药局直长飞尉臣蔺复珪

朝议郎守尚药局奉御上骑都尉臣蒋孝璋

朝散大夫守尚药局奉御上骑都尉臣朝豕

中大夫行尚药局奉御臣许孝崇

兼侍中议军臣辛伐抙

中书令太子宾客监修国史弘文学士上柱国高阳郡开国公汗政宗

司空上柱国英国公臣

以上共列22人，与开头“着官位廿三”不符。若按23人计，在“英国公臣”之后，应有长孙无忌，是漏抄还是残损所缺，不详。

（二）《新唐书》卷59记本草编修人员如下。

显庆四年英国公李勣

太尉长孙无忌

兼侍中辛茂将

太子宾客弘文馆学士许敬宗

礼部郎中兼太子洗马弘文馆大学士孔志约

尚药奉御许孝崇、胡子家、蒋季璋

尚药局直长蔺复珪、许弘直

侍御医巢孝俭

太子药藏监蒋季瑜、吴嗣宗，丞蒋义方

太医令蒋季琬、许弘，丞蒋茂昌

太常丞吕才、贾文通

太史令李淳风

潞王府参军吴师哲

礼部主事颜仁楚

右监门府长史苏敬等撰

上述《新修本草》和《新唐书》所载的编修人名，大体相同。但是人名排列的次序不相同，《新修本草》以进呈表的形式排列，官位低者居前，官位高者居后。《新唐书》以官职高低为顺序，官职高者在前，官职低者在后。又，《新修本草》原是抄本，所载人物的名字和官衔，因传抄、笔误而脱漏甚多。如进呈表末"司空上柱国英国公臣"之下形成空白，显系抄写时有所脱漏。有许多人名亦被抄错，如许敬宗被抄成汗改宗，胡子家被写成朝豕，辛茂将被抄成辛伐捋，蒋季璋被抄成蒋孝璋，蒋季瑜被抄成蒋孝崳，蒋季琬被抄成蒋李婉，蒋茂昌被抄成蒋元昌，许弘直被抄成许弘真等。

另，于志宁也参与了《新修本草》的编修，虽以上 2 种记载都没有此人，但《新唐书·于志宁传》中却有"志宁与司空李勣修定本草并图，合五十四篇"的记载。

在编修人员中，官位二品以上者，如长孙无忌、李勣、辛茂将、许敬宗等，皆为监督编修，不参与实际编撰工作，称为监修。其中负总责者为领衔监修。孔志约"唐本序"提到，负总责的领修人为长孙无忌，待《新修本草》成书之后，其领衔监修人改为李勣。其原因与高宗朝权势变动有关。

据《旧唐书》《新唐书》记载，永徽六年（655）十月唐高宗将废王皇后，立武昭仪，长孙无忌、褚遂良执正不从，李勣、许敬宗密申劝请，唐高宗遂立武后。因唐高宗患风眩，不能视政，武后帘后闻之，从此朝权移入武后。

《资治通鉴》云："自是上每视事，则后垂帘于后，政无大小，皆与闻之，天下大权悉归中宫，黜涉杀生，决于其口，天子拱手而已，中外谓之二圣。"

武后操实权，李勣、许敬宗、辛茂将皆阴附之。而长孙无忌为武后衔恨，许敬宗阴使洛阳人李奉节诬长孙无忌谋逆，由辛茂将临案。显庆四年四月，长孙无忌被削官，流放黔州。

当长孙无忌罢官后，其监修领衔亦被除名，此事应在显庆四年四月以后。在此以前，长孙无忌还奉诏监修《贞观礼》130卷，于显庆三年奏上。则其在显庆三年亦当是《本草》监修领衔人。

又孔志约“唐本序”之末云：“撰本草并图经、目录等凡成五十四卷。”则孔志约序作于《新修本草》成书之时。孔志约序中记长孙无忌领衔监修本草，即《新修本草》成书时，长孙无忌仍为领衔监修人。

当《新修本草》成书后，李勣向天子进呈，并撰《唐英公进本草表》。《证类本草》中掌禹锡注孔志约“唐本序”云：“《唐英公进本草表》云：敕成本草二十卷，目录一卷，药图二十五卷，图经七卷，凡五十三卷。”唐英公是李勣封号，勣有权进呈本草，则领衔监修当是李勣。此事应在显庆四年四月长孙无忌被削官之后。

六、《新修本草》编纂时，改正陶氏书的谬误

从《新修本草》编修情况来看，《新修本草》可以说是由陶弘景《本草经集注》增订而成的。《新修本草》除纠正陶弘景书错误和增加114种药外，其余全沿袭陶弘景书旧例，对陶弘景书旧文原封不动转录。所增的药物，亦皆按陶弘景书中原有类别列入适宜之处。对陶弘景书中错误，在各药物注文之后，以“谨案”注语加以纠正或批驳。《新唐书·于志宁传》云：“昔陶弘景以《神农经》合杂家别录注名之……不周晓药石，往往纰缪。四百余物，今考正之，又增后世百余物。”现存《政和本草》所载陶隐居注和“唐本注”文字牴牾者，确实有数百余条。兹将1957年人民卫生出版社影印之《政和本草》所引陶隐居注（简称陶注，属《本草经集注》文）和“唐本注”（属《新修本草》注文）比较如下（药名前号码代表该药在《政和本草》中页次）。

112. 阳起石　陶注云：“此所出即与云母同。”“唐本注”云：“《经》言生齐山，齐山在齐州历城西北五六里，采访无阳起石，阳起石乃齐山西北六七里庐山出之。《本经》云：或云山。云，庐字讹矣。”

113. 殷孽　陶注云：“此即今人所呼孔公孽。”“唐本注”云：“此即石堂下孔公孽根也。盘结如姜，故名姜石，俗人乃为孔公孽，为之误尔。”

114. 铁精　陶注云：“铁落，是染皂铁浆。”“唐本注”云：“铁落是锻家烧铁

赤沸，砧上锻之，皮甲落者……若以浆为铁落，罡生之汁，复谓何等。陶谓可以染皂云是铁浆误矣。”

134. 土殷孽　陶注云：“此犹似钟乳、孔公孽之类，故亦有孽名，但在崖上尔。”“唐本注”云：“此即土乳是也。出谓州鄣县三交驿西北坡平地土窟中……陶及《本经》俱云在崖上，此说非也。”

155. 防葵　陶注云：“云本与狼毒同根，犹如三建，今其形亦相似，但置水中不沉尔，而狼毒陈久亦不能沉矣。”“唐本注”云：“采依时者，亦能沉水，今乃用枯朽狼毒当之，极为谬矣。”

155. 茈胡（即柴胡）　陶注云：“《博物志》云：芸蒿叶似邪蒿，春秋有白蒻。”“唐本注”云：“若以芸蒿根为之，更作茨音，大谬矣。”

167. 菥蓂子　陶注云：“人乃言是大荠子。”“唐本注”云：“《尔雅》云是大荠，然验其味甘而不辛也。”

167. 蓍实　“唐本注”云：“陶误用楮实为之。《本经》云：味苦。楮实味甘，其楮实移在木部也。”

174. 芎䓖　陶注云：“今惟出历阳。”“唐本注”云：“陶不见秦地芎䓖，故云惟出历阳。历阳出者，今不复用。”

179. 肉苁蓉　陶注云：“言是野马精落地所生。生时似肉。”“唐本注”云：“此注论草苁蓉，陶未见肉者。今人所用亦草苁蓉刮去花，用代肉尔。《本经》有肉苁蓉。”

179. 防风　陶注云：“郡县无名沙苑……次出襄阳、义阳县界亦可用，即近上蔡者。”“唐本注”云：“沙苑在同州南，亦出防风，轻虚不如东道者。陶云无沙苑，误矣。襄阳、义阳、上蔡，元无防风，陶乃妄注尔。”

181. 漏芦　陶注云：“俗中取根，名鹿骊根。”“唐本注”云：“常用其茎叶及子，未见用根。其鹿骊，山南谓之木藜芦，有毒，非漏芦也。”

203. 玄参　陶注云：“茎似人参而长大。根甚黑，亦微香，道家时用，亦以合香。”“唐本注”云：“玄参根苗并臭，茎亦不似人参。陶云道家亦以合香，未见其理也。”

208. 石龙芮　“唐本注”云：“山南者粒大如葵子。关中、河北者，细如葶苈，气力劣于山南者。陶以细者为真，未为通论。”

223. 防己　陶注云：“今出宜都、建平，大而青白色，虚软者好。”“唐本注”云：“防己，本出汉中者……黄实而香，其青白虚软者名木防己，都不任用。陶谓之佳者，盖未见汉中尔。"

221. 大、小蓟根　陶注云："大蓟是虎蓟，小蓟是猫蓟。""唐本注"云："大、小蓟，叶欲相似，功力相殊，并无毒，亦非虎、猫蓟也。"

245. 半夏　"唐本注"云："功状殊异，问南人，说：苗，乃是由跋。陶注云虎掌极似半夏，注由跋乃说鸢尾，于此注中似说由跋。三事混淆，陶终不识。"

246. 由跋　"唐本注"云："由跋根，寻陶所注，乃是鸢尾根，即鸢头也。由跋今南人以为半夏，顿尔乖越，非惟不识半夏，亦不知由跋与鸢尾也。"

246. 鸢尾　"唐本注"云："今陶云由跋，正说鸢尾根茎。"

246. 大黄　陶注云："今采益州北部汶山及西山者，虽非河西、陇西，好者……""唐本注"云："今出宕州、凉州、西羌、蜀地皆有……陶称蜀地者不及陇西，误矣。"

252. 射干　陶注云："人言其叶是鸢尾，而复又有鸢头，此盖相似尔。""唐本注"云："此说者是，其鸢尾，叶都似射干，而花紫碧色，不抽高茎，根似高良姜而肉白，根似鸢头。陶说由跋，都论此尔。"

253. 蛇全　陶注云："即是蛇衔。""唐本注"云："全字乃是含字。陶见误本。宜改为含。含、衔义同，见古本草也。"

253. 白蔹　陶注云："作藤生，根如白芷。""唐本注"云："此根，似天门冬，一株下有十许根，皮赤黑，肉白，如芍药，殊不似白芷。"

255. 雚菌　陶注云："形状似菌。云鹳屎所化生。""唐本注"云："雚菌，今出渤海芦苇泽中，咸卤地自然有此菌尔，亦非鹳屎所化生也。"

257. 荛华　陶注云："形似芫花而极细，白色。""唐本注"云："此药苗似胡荽，茎无刺，花细，黄色，四月、五月收，与芫花全不相似也。"

264. 牵牛子　陶注云："作藤生，花状如藊豆，黄色……又有一种草，叶上有三白点，俗因以名三白草。""唐本注"云："此花似旋葍花，作碧色，又不黄，不似藊豆，其三白草，有三黑点，非白也，古人秘之，隐黑为白尔。陶不见，但闻而传之，谓实白点。"

265. 蒴藋　"唐本注"云："此陆英也，剩出此条……陶引此条，不知所出处。《药对》及古方无蒴藋，惟言陆英也。"

268. 狼毒　陶注云："秦亭在陇西，亦出宕昌。乃言止有数亩地生，蝮蛇食其根，故为难得……云与防葵同根类。""唐本注"云："此物与防葵，都不同类，生处又别。狼毒今出秦州、成州，秦亭故在二州之界……且秦陇寒地，元无蝮蛇，复云数亩地生蝮蛇食其根，谬矣。”

269. 马鞭草　陶注云：“茎似细辛，花紫色，叶微似蓬蒿也。”“唐本注”云：“苗似狼牙及茺蔚，抽三四穗，紫花，似车前，穗类鞭鞘，故名马鞭，都不似蓬蒿也。”

270. 白头翁　陶注云：“近根处有白茸，状似人白头，故以为名。”“唐本注”云：“其叶似芍药而大，抽一茎。茎头一花，紫色，似木槿花。实，大者如鸡子，白毛寸余，皆披下似纛头，正似白头老翁，故名焉。”

271. 鬼臼　陶注云：“鬼臼如射干……九臼相连、有毛者良，一名九臼。”“唐本注”云：“年长一茎，茎枯为一臼。假令生来二十年，则有二十臼，岂惟九臼耶？根肉皮须并似射干。今俗用皆是射干。”

273. 女青　陶注云：“若是蛇衔根，不应独生朱崖。”“唐本注”云：“若是蛇衔根，何得苗生益州，根在朱崖，相去万里余也？”

275. 连翘　陶注云：“今用茎连花实也。”“唐本注”云：“今京下惟用大翘子，不用茎花也。”

282. 苦芙　“唐本注”云：“今人以为漏芦，非也。”

298. 榆皮　“唐本注”云：“榆三月实熟，寻即落矣。今称八月采实，恐《本经》误也。”

298. 酸枣　陶注云：“味极酸，东人噉之以醒睡，与此疗不得眠正反矣。”“唐本注”云：“《本经》惟用实，疗不得眠，不言用人……又于下品白棘条中复云用其实，今医以棘实为酸枣，大误。”

302. 牡荆实　陶注云：“既为牡，则不应有子。”“唐本注”云：“此即作棰杖荆，是也。实细，黄色，茎劲作树，不为蔓生，故称之为牡荆，非无实之谓也……此荆既非《本经》所载，按今生处，乃是蔓荆，将以附此条后，陶为误矣。”

303. 蔓荆实　陶注云：“小荆即应是牡荆，牡荆子大于蔓荆子而反呼为小荆。”“唐本注”云：“小荆实，今人呼为牡荆子者是也。其蔓荆子大，故呼牡荆子为小荆……今人误以小荆为蔓荆，遂将蔓荆子为牡荆子也。”

310. 苏合　陶注云：“俗传云是狮子屎。”“唐本注”云：“云是狮子屎，此是胡人诳言，陶不悟之。”

318. 吴茱萸　陶注云：“《礼记》名藙，而俗中呼为菽子，当是不识藙字似菽字。”“唐本注”云：“《尔雅·释木》：椒榝丑梂。陆氏《草木疏》云：椒，榝属。亦有榝名，陶误也。”

322. 芜荑　“唐本注”云：“《尔雅》云芜荑一名蕨蘠，今名蕨蘠，字之误也。”

323. 枳实　“唐本注”云：“枳实，日干乃得，阴便湿烂也。用当去核及中瓤乃佳。今或用枳壳乃尔。若称枳实，须合核瓤用者，殊不然也。”

327. 紫葳　陶注云：“李云是瞿麦根。”“唐本注”云：“紫葳、瞿麦皆《本经》所载，若用瞿麦根为紫葳，何得复用茎叶。体性既与瞿麦乖异，生处亦不相关。”

328. 棘刺花　陶注云：“此一条又相违越……恐别是一物，不关枣针也。”“唐本注”云：“棘在枣部。南人昧于枣棘之别。”

343. 柳华　陶注云：“柳即今水杨柳也，花熟随风，状如飞雪。”“唐本注”云：“柳与水杨全不相似。水杨叶圆阔而赤，枝条短硬；柳叶狭长青绿，枝条长软。此论用柳，不载水杨……陶云水杨非也。”

349. 桐叶　“唐本注”云：“古本草：桐花饲猪，肥大三倍。今云傅疮，恐误矣。岂有故破伤猪，傅桐花者。”

351. 梓白皮　“唐本注”云：“今见《李氏本草》《博物志》，但云饲猪使肥。今云傅猪疮，并讹矣。”

357. 药实根　“唐本注”云：“此药子也……《本经》用根，恐误载根字。”

352. 黄环　陶注云：“或云是大戟花。”“唐本注”云：“人谓之就葛，作藤生。根亦葛类……人取葛根，误得食之，吐痢不止……此真黄环也……其子名狼跋子。今太常科剑南来者，乃鸡屎葛根，非也。”

356. 榧实　“唐本注”云：“此物是虫部中彼子。”

363. 发髲　陶注云：“不知此发髲审是何物。且髲字书记所无。”“唐本注”云：“此发髲根也……即发字误矣。”

372. 羊乳　陶注云：“牛、羊乳实为补润，故北人皆多肥健。”“唐本注”云：“北人肥健，不啖咸腥，方土使然，何关饮乳。陶以未达，故屡有此言。”

368. 豹肉　陶注云：“豹至稀……惟尾可贵。”“唐本注”云：“真豹尾有何可贵，未审陶据奚理。”

373. 酥　陶注云：“乳成酪，酪成酥，酥成醍醐。”“唐本注”云：“酥搯酪作之，其性犹与酪异，今通言功，是陶之未达。”

370. 麋脂　陶注云：“今海陵间最多，千百为群，多牝（雌）少牡（雄）。人言一牡辄交十余牝，交毕即死。”“唐本注”云：“言游牝毕即死者，此亦虚传，遍问山泽，不闻游牝因致死者。”

433. 木虻　陶注云："此虻不啖血，状似虻而小。""唐本注"云："何有木虻而不啖血。木虻倍大蜚虻。陶云似虻而小者，未识之矣。"

489. 粳米　陶注云："前陈廪米，亦是此种，以廪军人，故曰廪尔。""唐本注"云："前陈仓米曰廪，字误作廪，即廪军米也。若廪军新米，亦为陈乎？"

410. 石蜜　"唐本注"云："上蜜，出氐羌中，并胜前说者，陶以未见，故以南土为证尔。"

416. 文蛤　陶注云："此既异类而同条，若别之，则数多，今以为附见，而在副品限也。""唐本注"云："夫天地间物，无非天地间用，岂限其数为正副耶！"

419. 鲍鱼　陶注云："今此鲍鱼乃是鳙鱼，长尺许……不知何者是真。""唐本注"云："此说云味辛，又言勿令中咸，此是鳀鱼，非鲍鱼也。"

430. 白僵蚕　陶注云："今见小白色，似有盐度者为好。""唐本注"云："此白僵死蚕，皆白色，陶云似有盐度，此误矣。"

431. 鳗鲡鱼　陶注云："能缘树食藤花。""唐本注"云："鲵鱼，有四脚，能缘树。陶云鳗鲡，便是谬证也。"

431. 鹗鸡　"唐本注"云："今出岐州，河内无此物也。"

432. 石龙子　陶注云："以朱饲之，满三斤，杀，干末以涂女子身，有交接事便脱，不尔如赤志，故谓守宫。""唐本注"云："以其常在屋壁，故名守宫，亦名壁宫，未必如术饲朱点妇人也……又云朱饲满三斤，殊为谬矣。"

443. 蚺蛇胆　陶注云："真胆……摩以注水即沉而不散；其伪者并不尔。""唐本注"云："著净水中，浮游水上，回旋行走者为真，多著亦即沉散……诸胆血并尔。陶所说真伪正反。"

454. 地胆　陶注云："真者……状如大马蚁有翼；伪者即斑猫所化，状如大豆。""唐本注"云："形如大马蚁者，今见出邠州者是也。状如大豆者，未见也。"

460. 豆蔻　陶注云："益智，热；枸橼，温。""唐本注"云："枸橼，性冷，陶云温，误尔。"

482. 麻蕡　"唐本注"云："蕡，即麻实，非花也……陶以一名麻勃，谓勃勃然如花者，即以为花，重出子条，误矣。"

490. 黍米　陶注云："其苗如芦而异于粟，粒亦大。粟而多是秫。""唐本注"云："不似芦，虽似粟而非粟也。"

492. 穬麦　陶注云："此是今马所食者，性乃热。""唐本注"云："穬麦性寒，陶云性热，非也。"

495. 稻米　陶注云："稻米、粳米，此则是两物。""唐本注"云："氾胜之云：杭稻、秫稻……即并稻也。今陶为二事，深不可解也。"

501. 芜菁　陶注云："芦菔是今温菘，其根可食，叶不中啖……但小熏臭尔。""唐本注"云："芜菁，北人又名蔓菁，根、叶及子，乃是菘类，与芦菔全别，至于体用亦殊。今言芜菁子似芦菔，或谓芦菔叶不堪食，兼言小薰体，是江表不产二物，斟酌注謬，理丧其真尔。"

512. 薤　陶注云："葱、薤异物，而今共条。《本经》既无韭，以其同类故也。""唐本注"云："薤乃韭类，叶不似葱，今云同类，不识所以然。"

513. 假苏　"唐本注"云："此药，即菜中荆芥是也，姜、荆声讹耳。先居草部中，今人食之，录在菜部也。"

517. 葫　陶注云："此物惟生食，不中煮。""唐本注"云："此物煮为羹臛极俊美，熏气亦微……足为馔中之俊。而注云不中煮，自当是未经试尔。"

547. 彼子　"唐本注"云："此彼字，当木傍作柀，仍音披，木实也，误入虫部……子名榧子，陶于木部出之，此条宜在果部中也。"

以上所录属于《政和本草》卷3到卷30的内容。所录资料，主要是《新修本草》编者针对陶弘景《本草经集注》中谬误而言的。特别是对陶弘景注文中所存在的问题指出的最多，而极少数是针对"《本草经》文"或"《名医别录》文"而言的。总的来讲，苏敬所提出的批评或看法，是正确的。

七、《新修本草》编修时所引的书

《新修本草》在编修时，对文献和实物并重。在实物方面，曾通令全国各地进献药物标本，按实物描绘，正如孔志约"唐本序"云："普颁天下，营求药物。羽毛鳞介，无远不臻；根茎花实，有名咸萃。"在文献方面，除以《本草经集注》（陶弘景著）为蓝本外，尚参阅很多其他书。

《名医别录》：1955年群联出版社影印的《新修本草》第186页"人乳"条下的"谨案"引有"《别录》云"等语；《政和本草》中在"唐本注"中引有"《别录》云"的药物，有近50余种。

《李当之本草》：《重修政和经史证类备用本草》（以下简称《政和》，1957年人民卫生出版社版）第419页"鲍鱼"条下"唐本注"引。

甄立言《本草音义》：《政和》第244页"天雄"条下"唐本注"引。

《博物志》：《政和》第237页"陟厘"条下"唐本注"引。

陆氏《草木疏》:《新修本草》第132页“吴茱萸”条下“唐本注”引。

《古本草》:《新修本草》第170页“桐叶”条下“唐本注”引。

《李氏本草》:《新修本草》第170页“梓白皮”条下“唐本注”引。

《千金方》:《新修本草》第254页“乌芋”条下“唐本注”引《千金方》云:“下石淋也。”(按《隋书·经籍志》卷3载有《千金方》3卷,范世英撰。“唐本注”所引《千金方》可能指范世英撰的《千金方》)。

《尔雅》:《新修本草》第139页“椋子木”条下“唐本注”引。

《国语》:《政和》第244页“天雄”条下“唐本注”引。

《徐仪药图》:《政和》第233页“积雪草”条下“唐本注”引。

《吕氏春秋》:《政和》第461页“橘柚”条下“唐本注”引。

《山海经》:《政和》第432页“蛞蝓”条下“唐本注”引。

《甲乙子卷》:《新修本草》第58页“铁精”条下的“谨案”引。

《小品方》《范东阳方》《药对》《王子年拾遗》:以上见《政和》第237页“陟厘”条下“唐本注”引。

《胡居士方》:《政和》第132页“白垩”条下“唐本注”引。

《万毕方》:《政和》第267页“羊蹄”条下“唐本注”引。

《药录》:《政和》第163页“远志”条下“唐本注”引。

八、《新修本草》药物总数的讨论

一般认为《新修本草》药物总数,是以陶弘景《本草经集注》的730种,加上唐代新增的114种,共844种。20世纪50年代高等医药院校所编的中药书籍或现代的药理学,在开头一章总论里,叙述祖国药学发展史时,讲《新修本草》药物总数为844种。

讲《新修本草》药物总数是844种的,有下列各书。

张毅《药理学》1960年人民卫生出版社版第4页。

张昌绍主编《药理学》1959年人民卫生出版社版第3页。

中国中医研究院编《中药学简编》1960年人民卫生出版社版第2页。

南京药学院编《药剂学》1960年人民卫生出版社版第5页。

南京药学院编《药材学》1960年人民卫生出版社版第4页。

南京中医学院编《中药学概论》1959年人民卫生出版社版第3页。

南京中医学院编《中药学》1959年人民卫生出版社版第3页。

上海中医学院编《中药学讲义》1960年上海科学技术出版社版第2页。

南京中医学院编《祖国医学讲义》1959年1月南京中医学院印第33页。

但是另一些文献所记《新修本草》药物总数，与上述诸书所记844种，又不相同。兹分述如下。

（一）《千金翼方》所记《新修本草》药物总数

《千金翼方》卷2到卷4本草部分，所录基本是《新修本草》药，这里讨论《千金翼方》本草部分的药物总数，实际上也就是讨论《新修本草》的药物总数。

将《千金翼方》各卷所标药物数加起来是853种，但《千金翼方》有名未用类题注标明其中有196种药物，而实际上其中只有195种药，所以合计应为852种药。这852种药中缺彼子，多北荇华和领灰，并多淡竹叶分条，因此《千金翼方》中药物总数852种就不能代表《新修本草》药物总数。

（二）《医心方》药物总数

《医心方》卷1第24页对药物总数题注："本草内药八百五十种"。但将《医心方》各卷所标药物数加起来是851种，这和《医心方》本身所标的总数850种又不相同。在这851种药中，有冬葵子和葵根分条，如把冬葵子和葵根并为一条计算，则总数就成了850种。

（三）《唐六典》所记药物总数

《唐六典》云："《本经》三百六十一，《别录》一百八十二，唐附一百一十四，有名未用一百九十四，合计是八百五十一种。"《唐六典》所记药物总数为851种。此是由于有名未用194种所致。有名未用总数除《千金翼方》是195种外，其他各书所记均是193种。假如把《唐六典》所记有名未用194种，改为193种，则《唐六典》所记药物总数也是850种。

（四）《开宝本草》所记《新修本草》药物总数

《开宝本草·开宝重定序》云："新旧药合九百八十三种。"新药指《开宝本草》新增的药，旧药指《新修本草》所载的药。《开宝本草》新增药133种。从983种药之中剔除133种，则旧药为850种。即《开宝本草》所据的《新修本草》的药物总数是850种。

（五）“嘉祐补注总叙”所记的总数

《政和本草》卷1第26页载有“嘉祐补注总叙”，该序记载药物数目为“三百六十种《神农本草经》，一百八十二种《名医别录》，一百一十四种《唐本草》新附，一百九十四种有名未用”，合计850种。

（六）“梁·陶隐居序”中宋代注文所记《新修本草》药物总数

《政和本草》卷1第29页“梁·陶隐居序”中载有宋代注文，注文对《新修本草》药物总数记为：“药合八百五十种，三百六十一种《本经》，一百八十一种《别录》，一百一十五种新附，一百九十三种有名未用。”

（七）《证类本草》所记《新修本草》药物总数

《证类本草》中所载《新修本草》药物，实际统计出的数据为：正文中《神农本草经》药360种（不包括有名未用中的《神农本草经》药物在内），《名医别录》药182种，唐本新附药114种，有名未用药194种（内包括宋代退药彼子在内），合计850种。

从以上材料看，《新修本草》药物总数当是850种。

九、《新修本草》药物合并与分条对其药物总数的影响

关于《新修本草》药物总数，有两种说法，一种是844种，另一种是850种。

《证类本草》转录“嘉祐补注总叙”云：“旧经（指《神农本草经》）三卷，药只三百六十五种……《名医别录》亦三百六十五种……唐显庆（指《新修本草》）……又增一百一十四种。”①

根据“嘉祐补注总叙”所记，《新修本草》药物总数由730种加114种，应为844种。

《医心方》卷1所载《新修本草》药物目录记为：“本草（指《新修本草》）内药八百五十种。”②

《医心方》所记《新修本草》药数比“嘉祐补注总叙”所统计《新修本草》

---

① 宋·唐慎微．重修政和经史证类备用本草．北京：人民卫生出版社，1957：25.

② （日本）丹波康赖．医心方．北京：人民卫生出版社，1955：24.

药数，多出6种。所多的6种，是因《新修本草》药物合并和分条所致。合并，指将两条或以上的药条合并为一条；分条，指将一条药条分出两条或两条以上药条。

今将有关《新修本草》药物合并、分条的内容讨论如下。

《新修本草》是苏敬等在陶弘景《本草经集注》（以下简称《集注》）基础上编纂的。在未讨论本题之前，先将《集注》药物合并和分条的内容讨论一下。

《集注》是陶弘景综合当时流行的多种同名异书《神农本草经》整理而成的。

陶弘景《集注·序录》云："今辄包综诸经，研括烦省。以《神农本经》三品合三百六十五种为主，又进名医副品（即《别录》），亦三百六十五，合七百三十种。"①《集注·序录》中"包综诸经"即综合多种同名异书的《神农本草经》，即综合陶弘景以前的各种《神农本草经》。陶弘景在作《集注》时，将其以前的《神农本草经》中的某些药物归并或分条。兹分述如下。

（一）陶弘景作《集注》，将《神农本草经》药条两条并为一条

从《重修政和经史证类备用本草》（以下简称《政和》）所引陶弘景注（以下简称陶注）可以看出，《神农本草经》中有"大豆"条与"赤小豆"条、"胡粉"条与"粉锡"条、"葱实"条与"薤"条、"文蛤"条与"海蛤"条被《集注》归并。

《政和》卷25"赤小豆"条陶注云："大、小豆共条，犹如葱、薤义也。"②《政和》卷5"锡铜镜鼻"条陶注云："此物（锡铜镜鼻）与胡粉（粉锡）异类，而今共条。"③ 同书卷28"薤"条陶注云："葱、薤异物，而今共条。"④ 同书卷20"文蛤"条陶注云："此（海蛤、文蛤）既异类而同条……凡有四物如此。"⑤

陶注所言四物，即赤小豆与大豆合并，锡铜镜鼻与粉锡合并，葱实与薤合并，海蛤与文蛤合并。

陶弘景为何把《神农本草经》中8种药合并成4种药呢？

陶弘景在"文蛤"条下注云："此既异类而同条，若别之，则数多，今以为附见，而在副品限也。"⑤盖《神农本草经》药原为365种，陶弘景为牵合365种之数，对多余的药物进行归并，以期达到365种之数。

---

① 梁·陶弘景．本草经集注．上海：群联出版社，1955：4.

② 宋·唐慎微．重修政和经史证类备用本草．北京：人民卫生出版社，1957：487.

③ 宋·唐慎微．重修政和经史证类备用本草．北京：人民卫生出版社，1957：128.

④ 宋·唐慎微．重修政和经史证类备用本草．北京：人民卫生出版社，1957：512.

⑤ 宋·唐慎微．重修政和经史证类备用本草．北京：人民卫生出版社，1957：416.

《新修本草》对陶弘景牵合《神农本草经》365种的数字的作为，曾在“文蛤”条中批评道：“夫天地间物，无非天地间用，岂限其数为正副耶!”①

（二）陶弘景作《集注》对《神农本草经》药条进行分条

1. 从“郁核（郁李）”条分出“鼠李”条

《新修本草》卷14木部“鼠李”条下陶注云：“此条又附见，今亦在副品限也。”②

按，“鼠李”条原在“郁核”条中，陶弘景作《集注》将“鼠李”条从“郁核”条中分出，分立为二条。

2. 从“六畜毛蹄甲”条分出“鼺鼠”条

《新修本草》卷15“鼺鼠”条陶注云：“此鼺鼠别类而同一条中，当以其是皮毛之物也，今亦在副品限也。”③

按陶注，陶弘景所见《神农本草经》中，“鼺鼠”条与“六畜毛蹄甲”条原是一条，陶弘景作《集注》时将“鼺鼠”条从“六畜毛蹄甲”条中析出，分立为二条。

3. 从“麻蕡”条中分出“麻子”条

《证类本草》卷24“麻蕡”条引“唐本注”云：“蕡，即麻实，非花也……陶以一名麻勃，谓勃勃然如花者，即以为花，重出子条，误矣。”④

从“唐本注”可以看出，陶弘景以前《神农本草经》中，“麻子”条续在“麻蕡”条下。陶弘景作《集注》，将“麻子”条从“麻蕡”条中析出，单独列为一条。所以“唐本注”批评陶弘景说：“重出子条，误矣。”

（三）陶弘景作《集注》，对《神农本草经》“牛黄”条与“牛角䚡”条中部分内容进行调整

《新修本草》卷15“牛角䚡”条末陶注云：“此朱书牛角䚡、髓。其胆，《本经》附出牛黄条中，此以类相从耳，非上品之药，今拨出随例在此，不关件数，犹

---

① 宋·唐慎微．重修政和经史证类备用本草．北京：人民卫生出版社，1957：416.

② 唐·苏敬．新修本草．上海：群联出版社，1955：157.

③ 唐·苏敬．新修本草．上海：群联出版社，1955：216.

④ 宋·唐慎微．重修政和经史证类备用本草．北京：人民卫生出版社，1957：482.

是墨书，别品之限耳。”①

从陶注文可以看出，陶弘景作《集注》，将《神农本草经》“牛黄”条内“牛胆”文拨出，移入“牛角䚡”条后，并作此注，以说明之。

但日本森立之《神农本草经》卷1，将“牛角䚡”全条并入“牛黄”条内②，又在书后所附“考异”中，对牛角䚡做考证说明之。

森立之云：“牛角䚡、髓，在陶氏以前《本经》，和牛黄及胆相接为一条，陶隐居始分析为二条，故牛黄下无久服文，牛角䚡下无气味文，合此二条，始复全文，今据正。”③

笔者对“牛角䚡”条陶注有不同的理解。陶注云：“此朱书牛角䚡、髓。其胆，《本经》附出牛黄条中。此以类相从耳，非上品之药，今拨出随例在此，不关件数，犹是墨书，别品之限耳。”

在此文中，陶弘景明言“其胆，《本经》附出牛黄条中”，并未讲牛角䚡、髓，《神农本草经》附出“牛黄”条中。陶弘景还说“此以类相从耳”。其义为牛胆、牛黄是同类药，故《神农本草经》将牛胆附出“牛黄”条中；而牛黄是上品，牛角䚡是中品，陶弘景认为牛胆不是上品，不应附在上品“牛黄”条下，应拨出列在中品“牛角䚡”条下。这种拨出，仅在条文内容上做局部调整，不影响“牛黄”“牛角䚡”条数。所以陶弘景说：“（牛胆）非上品之药，今拨出随例在此，不关件数，犹是墨书，别品之限耳。”

（四）陶弘景作《集注》，从《神农本草经》条文中分出《名医别录》药

1. 从《神农本草经》“决明子”条析出《名医别录》药石决明

《证类本草》卷7决明子是《神农本草经》药；同书卷20石决明是《名医别录》药。

陶弘景在“石决明”条下注云：“此一种（指石决明），本亦附见在决明条，甲既是异类，今为副品也。”④

从陶注可以看出，“石决明”条在《神农本草经》中原接在“决明子”条内。

① 唐·苏敬．新修本草．上海：群联出版社，1955：203.

② （日本）森立之．神农本草经．上海：群联出版社，1955：45.

③ （日本）森立之．神农本草经．上海：群联出版社，1955：124.

④ 宋·唐慎微．重修政和经史证类备用本草．北京：人民卫生出版社，1957：415.

陶弘景作《集注》，将“石决明”条从“决明子”条内析出。

查《证类本草》“决明子”条内仍含有石决明产地：“石决明生豫章。”① 这说明陶弘景将“决明子”条分成二条，《新修本草》又将其合并为一条②。

2. 《新修本草》将《集注》中五种石脂条并为一条

按，五种石脂条在《集注》中被分立为五条。《证类本草》卷3“黑石脂”条末陶注云：“此五石脂如《本经》，疗体亦相似。《别录》各条，所以具载。”③ 文中“《别录》各条，所以具载”这句话提示陶弘景作《集注》时将五种石脂分立为五条。

苏敬作《新修本草》时，将五种石脂合并为一条，并按一条计数。虽然《新修本草》卷3亡佚，但从《医心方》所载《新修本草》目录仍可看出，《新修本草》对五种石脂作一条计数。

《医心方》卷1有“本草（指《新修本草》）内药八百五十种”④ 标题，并在此标题下列举《新修本草》卷3到卷20各卷所载药物及药数目录。开头为“第三卷玉石上二十二种”⑤ 标题。此标题下所列举玉石上品药是22种，其中第21种即五色石脂，是按一条计数的。由此可见，苏敬作《新修本草》时，将《集注》中五条石脂合并，按一条计数。

从《证类本草》目录卷3“黑石脂”条注文，亦可测知。《证类本草》将石脂分立为五条，即青、赤、黄、白、黑五种石脂，在目录“黑石脂”条下有小字注云：“已上五种元附五色石脂，今新分条。”这个“今新分条”是掌禹锡作《嘉祐本草》时分的，《嘉祐本草》源于《开宝本草》。这就是说，五种石脂在《开宝本草》中是附在“五色石脂”条内，作为一条计数的。《开宝本草》源于《新修本草》，故在《新修本草》中，五种石脂也作一条计数。此与《医心方》所载《新修本草》目录将五种石脂作为一条计数完全符合。

（五）《新修本草》对《集注》药条进行分条

上文讲过，《集注》曾将大豆与赤小豆并为一条，锡铜镜鼻与粉锡并为一条，

---

① 宋·唐慎微．重修政和经史证类备用本草．北京：人民卫生出版社，1957：183.

② 唐·苏敬．新修本草．上海：群联出版社，1957：290－292.

③ 宋·唐慎微．重修政和经史证类备用本草．北京：人民卫生出版社，1957：93－94.

④ （日本）丹波康赖．医心方．北京：人民卫生出版社，1955：24.

⑤ （日本）丹波康赖．医心方．北京：人民卫生出版社，1955：5.

葱与薤并为一条，海蛤与文蛤并为一条，郁核与鼠李并为一条，六畜毛蹄甲与鼺鼠并为一条。以上 12 种药，在陶弘景作《集注》时被合并成 6 种药；到苏敬作《新修本草》时，又将《集注》6 种药分成 12 种药。对分条的说明，详见上述。除此而外，还有其他的分条，兹分述如下。

1.《新修本草》对《集注》铁落进行分条

《集注》中"铁落"条，与"铁"条、"生铁"条、"钢铁"条、"铁精"条，并作一条计数。其中铁落、铁、铁精为《神农本草经》药，生铁、钢铁为《名医别录》药。

卷子本《新修本草》卷 4 将"铁落"条、"铁"条、"生铁"条、"钢铁"条、"铁精"条相连接书写，且其全文末有陶注和谨案。陶注对铁落、铁、生铁、钢铁、铁精合并论之。[①] 从诸铁条文字相连接书写和陶弘景对诸铁统一论述来看，诸铁条在《集注》中是作一条计数的。

到苏敬作《新修本草》时，又将诸铁条分列为五条。《医心方》卷 1 所载《新修本草》目录，是将诸铁条按五条计数的。这就证明《新修本草》对《集注》中诸铁条进行了分条。

铁落、铁、铁精 3 种《神农本草经》药在《集注》中作一药计数，在《新修本草》中作三药计数。这就使得《新修本草》中的《神农本草经》药多出 2 种。

2.《新修本草》对《集注》中由跋、鸢尾进行分条

由跋是《名医别录》药，鸢尾是《神农本草经》药。"由跋"条与"鸢尾"条在《集注》中原为一条。孔志约"唐本序"云："合由跋于鸢尾。"[②] 此指出陶弘景《集注》将"由跋"条与"鸢尾"条合并为一条。苏敬作《新修本草》时，将"由跋"条从"鸢尾"条中析出，分立为二条。《医心方》卷 1 所载《新修本草》药物目录将由跋、鸢尾作为二药，是个有力的证明。

3.《新修本草》对《集注》中白瓜子、白冬瓜进行分条

白瓜子为《神农本草经》药，白冬瓜为《名医别录》药。"白瓜子"条与"白冬瓜"条在陶弘景《集注》中原为一条。《新修本草》卷 18"白瓜子"条末苏敬谨案云："朱书论甘瓜（指白瓜子）之效，墨书说冬瓜之功，功异条同，陶为深

① 唐·苏敬．新修本草．上海：群联出版社，1955：57－59.

② 宋·唐慎微．重修政和经史证类备用本草．北京：人民卫生出版社，1957：5.

误矣。”① 文中所谓“条同”，指“白瓜子”条与“白冬瓜”条在陶弘景《集注》的同一条中。苏敬作《新修本草》时，将二者分开。《医心方》卷1所载《新修本草》目录将白瓜子与白冬瓜作为二药，即证据。

4.《新修本草》对《集注》中冬葵子、葵根进行分条

冬葵子为《神农本草经》药，葵根为《名医别录》药。“冬葵子”条与“葵根”条在陶弘景《集注》中原为一条。《新修本草》卷18“葵根”条下陶注云：“以秋种葵，覆养经冬，至春作子，谓之冬葵，多入药用。”②

从将“冬葵子”条与“葵根”条合并、分条讨论，陶弘景《集注》将“冬葵子”条与“葵根”条并为一条；苏敬作《新修本草》，将“冬葵子”条与“葵根”条分为二条。《医心方》卷1所载《新修本草》药物目录将冬葵子、葵根作为二药，即有力的证明。

5.《新修本草》对《集注》中蓍实、楮实进行分条

蓍实为《神农本草经》药，楮实为《名医别录》药。“蓍实”条与“楮实”条在陶弘景《集注》中原为一条，苏敬作《新修本草》时分开之。《证类本草》卷9“蓍实”条下“唐本注”云：“此草（指蓍实）所在有之……陶误用楮实为之。《本经》云：味苦。楮实味甘，其楮实移在木部也。”③ 此指出《新修本草》将“楮实”条从“蓍实”条中析出，移入木部。《医心方》所载《新修本草》目录，将蓍实、楮实作为二药，并将蓍实列在草部，将楮实列在木部。

查《证类本草》卷12“楮实”条④有陶注无“唐本注”，同书卷9“蓍实”条③有“唐本注”无陶注。二者原在《集注》中只有陶注，并为一条。苏敬作《新修本草》时，将“楮实”条从“蓍实”条中析出，并将陶注移在“楮实”条下，故“蓍实”条下无陶注。

（六）《新修本草》对《集注》中药物进行删除

1.《新修本草》删除《集注》中白菀

《证类本草》卷9“女菀”条陶注云：“别复有白菀似紫菀，非此（指女菀）

---

① 唐·苏敬．新修本草．上海：群联出版社，1955：262－263.

② 唐·苏敬．新修本草．上海：群联出版社，1955：265.

③ 宋·唐慎微．重修政和经史证类备用本草．北京：人民卫生出版社，1957：167.

④ 宋·唐慎微．重修政和经史证类备用本草．北京：人民卫生出版社，1957：300.

之别名也。"[①]《新修本草》驳陶注云："白菀即女菀，更无别者，有名未用中浪出一条。"[①]查《新修本草》卷20有名无用（《证类》作"未用"）类，并无"白菀"条。

原《新修本草》有名无用类药转录自陶弘景《集注》的有名无用类药。"唐本注"所云"有名无用中浪出一条"，指《集注》"有名无用中浪出一条"。到苏敬作《新修本草》时，把《集注》有名无用类药中的白菀删除了。所以《新修本草》有名无用类药中无白菀。

2.《新修本草》删除《集注》中猪蓴

《证类本草》卷9"凫葵"条唐本注云："（凫葵）南人名猪蓴，堪食。有名无用条中载也。"[①]文中"有名无用条中载也"，指陶弘景《集注》有名无用类中收载猪蓴。苏敬作《新修本草》时，将猪蓴删除，所以《新修本草》有名无用类药中无猪蓴。

3.《新修本草》删除《集注》北荇华、领灰

《千金翼方》卷2到卷4转载《新修本草》药物正文。其中卷4有北荇华、领灰，这两味都在有名无用类中。[②] 这说明《千金翼方》所引的有名无用类药原有北荇华和领灰，其后《新修本草》又将之删除。

综上所述，《新修本草》从844种药中分出15种：从大豆分出赤小豆；从锡铜镜鼻分出粉锡；从薤分出葱实；从文蛤分出海蛤；从郁核分出鼠李；从六畜毛蹄甲分出鼺鼠；从铁落分出铁、生铁、罡铁、铁精；从鸢尾分出由跋；从白瓜子分出白冬瓜；从冬葵子分出葵根；从决明子分出石决明；从薯实分出楮实。所以《新修本草》因分条多出15种药。

《新修本草》还对844种药中的某些药进行合并，如将麻子、麻蕡合并为一条，将五种石脂合并成一条，并对有名无用类药中的白菀、猪蓴、白荇华、领灰4种进行删除，所以，《新修本草》因并条、删除减少9种药。

从上述分条多出15种药，并条、删除减少9种药，可知《新修本草》实际多出6种药。《新修本草》在编纂过程中，因对陶弘景《集注》中某些药进行分条、并条、删除，导致其所引《集注》药比陶弘景《集注》药实际多出6种。这就说明《新修本草》药物总数并非《集注》药730种加《新修本草》新增药114种。

---

① 宋·唐慎微. 重修政和经史证类备用本草. 北京：人民卫生出版社，1957：237.

② 唐·孙思邈. 千金翼方. 北京：人民卫生出版社，1955：55.

十、《新修本草》药物分类

《新修本草》是在陶弘景《本草经集注》的基础上发展而成的。对于药物分类，其仍沿袭陶弘景的分类方法。陶弘景将药物按自然来源分为7类。

1955年群联出版社影印陶弘景《本草经集注》，其第81～90页所载“畏恶相须相使七情表”中的药物，是按玉石、草木、虫兽、果、菜、米、有名无用等而分的。

《新修本草》把草木及虫兽类析为草、木、兽、禽、虫鱼4类，连同玉石、果、菜、米、有名无用，共9类。但《本草纲目》认为《新修本草》药是分为11类的。《本草纲目》卷1“历代诸家本草”有《新修本草》介绍文。文中云：“帝复命太尉赵国公长孙无忌等二十二人与恭详定，增药一百一十四种，分为玉石、草、木、人、兽、禽、虫鱼、果、米谷、菜、有名未用十一部。”

查孙思邈《千金翼方》卷2至卷4所录《新修本草》药，分玉石、草、木、人兽、虫鱼、果菜、米谷、有名未用9类。日本丹波康赖《医心方》卷1所载《新修本草》药分玉石、草、木、兽禽、虫鱼、果、菜、米谷、有名无用9类。日本深江辅仁《本草和名》所录《新修本草》目录的分类和《医心方》所录相同。

将《千金翼方》《医心方》《本草和名》和《本草纲目》所录《新修本草》药物分类做一比较，可见前三者所录是一致的，都为9类；而《本草纲目》所录为11类。这9类与11类的差别在于人、兽、禽部的有无。前3本书所录视人、兽、禽为1类，《纲目》所录视其为3类。

又，各类排列次序，前3本书所录将米谷部列在菜部之后，而《纲目》所录将米谷部列在菜部之前。《本草纲目》所录《新修本草》药物分类方法和各类药物排列次序，与《证类本草》的药物分类及排列次序全同。

由此可见，李时珍并未见到《新修本草》药物目次，也未参阅《千金翼方》《医心方》《本草和名》所载《新修本草》分部，只是以《证类本草》药物分类当作《新修本草》药物分类而已。因此，《本草纲目》所述《新修本草》药物分类为11类之说不可为确论。

十一、《新修本草》流传概况

《新修本草》是官修本草，取材丰富，编写结构严谨，总结了唐以前药学的成就，反映了当时药学最高水平。书成后，极受中外学者重视。

如孙思邈《千金翼方》（1955 年人民卫生出版社影印本第 14～59 页）卷 2 到卷 4 本草内容，即抄录的本书全部正文。

又如敦煌出土的《新修本草》卷 10 残本的背面记有乾封二年（667）至总章二年（669）伊西等州驿牒等语。这说明《新修本草》成书（659）后 8 年即流传到中国西陲边地。可见本书流传快而广。到 10 世纪初，蜀主孟昶命其翰林学士韩保昇据《新修本草》增修成《重广英公本草》，简称《蜀本草》。

本书药图及图经部分，分量大，不易绘制，所以《蜀本草》只采用图经部分的文字和本草正文。到《开宝本草》，则仅采用本草正文。因此，本书药图部分和图经部分的文字比本草正文亡佚的时间要早。大约在宋嘉祐时，本书药图部分与图经部分就已亡佚了。掌禹锡作《嘉祐本草》时，只引过本书本草正文部分。这说明本书的本草正文在嘉祐年间尚存。到北宋元祐年间，本书的本草正文部分已未见流行。唐慎微作《证类本草》时，就未引用本书的本草正文。这说明本书的本草正文在国内到此已完全亡佚了。

但本书的本草正文部分传到日本后，在日本流行的时间比在国内久。兹将本书的本草正文部分传入日本及流行的概况分述如下。

《新修本草》（仅指本草正文部分，不含药图部分和图经部分）是由从日本来中国求学的僧徒传到日本去的。

按《旧唐书》卷 199 和《新唐书》卷 200“日本传”所说，唐长安元年（701），日本文武天皇派遣朝臣真人（官名）粟田，来中国进贡。粟田好学能文，曾受武则天款待。

到唐玄宗开元初年（713），粟田再度来中国，并请唐政府派人教他们四书五经，唐朝政府派助教赵玄默等在鸿胪寺教他们经书。粟田又购中国各种书籍带往日本。

与粟田同来的副使仲满，学会中国文字，改名朝衡，和唐玄宗第十二子仪王璲友好，并在唐朝政府任职，先作“左补阙”，后升为“左散骑常侍”。他在 50 年后回归日本时，选购了大批书籍带回。《新修本草》亦在此时传入日本。

1955 年群联出版社影印的《新修本草》第 240 页记有“天平三年（731）岁次辛未七月十七日书生田边史”字样。这说明《新修本草》早在 731 年就已传入日本了，此时间距离《新修本草》成书时间仅 72 年。

日本正仓院文书《写章疏目录》载“《新修本草》二帙，廿卷”，并标明“天平廿年（748）六月十日记”。这说明《新修本草》很早就在日本流传了。

其后，日本《续日本书记》卷39记载，日本桓武天皇延历六年（787）四月，典药寮奏请："苏敬《新修本草》与陶隐居《本草经集注》相比较，增一百余条，亦今采用草药，既合敬说。请行用之，遂许焉。"此与《倭汉三才图会》所记同。这说明8世纪时《新修本草》不仅在日本流传，而且还曾被推荐作医学教材使用。

日本宇多天皇宽平元年（889），《日本见在书目》载"《新修本草》二十卷，孔立均撰"。"孔立均"疑为"孔志约"之讹误。这说明9世纪时《新修本草》在日本仍有流传。

到10世纪，日本醍醐天皇延喜年间（901—922）日本古史《延喜式》规定："凡读医经者，《太素经》限四百六十日，《新修本草》三百一十日，《小品》三百一十日，《明堂》二百日，《八十一难经》六十日。其博士准大学博士，给酒食并灯油赏钱。凡《太素经》准大经，《新修本草》准中经，《小品》《明堂》《八十一难经》并准小经……凡医生皆读苏敬《新修本草》。"这说明此时期《新修本草》在日本不仅广泛流传，而且成为习医者必修的书。

日本圆融天皇永观二年（984），日本名医丹波康赖著《医心方》，并引用《新修本草》资料。这说明此时期《新修本草》在日本不仅为学医人必修课，而且为医学家著述的重要参考书。

其后，日本发生兵燹之祸，很多书都被焚烧。《日本见在书目》所著录的书，大部分被烧掉，本书亦因此遭到损失。

日本仁孝天皇天保三年（1832）狩谷棭斋在京都仁和寺发现《新修本草》残卷，并抄该书第15卷。其卷末题有"天平三年岁次辛未七月十七日书生田边史"18字，这证明仁和寺所存《新修本草》残卷是古抄本。狩谷棭斋由京都回江户，路过名古屋时，即将此事告知浅井贞庵。浅井贞庵于天保五年（1834）令其学生塚原修节到京都仁和寺誊录。其抄录《新修本草》卷4、卷5、卷12、卷17、卷19，共计5卷。

日本天保十三年（1842）小岛学古（一名小岛宝素）陪同一品准后舜仁法亲王到京都。其在仁和寺又发现《新修本草》卷13、卷14、卷18、卷20，并对此4卷进行抄录。

狩谷棭斋（又名狩谷卿云）所抄卷15，加上塚原修节所抄卷4、卷5、卷12、卷17、卷19，再加上小岛学古所见卷13、卷14、卷18、卷20，共发现《新修本草》抄本10卷。

日本孝明天皇安政年间（1854—1859）涩江全善和森立之合著之《经籍访古

志补遗》所载《新修本草》仅存半数，即卷4、卷5、卷12、卷13、卷14、卷15、卷17、卷18、卷19、卷20。书中述《新修本草》流传经过云：

唐司空上柱国英国公臣勣等奉敕修次，第十五卷末载显庆四年各官衔名，次记天平三年岁次辛未七月十七日书生田边史。每行十六七字，注文二十五六字。按此本旧抄于天平中，天平距显庆仅六七十年，则盖是当时遣唐之使所斋而归，实为李勣等编修之旧，无复可疑矣。今以唐氏（指唐慎微）《证类》校之，异同错出，可互是正。而彼土（指中国）宋以后亡佚不传，则李时珍辈无知妄作，亦职是由，洵可慨也。乃在皇国（指日本）亦久淹晦不显。往岁狩谷卿云西上，观一缙绅家旧钞，即五六百年前人据天平抄本誊录，实为天壤间绝无仅有之秘籍。仍极影摹以传人，于是神光焕发，世始得窥古本草之真，则卿云（即狩谷棭斋）之功为至巨也。

文中“缙绅人家”，据塚原修节《甲午笔乘》和狩谷棭斋信可知，指当时法亲王在京都仁和寺所居住之处。

按《经籍访古志》卷7所记，《新修本草》残存10卷，且其卷次与前面诸人在仁和寺所发现的《新修本草》卷数、卷次相同。

该10卷本在日本又被多次传抄，各家藏书机构和书志均有收载。

总之，《新修本草》传入日本的时间很早。731年就有书生田边史传抄该书。9世纪《日本见在书目》尚记本书20卷。其后日本有兵燹之祸，《日本见在书目》著录之书大多被毁，本书亦随之不彰。1832年日本狩谷棭斋在京都仁和寺发现本书残存若干卷，经浅井贞庵诸人传抄，共存10卷。该10卷经过多次传抄，在日本广为流行。所以本书在日本流传广而久，曾为日本习医者的教本和著医书者的参考书。故本书对日本医药产生过深远的影响。

十二、日本流传《新修本草》回归中国概况

日本古代无名氏传抄《新修本草》卷子，回归到中国的有下列几种。

（一）1889年傅云龙影刻《新修本草》11卷本

清末傅云龙（名德清），官兵部郎中，于光绪十五年（1889）夏由美国到日本，见驻日本使馆官员陈榘所购《新修本草》传抄本卷4、卷5、卷15，甚爱之。陈榘即相赠。继而傅云龙又遇书商登门，购得《经籍访古志》云所存10卷，具为小岛知足家藏旧抄本。另外，其又获小岛知足家藏补辑本卷3。其共得《新修本

草》11 卷（卷 3、卷 4、卷 5、卷 12、卷 13、卷 14、卷 15、卷 17、卷 18、卷 19、卷 20）。

傅云龙所获第 3 卷卷末记有“嘉永二年（1849）岁次己酉四月二十一日据家大人新辑本，书写如其行款字样，一仿天平原卷旧式云。尚真”。

由此可见，该第 3 卷本为尚真的父亲所辑，尚真誊录。

傅云龙将购得的 11 卷，于 1889 年夏重抚上木，影刻刊入《纂喜庐丛书》之二。书的版面高 24 厘米，宽 16 厘米。书的第一、二页为用篆书写的大字“唐卷子本《新修本草》十卷，补辑一卷”。尾附三行小字“《纂喜庐丛书》之二，光绪十五年夏德清傅氏刊于日本”。接着就是各卷次第。开头是卷 3。卷 3 的第一页首行为“《新修本草》玉石等部上品卷第三”，旁注“新井文库”字样。全书装订十分精美，日本各大图书馆有收藏。

本书在我国自北宋后已亡佚，1932 年以前无人论及之。1932 年范行准发现傅云龙《纂喜庐丛书》之二收载的此书残卷，旋即撰文介绍。本书始引起国人注意。

1955 年上海群联出版社将此书缩小影印，题名《新修本草》，分装上下两册。下册末尾附有陈粲、傅云龙和范行准等的跋文。1957 年上海卫生出版社据群联出版社版影印，合订成一册。中国现在流行的《新修本草》乃 1889 年傅云龙自日本影刻的。

（二）1901 年罗振玉收藏日本传抄卷子本

上虞罗振玉于光绪二十七年（1901），奉两江、湖广总督命赴日本视察教育时，于日本东京书肆购得《新修本草》影抄本 10 卷（10 册）。每卷后有森立之手跋，故该书当是日本森立之所藏。

1985 年，由上海古籍出版社影印此本，并将之印成两种版式。一种是原卷影印本，一种是缩印本。前者为线装本，线装本书前印有“据后书钞阁藏日本森氏旧藏影印版框尺寸悉准原书”；后者为平装本，平装本书前印有“据上虞罗氏后书钞阁藏日本森氏旧藏影写卷子本缩印，原写卷款式不同，卷四首七行，行格高 21.4 厘米，宽 16.8 厘米”。

所存 10 卷为卷 4、卷 5、卷 12、卷 13、卷 14、卷 15、卷 17、卷 18、卷 19、卷 20。各卷末有森立之手跋，以记该卷据某某藏本所抄。

例如，本书卷 19 末有两处记文。

一处记文为：“第四、第五、第十二、第十七、第十九凡五卷，以浅井氏紫山三经楼藏本传抄。”

一处记文为：“第四、第五、第十二、第十五、第十七、第十九，右《新修本草》陆本，其第十五狩谷卿云游京师时传录见赠，其他五卷传录浅井紫山三经楼藏本。天保五年（1834）岁在敦祥冬十月廿七日。小岛质记。右跋就小岛氏原本而写。”

狩谷卿云即日本汉学家狩谷棭斋，他最先发现《新修本草》残卷抄本。森立之云：“世始得窥古本草之真，则卿云之功为至巨也。”

《笺注倭名类聚钞·序》记：“森立之与掖斋交而传其学。”

又如，本书卷20末有小岛质记文。森立之转录云：

“第十三、第十四、第十八、第二十，岁在壬寅（1842）一品准后法亲王朝觐于京师之时传录此四卷。原卷仁和寺宫宝库所藏云。弘化丙午（1846）九月既望，小岛质记。右就小岛宝素堂本而录此跋文。”

总之，本书存10卷，其中卷4、卷5、卷12、卷17、卷19是据浅井紫山三经楼藏本传抄的，卷13、卷14、卷18、卷20是据仁和寺宫宝库藏本传抄的，卷15是狩谷棭斋所抄。

（三）1936年日本武田长兵卫影印仁和寺本

日本京都仁和寺旧藏古抄本，被部分转入国药商武田长兵卫的杏雨书屋中。杏雨书屋制药部内“本草图书刊行会”于昭和十一年（1936），将杏雨书屋所存仁和寺本卷4、卷5、卷12、卷17、卷19用珂罗版影印，并附中尾万三《新修本草解说》1册。

次年（1937），本草图书刊行会又将尾张德川黎明会所藏卷15，用同法影印，并于卷首附狩谷棭斋给浅井贞庵的信。

两次影印合成一部，分为二帙，前一帙含卷4、卷5、卷12、卷17、卷19，后一帙含卷15。（见日本冈西为人《续中国医学书目》第136页）

（四）从日本回归中国的3种《新修本草》版本的比较

从日本回归中国的《新修本草》共有以上3种，即傅云龙影刻本（以下简称傅本）、罗振玉收藏本（以下简称罗本）、武田长兵卫影印仁和寺本（以下简称武本）。兹将三本比较如下。

1. 在卷数上

傅本 11 卷，罗本 10 卷，武本 6 卷。三家相同卷次为卷 4、卷 5、卷 12、卷 15、卷 17、卷 19。傅本、罗本相同卷次为卷 4、卷 5、卷 12、卷 13、卷 14、卷 15、卷 17、卷 18、卷 19、卷 20。傅本比罗本多卷 3，该卷 3 是小岛知足从《政和本草》辑出，仿天平款式补缀而成的，其卷末记有“永嘉二年（1849）尚真据其父所辑本，仿天平写本款式誊录”。

2. 在祖本上

三家都有卷 15，3 种版本卷 15 末同载有“天平三年岁次辛未七月十七日书生田边史”题记。这说明它们的祖本均为天平抄本，即《宝素堂藏书目录》所云“《新修本草》十卷残本”，传录自六七百年前的重抄天平三年岁次辛未书生田边史书写卷子本。

罗本在题记后，另注有“《万叶集》卷十八载天平二十年（748）田边史福麿歌数首并列”一条。按，《万叶集》是日本最古的和歌集，其作者大伴家持为 717—785 年间人，与田边史是同时代人。这说明田边史确实是天平时人。天平三年相当于唐开元十九年，距《新修本草》成书时间 659 年，仅 72 年。田边史既抄于唐时，诸本又据以影抄，则抄本可以保持《新修本草》原貌。

天平抄本原是 20 卷，后因兵燹之祸而有损失，仅残存 10 卷。涩江全善《经籍访古志》卷 7 曰：“往岁守谷卿云西上，观一缙绅家旧钞，即五六百年前人据天平抄本誊录。”这就说明罗本、傅本的残存 10 卷，当据天平抄本誊录。

3. 在题记上

罗本有题记，而傅本、武本无题记。

罗本各卷末有森立之题记，说明罗本原为森立之旧藏。题记内容不一，有记据何本抄者，有记校读者，有记小岛质跋文者。

从记据何本抄者，可以看出罗本 10 卷中，有 5 卷（卷 4、卷 5、卷 12、卷 17、卷 19）据浅井紫山三经楼藏本抄；有 4 卷（卷 13、卷 14、卷 18、卷 20）据仁和寺宫宝库藏本抄；有 1 卷（卷 15）为狩谷棭斋赠小岛学古者。

但罗本据仁和寺藏本所抄者（卷 13、卷 14、卷 18、卷 20），与武本据仁和寺藏本影印者（卷 4、卷 5、卷 12、卷 15、卷 17、卷 19），在卷次上并不相同。武本卷次与罗本所据浅井紫山三经楼藏本所抄者的卷次相同。这就说明浅井紫山三经楼藏本亦可能来源于仁和寺。

罗本有据《医心方》《证类本草》校读后作的注，从注文笔迹看，其似森立之所记。

4. 在传录款式上

3 种抄本，书写款式基本一样。傅本、罗本款式几乎全同。武本稍异。三者在每页行数和每行大字、小字数目上不尽相同。罗本、傅本每页 7 行，大字、小字分书，大字每行 14 ~ 17 字，小字每行 20 ~ 24 字。武本每页 8 行，每行大字 17 ~ 19 字，小字每行 27 字左右。

它们不仅在每页行数和每行大、小字数上不同，而且在文字上也有差异。例如卷 12“柏实”条大字中“令人耐风寒”的“令”字，罗本、傅本俱作“金”，而武本作“令”。

按，罗本、傅本是影抄本，而武本是影印本，则它们所据的底本当同此。

又，武本卷 4、卷 5、卷 12、卷 17、卷 19 据仁和寺本影印，罗本卷 4、卷 5、卷 12、卷 17、卷 19 据浅井紫山本影抄，则仁和寺藏本和浅井紫山藏本不是源于同一种底本。如果出于同一种底本，则罗本与武本不应有上述的差异。由此可见，浅井紫山藏本及仁和寺藏本的卷次虽相同，但它们的底本未必相同。

5. 在文字舛误上

3 种抄本在款式上大体相同，但抄录的笔迹不尽相同，在文字舛误上互有出入。

将傅本、罗本在文字上比较一下，会发现二者有很多不同。例如，罗本卷 4“水银”条注文有“烧粗末”，傅本作“烧粗未”。罗本卷 5“礜石”条注文有“一日一夕”，傅本作“百一名”。同条罗本有“今人黄土”，傅本作“今人黄主”。罗本卷 13“秦椒”条注文有“猪椒”，傅本作“楮椒”。罗本卷 13“桑根白皮”条注文有“案老桒（桑）树”，傅本作“桒老桒树”。罗本卷 14“巴豆”条注文有“相耐如此耳”，句中“如”，傅本作“知”。罗本卷 14“郁核”条注文有“亦可噉之”，句中“噉”，傅本作“散”。类似例子很多。

上例“末”与“未”，“一日”与“百”，“土”与“主”，“猪”与“楮”，“案”与“桒”，“如”与“知”，“噉”与“散”等，显系抄者笔误。从文义上看，傅本误，罗本不误。但也有例外，傅本卷 17“芋”条注文有“性滑中下石”，句中“石”，罗本误作“右”。

此外，傅本还有脱漏。罗本卷 5“锻灶灰”条注文有“灶中灰耳，兼得铁”，傅本脱。又如罗本卷15“羖羊角”条，在“羊肉”一行末，罗本有“及头”2字，傅本亦脱。

在字的写法上，两本也有不同。罗本卷17“大枣”条小注有“大莱”2字，傅本写作“大棶”。罗本卷15“鹿角”条注文有“主风虚”，句中“主”，傅本写作“去”。类似例子很多，此处从略。

以上3种从日本回归的抄本，虽出于同一个天平本，但经不同书写手辗转传抄，出现各种差异，也是正常现象。宋代编纂《开宝本草》时，搜得的各种抄本《新修本草》，也各不相同。正如《开宝本草·开宝重定序》云：“朱字、墨字，无本得同。”

十三、《新修本草》现存残卷考

现存《新修本草》残卷有二，一是敦煌出土的《新修本草》残卷，二是日本传抄的《新修本草》残卷，兹分述如下。

（一）敦煌出土的《新修本草》残卷

敦煌鸣沙山第288号石窟秘藏的古代大量各种珍贵文献，被封藏了1000余年，直到清末光绪二十五年（1899）才被发现。（姜亮夫所著，1956年上海古典文学出版社出版的《敦煌伟大的文化宝藏》第18页）由于清政府不重视，有些珍贵文献，为外人所得。其中英国斯坦因（1907年得到）和法国伯希和（1908年得到）所得最多，而手抄本《新修本草》残卷亦在这个时候被带走。斯坦因所得的《新修本草》残卷，是两个片断，存放在英国国家博物馆中，其编号为“S－4534 British Museum P9691”。法国伯希和所得的《新修本草》残卷，存放在法国国家图书馆中，其编号为伯氏号码3714。

斯坦因所得两个片断，一片存有《新修本草》卷18菜部下品的一部分和卷19米部目录及第一个药胡麻等资料。其中，菜部下品存文自“蕺”条的小注“食蕺”起，一直到卷18末为止，其中存有“胡”“蒜”“堇”“芸薹”等条的全文。各药条正文一律墨书，没有朱墨杂书，每行正文大字17～21字不等，每行注文小字25～26字不等。大字约有蚕豆大，小字约有半个蚕豆大。另一片是《新修本草》卷17的部分内容，仅存果部上品“栗”条部分小注及“樱桃”条全文和果部中品“梅实”条等资料。书写样式和字体大小及每行字数多寡，均与前一个片断相同。这两个片断的载体都是布帛。将其存文和傅云龙摹刻本校读，发现二者文句全同，仅每行字数不同，傅本每行大字14～15字，而敦煌石窟出土片断存文每行大字20字左右。

法国伯希和所得《新修本草》残卷，是最长的卷子，卷长28.5厘米，存药30种，且所存药物均属卷10草部下品之上。按，《新修本草》卷10原有35种药，此残卷存药30种，从甘遂起，到白蔹止。前缺大黄、桔梗，后缺白及、蛇全、草蒿、雚菌。自甘遂到白蔹30种药的排列次序和《医心方》所载《新修本草》目录卷10的药物排列次序完全相同。各个药的正文与小注，和《大观本草》所载《新修本草》资料几乎完全相同，仅有个别字写法不同。例如，“叶”“脑”“邪”“蛊”“亦”，敦煌《新修本草》残卷作“葉”“腦”“耶”“蛊”“亽”。其在书写格式上是朱墨杂书。其红字《神农本草经》文和《大观本草》中黑底白字的《神农本草经》文全同。其中每个药的正文第一个字抬头高出一格，这和武本及傅本不同。其每行正文大字15～16个，每行注文小字20～21个；大字约有鸡子黄样大，小字约有蚕豆大。该卷子背面写有“乾封二年至总章二年，伊西等州铎牒”等语。按，乾封二年是667年，总章二年是669年，而667年距离《新修本草》编成的时间659年，仅有8年时间，故该卷子本比日本田边史天平三年（731）的手抄本要早60多年。因此，该卷子本是《新修本草》现存最古的卷子。可惜这些极珍贵的原件，都流落于外人之手。

日本杏雨书屋所藏敦煌出土《新修本草》残片的内容，是《新修本草》卷1残存的序文。序文存残文33行，前26行残缺，每行仅存半数，后7行尚存全文。

残片开头两行：首行为“□□□草序例卷上第□”；次行为“司空上柱国公□□□□□□□”。

校以卷子本《新修本草》各首页款式，可知：其残片的首行应为“新修本草序例卷上第一”；次行应为“司空上柱国英国公臣勣等奉敕修”。

自第3行以后的残文，从可辨认的残文看，是孔志约撰的“唐本序”。校以《大观本草》《政和本草》所载孔志约“唐本序”，发现二者基本相同。

自第3行到第26行，各行均残，仅存半行残文，从可认识残文看，其是孔志约“唐本序”的前半截。即“盖闻天地之大德”至“辨俗用之纰紊”一段文字。

自第27行到33行，各行不残，为孔志约“唐本序”后半截。即“中大夫尚药奉御臣许孝崇等二十二人”到“开涤耳目尽医方之”一段文字。

第33行以后，即最末一行，其残文仅存行的边际上点点滴滴痕迹。校以《大观本草》《政和本草》所载“唐本序”，当是“妙极，生灵之性命，传万祀而无昧，悬百王而不朽”。

日本杏雨书屋所藏敦煌出土《新修本草》，仅存“唐本序”的残文。日本冈西为人《本草概说》卷首，曾影印此残片书影。《中国本草全书》对其加以影印，并将之收入第6卷第37页，题为“《新修本草序例》”。

（二）日本传抄的《新修本草》残卷

日本现存《新修本草》残卷仅有10卷。该10卷有多种抄本，它们的祖本都是日本天平三年（731）田边史的抄本。兹将各种抄本介绍如下。

关于早期日本古时无名氏抄本，日本中尾万三《唐新修本草之解说》（见武本之后）有详细的介绍。其后森鹿三氏又补其说（见《东方学报》京都第11册）。根据他们的介绍可知，日本发现的《新修本草》古抄本有下列几种。

（1）日本天保三年（1832）狩谷棭斋传录卷15（日本京都福井氏崇兰馆藏本）。

（2）日本天保五年（1834）浅井紫山俾埰原修节传录卷4、卷5、卷12、卷17、卷19（日本京都仁和寺宫宝库藏本）。

（3）日本天保十三年（1842）小岛宝素传录卷13、卷14、卷18、卷20（日本京都仁和寺宫宝库藏本）。

以上合计10卷。该10卷本，有些书志予以收录。

（1）日本聿修堂藏残卷本《新修本草》10卷。其是摹写旧抄本，存卷4、卷5、卷12、卷13、卷14、卷15、卷17、卷18、卷19、卷20。（见涩江全善、森立之《经籍访古志》卷7）

（2）《宝素堂藏书目录》载有《新修本草》10卷。其残存卷4、卷5、卷12、卷13、卷14、卷15、卷17、卷18、卷19、卷20，传录自六七百年前的重抄天平三年岁次辛未书生田边史书写卷子本。

（3）多纪元坚献纳医学馆医书目录记有《新修本草》10卷。其是写本，共10册。

（4）东京国立博物馆汉书目录记有《新修本草》10卷。其上题“司空上柱国英国公臣勣奉敕修”。多纪元坚曾校读过，并加小注。存卷4、卷5、卷12、卷13、卷14、卷15、卷17、卷18、卷19、卷20。

（5）《观海堂书目（政字号）》记有《新修本草》10本10卷。其是养安院藏本。

（6）故宫博物院书目（医家）记有摹写古抄本《新修本草》10卷。（日本抄本10册）

（7）《留真谱新编》第七记有《新修本草》，题注“司空上柱国英国公臣勣等奉敕修”。

（8）《日本医学史资料展览目录》第一记有《新修本草》1册，题“吴秀三抄”。

（9）日本《宝素堂藏书目录》载小岛宝素补辑《新修本草》卷1、卷2、卷3、卷6、卷7、卷8、卷9、卷10、卷11、卷16，及其家大人所传藏原卷，凡20卷。

上述各种藏本，虽然都从天平本抄写传录或影写，但因抄写者手笔不同，并不完全相同。

十四、“唐本”“唐本注”与《新修本草》关系的考证

《政和本草》指宋·唐慎微《重修政和经史证类备用本草》。

《政和本草》各药后面有墨盖（━）标记，墨盖下所援引的资料，除“别说”“衍义”资料外，均是唐慎微作《政和本草》时所援引。其中“唐本”“唐本注”等资料，亦是唐慎微所引。

唐慎微所引“唐本”“唐本注”的资料，究竟出于何种文献？一般人认为其是从《新修本草》中转引来的。但从唐慎微所引“唐本”“唐本注”具体内容来看，其又不像是从《新修本草》中转引的。

为研究方便，现用人民卫生出版社版《政和本草》墨盖下“唐本”“唐本注”的资料，进行分析。每个药名前的页码，即1957年人民卫生出版社版《政和本草》页次。

198页苦参、225页百部、233页白前、235页胡黄连、246页大黄、264页威灵仙、309页熏陆香、468页芋、486页生大豆、495页稻米、151页苍术、201页芍药、220页地榆、222页昆布、226页红蓝花、228页荜拨、232页零陵香、234页荭草、487页大豆黄卷、499页冬葵子。

以上20种药，前10种药都引“唐本云”，后10种药都引“唐本注云”。

在上述20种药中，芋、冬葵子属菜部，生大豆、大豆黄卷、稻米属米谷部，熏陆香属木部，余下均属草部。

在《新修本草》残卷中，草部已亡佚，故草部药物之引文无原文可核对，只有木部、米部、菜部药物之引文有原文可以核对。

兹将核对情况分析如下。

（1）关于草部药物，《新修本草》已亡佚。但《新修本草》草部药物目录，尚存于《医心方》《本草和名》《千金翼方》中，兹以《医心方》等所载《新修本草》草部药物目录核对如下。

在上述20种药中，胡黄连、威灵仙、红蓝花、荜拨、零陵香5种药，均不见于《新修本草》目录中。由此可见，《政和本草》墨盖下所引“唐本”“唐本注”资料，不是从《新修本草》中转引的。因为《新修本草》中不含胡黄连等5种药，那么在此等药物后的引文上，就不好冠以“唐本”“唐本注”了。

（2）对于菜部、米部药物，用1955年群联出版社据日本卷子本影印之《新修本草》核对。

1）《政和本草》499页“冬葵子”条，墨盖下所引“唐本注”，在影印本《新修本草》265页“冬葵子”条正文注文中，均检不出。由此可见，《政和本草》“冬葵子”条所引“唐本注”，不是从《新修本草》转引的。

2）《政和本草》309页“熏陆香”条所引“唐本云”，在《新修本草》中查不出。由此可见，《政和本草》“熏陆香”条所引“唐本云”，也不是从《新修本草》转引的。

3）《政和本草》486页“生大豆”条所引“唐本云”，以及《政和本草》487页“大豆黄卷”条所引“唐本注云”，同在《新修本草》294页“赤小豆”条陶隐居注文中检出。这说明《政和本草》“生大豆”“大豆黄卷”墨盖下“唐本”“唐本注”的资料，来源于《新修本草》“赤小豆”条陶隐居注文。

在上述20种药中，除生大豆、大豆黄卷2种药下所引“唐本”“唐本注”等资料外，其余在现存《新修本草》残卷中均查不出，但是在掌禹锡所引《蜀本草》注文中能查出。

例如，《政和本草》247页“大黄”条墨盖下引“唐本”云：“叶似蓖麻，根如大芋，傍生细根如牛蒡。《图经》云：高六七尺，茎脆、味酸，醒酒。”此文和《政和本草》247页“大黄”条下掌禹锡所引《蜀本草·图经》文相同。

《政和本草》486页“生大豆”条墨盖下引“唐本”云：“煮食之，主温毒水肿。”此文与《政和本草》486页“生大豆”条下掌禹锡所引《蜀本草》文同。

《政和本草》264页“威灵仙”条、《政和本草》468页“芋”条墨盖下所引“唐本”资料，均与掌禹锡所引《蜀本草》文相同。

按，威灵仙不是《新修本草》药，而是《蜀本草》药。到《开宝本草》时，威灵仙才被收为新增药。

由于唐慎微所引的资料，大部分不见于现存本《新修本草》，反而见于《蜀本草》，所以人们怀疑唐慎微《政和本草》墨盖下所引“唐本”“唐本注”的资料，出于《蜀本草》。

《嘉祐本草·嘉祐补注总叙》云：“伪蜀（934—965）孟昶亦尝命其学士韩保昇等，以《唐本》《图经》参比为书，稍或增广，世谓之《蜀本草》。”又，掌禹锡《嘉祐本草·补注所引书传》云：“伪蜀翰林学士韩保昇等，与诸医工取《唐本草》并《图经》相参校，更加删定，稍增注释，孟昶自为序，凡二十卷，今谓之《蜀本草》。”

由此可知，《蜀本草》是在《新修本草》、唐本《图经》基础上修订的。所以《蜀本草》又称《重广英公本草》。《英公本草》又称《新修本草》，则《重广英公本草》，即重广《新修本草》。疑唐慎微所称“唐本”“唐本注”，即指《蜀本草》而言。

由于《蜀本草》是在《新修本草》基础上修订而成的，所以《蜀本草》也含有《新修本草》的内容。由此可知，在上述20种药中，“生大豆”条、“大豆黄卷”条所引“唐本”“唐本注”资料，虽然能在《新修本草》“赤小豆”条中查出，但并非从《新修本草》原书所引，而是通过《蜀本草》所转引的。因为《蜀本草》含有《新修本草》内容的缘故，《蜀本草》所增加的新内容被唐慎微所援引，而这些新内容是《新修本草》所没有的，所以唐慎微墨盖下所引“唐本”“唐本注”，是《蜀本草》新增资料。如胡黄连、威灵仙、红蓝花、荜拔、零陵香等药后所引“唐本”“唐本注”资料，在《新修本草》中都查不出。

根据这些事实，可以确认，《政和本草》墨盖下所引“唐本”“唐本注”等资料，不是出于《新修本草》，而是出于《蜀本草》。

唐慎微在《政和本草》墨盖下所引《蜀本草》资料，为何不标注“蜀本”，而要标注“唐本”“唐本注”呢？

按，《蜀本草》原名《蜀重广英公本草》，所谓“英公”即唐代领衔监修《新修本草》的李勣的官衔，所以《蜀本草》有《新修本草》之义。因此，唐慎微引《蜀本草》资料时遂注为“唐本”或“唐本注”。

十五、“唐本余”与《新修本草》关系的考证

早在1947年，笔者辑复《新修本草》时，悉取李时珍《本草纲目》中“恭曰”的资料，后以傅云龙《籑喜庐丛书》之二所收《新修本草》校之，发现《本

草纲目》误注“唐本余”的资料为《新修本草》的内容。“唐本余”是另一种书的名称，不是《新修本草》的别名。《政和本草·证类本草所出经史方书》中，有“唐本余”之名。《政和本草》引“唐本余”内容作正文的药有银膏、辟虺雷、留军待、独用将军、地下容、山胡椒、灯笼草，兹录如下。

（1）银膏，味辛，大寒。主热风，心虚，惊痫，恍惚，狂走，膈上热，头面热，风冲心上下。安神定志，镇心明目，利水道，治人心风健忘。其法：以白锡和银薄及水银合成之。亦甚补牙齿缺落，又当凝硬如银，合炼有法。（《政和本草》118页、《本草纲目》596页。《政和本草》《本草纲目》均是1957年人民卫生出版社版，下同）

（2）辟虺雷，味苦，大寒，无毒。主解百毒，消痰，祛大热，疗头痛，辟瘟疫。一名辟蛇雷，其状如粗块苍术，节中有眼。（《政和本草》168页、《本草纲目》791页）

（3）留军待，味辛，温，无毒。主肢节风痛，筋脉不遂，折伤瘀血，五缓挛痛。生剑州山谷，其叶似楠木而细长，采无时。（《政和本草》191页、《本草纲目》934页）

（4）地不容，味苦，大寒，无毒。主解蛊毒，止烦热，辟瘴疠，利喉闭及痰毒。一名解毒子。生山西谷，采无时。（《政和本草》192页、《本草纲目》1037页）

（5）独用将军，味辛，无毒。主治毒肿奶痈，解毒，破恶血。生林野，采无时。节节穿叶心生苗，其叶似楠根，并采用。（《政和本草》192页、《本草纲目》938页）

（6）山胡椒，味辛，大热，无毒。主心腹痛，中冷，破滞。所在有之。似胡椒颗粒，大如黑豆，其色黑，俗用有效。（《政和本草》192页、《本草纲目》1332页）

（7）灯笼草，味苦，大寒，无毒。主上气咳嗽，风热，明目。所在有之。八月采，枝干高三四尺，有花，红色，状若灯笼，内有子，红色可爱。根、茎、花、实并入药使。（《政和本草》192页、《本草纲目》908页）

上述7种药均不见于卷子本《新修本草》中，也不见于《千金翼方》卷2到卷4所录《新修本草》药物正文中，亦不见于《医心方》《本草和名》所录的《新修本草》全部药物目录中。

唐慎微作《证类本草》时，在少数《神农本草经》药、《名医别录》药、唐本新增药下引用过“唐本余”资料，以作为注释的内容。兹将各药墨盖下所引“唐本余”资料，摘录如下。

（1）唐慎微在《神农本草经》药下所引“唐本余”资料如下。

1）石胆，“唐本余”云：“下血赤白，面黄，女子脏寒。”（《政和本草》89页）卷子本《新修本草》11页“石胆”条无此文。

2）白垩，“唐本余”注云：“此即今画工用者，甚易得，方中稀用之，近代以白瓷为之。”（《政和本草》132页）卷子本《新修本草》75页无此文。

3）青琅玕，“唐本余”云：“味甘。”（《政和本草》132页）卷子本《新修本草》66页无此文。

4）紫菀，“唐本余”云：“治气喘阴痿。”（《政和本草》209页）

5）泽漆，“唐本余”云：“有小毒，逐水，主蛊毒。”（《政和本草》256页）

6）石长生，“唐本余”云：“下三虫，谓长虫、赤虫、蛲虫也。苗高尺许，用茎叶，五月、六月采。”（《政和本草》280页）

7）猪苓，“唐本余”云：“去邪气。”（《政和本草》328页）

8）荠草，“唐本余”云：“治难产。”（《政和本草》346页）

9）牡狗阴茎，“唐本余”云：“牡狗阴茎并同白狗血，主女人生子不出。内酒中服之，主下痢，卒风痱。伏日取之，主补虚，小儿惊痫，止下痢。”（《政和本草》381页，掌禹锡所引《蜀本草》文与此文末10字同）

10）蓬蘽，“唐本余”云：“耐寒湿，好颜色。”（《政和本草》464页）

11）麻蕡，“唐本余”云：“主五劳。麻子，寒，肥健人不老。”（《政和本草》482页）

（2）唐慎微在《名医别录》药下所引“唐本余”资料如下。

1）黄石脂，“唐本余”云：“畏黄连、甘草、蜚蠊。”（《政和本草》94页）按，黄石脂，《名医别录》文有“曾青为之使，恶细辛，畏蜚蠊”。卷子本《新修本草》12页“黄石脂”条无此文。

2）芦根，“唐本余”云：“生下湿地，茎叶似竹，花若荻花。二月、八月采根，日干用之。”（《政和本草》271页）

3）苏合香，“唐本余”云：“除鬼魅。”（《政和本草》310页）

4）狐阴茎，“唐本余”云：“雄狐粪，烧之，去瘟疫病。狐鼻尖似狗而黄长，惟尾大，善为魅。雄狐粪，在竹木间石上，尖头坚者是也。”（《政和本草》391页）

5）蘖米，“唐本余”云：“取半生者作之。”（《政和本草》491页）

（3）唐慎微在唐本新增药下所引“唐本余”资料如下。

格注草，“唐本余”云：“注云：《图经》出齐州、兖州山谷间。”（《政和本

草》286 页）

以上各药下所引“唐本余”资料，没有一条能在现存《新修本草》残卷的注文中查出。

此外，唐慎微在《开宝本草》药下，亦引有“唐本余”资料，如“太阴玄精”条引“唐本余”云：“近地亦有，色赤青白色，片大，不佳。”

由于“唐本余”的药不见于《新修本草》目录中，而“唐本余”资料又不见于现存《新修本草》残卷中，但唐慎微所引的“唐本余”资料和掌禹锡所引《蜀本草》资料相同，疑《证类》墨盖下所引“唐本余”资料出于《蜀本草》。

按，《蜀本草》原名《蜀重广英公本草》，所谓“英公”即唐代监修《新修本草》的李勣的官衔，所以《蜀本草》有《新修本草》之义。因此，唐慎微引《蜀本草》新增药，遂注为“唐本余”。

十六、地不容始载于《新修本草》质疑

《中药志》第 2 册“地不容”条在“历史”项目云：“地不容之名始载于《唐本草》。”① 笔者对这一句话持有不同的看法。

《新修本草》并没有收载过地不容。现在出版的《新修本草》②《重辑新修本草》③ 的药物目录中，并无地不容。《千金翼方》④《医心方》⑤《本草和名》⑥ 等书所载《新修本草》药物目录中，均无地不容的药名。那么，地不容药名是从哪儿来的呢？它是从《本草纲目》中来的。《本草纲目》卷 18 下草部“解毒子”条注云出《新修本草》，其“释名”项目下有“地不容出自唐本。”⑦ 又，其“集解”项目下有：“恭（指苏敬，因避宋讳，改名苏恭）曰：地不容生川西山谷，采无时，乡人呼为解毒子。”

按《本草纲目》所载，李时珍好似见过《新修本草》。其实《新修本草》在明以前早已亡佚，李时珍是不可能见到它的。那么，李时珍所录的资料，又是从哪儿

---

① 中国医学科学院药物研究所等．中药志：第 2 册．2 版．北京：人民卫生出版社，1982：80.

② 尚志钧．新修本草．1 版．合肥：安徽科学技术出版社，1981：1－10.

③（日本）冈西为人．重辑新修本草．东京：学术图书刊行会，1973：1－9.

④ 唐·孙思邈．千金翼方：卷 2 至卷 4．北京：人民卫生出版社，1955：14－59.

⑤（日本）丹波康赖．医心方：卷 1．北京：人民卫生出版社，1955：21－34.

⑥（日本）深江辅仁．本草和名．日本古典全集刊行会影印.

⑦ 明·李时珍．本草纲目：卷 18．北京：人民卫生出版社，1955：1037.

来的呢？其是李时珍从《证类本草》转录来的。

《证类本草》卷7“唐本余”标题下，有“地不容”条，其云：“味苦，大寒，无毒。主解蛊毒，止烦热，辟瘴疠，利喉闭及痰毒。一名解毒子。生山西谷，采无时。”①

李时珍根据《证类本草》“唐本余”的标题，定地不容出于《新修本草》。所以，地不容并非李时珍从《新修本草》摘录的。

现在要问，“唐本余”是否即《新修本草》呢？笔者怀疑“唐本余”不一定是《新修本草》。

笔者在20世纪40年代，辑校《新修本草》时，亦曾以“唐本余”的资料为《新修本草》内容。后以傅云龙影刻日本传抄卷子本《新修本草》② 校之，发现凡《证类本草》所载“唐本余”的药，均不见于卷子本《新修本草》。据此，笔者把辑稿中“唐本余”的资料全部删掉，并撰写一文，收于拙稿《〈新修本草〉论文集》③ 中。

《证类本草》所收录的“唐本余”的药：卷4的银膏，卷6的辟虺雷，卷7的留军待、地不容、独用将军、山胡椒、灯笼草。该7种药，皆被李时珍收录在《本草纲目》中。银膏被收入《本草纲目》卷8，辟虺雷被收入《本草纲目》卷13，留军待、灯笼草、独用将军被收入《本草纲目》卷16，地不容被收入《本草纲目》卷18，山胡椒被收入《本草纲目》卷32。李时珍对这7种药的来源，均标注“唐本”2字；对这7种药的文字，均冠以“恭曰”字样。李时珍把《证类本草》中“唐本余”内容看作《新修本草》内容，所以《本草纲目》注此7种药为《新修本草》药。

或者有人认为“唐本余”的药，也许是《新修本草》中附录的药。原始的《新修本草》久佚，谁也不能否定这种看法。其实这个问题很好解决。在上述7种药中，除银膏外，其余都是草部药。《新修本草》中的草部药已全部亡佚，无法对证。但日本传抄卷子本《新修本草》尚有玉石部药。《证类本草》所引“唐本余”中的“银膏”条是被列在玉石部中品的。经检查发现，《新修本草》玉石部中品内，并没有附注银膏的资料。由此可见，认为“唐本余”的药是《新修本草》

---

① 宋·唐慎微．重修政和经史证类备用本草：卷7．北京：人民卫生出版社，1957：191.

② 1889年清·傅云龙在日本模刻唐卷子本《新修本草》，并将之收入《籑喜庐丛书》之二。

③ 尚志钧．《新修本草》论文集．芜湖：芜湖医学专科学校，1962：40.

中附录的药，是不能成立的。

笔者认为“唐本余”内容，不是《新修本草》内容，也不是《新修本草》中附录的资料，而是另一本书的内容。何以见得呢？因为《证类本草》所载某些宋代《开宝本草》新增药后，亦引有“唐本余”的资料。如《证类本草》卷4的太阴玄精①，是《开宝本草》新增的药。该药条文下，引有“唐本余”的注文。由此可知，“唐本余”乃另一本书，不是《新修本草》。如果说“唐本余”是《新修本草》，那么《新修本草》怎么会收载宋代《开宝本草》新增的药呢？

另外，《证类本草》所记唐代以前的药下，如石胆②、白垩③、青琅玕③等药下，既有《新修本草》注文，又有“唐本余”注文。《新修本草》注文在卷子本《新修本草》中都可查出。惟“唐本余”注文，在卷子本《新修本草》中一点也找不到。这就提示“唐本余”和《新修本草》是两种书，而不是同一种书。

那么，“唐本余”是什么时候的书呢？目前很难肯定。因为历代书志没有关于“唐本余”的记载。但是有两点可以肯定。第一就是“唐本余”所记的地不容等7种药不见于《新修本草》药物目录中，则“唐本余”应晚于《新修本草》；第二，“唐本余”某些资料和《开宝本草》新增药，如太阴玄精等有联系，这又提示“唐本余”应在《开宝本草》以前就有了。所以，“唐本余”出现的时间似在《新修本草》和《开宝本草》之间。

如果确认“唐本余”不是《新修本草》的异名，则李时珍《本草纲目》视地不容等7种药为《新修本草》药，并注此7种药条文为“恭曰”，是不能成立的。那么，《中药志》卷2“地不容”条的“历史”项目下直言“地不容之名始于《唐本草》”，明显承袭了《本草纲目》之误。

十七、对宋人校改《千金翼方》引《新修本草》文的考证

1955年人民卫生出版社影印的《千金翼方》14～59页所载资料，实为《新修本草》正文，但与《医心方》和《政和本草》所载《新修本草》资料有所差异，现比较讨论如下。

---

① 宋·唐慎微．重修政和经史证类备用本草．北京：人民卫生出版社，1957：118.

② 宋·唐慎微．重修政和经史证类备用本草．北京：人民卫生出版社，1957：89.

③ 宋·唐慎微．重修政和经史证类备用本草．北京：人民卫生出版社，1957：132.

（一）药物数目的增减

1.《千金翼方》缺彼子

《医心方》所录《新修本草》药中有彼子。该药在《新修本草》中为虫鱼部第56号，在雀瓮与鼠妇之间。《政和本草》卷30有名未用类中也载有彼子，该药条正文下标有“唐本注”和“今附”等小注。正文有黑底白字的标记，证实彼子原属《神农本草经》药。根据今注可知，到宋代编定《开宝本草》时，列在《新修本草》虫鱼类中的彼子才被迁到有名未用类中。但不知《千金翼方》虫鱼部中为何漏列彼子。

2.《千金翼方》多北荇华和领灰

《千金翼方》所载《新修本草》中有北荇华、领灰，但《医心方》《新修本草》及《政和本草》的有名未用类中均无此2种药。按，《政和本草》由《开宝本草》发展而成，而《开宝本草》又源于《新修本草》，既然《政和本草》无北荇华和领灰，那么《开宝本草》所依据的《新修本草》也应该无北荇华和领灰。《新修本草》有名未用类的药物总数是193种，是由《名医别录》的173种和《新修本草》所退的20种合成的，比《千金翼方》少北荇华和领灰2种。由此证明，《新修本草》残卷有名未用类确实无北荇华和领灰，而不是《千金翼方》漏列此2种药。按，现存的《新修本草》残卷，是由731年日本田边史手抄本影印而来的。它距离《新修本草》编成时间（659）仅72年，不会有多大变动的，其有名未用类也无北荇华和领灰。这说明当时所依据的《新修本草》亦可能没有北荇华和领灰。《医心方》所载《新修本草》有名未用类的药也是193种，这恰与《新修本草》残卷所载药物数相同。这也说明《医心方》所载《新修本草》的有名未用类亦少北荇华和领灰。

《政和本草》、《新修本草》残卷、《医心方》3书均无北荇华和领灰，独《千金翼方》有之。出现这种情况的原因，一种可能是这些书在最先传抄时所依据的原始《新修本草》抄本不同，另一种可能是这2种药是后人在《千金翼方》中增加的。现存《千金翼方》北荇华和领灰，是否在孙思邈著书时即已录入，尚存疑待考。

（二）药物合并和分条的问题

1. 箽竹叶与淡竹叶

《千金翼方》卷 3 第 36 页所载《新修本草》木部中品药共 29 种，第 4 种是箽竹叶，第 5 种是淡竹叶，这 2 种药在《政和本草》《新修本草》及《医心方》等书中均被并为一条。故《新修本草》木部中品药只有 28 种，《医心方》《政和本草》所载《新修本草》木部中品药亦只有 28 种。由于合并和分条产生不同的药物数目，《新修本草》药物总数在不同典籍中会有所差异。

2. 冬葵子与葵根

《千金翼方》卷 4 第 51 页所载《新修本草》菜部药共 37 种，“葵根”条是被并在“冬葵子”条内的，《证类本草》所载与此相同。但《新修本草》卷 18 第 261 页把“冬葵子”条和“葵根”条分立为两条，因此，《新修本草》菜部药数为 38 种，比《千金翼方》所载《新修本草》菜部药数多 1 种。

3. 韭与白蘘荷

《千金翼方》卷 4 第 51 页菜部把“白蘘荷”条并在“韭”条内，但《新修本草》与《医心方》均把“韭”条与“白蘘荷”条分立为两条。

（三）药物总数的问题

《千金翼方》卷 2 到卷 4 本草部分，基本上收录的都是《新修本草》药，这里讨论《千金翼方》中本草的药物总数，实际上也就是讨论《新修本草》的药物总数。由于不同的书在收录《新修本草》药时，会对某些药进行增减和合并或分条，所以《新修本草》药物总数有多种情况。

1.《千金翼方》药物总数

《千金翼方》所录本草各卷药数加起来是 853 种，但《千金翼方》有名未用类药物总数被题注为 196 种，而实数只有 195 种，所以合计总数应为 852 种，这 852 种药中缺彼子，多北荇华和领灰，并多淡竹叶分条，因此，《千金翼方》的药物总数 852 种不能代表《新修本草》的药物总数。

2.《医心方》药物总数

《医心方》卷 124 页将药物总数题注为“本草内药八百五十种”。但将《医心方》抄录的本草各卷所标的药数加起来是 851 种，这和《医心方》题注所写的总数 850 种又不相同。在这 851 种药中，有冬葵子和葵根分条，如把冬葵子和葵根并为一条计算，则总数就成了 850 种。

《政和本草》卷 1 第 29 页“梁·陶隐居序”中载有宋代注文，注文对《新修本草》药物总数记为：“药合八百五十种，三百六十一种《本经》，一百八十一种《别录》，一百一十五种新附，一百九十三种有名未用。”该总数和《医心方》所题药物总数 850 种相同。

3.《唐六典》所记药物总数

《唐六典》云：“《本经》三百六十一，《别录》一百八十二，唐附一百一十四，有名未用一百九十四，合计是八百五十一种。”《唐六典》所记药物总数 851 种，是由“有名未用一百九十四种”所致。关于有名未用总数，除《千金翼方》是 195 种外，其他各书所记均是 193 种。假如把《唐六典》所记有名未用 194 种，改正为 193 种，则《唐六典》所记药物总数也是 850 种。

4.《政和本草·嘉祐补注总叙》所记的总数

《政和本草》卷 1 第 26 页载有“嘉祐补注总叙”，该序所记数目为“三百六十种《神农本经》，一百八十二种《名医别录》，一百一十四种唐本先附”“一百九十四种有名未用”，合计 850 种。

另外，《政和本草》所载《新修本草》药，实际统计出的数据为正文中《神农本草经》药 360 种（不包括有名未用中的《神农本草经》药在内），《名医别录》药 182 种，唐本先附药 114 种，有名未用药 194 种（包括宋代退药彼子在内），合计 850 种。

从以上材料看，《新修本草》药物总数当是 850 种。得出此结论的依据，除上述资料外，还有以下几项。

（1）《千金翼方》题注的药物总数是 853 种，但其实数是 852 种。这 852 种药中缺彼子，多北荇华和领灰，所以《千金翼方》药物总数 853 种是不可靠的数据。

（2）《新修本草》无北荇华和领灰，所以《新修本草》的有名未用类药是 193 种，但残卷《新修本草》缺草部和虫鱼部，所以无法按《新修本草》残卷计算出《新修本草》药物总数。《新修本草》残卷是 731 年日本田边史手抄本，距《新修本草》编成时间（659）仅 72 年。该抄本中有名未用类所注药物数目和药物实数相符，证明田边史在抄录此书时并无脱漏。既然《新修本草》残卷中无北荇华和领灰，那么，田边史抄时所依据的《新修本草》当亦无北荇华和领灰。

（3）《医心方》所记《新修本草》药物总数是850种。其中有名未用类药193种，与《新修本草》有名未用类药物数相同。由此可知，《医心方》所载《新修本草》有名未用类药亦无北荇华和领灰。那么，《医心方》所据《新修本草》的药物总数当是850种。

（4）据统计，《政和本草》中所录《新修本草》药物总数是850种。按，《政和本草》由《开宝本草》发展而成，且在发展过程中，对唐宋各朝所增资料，全部进行转录，并注明每一个资料的出处。所以，由《政和本草》所记《新修本草》药物总数850种，可逆推到《开宝本草》编定时所依据的《新修本草》的药物总数亦当是850种。同样理由，现存《证类本草》所载《新修本草》有名未用类药中无北荇华和领灰，则《开宝本草》所依据的《新修本草》亦可能无此2种药。

（四）结语

人民卫生出版社影印的《千金翼方》所载《新修本草》目录，存在一些问题，如虫鱼部缺彼子，有名未用类多北荇华、领灰等。其所缺的彼子，其他各书均有；所多的北荇华、领灰，各书皆无。此外，《千金翼方》还对录自《新修本草》的某些药进行了合并或分条。所以，《千金翼方》所载《新修本草》药物总数，值得怀疑。

《千金翼方》所录《新修本草》药与原书药相比，在位置上变动亦大。如《千金翼方》中天鼠矢、蜗牛、蒴藋等的位置和其在《新修本草》中的位置不同，反而与其在宋代本草的位置相同。这就提示《千金翼方》在宋代被校刊时，曾被改动过。宋代印刷业很发达，且政府提倡校刊书籍，大量医药书籍得以校刊流行。这种工作在当时是进步的。但同时，校刊的改动，也使得古本《千金翼方》引文失去了原来面目。

《千金翼方》所载《新修本草》，除因宋代校刊有所改动外，也有许多传抄舛错。宋代以前，书籍的传播主要靠抄写，传抄的次数愈多，其舛错的程度就愈大，正如《开宝本草·开宝重定序》所云："朱字、墨字，无本得同，旧注、新注，其文互阙。"《千金翼方》和《新修本草》是同时代的作品，照理其所载《新修本草》为《新修本草》原貌的可靠性最大，但长期、多次的传抄造成的错舛，加之宋代校刊和历朝的翻刻，使得其所录的《新修本草》逐渐失去了原来的面目。

十八、《新修本草》编修人考略

欧阳修《新唐书·艺文志》所列人名，按官职高低排列，高者在前，低者居后。《新修本草》卷15末所列人名次序与此正相反。今按《新唐书·艺文志》所列人名，简述如下。

（一）李勣①②

李勣，本名徐懋功，曹州离狐（今山东东明）人。生于隋开皇十四年（594）。其先在隋为李密大将，名徐世勣。唐高祖武德二年（619），李密为王世充所破，徐世勣归唐高祖。唐高祖诏授黎阳总管、上柱国、莱国公，寻加右武侯大将军，改封曹国公，赐姓李，其更名为李世勣。后为避唐太宗“世”字讳，其易名为李勣。唐太宗即位，其官拜并州都督，掌督诸州兵马甲械，重握兵权。到唐高宗即位，其官拜尚书左仆射③，进司空④、上柱国⑤，改封英国公。其卒于总章二年（669）。

李勣从李密父子平窦建德，俘王世充，建不世勋业。《唐高宗撰书李勣碑》云：“以旌破北狄东夷之功焉。”⑥

李勣对医药并不重视，认为生死顺其自然。《新唐书·李勣传》云：“自属疾，帝及皇太子赐药即服，家欲呼医巫，不许。诸子固以药进，勣曰：我山东田夫耳，位三公，年逾八十，非命乎。生死系天，宁就医求活耶。”②

但有些书说李勣兼通医药。如《古今医统大全》说：“李世勣以医鸣唐，注本草药性为有功。”《医学入门》说：“于志宁……与李勣修定本草并图，合五十四篇，其书大行。”《新唐书·于志宁传》云：“初志宁与司空李勣修定本草并图，合五十四篇。”《政和本草·证类本草所出经史方书目》记有《李世勣方》1卷，《崇

---

① 刘昫. 旧唐书：卷67. 上海：商务印书馆，1958：14566.

② 欧阳修. 新唐书：卷93. 上海：商务印书馆，1936：16321.

③ 唐代最高行政分尚书、门下、中书三省。尚书省正职名尚书令，正二品；其副职名左仆射、右仆射，从二品。尚书左仆射管吏、户、礼三部；尚书右仆射管兵、刑、工三部。

④ 司空是优礼大臣虚名，不操实权，实权在三省。此虚名分三等，最高为太尉，司徒次之，司空又次之。太尉、司徒、司空合称三公。

⑤ 唐代官吏，凡有功者，封以勋号，勋号分十二转，最低级为第一转，最高级为第十二转。上柱国是等级最高的勋号。

⑥ 张学勤，周立军. 唐高宗撰书李勣碑. 西安：三秦出版社，1992：69－71.

文总目》载有《李勣脉经》1卷。

关于李勣领衔监修《新修本草》的讨论如下。

《新唐书·艺文志》卷59所列修《新修本草》的名单中，英公李勣居领衔位。孔志约“唐本序”则将长孙无忌列为领衔位。

又，《新唐书·艺文志》记永徽年间，孔颖达等奉诏撰《尚书正义》，刊定官有20余人，领衔3人为“太尉扬州都督长孙无忌、司空李勣、左仆射于志宁”。其中长孙无忌位于首位，李勣位于长孙无忌之下。修《新修本草》的名单，李勣为何跃居首位，而长孙无忌反居其下呢？此与当时朝中权势转移有关。李勣、许敬宗阴附武后，排斥长孙无忌的时候，正在《新修本草》成书之际。

《新修本草》成书时，孔志约作序仍以长孙无忌为领衔监修之首，且在序末明言“撰本草并图经、目录等凡成五十四卷”，说明孔志约作序时，其书已成。未几，长孙无忌被诬谋逆。《新修本草》领衔监修改以李勣为首。这可从《证类本草》所载掌禹锡对孔志约序的注释了解之。掌禹锡注孔志约序时，既提到了“英公序”（“撰本草并图经、目录等，凡成五十三卷”），又提到“《唐英公进本草表》”。按，“《进本草表》”都是由领衔监修之首上表给皇帝的。

（二）长孙无忌[①][②]

长孙无忌，字辅机，河南洛阳人，少时追随唐太宗，助唐太宗平天下；唐太宗死后，辅佐唐太宗之子——唐高宗。其妹为唐太宗文德皇后。

永徽六年（655）十月，高宗将废王皇后为庶人，立宸妃武昭仪，长孙无忌、褚遂良执正不从，然李勣、许敬宗密申劝请，唐高宗乃立之。自此唐高宗实权遂入武后之手。

《资治通鉴》卷200云：“（显庆五年）十月，上初苦风眩，头重，目不能视，百司奏事，上或使皇后决之……由是始委以政事，权与人主侔矣。”又云：“自是上每视事，则后垂帘于后，政无大小，皆与闻之。天下大权，悉归中宫，黜涉、生杀，决于其口，天子拱手而已，中外谓之二圣。”

由于武后实权大，李勣、许敬宗、辛茂将等阴附之，加以长孙无忌为武后所恨，许敬宗阴使洛阳人李奉节诬其谋逆，由辛茂将临案。长孙无忌于显庆四年四月

① 刘昫. 旧唐书：卷65. 上海：商务印书馆，1958：14555.

② 欧阳修. 新唐书：卷105. 上海：商务印书馆，1936：16377.

“削官爵封户，以扬州都督一品，俸置于黔州”。①

《新唐书·长孙无忌传》云：“后数月，又诏司空勣、中书令敬宗、侍中茂将等覆案反狱。敬宗令大理寺正袁公瑜、御史宋之顺等即黔州暴讯，无忌投环卒。”②

长孙无忌著有《隋书·经籍志》和《唐律疏义》，在唐高宗显庆二年（657）领衔监修《新修本草》。孔志约作“唐本序”说：“苏恭摭陶氏之乖违，辨俗用之纰紊。遂表请修定，深副圣怀。乃诏太尉③扬州都督④监修国史⑤上柱国赵国公臣无忌……等二十二人，与苏恭详撰。”

（三）辛茂将

辛茂将，正史无传。《旧唐书·高宗本纪》说“大理卿⑥辛茂将为侍中⑦”，时为显庆三年十一月戊子。⑧ 苏敬《上唐本草表》，把辛茂将列在第二十，称“兼侍中议军臣辛伐拧（为辛茂将之误）”。《新唐书·长孙无忌传》中记有中书令许敬宗和侍中辛茂将审长孙无忌谋逆之事。据此可知，辛茂将做过大理卿和侍中等官。大理卿是唐朝司法权位最高的官，正三品。侍中相当于宰相职位，正二品。

由于辛茂将在显庆三年十一月为侍中⑧，则许敬宗和侍中辛茂将审长孙无忌谋反之事，当在显庆三年十一月以后。

显庆四年初，于志宁“以老乞骸骨”⑨，上表请退。唐高宗“诏解仆射，更拜

---

① 《资治通鉴》于“显庆四年四月”条云：“削无忌太尉及封邑，以为扬州都督，于黔州安置，准一品供给。”

② 欧阳修. 新唐书：卷105. 上海：商务印书馆，1936：16377.

③ 唐朝优礼大臣最高官衔为三公，即太尉、司徒、司空，不操实权。

④ 掌管诸州兵马甲械、城隍镇戍粮廪之官。

⑤ 唐朝设置历史编修馆，名国史馆；领衔监督编修历史者，名监修国史，不参加实际编写工作。

⑥ 唐朝中央官制有三师、三公、三省、一台、五监、九寺。大理是九寺中的一寺，其属吏有大理卿。大理卿掌折狱详刑。

⑦ 唐朝中央官制实权在三省，即尚书省、门下省、中书省。三省主管相当于宰相职，其中门下省主管名侍中。侍中掌献纳谏议，总典吏职，赞相礼仪，以和万邦，以弼庶务，所谓佐天子而统大政。杜佑《通典》卷21云：“大唐侍中（门下省正职）、中书令（中书省正职）是真宰相。”

⑧ 刘昫. 旧唐书：卷4. 北京：中华书局，1975：78.

⑨ 刘昫. 旧唐书：卷78. 上海：商务印书馆，1958：14627.

太子太师”。[1] 未几“许敬宗奏于志宁党附无忌。于是免志宁官”。[2] 按，长孙无忌被削官于显庆四年四月，则于志宁被免官亦当在显庆四年四月。

由于长孙无忌、于志宁被免官，则其《新修本草》领衔监修名分当除。其中于志宁领衔监修名分当由辛茂将补之，所以苏敬所列举《新修本草》领衔监修者有李勣、辛茂将、许敬宗，而无长孙无忌、于志宁之名。

（四）许敬宗[3][4]

许敬宗，杭州新城人，生于隋开皇十二年（592），先为李密元帅府记室，后从唐太宗任著作郎[5]，兼修国史及中书舍人[6]；永徽三年加弘文馆学士兼修国史，永徽六年（655）拜礼部尚书[7]。时唐高宗将废王皇后而立武昭仪，长孙无忌执正不从，李勣、许敬宗阴附武后，密申劝请。“自是上每视事，则后垂帘于后，政无大小，皆与闻之。天下大权，悉归中宫，黜涉、生杀，决于其口，天子拱手而已，中外谓之二圣。”[8] 从此，许敬宗得宠于武后，声誉日隆，显庆元年（656）为太子宾客[9]，显庆二年（657）监修国史[10]与本草[11]，显庆三年封高阳郡公，拜中书令[12]。

由于武后忌恨长孙无忌，显庆四年许敬宗揣武后旨，阴使洛阳人李奉节诬其谋逆，由辛茂将临案，于显庆四年四月，削其官，将其流放黔州。同年，许敬宗又奏于志宁党附长孙无忌，致使于志宁免官。

---

① 刘昫. 旧唐书：卷 78. 上海：商务印书馆，1958：14627.

② 司马光. 资治通鉴：卷 200. 上海：上海古籍出版社，1987.

③ 刘昫. 旧唐书：卷 82. 上海：商务印书馆，1958：14647.

④ 欧阳修. 新唐书：卷 223. 上海：商务印书馆，1936：16994.

⑤ 著作郎掌撰碑志、祝文、祭文。

⑥ 中书舍人是中书省下官职，正五品，掌侍进参议表章。

⑦ 唐朝政权在三省，即尚书省，中书省，门下省。尚书省下设六部，即吏、户、礼、兵、刑、工六部。每部主管为尚书，正三品。礼部尚书掌礼仪、祭享、贡举之政。

⑧ 《资治通鉴》卷 200 云：“（显庆五年）十月，上初苦风眩，头重，目不能视，百司奏事，上或使皇后决之……由是始委以政事，权与人主侔矣。”

⑨ 太子宾客是东宫中官名，正三品，侍从太子规谏、赞相、礼仪。

⑩ 监修国史，领衔监督编修历史，并不实际参加编修工作。

⑪ 监修本草，领衔监督编修本草，实际不参加本草编纂工作。

⑫ 中书令是中书省主管，正二品，佐皇帝执大政。

许敬宗龙朔二年（662）为右相①，龙朔三年加太子少师。其于咸淳元年（670）卒，年七十八。

《旧唐书》卷82、《新唐书》卷223列许敬宗为佞臣。

苏敬《上唐本草表》，有许敬宗。题为“中书令太子宾客监修国史弘文学士上柱国高阳郡开国公汗改宗”。“汗改宗”为许敬宗之误。

（五）孔志约

孔志约，《唐书》无传。但《新唐书》和《旧唐书》记有孔志约片断事迹。

《旧唐书·礼仪志》云：“高宗初，议者以《贞观礼》节文未尽，又诏太尉长孙无忌……符玺郎②孔志约……重加辑定，勒成一百三十卷，至显庆三年奏上之。”③《旧唐书·李义府传》云：“义府耻其家代无名，乃奏改此书，专委礼部郎中④孔志约……重修。”⑤《旧唐书·吕才传》：“右监门长史苏敬上言：陶弘景所撰《本草》，事多舛谬，诏中书令许敬宗与才及李淳风、礼部郎中孔志约，并诸名医，增损旧本，仍令司空李勣总监定之，并图合成五十四卷，大行于代。”⑥

《唐会要》：“显庆二年，右监门府长史苏敬上言：陶弘景所撰《本草》，事多舛谬，请加删补。诏令检校中书令许敬宗、太常寺丞吕才、太史令李淳风、礼部郎中孔志约、尚药奉御许孝崇，并诸名医等二十人，增损旧本，征天下郡县所出药物，并书图之。仍令司空李勣总监定之，并图合成五十四卷。至显庆四年正月十七日撰成。及奏，上问曰……诏藏于秘府。”⑦

---

① 右相是尚书省中分管兵、刑、工三部的主管人。

② 符玺郎是唐三省中的门下省所属的官职，从六品上，掌天子八宝及国之符节，有事则请于内，既事则奉而藏之。武后延载元年（694），符玺郎改名为符宝郎。

③ 刘昫．旧唐书：卷21．上海：商务印书馆，1958：14149．

④ 唐朝官制尚书省有六部（吏、户、礼、兵、刑、工）。礼部是六部中的一种。礼部下有四司，即礼部、祠部、膳部、主客；每司的主管官名郎中，从六品上。礼部郎中掌礼、乐、学校、衣冠、符印、表疏、图书、册命、祥瑞、铺设及百官人丧葬之礼等。

⑤ 刘昫．旧唐书：卷82．上海：商务印书馆，1958：14648．

⑥ 刘昫．旧唐书：卷79．上海：商务印书馆，1958：14635．

⑦ 王溥．唐会要：卷82．上海：商务印书馆，1936：1522．

《新唐书·艺文志》记修《新修本草》人名有“礼部郎中①兼太子洗马②弘文馆大学士③孔志约”。④

《新修本草》卷15末苏敬《上唐本草表》有：“兼太子洗马弘文馆学士臣孔志约。”

根据上述资料，可知孔志约参加过《礼仪》《家谱》《新修本草》等书的编辑工作，并撰有“唐本序”⑤ 和《本草音义》20卷⑥。

(六) 许孝崇

许孝崇，《唐书》无传。《新唐书·艺文志》载有许孝崇《箧中方》3卷（《医心方》亦引之）。苏敬《上唐本草表》作“中大夫⑦行⑧尚药局⑨奉御⑩臣许孝崇”。《医心方》卷19“服石节度第一”云：“许孝崇论云：凡诸寒食草石药，皆有热性。”据此推知，许孝崇是唐代一位名医。许孝崇曾任尚药局奉御⑪等职。其著有《箧中方》3卷。④

---

① 唐朝官制尚书省有六部（吏、户、礼、兵、刑、工）。礼部是六部中的一种。礼部下有四司，即礼部、祠部、膳部、主客；每司的主管官名郎中，从六品上。礼部郎中掌礼、乐、学校、衣冠、符印、表疏、图书、册命、祥瑞、铺设及百官人丧葬之礼等。

② 唐朝宫内有东宫官，东宫官下设有左春坊官，左春坊之下设有六局，六局中有一局名司经局。司经局的主管官名太子洗马，从五品下，掌管图书经籍出入。

③ 唐朝官制三省中的门下省设有弘文馆，凡五品以上的官职，可任弘文馆学士。弘文馆学士掌详正图书经籍、教授生徒。又朝廷制度沿革，礼仪轻重，亦得参议。

④ 欧阳修．新唐书：卷59．上海：商务印书馆，1936：15814.

⑤ 宋·唐慎微．重修政和经史证类备用本草：卷1．北京：人民卫生出版社，1957：28.

⑥ 《唐书经籍艺文合志》著录：“孔志约《本草音义》二十卷。”

⑦ 中大夫是唐代文官二十九级中第八级，从四品下。

⑧ 唐代官制，同一等级，其职高者为守，职卑者为行。

⑨ 唐代中央官有尚书、中书、门下三省。其中书省下有殿中省，殿中省下有六局，尚药局是六局之一，掌合和御药诊视。

⑩ 奉御是尚药局主管，监督局中人配制药方和煎煮。当方药煎好后，医佐先吃，奉御再吃，顺次各监视人都吃，并把方子及调配情况记下，写明年月日。当药给皇帝吃时，奉御先吃一次，殿中监再吃一次，皇太子也吃一次，然后皇帝才吃药。

⑪ 奉御是尚药局主管，监督局中人配制药方和煎煮。当方药煎好后，医佐先吃，奉御再吃，顺次各监视人都吃，并把方子及调配情况记下，写明年月日。当药给皇帝吃时，奉御先吃一次，殿中监再吃一次，皇太子也吃一次，然后皇帝才吃药。

（七）胡子家

胡子家，《唐书》无传。《新唐书·艺文志》载为“尚药奉御胡子家”。[①]《新修本草》卷15末作“朝散大夫[②]守尚药局奉御[③]上骑都尉[④]臣朝豕”。[⑤]“朝豕”当是胡子家笔误。按，上骑都尉是唐朝官吏有功者封的勋号，正五品。据此推知，胡子家带有七级功勋五品官衔，任尚药局奉御。

（八）蒋季璋

蒋季璋，《唐书》无传。《旧唐书·高宗本纪》云：“（永徽六年）八月，尚药奉御蒋孝璋员外[⑥]特置仍同正。”[⑦] 苏敬《上唐本草表》作“朝议郎[⑧]守尚药局奉御骑都尉[⑨]臣蒋孝璋”。[⑩] 蒋季璋与蒋孝璋当为同一人。按，骑都尉是八级官吏功勋号，相当于正六品。据此可知，蒋孝璋带有八级功勋正六品官衔，任尚药局主管。他撰有《蒋孝璋方》（见《千金翼方》《延年秘录》）。

（九）蔺复珪

蔺复珪，《唐书》无传。《新唐书·艺文志》记为“尚药局直长蔺复珪”。苏敬

---

① 欧阳修．新唐书：卷59．上海：商务印书馆，1936：15814．

② 朝散大夫是唐朝文官二十九级中第十三级，从五品下。

③ 奉御即尚药局主管，掌合和御药及诊候之事。凡合和御药，药成先尝而后进。

④ 骑都尉是唐朝官吏功勋十二级中第七级，正五品。

⑤ 苏敬．新修本草：卷15．上海：群联出版社，1955：239．

原卷是抄本，笔误很多，除将胡子家误为朝豕外，还将许敬宗讹为汗孜宗，将辛茂讹为辛伐抒，将蒋茂昌讹为蒋元昌。

⑥ 唐朝中央官分三省，即尚书、中书、门下。尚书省下有六部，其中礼部下有四司。各司主管正职名郎中；副职名员外，从六品上。

⑦ 刘昫．旧唐书：卷5．上海：商务印书馆，1958：13941．

⑧ 朝议郎是唐朝文官二十九级中第十四级，正六品上。

⑨ 骑都尉为唐代官吏功勋十二级中第八级，相当于官职正六品。

⑩ 苏敬．新修本草：卷15．上海：群联出版社，1955：239．

该本人名“蒋孝璋”，《新唐书·艺文志》作“蒋季璋”。

《上唐本草表》作“朝议郎行尚药局直长①飞骑尉②臣蔺复珪”。③ 飞骑尉是官吏功勋十二级中的第十级。据此可知，蔺复珪带有十级官吏功勋八品官衔，任尚药局直长。

（十）许弘直

许弘直，《唐书》无传。《新唐书·艺文志》记为“尚药局直长许弘直”。④ 苏敬《上唐本草表》作“尚药局直长云骑尉⑤臣许弘真（为直之误）”。

按，许弘直带有十一级功勋正七品官衔，任尚药局直长。

（十一）巢孝俭

巢孝俭，《唐书》无传。《新唐书·艺文志》记为“侍御医巢孝俭”。苏敬《上唐本草表》作“给事郎⑥守尚药局侍医⑦云骑尉臣巢孝俭”。按，云骑尉是正七品，十二等级官吏功勋中的第十一级。据此可知，巢孝检带有十一级功勋七品官衔，任尚药局侍医之职。

（十二）蒋季瑜

蒋季瑜，《唐书》无传。《新唐书·艺文志》记为“太子药藏监蒋季瑜”。苏敬《上唐本草表》作“朝散大夫⑧行太子药藏监⑨臣蒋孝嵛（为季瑜之误）”。《外台

---

① 唐朝官制三省之中有中书省，中书省设有殿中省监，殿中省监下设六局，尚药局是六局之一。各局主管正职为奉御，副职为直长。

② 飞骑尉是唐朝官吏功勋十二级中第十级。

③ 苏敬．新修本草：卷 15. 上海：群联出版社，1955：239.

原卷为抄本，漏误很多。本条中“飞骑尉”，讹作“飞尉”，脱漏“骑”字。《新唐书》卷 46 作“飞骑尉”。

④ 欧阳修．新唐书：卷 59. 上海：商务印书馆，1936：15814.

⑤ 唐代官吏功勋等级分为十二转，最低为第一转，最高为十二转。云骑尉为第二转，按等级相当于第十一级。

⑥ 给事郎是唐朝文官等级二十九级中的第二十二级，正八品上。

⑦ 尚药局侍医即尚药局侍御医，从六品上，为天子诊病。

⑧ 朝散大夫是唐朝文官二十九级中的第十三级，从五品下。

⑨ 唐朝宫内设有东宫官，其下有左春坊，坊下设有六局。药藏局为六局之一。其主管为太子药藏监，从六品下，掌太子诊疗合和方药。

秘要》引有《蒋孝瑜方》。

（十三）吴嗣宗

吴嗣宗，《唐书》无传。《新唐书·艺文志》记为“太子药藏监吴嗣宗”。苏敬《上唐本草表》作“朝议郎①守②太子药藏监③上骑都尉臣吴嗣宗”。按，上骑都尉是十二等级官吏勋号中的第七级，正五品。据此推知，吴嗣宗带有七级官吏功勋正五品官衔，任太子药藏监之职。

（十四）蒋义方

蒋义方，《唐书》无传。《新唐书·艺文志》记为“太子药藏丞蒋义方”。苏敬《上唐本草表》作“太子药藏局丞④飞骑尉⑤臣蒋义方”。按，飞骑尉是十二级官吏功勋中的第十级。由此可知，蒋义方带有十级官吏功勋正六品官衔，任太子药藏丞。

（十五）蒋季琬

蒋季琬，《唐书》无传。《新唐书·艺文志》记为“太医令蒋季琬”。⑥ 苏敬《上唐本草表》作“朝议郎⑦行⑧太常寺太医令⑨臣蒋李皖”。这个“蒋李皖”可能是蒋季琬的笔误。

---

① 朝议郎是唐朝文官等级二十九级中第十八级，正七品上。

② 唐代官制，同一等级，其职同者为守，职卑者为行。

③ 唐朝宫内设有东宫官，其下有左春坊，坊下设有六局。药藏局为六局之一。其主管为太子药藏监，从六品下，掌太子诊疗合和方药。

④ 太子药藏丞是太子药藏局次要主管人。

⑤ 唐朝官吏，凡有功者封以勋号，勋号分十二级，飞骑尉属第十级，为从六品。

⑥ 欧阳修．新唐书：卷59．上海：商务印书馆，1936：15814．

⑦ 朝议郎是唐朝官阶二十九级中第十八级。

⑧ 唐朝官制，同一等级中，职高者为守，职卑者为行。

⑨ 唐朝文官组织分三公、三师、三省、五监和九寺。太常寺是九寺之一。太常寺下设六署，太医署是六署之一。太医署有太医令2人（太医署主管人），从七品下；太医丞2人，从八品下；太医监4人，从八品下；太医正8人，从九品下。太医令掌医疗之法，下设有医师、针师、按摩师、咒禁师。

（十六）蒋茂昌

蒋茂昌，《唐书》无传。《新唐书·艺文志》记为“太医丞蒋茂昌”。[1] 苏敬《上唐本草表》作“兼太常寺医丞[2]室骑尉臣蒋元昌”。[3] 文中“蒋元昌”可能是蒋茂昌的笔误。又，“室骑尉”是云骑尉之误。按，云骑尉是正七品，为十二等级官吏功勋中的第十一级。由此推知，蒋茂昌带有十一级功勋正七品官衔，任太医署医丞职。

（十七）吕才[4][5]

吕才，博州清平人，幼好学，善阴阳方技之书，尤精于音乐。

其著有阴阳卜易之书，懂音律。唐太宗曾令吕才造方域图（地理图）及教飞骑战阵图。吕才因造的图极精致，被升为太常丞[6]。永徽[7]初，其预修《文思博要》及《姓氏录》。唐高宗时，其作白雪歌词，按古今乐府奏正曲之。显庆[8]年间，其又参与《新修本草》的编修工作[9]。麟德二年（665），吕才死。其著有《隋记》20 卷。

（十八）贾文通

贾文通，《唐书》无传。《新唐书·艺文志》记为“太常丞贾文通”。苏敬

---

① 欧阳修．新唐书：卷 59. 上海：商务印书馆，1936：15814.

② 太常寺是唐代官制中九寺之一，其下有六署。其中太医署主管为太医令；次要主管为丞，从八品下。

③ 苏敬．新修本草：卷 15. 上海：群联出版社，1955：237.

④ 刘昫．旧唐书：卷 79. 上海：商务印书馆，1958：14635.

⑤ 欧阳修．新唐书：卷 107. 上海：商务印书馆，1936：16389.

⑥ 太常丞是太常寺属，从五品下。

⑦ 永徽是唐高宗即帝位第一个年号，650—655 年。

⑧ 显庆是唐高宗第二个年号，656—660 年。

⑨ 《旧唐书·吕才传》云：“右监门府长史苏敬上言：陶弘景所撰《本草》，事多舛谬，诏中书令许敬宗与才（吕才）及李淳风、礼部郎中孔志约，并诸名医，增损旧本，仍令司空李勣总监定之，并图合成五十四卷，大行于代。”苏敬《唐英公进本草表》一文作“中散大夫行太常丞上护军臣吕才”。中散大夫为正五品上，是唐朝文官二十九级中第十级。上护军是官吏功勋十二等级中第二等，正三品。

《上唐本草表》作“朝议郎[①]行[②]太常寺[③]太卜令[④]上骑都尉臣贾文通”。上骑都尉是十二等级官吏功勋中的第七级，正五品。太卜令是太卜署的主管。由此推知，贾文通是享有七级功勋五品官衔的太卜令。

（十九）李淳风[⑤]

李淳风，岐州雍人，原为道士，很有文才，自号黄冠子，注《老子》，撰《方志图文集》10卷及《法象志》。其于唐太宗时任太史丞，预撰《晋书》及《五代史》和《文思博要》。其又于显庆间修国史，继修《新修本草》。其曾任太史令，年六十九卒，著有《典章文物志》《乙巳占秘阁录》《演齐人要术》等十数部。苏敬《上唐本草表》记为“朝议大夫[⑥]行[⑦]太史令[⑧]上轻车都尉臣李淳风”。[⑨]

（二十）许弘[⑩]

许弘，《唐书》无传。《新唐书·艺文志》记为“太医令许弘”。苏敬《上唐本草表》作“太常寺太医令[⑪]臣许弘感”。许弘感是否即许弘，不详。

（二十一）吴师哲

吴师哲，《唐书》无传。《新唐书·艺文志》记为“潞王府参军吴师哲”。苏敬

---

① 朝议郎是唐朝文官等级二十九级中的第十四级，正六品上。

② 唐朝官制同一等级中，职高者为守，职卑者为行。

③ 唐朝中央官的组织分三师、三公、三省、五监、一台、九寺。太常寺是九寺之一。

④ 太常寺下设六署，太卜署是六署之一。太卜署主管名太仆令，掌卜筮之法。

⑤ 刘昫．旧唐书：卷79．上海：商务印书馆，1958：14634．

⑥ 朝议大夫是唐朝文官二十九级中第十一级，正五品下。

⑦ 唐代官制，同一等级，其职高者为守，职卑者为行。

⑧ 太史令是唐朝国史馆主管，掌修国史。

⑨ 唐朝官吏对有功者封以勋号，其等级有十二级。上轻车都尉是第五级，正四品。

⑩ 欧阳修．新唐书：卷59．上海：商务印书馆，1936：15814．

⑪ 太常寺是九寺中之一，太常寺下设六署，太医署是六署之一，太医署主管为太医令。

《上唐本草表》作“登仕郎[1]守[2]潞王府行参军[3]臣吴师哲”。

（二十二）颜仁楚

颜仁楚，《唐书》无传。《新唐书·艺文志》记为“礼部主事颜仁楚”。苏敬《上唐本草表》作“登仕郎[4]行[5]礼部主事[6]云骑尉[7]臣颜仁楚”。[8] 其撰有《颜仁楚方》（见《外台秘要》引）。

（二十三）苏敬

苏敬在宋代本草书中，因避讳，改名苏恭。[9]《唐书》无其传。《新唐书·艺文志》记为“右监门府长史苏敬”。[10]《新修本草》卷 15 末记为“显庆四年正月十七日朝议郎[11]行右监门府长史[12]骑都尉[13]臣苏敬”。[8]《唐会要》云：“显庆二年，右监门府长史苏敬上言：陶弘景所撰《本草》，事多舛谬，请加删补。诏令检校中书令许敬宗、太常寺丞吕才、太史令李淳风、礼部郎中孔志约……增损旧本，征天下郡县所出药物并书图之。仍令司空李勣总监定之，并图合成五十四卷。至四年正月十七日撰成。”[14]

孔志约作“唐本序”云：“朝议郎行右监门府长史、骑都尉臣苏恭，摭陶氏之乖违，辩俗用之纰紊，遂表请修定，乃诏太尉扬州都督监修国史上柱国赵国公臣无

---

① 登仕郎是唐朝官阶二十九级中第二十七级，正九品下。

② 唐代官制，同一等级中，职高者为守，职卑者为行。

③ 《旧唐书》卷 86“章怀太子贤传”云：“章怀太子贤，字明允，高宗第六子。永徽六年（655）封为潞王。”其住处为潞王府。参军是文官二十九级中第二十二级，正八品上。

④ 登仕郎是唐朝文官二十九级中第二十七级，正九品下。

⑤ 唐代官制，同一等级中，职高者为守，职卑者为行。

⑥ 唐代中央官制分三省，即尚书、中书、门下三省。尚书省下设吏、户、礼、兵、刑、工六部。礼部下设礼、祠、膳、主客四部。主事是礼部属吏，从八品。

⑦ 云骑尉是唐代官吏，正七品。

⑧ 苏敬．新修本草：卷 15. 上海：群联出版社，1955：237.

⑨ 陈垣．史讳举例．北京：科学出版社，1958：154.

⑩ 欧阳修．新唐书：卷 59. 上海：商务印书馆，1936：15814.

⑪ 朝议郎是唐代文官，正六品上。

⑫ 右监门府是唐朝京都十六卫之一。长史是其属吏。

⑬ 骑都尉是唐代官吏，正六品。

⑭ 王溥．唐会要：卷 82. 北京：中华书局，1955：1522.

忌，太中大夫行尚药奉御臣许孝崇等二十二人与苏恭详撰。”① 从这些资料来看，苏敬是编修《新修本草》的提议人，同时也是《新修本草》的主要编修人之一。

关于苏敬籍贯的讨论如下。

苏敬，正史无传，其里籍不详。《证类本草》卷26引陈藏器云：“苏云葡萄、大枣皆堪作醋。缘渠是荆楚人，土地俭啬，果败犹取以酿醋。”①同书卷20“石蜜”条引陈藏器云：“苏恭是荆襄间人，地无崖险。”

按陈藏器所云，苏敬是荆楚人，荆楚即湖北荆襄一带。

《证类本草》卷11“荩草”条苏敬注云：“此草……荆襄人煮以染黄色，极鲜好。”同书卷9“莎草”条苏敬注云：“荆襄人谓之莎草根，合和香用之。”此二例亦可证明苏敬是荆襄人，他对家乡之事比较了解。

苏敬史书无传，从《外台秘要》转引的苏敬《脚气论》，可以了解其生活年代。

《外台秘要》卷18第491页云：“苏长史论曰……鄙年二十许时因丁忧得此病（指脚气）。”丁忧，又称丁艰。旧时遭父母之丧，在家守孝3年，不做官，不应考，不婚娶，不赴宴，谓之丁忧。

按，《旧唐书·高祖本纪》云：“（武德）二年（619）春正月己卯，初令文官遭父母丧者听去职。”则苏敬丁忧应在武德二年（619）以后。在此以前，不好说是“二十许”。

《外台秘要》引“苏长史论”又云：“三十年中，（脚气）已经发六七度。”“近入京以来，见在室女及妇人或少年学士得此病者，皆以不在江岭。”

由此可见，苏敬在江岭，若20岁丁忧，丁忧后30年入京，则其入京时已50岁。

然苏敬何时入京不详。此与何年丁忧有关。

若苏敬丁忧最早在武德二年（619），30年后入京时正是贞观二十三年，即649年。到显庆二年修《新修本草》时，则苏敬入京已8年，此时苏敬应是58岁。

若苏敬丁忧在武德二年以后，到苏敬在京建议修本草时，即不足58岁。但苏敬入京至迟不会在显庆二年（657）以后。若苏敬在显庆二年时入京，则苏敬建议修本草时为50岁。

根据苏敬最早丁忧时间和最迟进京时间推算，则苏敬在建议修本草时，为50～

---

① 宋·唐慎微．证类本草．北京：人民卫生出版社，1957：494.

58岁，故可以推测苏敬出生年代在隋开皇二十年（600）到隋大业三年（607）。

苏敬不仅是唐代药学家，同时也是唐代医家。苏敬对药学的贡献，主要是修《新修本草》。苏敬纠正了旧本中讹误之处400余处。《新唐书·于志宁传》云："昔陶弘景……不周晓药石，往往纰缪，四百余物。"

正如唐·孔志约"唐本序"云："重建平之防己，弃槐里之半夏。秋采榆人，冬收云实。谬粱、米之黄白，混荆子之牡、蔓。异繁蒌于鸡肠，合由跋于鸢尾。防葵、狼毒，妄曰同根；钩吻、黄精，引为连类。铅、锡莫辨，橙、柚不分。凡此比例，盖亦多矣……既而朝议郎行右监门府长史骑都尉臣苏敬，摭陶氏之乖违，辨俗用之纰紊。遂表请修定，深副圣怀。"

苏敬对医学的贡献，主要是撰《脚气论》。

苏敬撰有《苏恭方》《脚气论》各1卷，两书均佚。

《苏恭方》见录于《政和本草·证类本草所出经史方书目》。

《脚气论》见录于《本草拾遗》《本草和名》《新唐书·艺文志》（作苏鉴《脚气论》）、《宋史·艺文志》《通志·艺文略》《崇文总目》。

苏敬《脚气论》曾被唐代吴昇并入唐侍中、徐玉两家《脚气论》中，汇编成《三家脚气论》。该书为《外台秘要》《医心方》所转引。

《外台秘要》卷18、卷19转录吴昇《三家脚气论》，但未注出书名和作者名，仅在引文开头冠以姓氏。《医心方》引《三家脚气论》时，注出书名和作者名。两书引文内容均同。

兹将《外台秘要》《医心方》所引吴昇《三家脚气论》次数列举如下。

《外台秘要》引文开头，冠吴氏者1条，苏长史者1条，苏者7条，苏恭者12条，苏徐者3条，苏唐者1条，唐侍中者1条，唐者4条，徐玉（《外台秘要》作王）者2条。

《医心方》引文，题苏敬《脚气论》者3条，苏者7条，苏敬（《外台秘要》避讳作恭）者4条，徐者4条，徐思恭（《外台秘要》作徐王）者4条，唐临（《外台秘要》作唐侍中）《脚气论》者2条，唐者13条，唐临者3条，唐侍中者1条，苏唐者4条，徐唐者1条，苏徐者3条。

两书同引《三家脚气论》，虽所注人名小异，但条文内容均相同。《医心方》对人名标注有互异处，同一个唐临，或标唐侍中（侍中为官衔），或标唐。

从《外台秘要》《医心方》所引苏敬《脚气论》可以看出，苏敬对脚气病的发展和发病机制，以及病后预测，都有详细的论述。

例如，《外台秘要》卷18云：“苏长史论曰……晋宋以前，名为缓风，古来无脚气名，后以病从脚起，初发肿满，故名脚气。”①

又云：“自三十年，凡见得此病者数百，脉沉紧者多死，洪数者并生，缓者不疗自瘥。”

苏敬治疗脚气病，处方用药很详细。《外台秘要》转引的苏敬治脚气病的方子很多。由此可见，苏敬不仅是唐代药学家而且是唐代有名的医家。

（二十四）于志宁

苏敬《上唐本草表》中没有于志宁的名字。《新唐书·艺文志》中亦无于志宁编修《新修本草》的记载。但《新唐书·于志宁传》中，有于志宁监修《新修本草》之记载，兹将原文摘录如下。

初志宁与司空李勣修定本草并图，合五十四篇。帝曰：本草尚矣，今复修之，何所异耶？对曰：昔陶弘景以《神农经》合杂家别录注名之，江南偏方，不周晓药石，往往纰缪，四百余物，今考正之，又增后世所用百余物，此以为异。帝曰：《本草》《别录》，何为而二？对曰：班固惟记黄帝《内》《外经》，不载《本草》，至齐《七录》乃称之，世谓神农氏尝药，以拯含气。而黄帝以前，文字不传，以识相付，至桐、雷乃载篇册。然所载郡县，多在汉时，疑张仲景、华佗窜记其语。《别录》者，魏晋以来，吴普、李当之所记，其言华、叶形色，佐使相须，附经为说，故弘景合而录之。

此文明言“初志宁与李勣修定本草并图，合五十四篇”，为何《上唐本草表》中无于志宁之名呢？这与当时唐高宗废王皇后，立武后引起权势之争有关。

《旧唐书·于志宁传》云：“高宗之将废王庶人也，长孙无忌、褚遂良执正不从，而李勣、许敬宗密申劝请，志宁独无言以持两端。”②

《新唐书·于志宁传》亦云：“武后以其（指志宁）不右己，衔之。”③

当时于志宁自知处境艰难，遂自请引退。《新唐书》云：“显庆四年（659）以老乞骸骨，诏解仆射，更拜太子太师。”③《资治通鉴》卷200云：“敬宗又奏……

---

① 王焘．外台秘要：卷18．北京：人民卫生出版社，1955：542－551.

② 刘昫．旧唐书：卷78．上海：商务印书馆，1958：14627.

③ 欧阳修．新唐书：卷104．上海：商务印书馆，1936：16373.

于志宁亦党附无忌。于是……免志宁官。”①

《新修本草》初由长孙无忌、李勣、于志宁等20余人修定，至显庆四年（659）正月十七日成书。由于当时朝中权移新臣，所以《上唐本草表》中无长孙无忌和于志宁之名。

于志宁，字仲谧，京兆高陵（今陕西高陵）人，是唐初三朝老臣，位居宰相职，死于665年，卒年78岁，著有《格式律令》《五经义疏》《于志宁集》。

十九、从《新修本草》在日本的流传看中日文化的交流

《新修本草》是我国第一部由政府组织编写的药典，颁行于唐高宗显庆四年（695），也是世界上最早的国家药典，比西方国家在1542年颁布的《纽伦堡药典》要早883年。这说明我国医药科学在1000多年前就有了巨大发展。《新修本草》颁行后，在很短时间内就远传到日本，促进了中日文化的交流。本篇拟就《新修本草》在日本的流传和对日本医学界的影响，做如下论述。

（一）《新修本草》在日本的流传

日本现存最早的《新修本草》版本为天平三年（731）手抄本。该本抄写年代距显庆四年（659）仅七十几年。

按《旧唐书》和《新唐书》“日本传”说，唐代武则天长安元年（701），日本文武天皇派遣朝臣真人（“真人”是官名）粟田来中国。粟田好学，武则天曾设宴招待他。唐玄宗开元初年（713），粟田又来中国，并请求唐朝政府教他们四书五经。唐朝政府令助教赵玄默在鸿胪寺（鸿胪寺掌朝会宾客之事）为其师。粟田又收购大批中国书籍带往日本，这对中日文化的交流起了重要促进作用。跟粟田同时来的副使仲满，羡慕中国文化之发达，即留在中国，改名朝衡，并在唐朝政府工作，和唐玄宗第十二子仪王璲很友好。朝衡先做“左补阙”，后升为“左散骑常侍”，以后选购很多好书回国。

《新修本草》传到日本后，即在日本广泛流行。748年日本正仓院文书《写章疏目录》中记有“《新修本草》二帙，廿卷”。其后《日本见在书目》亦载有《新修本草》20卷。但因日本发生兵燹之祸，《日本见在书目》中所著录的书，大部分散佚了。《新修本草》亦因此而遭到损失。日本丹波元胤作《中国医籍考》时，就

① 司马光．资治通鉴：卷200．上海：上海古籍出版社，1987：1341－1348．

标注此书已佚。据日本中尾万三和森鹿三两人的研究，在19世纪30年代，日本学者狩谷棭斋、浅井紫山、小岛宝素等，在日本京都仁和寺中，发现《新修本草》旧抄本，并将其加以摹写，使《新修本草》复见于世。

(二)《新修本草》在日本医学界的影响

《新修本草》东传日本，对日本医学界影响很大，日本政府把《新修本草》作为学医者必读之书。

日本古史《续日本书记》卷39记载，日本桓武天皇延历六年（787）四月典药寮奏说："苏敬著《新修本草》与陶隐居著《本草经集注》相比较，增一百余条，亦今采用草药，既合敬说，请行用之，遂许焉。"日本醍醐天皇延喜年间（901—922）曾规定："凡读医经者，《太素经》限四百六十日，《新修本草》三百一十日，《小品》三百一十日，《明堂》二百日，《八十一难经》六十日……凡医生皆读苏敬《新修本草》。"（日本古史律令《延喜式》）

《新修本草》在日本，还是医家著述的重要参考书。918年日本醍醐天皇延喜十八年，深江辅仁撰《本草和名》，将《新修本草》中每个药物的正名、别名全部录入书中。和深江辅仁年代相近的源顺所撰的《和名类聚抄》中引用的《新修本草》资料亦很多。

1854年日本森立之辑《神农本草经》时也参考了《新修本草》。森立之序云："至于每卷各药次序更不可问……则依现存旧抄《新修本草》次序以补之。《新修》所缺，则又依《本草和名》以足之。"

(三)《新修本草》在中日文化交流史上的作用

《新修本草》对中日文化的交流，起了重大的促进作用。根据唐代正史所载，唐代中国与日本交往频繁，日本很多高僧到长安学习，并带走大批中国书籍，《新修本草》亦因此而传入日本。日本学者冈西为人在他所撰《新修本草·概论》一文中说："在日本所用以研读之本草书籍，向来以奈良时代（707—780）所传入之《新修本草》为主。"

日本很多书目，对《新修本草》都有记载。最早在《写章疏目录》中就记有"《新修本草》二帙，廿卷"。《日本国见在书目》亦载有《新修本草》20卷。其后《经籍访古志》卷7，载有《唐·新修本草》20卷。《聿修堂藏书目录》《宝素堂藏书目录》，载有《新修本草》10卷，其传录自六七百年前的重抄天平三年岁次辛未书生田边史书写卷子本。多纪元坚献纳医学馆医书目录，记有《新修本草》10卷，其是写本，共10册。东京国立博物馆汉书目录，有《新修本草》10卷，其上题“司空上柱国英国公臣勣等奉敕修”。日本弘化二年（1845），多纪元坚校读过一次《新修本草》，并加有小注。此本是写本，共10册。另有森立之摹写本存于日本京都大学图书馆中。《观海堂书目（政字号）》，有《新修本草》10本，10卷，其是养安院藏本。故宫博物院书目（医家）有摹写古抄本《新修本草》10卷。《留真谱新编》第七，有《新修本草》，其上题注“司空上柱国英国公臣勣等奉敕修”。《日本医学史资料展览目录》第一，有《新修本草》1册，其是由吴秀三抄写的。

日本学者对《新修本草》还进行了校读、刊印、整复。19世纪初，日本大学者涩江全善、森立之、小岛尚真、曲直濑正真等对《新修本草》进行了校读，这说明《新修本草》对日本文化界的影响也是很大的。

日本大阪本草图书刊行会于1936年影印唐写卷子本《新修本草》，此本残存卷4、卷5、卷12、卷17、卷19，末附中尾万三《唐新修本草之解说》（日文）。这说明《新修本草》不仅有实用价值，而且有文献历史价值。

1889年中国学者傅云龙于日本影刻《新修本草》卷4、卷5、卷12、卷13、卷14、卷15、卷17、卷18、卷19、卷20，另加印补辑卷3，合共11卷，并将之刊入《籑喜庐丛书》之二。1955年上海群联出版社即以此书为底本缩小影印之，题名《新修本草》。此本分装上下两册，下册末附有陈椝、傅云龙和范行准等的跋文。1957年上海卫生出版社以群联出版社版为底本复印，合订成一册。1981年上海古籍出版社又将清末罗振玉得于日本京都的《新修本草》摹写天平原卷本，加以影印。该残卷本的每卷卷末几乎都有森立之的识跋。10卷中，卷13、卷14、卷18、卷20摹自仁和寺本，由于仁和寺本原藏已佚，这些摹写本就为研究《新修本草》在日本的渊源嬗递，提供了重要的实证和线索。

《新修本草》散佚不全，中、日学者都曾对其做过整复工作。最早，日本小岛宝素将《新修本草》所缺各卷，补辑起来。《宝素堂藏书目录》有小岛宝素补辑本。其后中尾万三亦曾有志于此，但未果而卒。近年日本冈西为人重辑之《新修本草》，原为1964年台湾老原色公司影印，后经修订，于1978年由日本学术图书刊行会正式出版。

我国李梦莹、范行准都曾整复过《新修本草》。笔者从中华人民共和国成立前就开始收集有关本书的资料，至1958年辑成初稿。后经范行准审阅，笔者所辑之书于1962年由芜湖医学专科学校油印，以作内部交流使用，其前有范行准序一篇。

1981 年 3 月，此书又由安徽科学技术出版社正式出版。深信这些刊印本、摹写本和整复本，必将引起中日两国本草研究者的广泛注意和重视，为两国文化交流做出巨大贡献。

二十、《新修本草》尚志钧辑本评价

1981 年 8 月，安徽科学技术出版社印行了尚志钧先生辑复的《唐·新修本草》。这部佚散近千年的世界第一部药典，终于首次由国人整复，正式出版。这填补了我国本草经典的一角空白，为本草文献整理做出了巨大贡献。

众所周知，《新修本草》（或称《唐本草》）是唐代由政府主持编撰颁行的国家药典，成书于 659 年。其比西方有名的《纽伦堡药典》（1592）还要早近 900 年。该书始终主导着我国本草学的发展，对日本、朝鲜等国的医药也有很大的影响。然而在北宋后期已难见该书（正文部分）原貌。它的主要内容散见于《证类本草》等书。与该书相辅而行的药图部分、图经部分亡佚更早。近代在日本及我国敦煌陆续发现了《新修本草》残卷，而发现的总卷数仅为原书总卷数的一半。因此，整复《新修本草》，是学术界的普遍希望。多年来，中、日两国的本草学家们，为之奋斗不已，然而得毕其全功者，惟国人尚志钧、日本人冈西为人。两位本草大师各自独立地完成了全书的整复。

尚志钧先生自中华人民共和国成立后，即潜心致力于该书的辑复，积 10 余年之功，始完其稿。1962 年芜湖医学专科学校油印辑稿，从而先鞭独著，使完整的《新修本草》重新问世（另日本冈西为人的辑本亦在 1964 年和 1973 年两次印行）。尚志钧辑本（简称“尚本”）自油印到正式出版，历经近 20 年。在交流使用的过程中，此书深受学术界欢迎。经过不断地切磋砥砺，该书得到进一步充实。

安徽科学技术出版社版《唐·新修本草》共援引校勘文献 44 种，作校记 6319 条。由此亦可见尚志钧所花费的精力和心血了。在此之前，尚志钧还整复了《吴普本草》《名医别录》《本草经集注》等书（均有油印本流行），这使辑复《新修本草》的工作得到了深化。此《新修本草》辑本的问世，为纠正宋以后诸家本草辗转引录所致的差误提供了依据。

辑复古本草，要求尽量客观地使辑本接近原书面貌，准确反映当时的医药学水平和成就。故只有参考大量资料，细致地考订并做出恰如其分的处理，才能达到上述要求。尚志钧精于此道，一药一性，务令无遗。如卷中“钩吻”条，敦煌残卷所存“秦钩吻，味辛……八月采”35 字，为他书所未收，尚本则补记之。另据记载，《新修本草》共收药850种，但因历代计算药物数量的标准不同，常造成实际数字上的小差异，这次尚本共收药853种，较《证类本草》所引多出北荇华、领灰2种。此2种药见于《千金翼方》所引《新修本草》内容。《千金翼方》（卷2至卷4）在《新修本草》成书后不久，就转载了它的大字本文。因此，在客观上，《千金翼方》已成为辑复《新修本草》的重要依据之一。弃《千金翼方》所引的北荇华、领灰以符850种之数，不啻削足适履。尚本收此2种药的这种态度是科学的。另该书第597号葵根一药，《证类本草》未记出自“唐本”，尚志钧据《医心方》所载《新修本草》药物目录予以收录。

还有一处比较重要的地方，体现了尚本力求历史地、客观地恢复《新修本草》原来的内容的精神，此即卷2所谓“诸病通用药”一节。《新修本草》原对此节各药的药性，“以朱点为热，墨点为冷，无点为平，以省于烦注也”。然而《开宝本草》为适应雕版印刷，改朱、墨点为文字说明，并据《神农本草经》《名医别录》对原药性加以订正。在重印时，怎样才能忠实地反映原书的面貌呢？用朱点难以做到，是弃而不顾呢，还是转录《开宝本草》的文字说明呢？尚本取的是后者。因而可以在比较大的程度上反映《新修本草》原标注的药性。

为了使广大读者能读懂1300多年前的古本草，尚本给全书加了标点。这是一项十分繁难的工作。更为有意义的是，通过标点原文又改正了一些讹误。如卷1原有“其贵胜阮德如、张茂先、裴逸民、皇甫士安”一段，后来有人将“裴”字误作“辈”，错点断为“张茂先辈、逸民皇甫士安”，尚本予以纠正，使之恢复原貌。按，裴逸民即裴顾，是晋名士，兼通医术（见《晋书·裴秀传》）。类似之例较多，不一一枚举。

此外，尚本在每一药名之前均标以序号，明确标明了药物的数目，同时也利于查阅。书中将“谨案”2字置于方括号内，用黑体字表示《神农本草经》之文，用同号宋体字表示《名医别录》之文，用小号宋体表注文，层次分明而得体。此外，尚本还采用了如今通行的横排简体。这给读者以极大的方便。因为时代不同，印书技术改进了，在不损原著的前提下，在排印上做一些改变是允许的。以上种种努力说明此书既重学术内容，又重排印形式，力求形式与内容的一致。

尚本在保持原书体例和引文的特点等方面，也有成功之处。如其正确处理了各朝本草因避讳而改动的文字。凡因避唐讳而改动的唐以前本草的文字，仍依唐时之旧。如《新修本草》为避唐高宗李治的名讳，将“治”字均改为“疗”字，尚本仍承其旧。但唐以后转录《新修本草》时避本朝名讳而改的字，则恢复原字。如

"恒"字改为"常"者，今复原为"恒"。这也是十分得体的。

又如，对于"序例"部分的陶弘景的"诸药采造之法"和"合药分剂料理法"（以下简称"采造"和"合药"）二小节，尚本将其放在卷1，而冈西为人辑本却将其放在卷2。因为"唐本注"有"今以序为一卷，例为一卷"之说，显然冈西为人是将此二小节作为"例"来处理的，这就与《证类本草》所转录的位置不合。须知陶弘景原来的"序例"是合在一起的，至《新修本草》始析为二。以《新修本草》为基础撰成的《开宝本草》《嘉祐本草》《证类本草》等书的"序例"仍分作2卷，且均将上述"采造""合药"二节列在卷1。因此，在没有证据表明《证类本草》等书对"序例"的这二小节的位置进行过改动之前，仍按旧例将其列入卷1是比较妥当的。另如，尚本将《新修本草》编撰者的署名缀于全书之末也是有理由的。唐代修史馆编撰的梁、陈、齐、周、隋史的体例就是旁证。（中国中医研究院医史文献研究所郑金生教授）

二十一、尚志钧辑《新修本草》同日本冈西为人辑本之勘比

尚志钧早在1947年就开始辑复《新修本草》，到1958年完成《补辑新修本草》20卷。1962年芜湖医学专科学校将之油印成书。该书比日本冈西为人辑本（1964）早2年。范行准先生特为该书作序。1979年，石原皋、范行准等专家向省里推荐该书。1981年安徽科学技术出版社出版该书。

现将尚志钧辑本与冈西为人辑本相比较，归纳出尚志钧辑本的特点如下。

（一）重视资料依据

《新修本草》共20卷，卷1、卷2为序例，卷3至卷20为药物各论。卷3至卷20各卷的药物目录，在《医心方》《千金翼方》《本草和名》中均有收载。尚志钧、冈西为人同以此目录为据，且二者所辑条文内容多寡基本相同。但在卷1、卷2"序例"方面，无现成目录可据，虽然两家都以敦煌出土的《本草经集注·序录》为基础进行辑录，但在命名上、内容划分上，却不相同。

例如，在卷次命名上，尚志钧辑本卷1、卷2是据"唐本注"命名的："唐·新修本草序卷第一""唐·新修本草例卷第二"。因人民卫生出版社本《政和本草》第30页"梁·陶隐居序"引"唐本注"云："今以序为一卷，例为一卷。"冈西为人辑本此2卷的命名为"新修本草序例上第一""新修本草序例下第二"。冈西为人辑本沿用了《证类本草》开头2卷的标题名称，《证类本草》第1卷标题为"卷

一序例上”，第2卷标题为“卷二序例下”。严格地讲，《证类本草》距离《新修本草》年代远些，而“唐本注”和《新修本草》的年代更近，所以“唐本注”所讲的名称和《新修本草》用名更接近些。

其次，两辑本卷1、卷2所订的内容多寡不同。《新修本草》原书是苏敬在陶弘景《本草经集注》（以下简称《集注》）基础上增修而成的，《集注》卷1“序录”到《新修本草》时析为卷1、卷2。至于析法，两家辑本亦不相同。尚志钧辑本以《集注》分量平均数来分。按，《集注·序录》原是卷子本1卷（即卷轴形式1卷）。1955年上海群联出版社影印该本，将之改成书册形式1卷，共92页。《新修本草》编纂时，将《集注·序录》析为2卷。从析的分量上讲，所分的2卷，在分量上不会相差太大。尚志钧辑本将《集注·序录》第1~50页作为卷1，将《集注·序录》第51~92页作为卷2，2卷分量接近。冈西为人辑本将《集注·序录》第1~28页作为卷1，将《集注·序录》第29~92页作为卷2。从情理上讲，将一个卷轴本分为两个卷轴本，一般从中间拆开，不会在偏离中心太远处拆开，所以在分拆分量上，尚志钧辑本比较合理。

再从本草史发展情况来看，尚志钧辑本划分段落比较符合本草史的发展史实。《新修本草》卷1、卷2虽亡佚，但它的内容仍保存在《证类本草》中。把《证类本草》卷1、卷2有关宋代本草新增的资料剔除后，剩下的资料即《集注·序录》的内容。《集注·序录》的内容在《证类本草》中被称作“梁·陶隐居序”（简称“陶序”）。《证类本草》卷1“序例上”，载《集注·序录》前半部分。其起自《集注·序录》篇首，止于“合药分剂料治法则”（第1~50页），标题为“梁·陶隐居序”。《证类本草》卷2“序例下”，载《集注·序录》后半部分。其起自“诸病主治药例”，止于“药对岁物药品例”（第51~92页）。尚志钧辑本卷1、卷2所分割的《集注》的内容与《证类本草》卷1“序例上”、卷2“序例下”所分割的《集注》内容一致。

（二）重视佚文收集

尚志钧辑本卷1、卷2在援引《集注·序录》的同时，还将《证类本草》卷1、卷2所存“唐本注”资料全部收入书中，而冈西为人辑本未对此资料加以收录。冈西为人辑本不收录《证类本草》卷1、卷2所存“唐本注”的内容，说明尚志钧辑本卷1、卷2的内容比较齐全。

（三）重视《新修本草·序例》中药性的标记

《新修本草》卷2诸病通用药的药性，用朱、墨点表示，以朱点为热，墨点为冷，无点为平。冈西为人辑本对各种药物的药性全无标记，而尚志钧辑本则用文字注明各种药物的药性。

（四）重视本草文献，强调文献的特征

《新修本草》的时代特征之一，是避讳的问题。尚志钧辑本按唐代避讳例，在全书中对“世”“治”等字都改用“俗”“疗”等字。此与当时实际情况相符。冈西为人辑本未避唐代讳，仍用《集注·序录》的原字。

（五）对资料的取舍，务使合理

《新修本草》虽亡，但存其佚文的书不止一种，哪种书所存的佚文最可信，需要研究。例如，“七情畏恶药例”（原书无此标题，为称说方便自拟）就是其中一例。《新修本草》卷2含有“七情畏恶药例”（以下简称“七情药”）。

现存很多古医药书，都含有“七情药”。如敦煌出土的《集注·序录》、《千金要方》《医心方》《大观本草》《政和本草》等，都载有“七情药”。哪本书所载“七情药”和《新修本草》中所用的“七情药”相近呢？

尚志钧根据《证类本草》中所载“唐本注”注文，对现存各书中所存的“七情药”进行分析，并以之为取舍的标准。

《证类本草》卷1“唐本注”云：“梁《七录》有《神农本草》三卷，陶据此以《别录》加之为七卷，序云三品混糅，冷热舛错，草、石不分，虫、兽无辨，岂使草木同品，虫兽共条……”此注中，《新修本草》批评陶弘景《集注》7卷不分草木、虫兽，认为应把草木、虫鱼、兽禽分开。查《医心方》《千金翼方》《本草和名》等，所载《新修本草》药物目录中，草、木、虫、兽是各自为一类的。尚志钧根据这个特点，分析《医心方》所载“七情药”和敦煌出土的《集注·序录》所载“七情药”，发现两者相似，在分类上相同，即草石不分，虫与兽相混。这种“七情药”不能作为《新修本草》“七情药”用。因《新修本草》曾批评陶氏书说：“岂使草木同品，虫兽共条。”

《千金方》“七情药”在内容上和《集注》“七情药”相同，但在分类上不相同。《千金方》在分类上是将草、木、虫、兽各类分开的，而且书中药物排列次序

及三品分类也和《新修本草》各卷药物排列次序相同。因此，《千金方》“七情药”可以当作《新修本草》“七情药”用。

在20世纪60年代初所油印的尚志钧《补辑新修本草》第29～30页，对此问题做了详细考证。1981年安徽科学技术出版社出版的《唐・新修本草》第75页注［1］对此问题亦做了简要说明。

冈西为人辑本卷2第18～28页所辑“七情药”，全文转录《集注》“七情药”。

（六）最重视真伪佚文的考证

同一药物的条文，不同书中所引文字互有差异，其中真伪需要考证。例如，“发髲”条，其条文末一句，各书所载互不相同。卷子本《新修本草》卷15作“疗小儿惊热下”。各种版本《千金翼方》《大观本草》《政和本草》作“疗小儿惊热”。

尚志钧查阅数本书，发现《新修本草》在“疗小儿惊热下”后脱“痢”字。尚志钧《补辑新修本草》第365页，在“发髲”条末“下痢”2字处注云：“下痢:《纲目》作百病。《新修》原脱痢字，据《千金方》补。按，《千金方》卷十五，治痢方单用乱发煎鸡子黄；《外台》卷二十五，亦云乱发止痢；《小儿卫生总微论方》卷十胎中病论褥疮条引刘禹锡云：因阅《本草》有云，乱发合鸡子黄煎，消为水，疗小儿惊热下痢。”尚志钧据刘禹锡所见的“《本草》”作“疗小儿惊热下痢”，确认《新修本草》脱“痢”字。宋代人著本草，因“发髲”条末“疗小儿惊热下”的“下”字不可解，遂删除之，所以《大观本草》《政和本草》均作“疗小儿惊热”。宋人校《千金翼方》，亦删去“下”字，作“疗小儿惊热”。

查冈西为人辑本卷15第3页“发髲”条末，仍作“疗小儿惊热下”，仅在书末校勘记中出注云：“下：《翼方》《证类》无。”（芜湖弋矶山医院刘大培）

二十二、评《新修本草》的两个辑复本

历史上第一部由国家颁行的药典，是我国唐代的《新修本草》。《新修本草》颁行于显庆四年（659），比欧洲最早的《佛罗伦萨药典》（1498年出版）或有名的《纽伦堡药典》（1535年颁行）都要早八九百年。

（一）博采精缀，医药巨典出中国

本草学在我国有着悠久的历史，但是在《新修本草》问世以前，无论是《神

农本草经》还是陶弘景《本草经集注》，都只是私人撰述，还不是国家药典。直到显庆二年（657），唐朝政府采纳了苏敬的建议，委派苏敬等20多名官员重新修订本草，并通令全国各郡县选送所产道地药材，作为实物标本进行描绘。苏敬等综合了在此以前的古本草文献，汲取了当时民间的药物知识（包括唐初从印度及波斯等地引进的新药材），对古书未载者加以补充，对内容有错者重加修订。新修的本草详述了药物性味、产地、功效及主治。全书包括药图、图经、本草三部分，共54卷。其体制之巨大、内容之广博都是空前的，可以说其对我国7世纪药物学进行了一次全面总结，具有较高的学术水平和科学价值。

（二）漂洋过海，异国同开连理花

《新修本草》颁行后，由于取材丰富、结构严谨，尽管当时缺乏印刷技术，全靠手抄为卷子本，亦立即广为流传，不仅遍及边远的敦煌等地（敦煌出土的卷子本残片上有抄于乾封二年的记载），而且传播到朝鲜、日本等国，对世界医药学产生过重要影响。《新修本草》传到日本始于何年，已无从查考。但从现有的经摹刻保存下来的日本手抄卷子本第15卷末所记载的“天平三年岁次辛未七月十七日书生田边史”来看——天平三年即731年——最晚在此书颁行后70余年其就已传到了日本。至于是田边史来唐抄回，还是田边史传抄了他人在更早的年月带回卷子本，就不得而知了。

在查考这一问题时，回顾这段时间里中日两国医药学等文化交流的背景材料，是颇有意义的。中日两国医药学的直接交往始于南北朝时期。562年吴人知聪曾把《明堂图》等160卷医书带到日本。6世纪初，两国开始互派使节进行文化交流。608年日本药师惠日、福音等随使节船来中国学医。在659年《新修本草》颁行后，日本大宝元年（701），日本文武天皇派朝臣真人（真人为官职名，相当于现在的部长）粟田来中国。自此以后，日本派遣数量庞大的遣唐使（包括许多有学问僧人和留学生）达6次之多，每次都采购了大批图书带回日本。正因为这样，日本学者涩江全善等在《经籍访古志补遗》中断定《新修本草》“盖当时遣唐之使所赍而归”。

天平卷子本的另一可贵处是它展现了当时日本学者对汉学学习的认真和书法的娴熟。唐代由于李世民重视书法，讲求书法成为当时的社会风尚，出现了许多著名的书法家。日本学者来中国必然受此影响。我们从黎庶昌刊的《古逸丛书》里，看到日本学者写的序、跋的字迹都很工整。日本人传抄的《新修本草》卷子本，书写的规格考究，笔法挺秀匀整，饱含着中日文化交流的结晶。

《新修本草》在日本广泛流传，现存最早的日本官方记载该书的是748年日本正仓院文书《写章疏目录》，其中记有“《新修本草》二帙，廿卷”，并标明“天平廿年六月十日记”。再40年后，日本桓武天皇延历六年（787）四月时，典药寮言：“苏敬注《新修本草》与陶隐居注《本草》相检，增一百余，亦今采用草药，既合敬说，请引用之。遂许焉。”（见日本古史《续日本纪》卷39）《新修本草》即被批准为日本国的药典。808年日本医学家编写《大同类聚方》时，《新修本草》亦为其所依据蓝本之一。839年日本宇多天皇宽平元年藤源佐世编的《日本国见在书目》也载有“《新修本草》廿卷”。到10世纪时，《新修本草》已被列为日本医学生的必修课程，日本醍醐天皇延喜年间（901—922）曾规定：“凡读医经者，《太素经》限四百六十日，《新修本草》三百一十日……其博士准大学博士，给酒食并灯油赏钱……凡医生皆读苏敬《新修本草》。”（日本古史律令《延喜式》）984年（日本永观二年）丹波康赖所著《医心方》中还抄录了《新修本草》的完整目录。以上的事实足以说明《新修本草》对日本医药学的影响之深，流传之久。

（三）故土佚失，他乡犹存残抄卷

《新修本草》在我国沿用了300余年，直到宋代《开宝本草》问世，才被取代而逐渐佚失。到宋嘉祐年间，已见不到该书的药图部分，其文字内容（含图经部分的文字）被摘录入《蜀本草》，最后被分散地录存于宋·唐慎微《证类本草》中。其完整的卷子本约在11世纪后叶，在国内就基本亡佚了，以致唐慎微编《证类本草》时，“已不获见”此书了。

《新修本草》在它的故土被湮没了，在一衣带水的邻邦又如何呢？可惜的是日本也几经兵燹之祸，原《日本国见在书目》所载诸书大部分被焚毁，《新修本草》也不例外。1819年丹波元胤著录《医籍考》时，就标注此书已“佚”。但是日本学者一直很关心这些佚失的卷子本，做了很多艰苦细致的搜寻、摹写、保存工作；有的甚至亲自动手仿照残存手抄天平卷子本的体例来整复原书。根据日本孝明天皇安政年间（1854—1859）涩江全善和森立之合著的《经籍访古志补遗》卷7所载，此书“乃在皇国亦久湮晦不显。往岁狩谷卿云西上，观一缙绅人家旧钞，即五六百年前人据天平抄本誊录，实为天壤间绝无仅有之秘籍，仍亟影摹以传人。于是神光焕发，世始得窥古本之真。则卿云之功为至巨也。”这里记述的就是狩谷棭斋（日本汉学爱好者，自号六汉老人）于日本天保三年（1832）在京都仁和寺发现此书手抄卷子本若干卷的经过。在那一次发现中，狩谷棭斋还获得了卷15的抄本，其卷尾有“天平三年……田边史”等18个字，这证明此残卷是古抄本。当狩谷棭斋路过名古屋时，兴奋地将此事告诉了浅井贞庵，浅井贞庵得知后，于日本天保五年（1834）派他的学生塚原修节到仁和寺去抄写，共抄得5卷，即卷4、卷5、卷12、卷17、卷19。到日本天保十三年（1842），日本学者小岛学古（又名小岛宝素）在陪同一品准后舜仁法亲王到京都去时，在仁和寺又发现了另外4卷，即卷13、卷14、卷18、卷20，并将它抄录回去。原来法亲王在仁和寺时所居住的地方，也就是狩谷棭斋所指的“缙绅人家”（根据塚原修节所著《甲午笔乘》和狩谷棭斋的书信）。以上所说的10卷，虽只及原书正文部分之半数，却是久已湮没的天平卷子本重现于世的大喜事。

（四）抱残补缺，两国学者呕心血

天平卷子本重现于世，日本学者奔走相告，一时之间，工笔誊抄者有之，精心校核者有之，援例辑复者有之。例如，1849年4月小岛尚真曾根据他父亲从《政和本草》中重新辑复的《新修本草》卷3，模仿天平卷子本格式和书写字样誊录成卷子本。总之，《新修本草》得以神光焕发，不绝于世，众多日本学者是立下了“至巨之功”的。

在此同时，中国的学者对此古本草亦极为关心。从19世纪末到20世纪初，至少有4位学者在日本访见或购得了天平卷子本的摹抄本，而欢欣鼓舞地记载于自己的著述中，以为独得之秘，他们是杨守敬（见之于1880—1881年）、傅云龙（见之于1889年）、罗振玉（见之于1891年）和董康（见之于1927年）。其中傅云龙是清朝的兵部郎中，在游历各国，经日本时，从书商处不仅购得了前述那复现于世的10卷抄本，而且获得了小岛知足家藏本及其辑复的卷3，傅云龙把这11卷在日本摹刻为《籑喜庐丛书》之二，他在跋中写道：“是书修后三百余年而佚，佚后一千余年而云龙乃以日本之不绝如线者刊之，藉彼守残，聊增輶采。”这“不绝如线”4个字把中日两国学者共同保存这部古本草的艰苦不易描绘得何等贴切！这个翻刻本的带回，使湮没已久的药典重返故土，尽管经转辗摹写，其中脱误乖异之处甚多，但它给我们展现了这部药典的整体规模、体例以及这11卷的较完整的内容，为后人进一步的整复工作提供了坚实的根基。

傅云龙回国后，日本又经战乱。到日本昭和十一年（1936）时，《新修本草》在日本只剩下仁和寺所藏的卷4、卷5、卷12、卷17、卷19，其他诸卷都不知下落。这5卷即日本药商武田长兵卫用影印法刊行于世的。第2年其又补印了再次找到的卷15。日本印的这6卷，不但卷数较傅云龙翻刻本少了5卷，而且与傅云龙翻刻本有些地方不相同，所以日本学者又借助于傅云龙翻刻本来了解天平抄本的全貌。

（五）前赴后继，分兵合力共整复

残本固然珍贵，但终究不是全貌。为了使这部世界上第一部药典的全文重现于世，为了给后世的古医史、古本草研究提供一个具有里程碑价值的完整文献，也为了用实际行动来纪念中日文化交流结下的传统友谊，中日两国学者中有不少人曾致力于辑复此书的全文，其中国内积累有素、见于著录的有李梦堂、范行准。至于日本学者，冈西为人《宋以前医籍考》中记载："按《新修本草》之辑本，小岛宝素夙已成之，而未臻上梓，其稿亦未闻有存者。近年中尾万三博士亦有志于此，未果而卒矣。至于范氏辑本，未始见世。庚辰、辛巳之交，余亦附于诸家之骥尾，取仁和寺古抄本等诸古书，及敦煌西域所发现之古抄残卷断简，彼此相对校勘，辑成一书。甲申腊月付诸手民……惜乎忽遇骚乱，其版悉归乌有，而其稿才免湮没，固欲期异日，再加校订以问世云。"

中日两国学者的辑复工作是各自分头进行的，虽没能并肩战斗，但却是目标一致、音息相传的。双方前赴后继、不懈的努力，终于汇流一处，中、日两个辑复本出现了。我国的古医籍专家皖南医学院尚志钧先生长期从事此书的辑复工作，并得到范行准先生的支持鼓励，曾于1962年辑成初稿（《新修本草（辑复本）》），并于1981年由安徽科学技术出版社出版，向全国发行。冈西为人的辑本据了解，于1964年由台湾老原色印刷有限公司影印；后经修订，于1978年由日本学术图书刊行会再次出版。也就是说，中日两国学者同时为《新修本草》的研究提供了辑复本。

（六）珠联璧合，中日同庆辑复功

中、日两个辑复本，在内容上虽基本相同，但由于辑复资料范围、分析方法等考证的差异，见仁见智，略有出入。在形式上，尚志钧辑本是西式横排，尽量换用现今通用字、简化字，并加新式标点以明文义；对书中分属于《神农本草经》《本草经集注》《名医别录》、苏敬新修的内容，以及各个时期的注文、案语，分别采用不同字体、字号以示区别；将辑复过程中所见各古籍摘载的文字差异，逐条签注，以供读者鉴别。冈西为人的辑本则为冈西为人手写稿的影印本，原稿4页缩印于1页上，款式次第惟求复古，朱墨精书，一丝不苟。① 两个辑复本相互验看，可谓珠联璧合，相得益彰。

从《新修本草》的颁行和流传日本，到此书的相继湮没，从千余年后残本在日本的复现，傅云龙的翻刻带回故土，最终到中日两国学者分头完成了各有特色的辑复本，这一系列传奇般的生动事实，是中日两国世代友好、往来密切的有力见证，也是中日文化交流中源远流长、息息相关的突出典型。

愿这颗中日文化交流史上的璀璨明珠，随着两个辑复本的共同问世而永远“神光焕发”吧！（安徽科技出版社原总编辑任弘毅编审）

二十三、对尚志钧辑复《新修本草》评价

（一）尚志钧辑复本辑复与出版经过

最早所用的补辑资料悉取于李时珍《本草纲目》，并持傅云龙影刻的《新修本草》校之。嗣后，发现《本草纲目》所标注的《新修本草》资料有误：一是文句割裂；二是资料有漏列；三是误注“唐本余”的资料为《新修本草》的资料。因此所辑资料全不能用。于是改用《证类本草》。把《新修本草》资料辑出，按《医心方》所载的《新修本草》目录编排，仿照残存的《新修本草》的格式书写。稿成后，又按范行准先生的建议，以卷子本作为辑佚的底本，再次做了大量的修改与补充，终于使1300多年前世界上第一部国家药典的原貌，灿然复见于世，填补了我国唐代本草文献的空白。

辑本《新修本草》初成于1958年，同年被送请医史学家陈邦贤审阅。陈老看后，极力向人民卫生出版社推荐。人民卫生出版社严凌舟编辑又将此书送请范行准审。1年后，范行准审毕，嘱将其修改后列入出版计划。至1960年，因3年自然灾害等原因，许多工程下马，此书出版亦随之下马，原稿被退回。1962年，该书由芜湖医学专科学校油印出版，并请范行准写序冠于书首，作为国内学术界交流之用。1981年，该书由安徽科学技术出版社正式出版，书名为《唐·新修本草》。

对亡佚的《新修本草》，中外很多学者都曾有志于辑复它。如清末李梦莹、近人范行准、日本的小岛宝素及中尾万三等都做过辑复工作，但均未成功。独尚志钧

① 见1980年第6期《国外医药参考资料（中医中药分册）》所载郑金生《〈重辑新修本草〉简介》。

花了近30年时间的从事辑录、整理、注释、校勘工作，终完成辑复工作，并使之于1962年以油印本行世，成为国内外首先辑复本书的成功者，比日本冈西为人辑本的出版早2年。

（二）《新修本草》辑复本的质量

尚志钧参阅了100多种本草文献，搜集了大量的有关资料，给本书补缺、勘误、点校、注释。全书的注释条文达6363条，10余万字。每条注文字数长短不一，最长的有273字。

人民卫生出版社原总编辑贾维诚于1983年人民卫生出版社版《中医书讯》第1辑第113页云："今人尚志钧辑《唐·新修本草》……是目前最好的辑本。"

1962年11月3日，中国军事医学科学院医史权威范行准为尚志钧辑复本作序，云："我们知道从事重辑《新修本草》者，中外不止一家，而俱未能问世。今尚先生竟能着其先鞭，使1300年前世界上第一部国家药典的原貌，灿然复见于世，是值得我们庆幸的一件事。"

中国中医科学院药物研究所谢宗万在1980年第2期《中医杂志》对尚志钧所辑《唐·新修本草》评论说："近30年来，尚志钧完成了《新修本草》等的辑佚工作，其中特别是《新修本草》这一具有世界第一部药典性质的重要本草能够在我国辑成，使之复见于世，可谓本草文献整理中一大成就。"

1988年《中国医院管理》杂志社出版的《中国医籍志》第134页"《新修本草》"条云："现在最善的辑本为今人尚志钧氏辑校《唐·新修本草》（补辑本）。这个辑本具有很高的学术价值。"

（三）尚志钧所辑《唐·新修本草》质量优于日本冈西为人辑本

《国外医学参考资料（中医中药分册）》1980年第6期所载中国中医科学院郑金生的文章，把日本人冈西为人所辑之《新修本草》与尚志钧所辑的《新修本草》作了比较。他评论说："经与我国尚志钧氏《补辑新修本草》逐条互勘，其中见仁见智之处，尚有不少，比如唐慎微在《证类本草》掌禹锡下补入数条《唐本草》注文。尚氏辑本收录了，而冈西氏却未加收录及说明。"尚志钧辑的《新修本草》是1958年完成的，1962年油印问世的，而冈西为人的辑本是1964年出版的，比尚志钧的辑本至少迟2年。

1984年《安徽中医学院学报》第1期第60页有文章评论曰：日本学者冈西为

人所辑《新修本草》，徒抄天平卷子本旧例，如并未注意到“疗小儿惊热下”之“下”字后面脱漏“痢”字。我国学者尚志钧辑复的《唐·新修本草》对此问题十分注意，在“疗小儿惊热下”之后补入“痢”字，并做了详细的考证与说明。

1996年《中华医史杂志》第26卷第3期第186页，题为“尚志钧辑《新修本草》特色评述”的文章对尚志钧辑本同冈西为人辑本进行全面勘比，指出尚志钧辑本优于冈西为人辑本。

对两辑本在内容上进行勘比：尚志钧辑本将《证类本草》所存《新修本草》佚文收入书中，而冈西为人辑本未收。按《新修本草》体例，对“诸病通用药”的药性，应作寒、热、平标记。尚志钧辑本作了标记，冈西为人辑本未作标记。对于“七情畏恶药例”，尚志钧辑本辑自《千金方》，冈西为人辑本辑自“梁·陶弘景序”。“梁·陶弘景序”中“七情药”排列草木不分，“唐本注”已斥其非。而《千金方》中“七情药”排列是分草木的，故尚志钧辑本所辑“七情药”是正确的。又尚志钧辑本按唐代避讳例，凡“治”改为“疗”或“造”，“世”改为“俗”，而冈西为人辑本未避唐讳。

（四）尚志钧所辑《唐·新修本草》价值

本书的重要价值在于：其一，是世界上最早的药典；其二，流传时间长，范围广，影响大；其三，中外医学交流方面，收载了许多外国药物，如龙脑、安息香、胡椒、阿魏等20余种；其四，今日常用的中药约有四分之三见于该书。

《新修本草》的辑复，不仅表彰了中华民族在人类文明史上的杰出贡献，而且为后世本草中的脱漏佚失资料提供了补充的依据，且有助于鉴别后世本草中某些资料的真伪和舛错等。《唐·新修本草》既有利于系统地研究本草的发展史，又有利于祖国医学遗产的发掘和整理，对当代进行中医药研究也颇有实用价值。

尚志钧所辑《唐·新修本草》为医药教材所采用。1984年上海科学技术出版社版高等医药院校教材《医古文》第44课收载的《新修本草序》，即出自尚志钧辑复的《唐·新修本草》，《医古文》教材第137页曰：“本文选自《新修本草》，据1981年安徽科技出版社辑复排印。”1986年人民卫生出版社出版的《医古文》第238、239页同此。1985年光明中医函授大学教材《中国医学史发展概要》亦收载尚志钧所研究的成果为教材内容。该书58页云：“当代著名本草文献学家尚志钧先生，涉猎大量古籍，广采博收，编出了一个很完整的辑复本——《唐·新修本草》。”2002年由严季澜、顾植山两位教授主编的新世纪全国高等中医药院校教材

《中医文献学》的上篇第五章，收录尚志钧辑《唐·新修本草》内容为教材内容。该书在“《新修本草》”条云：“尚志钧辑本于1962年由芜湖医专学校出版油印本，名《补辑新修本草》。1979尚氏对内容重加修订，并采用简化字横排标点，由安徽科学技术出版社出版，更名《唐·新修本草》（辑复本），为目前最佳辑本。”日本东京北里研究所附属东洋医学总会研究所也收藏了芜湖医学专科学校（现皖南医学院）1962年油印的尚志钧辑本。（皖南医学院第一附属医院尚元藕）

二十四、国内报刊对尚志钧辑复《新修本草》的报道

尚志钧辑复的《新修本草》成于1958年。同年，其被送请医史学家陈邦贤审阅。陈老看后，极力向人民卫生出版社推荐之。人民卫生出版社严凌舟编辑又将此书送请范行准审。1年后，范行准审毕，嘱将其修改后列入出版计划。至1960年，因3年自然灾害，许多工程下马，此书出版亦随之下马，稿被退回。到1962年，该书由芜湖医学专科学校油印出版，并请范行准写序冠于书首，作为国内学术界交流之用。1981年，该书由安徽科学技术出版社出版。

《唐·新修本草》在国内外都有一定的影响，甚至被作为今日教科书的内容。很多报纸杂志，对该书做了很高的评价。兹将1962年以来国内报刊对该书的报道，摘录如下。

1962年11月3日，范行准为尚志钧辑复本作序，云：“我们知道从事重辑《新修本草》者，中外不止一家，而俱未能问世。今尚先生竟能着其先鞭，使1300年前世界上第一部国家药典的原貌，灿然复见于世，是值得我们庆幸的一件事。”

1979年6月《安徽画报》第26~29页，刊登尚氏辑复的世界首部药典将出版的消息，并评论说：“尚志钧完成了《唐·新修本草》的辑复，为中医药事业做出了有益的贡献。”

1980年第2期《中医杂志》对尚志钧评论说：“近三十年来，尚志钧完成了《新修本草》等辑佚工作，其中特别是《新修本草》这一具有世界第一部药典性质的重要本草能够在我国辑成，使之复见于世，可谓本草文献整理中一大成就。”

1980年9月27日《芜湖报》题为“尚志钧辑复《唐·新修本草》”的文章报道，尚志钧几十年如一日，使佚失了1000多年的《唐·新修本草》得以辑复。

1983年《健康之友》第2期第43页题为“《唐·新修本草》已辑复问世”的文章，对尚志钧评论说：“这一具有世界第一部药典性质的重要本草能够在我国辑成，可谓本草文献整理工作的一大成就。这对于发掘、保存祖国医学遗产，提高祖

国医学水平，必将产生十分重要的作用。”

1983 年人民卫生出版社出版的《中医书讯》第一辑第 113 页云：“今人尚志钧辑《唐·新修本草》，是以日本摹写卷子本《新修本草》和敦煌出土卷子本《新修本草》为底本，参以《本草和名》《医心方》《千金翼》《证类本草》以及诸类书而辑成，是目前最好的辑本。”

1984 年上海科学技术出版社版高等中医药院校教材《医古文》第 44 课收载的“《新修本草序》”，即出自尚志钧的辑复本。《医古文》教材第 137 页说明道：“本文选自《新修本草》，据 1981 年安徽科技出版社辑复本排印。”

1985 年中国中医研究院中药研究所编《本草研究》第 10 页对尚志钧评论说：“在亡佚本草的辑复方面，尚志钧先生多年来对《新修本草》……进行了大量细致工作。其中特别是《新修本草》这一具有世界第一药典性质的重要本草，能够在我国辑成刊行，使之复见于世，可谓本草整理工作中的一大成就。”

1985 年光明中医函授大学教材《中国医学史发展概要》收载尚志钧所研究的成果为教材内容。该书第 58 页云：“当代著名本草文献学家尚志钧先生，涉猎大量古籍，广采博收，编出了一个很完整的辑复本——《唐·新修本草》。”

1986 年国家医药管理局主编《中药材》第 3 期第 46 页题为“十年来本草学研究概况和今后的展望”的文章说：“皖南医学院尚志钧先生对早期亡佚的本草的辑复整理做了大量工作，1981 年完成了《唐·新修本草》《神农本草经校点本》等辑校工作，对今后的本草研究工作带来了极大的方便，这是本草著作整理工作中的巨大成就。”

1987 年《基层中药杂志》第 1 期第 53 页，题为“本草学家尚志钧先生”的文章，对尚志钧生活、学习、工作做了详细介绍，并对尚志钧所辑《唐·新修本草》做出了很高的评价。

1987 年 7 月 10 日《皖南医学院报》评论说，尚志钧教授 50 多年来，辑复《唐·新修本草》等 10 余种，为我国医药史做出了重大贡献，受到医药界关注。

1988 年中国医院管理杂志社出版的贾维诚、贾一江所编著《中国医籍志》第 134 页“《新修本草》”条云：“现在最善的辑复本为今人尚志钧氏辑校本《唐·新修本草》（补辑正文本）。这个辑本是以吐鲁番出土的《本草经集注》残简和敦煌出土的《本草经集注》残简、《新修本草》卷子本为底本，并参以《千金翼方》《大观本草》《政和本草》等而成。具有很高的学术价值。”

1989 年 2 月 16 日《皖南医学院报》，有题为“海外求知，学有所获，尚氏专著，折服日本同仁”的文章。宋建国从日本来信说：“在东洋医学研究所，竟然能有尚老的专著多种，包括芜湖医专油印本《补辑新修本草》等，这是我到日本后，第一次遇到日本人诚心诚意地敬佩中国人。”

1989年12月27日香港《华侨报》报道，对于失传或残缺重要医典，大陆专家尚志钧先生钩沉辑复14本，计有《新修本草》《吴普本草》《名医别录》《本草经集注》等。其中《新修本草》的辑成，被称为“本草文献整理中的一大成就”。

1989年12月27日香港《大公报》，刊登新华社合肥26日电，称：“失传残缺医典14本，尚志钧潜心钩沉辑复，使失传古代医药典籍，恢复了历史原貌，受到国内外医药界的关注。”

1990年1月4日《健康报》头版报道，尚志钧钩沉辑复失传残缺医籍《吴普本草》《名医别录》《唐本草》等14部；其研究考证50载，复原重要典籍原貌，受到医药界的关注。这些被岁月的尘埃埋没的典籍，在中国医药史上均占有重要地位。其中《新修本草》的辑佚工作被称为“本草文献整理中的一大成就”。

1990年2月26日《瞭望周刊（海外版）》第36页，题为“辑复失传医药典籍的尚志钧”的文章，对尚志钧评论说：“尚志钧在长达半个世纪的漫长岁月里，通过艰辛繁难的文献考证，先后钩沉辑复了《唐·新修本草》《吴普本草》《名医别录》等14种，中外医药史家都对这些宝贵的医药典籍失而复得，给予很高的评价。其中《新修本草》辑成，使之复见于世，可谓本草文献整理中一大成就。”

1990年4月21日《健康报》题为“老骥不伏枥，志在本草学——记本草文献学家尚志钧教授”的文章，谓尚志钧专注本草文献研究至今已50个寒暑；他整复《新修本草》，初以《本草纲目》为底本，行将完成之时，才领悟到李时珍所引是从《证类本草》转录的，不能作为辑佚依据，于是断然推翻前稿，从头搞起；又经过几年，终于1958年完成初稿。后经范行准先生审阅，他又改以卷子本作为辑佚底本，再次做了大量修改与补充，直至1981年，才由安徽科学技术出版社正式出版，前后历时32年，稿凡三易，终于填补了本草文献的这一空白，受到国内外一致好评；该书的辑复被认为是本草文献整复工作中的一大成就。

1990年9月12日北京中国中医药文化博览会“安徽展厅简介”云：“尚志钧教授钩沉辑复《唐本草》《名医别录》等18种本草文献，饮誉海内外。”

1995年5月芜湖电视台对尚志钧录像，题为“药海捞经”。弋矶山医院院长夏祥厚在片中评价说：“尚老用50多年时间，辑复了失传本草10余种，使《唐本草》《名医别录》等重要文献恢复了原貌。我认为这对振兴中华医药学，造福子孙后代，丰富现代医学，有很大的学术价值和实用价值。”

1996年《中华医史杂志》26卷3期186页有一篇题为“中国药学史研究60年”的文章。文中在讲到古本草辑佚时，列举了20世纪80年代以后辑校工作，并特地指出：“尚志钧先生对于古本草的辑校做出了很大成绩。他辑校有《名医别录》《吴普本草》《本草经集注》《新修本草》《雷公炮炙论》《药性论》《本草拾遗》《日华子本草》《本草图经》等。目前古本草的辑校工作，仍在深入进行。”

1997年湖北人民出版社《中国图书大辞典》收载有《唐·新修本草》和《名医别录》的介绍。

《唐·新修本草（辑复本）》，尚志钧辑复，安徽科学技术出版社1981年3月版，46.6万字。该书1300多年前由苏敬主纂，反映陶弘景《本草经集注》以后中国本草学的发展和对外邦药的吸收应用，是世界上第一部由政府颁行的药典。其曾流传朝鲜、日本诸国，成为这些国家的医学教材。自宋开宝以后，此书湮没无闻。为了填补本草文献中的这一空缺，弄清唐前后各种本草资料的来龙去脉，本草文献学家尚志钧花了32年时间，三易其稿，终于以清代在日本发现的日人摹写的残本和敦煌出土残片为底本，参照《本草和名》《医心方》《千金翼方》《证类本草》以及诸类书中引录的有关唐《新修本草》的条文，予以辑复。辑复之书虽然只包括原书的本草部分，未辑入药图部分和图经部分，却是目前国内外最好的辑复本。该书中，作者在各条目下作详尽校记6319条，这为纠正宋以后诸家本草转录刊刻中的差误提供了依据。

尚志钧本人及其著作均为书志所收载。其有些著述还被日本学术界所收载。如日本东京北里研究所附属东洋医学研究总合研究所就收藏有1962年芜湖医学专科学校（现皖南医学院）油印的尚志钧所辑的《补辑新修本草》《吴普本草》《本草经集注》等书。

1998年，人民卫生出版社出版的谢海洲教授的《中医药丛谈》一书中介绍尚志钧云：“他一生勤奋地手抄笔录，积累了大量资料，建立了本草书籍、本草人物、单味药的三个系列卡片档案，构成辑佚医药方书的一个联络网图。他在《唐本草》辑复时，运用乾嘉学派考据学方法，下追上溯，博引旁征，由源及流加以考证，对所辑每条资料，力求真实可靠，对某些疑似问题，未得到充分依据，绝不急于下定论或臆测。所以他辑的《新修本草》等书，在国内是最佳的辑本，深受医药界关注。而今他已被中国医史文献界誉为尚派。”

2003年6月18日《安徽日报》以1个版面刊登孙玉宝、张旭初合写的《尚志钧的本草人生》，该文详细介绍了尚志钧穷毕生之精力研究本草文献的事迹。

2003年9月8日香港《医药新纪元》以2个版面刊登林萍、郑金生合写的《本草文献学泰斗——尚志钧》，该文介绍了尚志钧用一生的精力研究本草文献，取得巨大的成就的事迹。

2003年10月7日至9日，《新安晚报》用3个整版的连载分上、中、下刊登了该报记者丰吉的文章——《尚志钧：求索本草的人》。该文回顾了尚志钧毕生献身于《新修本草》等文献整理工作的事迹，对其学者风范、学术成就给予了高度评价。此外，该文还配发了9幅有关照片。

2003年《安徽画报》第5期以3个版面的篇幅发表了以“尚志钧的本草人生”为题的文章。该文配照片报道了尚志钧先生研究本草文献的事迹，着重表彰了他辑复《新修本草》的艰辛历程。（皖南医学院第一附属医院　尚元藕）

附录七 《〈新修本草〉辑复》药名索引

（括号内数字为药物条目序次）

二画

丁公寄（810）
人乳汁（443）
人参（103）
人屎（447）
九熟草（725）

三画

三叶（805）
三白草（309）
干姜（166）
干漆（349）
干地黄（96）
土齿（773）
土阴孽（59）
大麦（638）
大青（172）
大枣（572）
大空（432）
大盐（62）
大黄（238）
大戟（244）
大豆黄卷（635）
大、小蓟根（217）
弋共（839）
小麦（640）
小檗（414）
山茱萸（372）
山慈石（688）
千岁蘽汁（131）
及已（250）
弓弩弦（297）
卫矛（379）
女青（329）
女萎（196）
女菀（202）
女贞实（352）
女萎、萎蕤（94）
飞廉（154）
马刀（562）
马陆（548）
马乳（448）
马勃（290）
马逢（703）
马唐（702）
马颠（701）
马先蒿（212）
马芹子（622）
马鞭草（289）

四画

王瓜（209）
王孙（205）

王明（789）
王不留行（135）
井中苔及萍（225）
天雄（252）
天蓼（768）
天门冬（91）
天名精（138）
天社虫（818）
天雄草（721）
天鼠屎（531）
无食子（437）
云母（10）
云实（146）
木兰（359）
木虻（520）
木香（118）
木核（745）
木天蓼（426）
木甘草（723）
木瓜实（581）
五加（355）
五母麻（806）
五色符（841）
五羽石（679）
五味子（157）
太一禹馀粮（20）
区余（804）
车前子（115）
牙子（267）
贝子（563）
贝母（173）
水苏（615）
水萍（220）
水银（25）
水蛭（526）
水蓼（330）
水靳（621）
水杨叶、嫩枝（412）
牛乳（449）
牛扁（280）
牛黄（441）
牛膝（105）
牛舌实（704）
牛角鰓（461）
升麻（109）
长石（38）
父陛根（794）
丹沙（3）
丹参（134）
丹戬（824）
丹雄鸡（481）
丹黍米（645）
乌头（251）
乌芋（586）
乌韭（284）
乌古瓦（81）
乌臼木（427）
乌敛莓（318）
乌贼鱼骨（529）
六畜毛蹄甲（470）
文石（686）
文蛤（502）
方解石（57）
巴朱（778）
巴豆（397）
巴棘（777）
巴戟天（121）
孔公孽（29）
孔雀屎（493）

五画

玉伯（685）
玉英（661）
玉泉（1）
玉屑（2）
甘草（102）
甘遂（240）
甘蔗（582）
甘蕉根（323）
艾叶（219）
节华（738）
术（93）
可聚实（750）
厉石华（668）
石韦（178）
石灰（70）
石芸（690）
石花（51）
石肝（670）
石床（52）
石肾（672）
石肺（669）
石胆（9）
石蚕（544）
石耆（682）
石脑（30）
石剧（691）
石斛（104）
石脾（671）
石膏（34）
石蜜（496）
石蜜（583）

石燕（82）
石濡（689）
石长生（287）
石龙子（515）
石龙刍（129）
石龙芮（177）
石决明（504）
石南草（396）
石钟乳（11）
石流赤（681）
石流青（680）
石流黄（31）
石蠹虫（820）
石下长卿（836）
石中黄子（21）
龙骨（440）
龙胆（119）
龙眼（367）
龙葵（603）
龙石膏（678）
龙常草（716）
龙脑香及膏香（392）
东壁土（74）
北荇华［附］（735）
占斯（849）
甲香（566）
田中螺汁（564）
由跋根（261）
生铁（42）
代赭（60）
白及（269）
白芝（87）
白并（758）
白芷（185）
白辛（759）
白青（7）
白英（122）
白昌（760）
白垩（64）
白药（233）
白背（754）
白前（207）
白给（757）
白胶（453）
白敛（268）
白棘（389）
白蒿（123）
白鲜（189）
白薇（190）
白女肠（755）
白马茎（462）
白玉髓（660）
白石华（665）
白石英（18）
白瓜子（593）
白冬瓜（594）
白头翁（274）
白肌石（677）
白花藤（161）
白附子（333）
白兔藿（159）
白瓷屑（80）
白扇根（756）
白鹅膏（482）
白粱米（643）
白僵蚕（519）
白蘘荷（612）
白杨树皮（411）
白颈蚯蚓（555）
瓜蒂（595）
冬灰（71）
冬葵子（596）
玄石（36）
玄参（175）
兰草（141）
半夏（260）
半天河（303）
头垢（446）
让实（751）
发髲（444）
对庐（785）

六画

戎盐（63）
地耳（772）
地防（830）
地芩（770）
地胆（561）
地朕（769）
地浆（304）
地筋（771）
地榆（204）
地肤子（125）
芋（585）
芍药（165）
芒消（14）
芎穷（143）
朴消（12）
百合（193）
百脉根（231）
百部根（208）
师系（791）

光明盐（45）
当归（162）
肉苁蓉（124）
竹付（798）
竹叶、芹竹叶（370）
伏苓（340）
伏翼（513）
伏龙肝（73）
行夜（821）
合欢（377）
合玉石（663）
合新木（741）
凫葵（227）
庆（815）
刘寄奴草（308）
衣鱼（554）
决明子（142）
羊乳（450）
羊乳（705）
羊实（706）
羊桃（277）
羊蹄（278）
羊踯躅（255）
并苦（793）
安石榴（592）
安息香（391）
异草（728）
阳起石（32）
防已（201）
防风（128）
防葵（111）

七画

麦门冬（92）
远志（98）
赤芝（85）
赤举（761）
赤涅（762）
赤赫（847）
赤箭（90）
赤小豆（636）
赤爪草（428）
赤地利（306）
赤铜屑（78）
赤车使者（307）
折伤木（385）
芫华（242）
芫青（559）
芜荑（381）
芜菁及芦菔（601）
芸薹（630）
芰实（575）
苋实（598）
芥（605）
芥（813）
苍石（58）
苎根（293）
芦根（322）
苏（614）
苏合（365）
苏方木（423）
杜仲（347）
杜若（149）
杜衡（186）
杏核（587）
杉材（403）
李核人（589）
杨栌木（438）
豆蔻（568）
连翘（273）
卤咸（61）
吴茱萸（373）
吴唐草（720）
吴葵华（734）
旷石（693）
别羁（834）
牡丹（200）
牡桂（345）
牡蛎（499）
牡蒿（835）
牡鼠（538）
牡荆实（351）
牡狗阴茎（463）
乱发（445）
每始王木（384）
皂荚（418）
龟甲（506）
角蒿（331）
辛夷（358）
兑草（726）
沙参（133）
沙糖（584）
沉香、薰陆香、鸡舌香、
藿香、詹糖香、枫香（356）
良达（784）
诃梨勒（429）
陆英（281）
阿胶（454）
阿魏（237）
陈廪米（648）
附子（253）
忍冬（126）

鸡涅（712）
鸡头实（574）
鸡肠草（291）
驴屎（479）

八画

青玉（659）
青芝（84）
青雌（753）
青蘘（632）
青琅玕（53）
青葙子（266）
青粱米（641）
青石、赤石、黄石、白石、黑石脂（19）
苦芙（276）
苦参（176）
苦菜（599）
苦瓠（620）
苜蓿（606）
苗根（781）
英草华（733）
茼实（326）
茅根（192）
枝子（375）
枇杷叶（579）
松脂（342）
松萝（388）
枫柳皮（430）
枫香脂（348）
卖子木（431）
郁金（235）
郁核（400）
矾石（15）
鸢尾（258）
虎骨（466）
虎掌（262）
虎魄（341）
虎杖根（286）
昆布（222）
昌蒲（97）
败石（694）
败酱（184）
败天公（302）
败船茹（300）
败鼓皮（301）
败蒲席（299）
钓藤（416）
钓樟根皮（407）
知母（171）
知杖（801）
委蛇（787）
侧子（254）
彼子（551）
金牙（69）
金茎（696）
金屑（23）
肤青（39）
鲍鱼甲（528）
兔头骨（469）
狐阴茎（476）
狗脊（179）
狗舌草（317）
饴糖（634）
底野迦（456）
卷柏（106）
河煎（803）
泽兰（203）
泽泻（99）
泽漆（243）
学木核（744）
空青（4）
屈草（846）
姑活（833）
参果根（782）
练石草（838）
细辛（107）
终石（684）
贯众（259）

九画

珂（567）
珊瑚（50）
封石（673）
封华（735）
垣衣（218）
城东腐木（812）
城里赤柱（811）
荆茎（796）
茜根（153）
荚蒾（415）
荛华（245）
茈胡（110）
草蒿（271）
茵芋（256）
茵陈蒿（151）
葩草（730）
荏子（607）
茗、苦荼（386）
荠（600）
荠苨（210）
茺蔚子（117）

故麻鞋底（337）
荩草（282）
胡麻（631）
胡椒（435）
胡桐泪（76）
茳草（223）
药实根（417）
柰（591）
相乌（713）
枳实（371）
枳椇（425）
柏实（343）
枸杞（364）
柳华（420）
柿（580）
厚朴（368）
牵牛子（310）
韭（611）
昨叶何草（332）
毗梨勒（394）
虾蟆（536）
钩吻（247）
香蒲（140）
香薷（617）
鬼目（699）
鬼臼（321）
鬼盖（700）
鬼麗（797）
鬼督邮（160）
禹馀粮（22）
食盐（658）
食茱萸（382）
独活（108）
独行根（316）
疥柏（807）
姜石（77）
姜黄（236）
类鼻（790）
前胡（170）
柒紫（698）
恒山（265）
举树皮（410）
扁青（8）
扁前（825）
神护草（718）
鸩鸟毛（851）
屋游（305）
陟厘（224）
蚤休（285）
络石（130）

十画

秦艽（163）
秦皮（374）
秦龟（505）
秦椒（378）
秦荻梨（619）
载（814）
莽草（399）
莱菔根（602）
荻皮（747）
莘草（731）
恶实（215）
莎草根（216）
莨菪子（263）
桂（346）
桔梗（239）
桐叶（421）
栝楼根（174）
桃核（588）
桃花石（49）
栒核（746）
格注草（315）
索干（795）
栗（576）
夏台（697）
夏枯草（283）
原蚕蛾（532）
逐折（792）
鸬鹚屎（494）
蚖类（826）
罡铁（43）
铁（41）
铁落（40）
铁精（44）
铅丹（65）
特生礜石（55）
秫米（647）
积雪草（214）
秘恶（799）
笔头灰（339）
俳蒲木（742）
射干（257）
徐李（739）
徐黄（764）
徐长卿（148）
殷孽（28）
豺皮（480）
豹肉（467）
鸱头（495）
鹌鸽肉（491）
狸骨（468）

狼毒（320）
狼跋子（295）
栾华（402）
栾荆（413）
高良姜（211）
痈草（729）
离楼草（717）
唐夷（800）
羖羊角（460）
粉锡（66）
益符（829）
益决草（724）
酒（649）
消石（13）
海蛤（501）
海藻（221）
屐屧鼻绳灰（336）
陵石（674）
陕华（736）
通草（182）
桑茎实（748）
桑螵蛸（500）
桑蠹虫（819）
桑上寄生（353）
桑根白皮（387）

十一画

舂杵头细糠（298）
理石（37）
接骨木（424）
菾菜（613）
菝葜（181）
菥蓂子（116）
菘（604）
堇汁（629）
勒草（732）
黄芝（86）
黄虫（831）
黄芩（164）
黄芪（147）
黄连（132）
黄环（395）
黄秫（763）
黄精（95）
黄辨（783）
黄石华（667）
黄白支（765）
黄护草（719）
黄粱米（642）
菴摩勒（393）
菴䕡子（113）
萝摩子（232）
萆薢（180）
菟枣（709）
菟葵（228）
菟丝子（120）
菊花（101）
萤火（553）
营实（155）
菰根（294）
梗鸡（828）
梅实（578）
梓白皮（422）
救煞人者（809）
豉（637）
硇沙（75）
雀麦（338）
雀卵（488）
雀梅（710）
雀翘（711）
雀瓮（550）
雀医草（722）
常吏之生（808）
野猪黄（478）
曼诸石（687）
蚺蛇胆（539）
蚱蝉（518）
蛇舌（715）
蛇全（270）
蛇黄（546）
蛇蜕（545）
蛇床子（150）
蛇莓汁（292）
累根（780）
婴桃（850）
铜弩牙（68）
铜錊石（79）
银屑（24）
梨（590）
假苏（616）
船虹（845）
领灰［附］（793）
豚卵（473）
猪苓（369）
猪膏莓（311）
麻伯（788）
麻黄（168）
麻蕡（633）
鹿良（708）
鹿茸（464）
鹿藿（279）
商陆（328）

旋花（158）
旋覆华（246）
淮木（848）
淫羊藿（197）
梁上尘（83）
密陀僧（47）
续断（145）
绿青（5）
绿盐（46）

十二画

斑猫（558）
款冬（199）
越砥（695）
握雪礜石（56）
葫（627）
葛根（169）
葛上亭长（560）
葎草（314）
葡萄（569）
葱实（609）
葶苈（241）
落葵（624）
萹蓄（324）
葈耳实（191）
葵松（802）
葵根（597）
楮实（363）
棑华（737）
椋子木（383）
粟米（644）
棘刺花（390）
酢浆草（325）
雁肪（484）
雄黄（26）
雄黄虫（817）
雄鹊肉（490）
翘根（843）
紫贝（535）
紫芝（89）
紫参（195）
紫草（187）
紫给（767）
紫菀（188）
紫葛（312）
紫葳（380）
紫蓝（766）
紫石华（664）
紫石英（17）
紫加石（683）
紫真檀木（433）
紫矿、麒麟竭（48）
景天（137）
蛙（537）
蛞蝓（525）
蛴螬（524）
黑芝（88）
黑石华（666）
黍米（652）
腂（816）
猬皮（514）
粪蓝（786）
遂石（676）
遂阳木（743）
曾青（6）
滑石（16）
溲疏（409）
犀角（458）
犀洛（707）

十三画

蒜（628）
蓍实（112）
蓝实（136）
蓖麻子（313）
蓬蘽（570）
蒺藜子（127）
蒟酱（230）
蒴藋（296）
蒲黄（139）
蒲公草（327）
椿木叶（434）
楠材（404）
楝实（419）
槐实（362）
榆皮（360）
酪（457）
酪酥（451）
雷丸（408）
零羊角（459）
路石（692）
蜈蚣（547）
蜗牛（565）
蜗离（822）
蜂子（498）
蜣螂（557）
署预（100）
蜀格（779）
蜀椒（398）
蜀漆（264）
蜀羊泉（213）
锡铜镜鼻（67）

雉肉（486）
鼠耳（714）
鼠妇（552）
鼠李（401）
鼠姑（844）
鼠尾草（288）
魁蛤（503）
鲍鱼（509）
酱（657）
新雉木（740）
粳米（653）
满阴实（749）

十四画

碧石青（675）
蓴（623）
蔓椒（406）
蔓荆实（350）
蔛草（226）
蓼实（608）
榧实（405）
槟榔（376）
酸枣（361）
酸草（727）
酸恶（775）
酸浆（194）
酸赭（776）
磁石（35）
豨莶（319）
蜚厉（827）
蜚虻（521）
蜚蠊（522）
雌黄（27）
蜻蛉（543）
蜘蛛（542）
锻灶灰（72）
箘桂（344）
鲛鱼皮（534）
獐骨（465）
腐婢（650）
漏芦（152）
蜜蜡（497）
熊脂（452）
鹜肪（483）

十五画

赭魁（249）
蕙实（752）
蕈草（840）
蕤核（354）
蕺（626）
槵鸡（517）
樱桃（577）
橡实（436）
槲若（439）
醋（656）
蝮蛇胆（540）
蝼蛄（556）
稷米（655）
稻米（654）
鲤鱼胆（507）
鲫鱼（512）
鹤虱（334）

十六画

燕齿（774）
燕屎（492）
薤（610）
薇衔（156）
薏苡人（114）
薄荷（618）
橘柚（366）
醍醐（455）
貒膏、肉、胞（477）
鲮鲤甲（541）
獭肝（475）
鹧鸪鸟（485）
麋舌（837）
凝水石（33）
甑带灰（335）

十七画

藋菌（272）
藺茹（275）
藊豆（651）
薰草（832）
藁本（167）
爵床（206）
鳆鱼（510）
䗪虫（523）
麋鱼（823）
麋脂（472）

十八画

藕实茎（573）
藜芦（248）
覆盆（571）
瞿麦（183）
礜石（54）
鹰屎白（487）
璧玉（662）

十九画

穬麦（639）
鳗鲡鱼（533）
蟹（530）
鳖甲（527）

二十画

蘩蒌（625）
蘘草（842）
蘖木（357）

二十一画

露蜂房（516）
鳢肠（229）
麝香（442）
蠡鱼（508）
蠡实（198）

二十二画

鹳骨（489）
蘗米（646）
蘼芜（144）
蘹香子（234）

二十三画

蠮螉（549）
鼹鼠（474）
鳣鱼（511）

二十八画

鼺鼠（471）

《〈新修本草〉辑复》后记

《新修本草》的产生

《新修本草》（一名《唐本草》[①]），是唐代政府于659年制定的本草，有中国最早的药典之称，也是世界上最早的国家药典。20世纪30年代所编的《中华药典》序文中说："缅维首制，实始纽伦。"其实《纽伦堡药典》比《新修本草》要晚出近9个世纪。

在《新修本草》以前，被我国医家奉为治病指南的本草，是梁·陶弘景的《本草经集注》。陶弘景之书流传了160多年，固然有它不朽的贡献。但因陶弘景个人阅历和当时环境条件所限，书中不免有舛错和遗漏，即所谓"谬粱、米之黄白，混荆子之牡、蔓""防葵、狼毒，妄曰同根；钩吻、黄精，引为连类"。南北朝对峙100多年，到隋唐才统一，特别在唐初，经济逐渐恢复，国力日趋强盛，内外交通发达，各方药物的交流日渐增多；更由于中外文化交流日趋繁盛，不少域外药物输入我国。此外，陶弘景之书问世以来，广大劳动人民的治病经验的新发展也需要得到总结。上述种种情况，正是《新修本草》产生的历史背景。

唐显庆二年（657），苏敬（唐朝议郎行右监门府长史骑都尉）首先向唐政府

---

① 《新修本草》在《旧唐书·经籍志》和《新唐书·艺文志》被记载为《新修本草》，而在宋·郑樵《通志·艺文略》和元·脱脱等《宋史·艺文志》中被称为《唐本草》。

提出编修本草的建议。苏敬的建议，很快就被唐政府采纳了。唐政府指定由太尉长孙无忌领衔组织20余人进行编纂，经过2年时间，编成了《新修本草》。正如王溥《唐会要》卷82所说："显庆二年，右监门府长史苏敬上言：陶弘景所撰《本草》，事多舛谬，请加删补。诏令检校中书令许敬宗、太常寺丞吕才、太史令李淳风、礼部郎中孔志约、尚药奉御许孝崇并诸名医等二十人，增损旧本，征天下郡县所出药物并书图之。仍令司空李勣总监定之，并图合成五十四卷。至四年（659）正月十七日撰成。"

《新修本草》的编纂，是在657—659年一次完成的。但是明代李时珍《本草纲目》卷1关于《新修本草》的记载说："唐高宗命司空英国公李勣等修陶隐居所注《神农本草经》，增为七卷。世谓之《英公唐本草》，颇有增益。显庆中，右监门府长史苏恭重加订注，表请修定。帝复命太尉赵国公长孙无忌等二十二人与恭详定……世谓之《唐新本草》。"按照这种说法，《新修本草》好像曾编修了两次：第一次是李勣等所修，名为《英公唐本草》；第二次是长孙无忌等所修，名为《唐新本草》。但《新唐书·艺文志》注云"显庆四年，英国公李勣、太尉长孙无忌……右监门府长史苏敬等撰"，并列举了22人的姓名及官衔。此说明，《新修本草》是李勣、长孙无忌和苏敬等22人同时参加，一次修成的，并非像李时珍所说经两次修成的。所谓《英公唐本草》实际是不存在的。通检《旧唐书·经籍志》《新唐书·艺文志》《通志·艺文略》《宋史·艺文志》，皆无《英公唐本草》的书名。那么李时珍为何要说《新修本草》经过两次编修而成呢？这可能是误解了《证类本草》卷1关于《新修本草》的注文所致①。

此外《新修本草》原是苏敬等所撰，为何各卷目录中署为李勣②所修？此因在帝王统治时代，官小位卑者不能直接进呈，遇事必由大臣转奏。所以《新修本草》虽由苏敬等所撰，但奏请皇帝颁行时，仍由大臣李勣进呈，因而此书署李勣之名。其实《新修本草》在开始时是由长孙无忌领衔编修的，后因权移新臣，长孙无忌

① 《证类本草》卷1注文云："唐司空英国公李勣等奉敕修。初，陶隐居因《神农本经》三卷，增修为七卷。显庆中，右监门府长史苏恭表请修定，因命太尉赵国公长孙无忌……与恭等二十二人重广定为二十卷，今谓之《唐本草》。"李时珍节录此文时，可能因版本有误，脱漏"初""因"2字，即误解《新修本草》经两次编修了。

② 李勣原名徐世勣，又名徐懋公，因助唐高祖开国有功，赐姓李；又因避唐太宗李世民的讳，删去"世"字，改名为李勣。

被贬①，所以书中无长孙无忌之名。

《新修本草》的本来面貌

《新修本草》原由本草、药图、图经三部分组成。本草是文字部分，药图是药物的图谱，图经是药图的说明文。本草部分共20卷，另目录1卷；药图部分共25卷，另目录1卷；图经部分共7卷。全书合共54卷。孔志约“唐本序”、李含光《本草音义》、《新唐书·艺文志》皆作54卷。惟独《蜀本草》引李勣《进本草表》作53卷（此因《进本草表》中没有药图目录1卷，故称53卷）。

《新修本草》对本草部分的编修，是在陶弘景《本草经集注》一书的基础上进行的。《新修本草》在卷数上，由陶弘景书的7卷扩充为20卷；在药物数量上由陶弘景书的730种增加到850种，其中有不少药，如龙脑、安息香、茴香、诃子、阿魏、郁金、胡椒等，都是在当时中外经济文化交流影响下输入中国，经试用有效，首次被正式收入本草的。在药物分类上，陶氏书原分为7类，《新修本草》改分为玉石、草、木、禽兽、虫鱼、果、菜、米、有名无用9类。在内容安排上，《新修本草》把陶弘景《本草经集注》卷1“序录”析为“序”1卷、“例”1卷，把其余6卷析为18卷。这18卷中，药物正文用大字书写，注文用小字书写。正文凡属《神农本草经》文用朱书写，《名医别录》文和唐代修订时新增药物用墨书写。《名医别录》文不加任何标记；修订时新增药物的正文末尾则标注“新附”字样。凡属陶弘景注文不加任何记号；凡属修订时新增的注文，在注文的开头，一律冠以“谨案”2字。这些标记，对本草文献来源起着重要保存作用。

《新修本草》药图的编纂者在工作时，很重视对药物实际形态的考察。当时曾下令征询全国各地药物形象，并将之绘成彩色图。所谓“普颁天下，营求药物，羽毛鳞介，无远不臻，根茎花实，有名咸萃……丹青绮焕，备庶物之形容”，就反映了编绘药图的经过。

---

① 长孙无忌少与太宗友好，助太宗平天下，后辅高宗为政。高宗议立武曌为后时，长孙无忌等大臣力劝不可，惟许敬宗取宠高宗，阴附武后。高宗废王皇后立武曌为皇后。武曌握重权后，即与许敬宗等谋害诸老臣。显庆四年（659），许敬宗诬长孙无忌谋反，削其官，使其流黔州；后又派大理正袁公瑜重审长孙无忌案，逼其自缢而死。

《新修本草》的散失和残本的发现

《新修本草》是在唐代政府主持下集体编修的，取材丰富，结构严谨，一经问世，很快就传播出去。1899 年在敦煌石窟中，发现《新修本草》手抄卷子本，背面有乾封二年（667）字样，该年代距离该书颁发的时间仅 8 年，说明该书颁行后，很快就传播到我国交通不便的西北地区了。不仅中国辽远的地区有此书的踪迹，国外亦有，如日本所发现的《新修本草》，相传其是“当时遣唐之使所赍而归”的。现存的手抄卷子本卷 15 末记“天平三年岁次辛未七月十七日书生田边史”，天平三年即 731 年，由此可见此书渡海传入日本的时间最迟不超过颁发后 70 余年。

《新修本草》不仅流传广，而且流传时间亦很久，经过 300 多年流传，直到宋代《开宝本草》问世后，才慢慢地消沉下来。在这漫长的年月里，它起过不小的影响。当时的医家奉其为处方用药指南。在五代后蜀时（约 10 世纪中期），韩保昇对《新修本草》的本草、药图、图经三部分进行修订，其书称为《重广英公本草》，简称《蜀本草》。

《新修本草》的药图部分散失的时间比本草部分要早，约在宋代嘉祐时已无药图版本了，但其内容分散地通过《蜀本草》、苏颂《本草图经》而被保存在唐慎微《证类本草》中。其本草部分，约在 11 世纪后期，基本上亡佚了。唐慎微作《证类本草》时，已没有见过它；但其流传到日本的版本，到北宋时还存在。所以《日本见在书目》尚录有《新修本草》。但日本也有战乱，《日本见在书目》所录之书，尔后亦大多失传。

清光绪十五年（1889）兵部郎中傅云龙在日本得到《新修本草》卷子本残卷，并将之模刻收入他编集的《籑喜庐丛书》之二中；且将日本小岛宝素从《政和本草》中辑出的本书第 3 卷，一并刻入。1955 年上海群联出版社根据《籑喜庐丛书》之二所收《新修本草》将这些残卷影印。

除日本残存的 10 卷外，1900 年在我国敦煌石窟还发现卷子本《新修本草》卷 10 残卷和卷 18 片段。可惜这些珍贵的资料，均落入外国人手中，现分别存放在英国国家博物馆和法国国家图书馆。1952 年罗福颐根据敦煌出土《新修本草》残卷的胶卷，摹写残片，并将之收入《西陲古方技书残卷汇编》中。

辑复《新修本草》的意义

日本流传的《新修本草》卷子本，加上敦煌出土的《新修本草》卷子本，所得仅为《新修本草》本草部分的半数。至于所缺半数，国内外很多学者都曾有志于搜集整复它，如清末李梦莹，近人范行准，日本的小岛宝素、中尾万三、冈西为人等都做过辑复工作，但均未成功。

我们为什么要辑复《新修本草》呢？这可从以下几方面来谈这个问题。

第一，为了表彰我国古代科学文化的光辉成就。《新修本草》不仅是中国最早的药典，同时也是世界最早的药典。我们辑复它，不仅可以表彰中华民族在人类文明史上的杰出贡献，也可以激励人们在新的长征中，为我国科学事业的发展做出贡献，在人类文明史上创造新的光辉成就。

第二，便于全面系统地研究本草的发展史，有利于祖国医药学遗产的发掘和整理。我们要研究唐代本草发展的概况，要了解我国古代本草文献的来龙去脉，目前就没有一本较完整的本草书可供参考，只有做好《新修本草》的辑复工作，才能为研究提供方便。如鲁迅在研究中国文学史、小说史时，感到史料不足，就花了很多时间做亡书辑复工作。他先后辑成《会稽郡故书杂集》《嵇康集》《古小说钩沉》《唐宋传奇集》等书，以为上述工作的准备。从这种意义上来讲，辑复《新修本草》，就是为了让人们认识这部本草的承先启后作用和说明唐代以前及唐代以后各种本草资料的来龙去脉，为祖国医药学的研究工作添砖加瓦。

此外，《新修本草》的学术价值，还不仅限于祖国医药学，它还记载了很多其他科技史料，如化学史料、兽医史料等，对我们研究自然科学史也有很重要的参考价值。

《新修本草》对于本草研究工作的具体作用

在《新修本草》的辑复工作中，可以看出，它对于本草研究工作的具体作用大致可以概括为以下几方面。

第一，可以找回一些后世本草脱漏佚失的资料，有助于发掘祖国医药学遗产。例如，蒲公英治乳痈、蚤休解蛇毒、乌贼骨疗目翳等，早在《新修本草》即有记载。又如《新修本草》卷10“钩吻”条后有秦钩吻一药，后世诸本草均漏列此条；卷18有“荏子”条，《本草纲目》则漏列了。

第二，有助于鉴别后世本草中某些资料的真伪。例如，《本草纲目》卷2所载《神农本草经》目录，李时珍认为该目录是最古老的目录。清代顾观光亦信以为真，并根据该目录辑成《神农本草经》的单行本，且在序中称赞道："幸而《纲目》卷二具载《本经》目录，得以寻其原委。"同时他又在序中批评孙星衍说："近孙渊如尝辑是书，刊入问经堂中，惜其不考《本经》目录，故三品种数显与名例相违。"其实不然，如把该目录同《新修本草》目录核对，就会发现两者在药物排列次序上相差很远；如把该目录同《证类本草》目录相比较，则发现两者药物排列次序上非常相近。这说明该目录是宋以后的人伪造的。（对此笔者另有专文考证，此处从略）

第三，有助于校正后世本草的舛错。例如，讲到《新修本草》所载药物总数，很多书籍上都说是844种。这个数字是由陶弘景《本草经集注》原称的730种，加上《新修本草》新增药114种，简单计算出来的。其实不然，要知唐代新修时，曾将陶弘景书中某些药进行合并或分条，使730种变成了736种，再加上新增的114种，实为850种。

又如，不少近代中药教材中，有的药名后所标文献来源是错的，若将之与《新修本草》相校就清楚了。

例如，胡黄连，原出于《开宝本草》，有的误标为出自《新修本草》；椒目，原出于陶弘景注文，有的误标为出自《新修本草》；刘寄奴，原出于《新修本草》，而误标为出自《名医别录》；常山，原属《神农本草经》药，而误标为出自《名医别录》。类似之例很多。

又如，经历代抄写、刻版、校订、复刊，《本草纲目》的错误很多，若将之与《新修本草》相校，则正误立辨。

例如，李时珍《本草纲目》卷1"《名医别录》"条和"陶隐居《名医别录》合药分剂"条所节录的注文，实为《本草经集注》的内容，并非《名医别录》的内容。

卷1"《神农本草经》名例"下所注"张茂先辈，逸民皇甫士安"，应为"张茂先、裴逸民、皇甫士安"（张茂先即晋代著《博物志》的张华，"辈"乃"裴"之误）。

卷8"铜矿石"条"集解"下引"恭曰：铜矿石，状如姜石，而有铜星，熔之取铜也"。查《新修本草》无此文，盖其原出于《开宝本草》注，被误注为"恭曰"。

卷10"禹馀粮"条"集解"注云："状如牛黄，重重甲错，其佳处乃紫色靡靡如面，嚼之无复碜。"此文原出于《本草图经》注，却被误入陶弘景注中。

卷14“莎草”条的“夫须”，原出于《尔雅》，被误注为《名医别录》文。

卷26“白芥”条“主治”云：“发汗，主胸膈痰冷上气，面目黄赤，又醋研傅射工毒。”此文原出于《开宝本草》，被误注为《名医别录》文。

卷46“蜗蠃”条“集解”注云：“生江夏溪水中，小于田螺，上有棱。”此文原出于《本草拾遗》，被误注为《名医别录》文。

类似例子很多，详见本书校记。

《新修本草》的辑复依据和处理原则

笔者在中华人民共和国成立后，即致力于《新修本草》的辑复工作。

由于学识不够，经验不足，笔者走了不少弯路。

开始时辑注的资料，悉取于《本草纲目》，而以《籑喜庐丛书·新修本草》校之，且笔者发现《本草纲目》所标注的《新修本草》资料有误或有漏。

这是由于《本草纲目》所录的《新修本草》资料，并非直接取自《新修本草》原书，而是间接引自他书；且其在转引时大多不是抄录原文，而是经过脔切化裁再抄录①。

此外，《本草纲目》还把《新修本草》的某些资料混入其他本草资料中②，或把其他本草资料混入《新修本草》③中。

由于《本草纲目》存在以上问题，笔者据此所辑资料大多不能用。于是笔者改用商务版《政和本草》辑复之，按照《医心方》所载的目录编排之，并以《备急千金要方》《千金翼方》《籑喜庐丛书·新修本草》及其他书校对之。

辑复本初稿完成后，其中卷3、卷4、卷5、卷10、卷12、卷13、卷14、卷

---

① 例如，《新修本草》卷3“太一禹馀粮”和“禹馀粮”两条，皆有苏敬注文，而《本草纲目》把两药的苏敬注文合为一条，放在“太一禹馀粮”条下。

② 例如，《本草纲目》卷44鲫鱼，原是《新修本草》的新增药，被误注为《名医别录》药。又，该药条“主治”下“合蓴作羹，主胃弱不下食”，原是《新修本草》文，却被误注为孟诜文。

③ 例如，《本草纲目》卷8银膏、卷13辟虺雷、卷14赤车使者、卷18赤地利等，《医心方》《本草和名》《千金翼方》所载《新修本草》目录，皆无；《新修本草》残卷中亦无此等药。按，此等药均属“唐本余”的资料，陶弘景注、《蜀本草》及《本草纲目》将“唐本余”文误为《新修本草》文。其余如以《名医别录》文、陶弘景注、《本草图经》注等误为《新修本草》注的，例子很多，此处从略。

15、卷17、卷18、卷19、卷20，笔者曾以《籑喜庐丛书·新修本草》、武田本《新修本草》、罗福颐摹写的《西陲古方技书残卷汇编》、影抄敦煌卷子本《新修本草》残卷等校勘之。

校勘的目的是检查所辑的资料正确否，假如这12卷与原本校勘的结果大致相同，那就可以证明其余部分（如卷1、卷2、卷6、卷7、卷8、卷9、卷11、卷16）即使无原本可校，亦可信已接近《新修本草》原有内容了。

稿成后，曾于1958年请我国古医籍收藏研究专家范行准先生过目，承蒙范行准先生热情指教。他提出了很多宝贵意见，特别对校勘一项，做了原则性指导。

范行准先生指出：卷3、卷4、卷5、卷10、卷12、卷13、卷14、卷15、卷17、卷18、卷19、卷20，应以现存的《新修本草》残卷为底本，用所辑的资料来校注，这样就不会犯主客倒置的毛病了。

根据范行准先生的意见返工后，此稿又有所提高。

此稿于1962年曾由芜湖医学专科学校（现皖南医学院）油印，并分寄全国各医药院校以征求意见。以后陆续收到各地读者来信，把他们的意见归纳起来，有下列几点。

（1）建议加标点符号，以便于阅读。

（2）建议横排。

（3）建议采用简化字。

（4）建议排印时用不同字体来分别代表《神农本草经》文、《名医别录》文，以省却烦琐的注释。

此外，他们对辑复中的校勘资料的选择等也提出了有益的建议。

根据“古为今用”的原则，这些意见都是很正确的。因此这次修订出版时，尽量采纳了这些意见。由于个人水平所限，书中不当和遗漏之处一定很多，希望读者加以指正，以便今后再做改正和补充。